Carlsberg®

Archivo General de la Nación, Fondo Enrique Díaz.

La cantante María Conesa
en los albores del siglo XX.

dF
por Travesías
CONHISTORIA

Edecanes de México 70.

Archivo General de la Nación, Fondo Hermanos Mayo.

dF por Travesías

CON HISTORIA

Primera edición: 2010-2011

Amatlán 33, col. Condesa, C.P. 06140, México, D.F.
ISBN 978-607-95089-4-4

guiasdf.com

Fotografía de portada:
Centro Urbano Presidente Miguel Alemán
Archivo General de la Nación, Fondo Hermanos Mayo.

PRÓLOGO

Es común escuchar que esta ciudad tiene seis, siete, ocho siglos. Lo cierto es que ya desde el XI existen pobladores toltecas en el islote de Tlacocomolco, que actualmente es el Centro Histórico. ¿Qué ventajas le verían a establecerse en una cuenca hidrográfica elevadísima y sísmica? Están los que hablan de las conveniencias del Valle de Anáhuac para la caza, o de su privilegiada situación geopolítica —no extraña que a dos mil y pico de metros de altura los aztecas consideraran su ciudad imperial Tenochtitlan el centro del mundo, y lo era por lo menos del Altiplano—. Hay una cuestión aún más difícil de entender, y cuya respuesta podría encontrarse en las siguientes páginas: ¿por qué tanta gente nos empeñamos en seguir aquí después de terremotos, inundaciones y complicaciones propias de las grandes ciudades? Se necesita ser obstinado o muy romántico para habitar en este núcleo urbano que según Carlos Monsiváis "es un comedero, es un bebedero, es la coreografía del subempleo alrededor de los semáforos, es un teatro de escenarios ubicuos, es el frotarse de cuerpos en el Metro, es el depósito histórico de olores y sinsabores, es una primera comunión meses antes de la boda, es el anhelo de un cuarto propio, es la familia encandilada ante la televisión, es el santiguarse de los taxistas al paso de los templos, es la incursión jubilosa y amedrentada en la vida nocturna, es un paseo por los museos voluntarios e involuntarios, es el ir al cine como si se fuera a un videoclub sin variedad de títulos, es la cacería de la tipicidad que sobrevive". Tales palabras forman parte del prólogo de la *Guía del pleno disfrute de la Ciudad de México* (1994), de Jorge Legorreta, uno de los primeros intentos por compilar las opciones de consumo y entretenimiento más valiosas del DF. Hoy el libro está agotado, como casi lo están también las tres guías que hemos hecho en Editorial Mapas previo a ésta: **dF de culto** (2008), **dF a la mano** (2009) y **dF de la gente** (2010). ¿Y qué decir de la revista **dF por Travesías** que tanta pasión despertó entre 2003 y 2006? La guía que el lector sostiene en sus manos tomó varios meses de investigación histórica e iconográfica, redacción, verificación de datos, diseño, corrección y labores de edición. Gracias al equipo y sobre todo a las personas que poseen este libro puede ser que éste funcione como una herramienta, o acaso cápsula del tiempo, para aproximarse a la obstinada y muy romántica ciudad de México a 686 años de su fundación. Esperamos ser de utilidad, ésa es nuestra vocación.

Jorge Pedro Uribe Llamas

ÍNDICE

ÍNDICE

ÍNDICE

ÍNDICE

CENTRO · JUÁREZ
SANTA FE · POLANCO
ROMA · CONDESA
COYOACÁN · SAN ÁNGEL
CUAUHTÉMOC · Y MÁS

CENTRO

ÁGUILA REAL

Mesones 87, esq. 5 de Febrero, Centro; 5709 7300; lunes a sábado de 8 a 18:30 horas, domingos de 9 a 18:30. Comida mexicana muy bien preparada en una casa del siglo XVIII de cantera, madera y piedra volcánica, al sur del Centro. Los meseros son atentos, los precios casi razonables y el ambiente cada vez más familiar, como para llevar a comer a los papás. Prueba las enchiladas campesinas o las quesadillas de cazón, el filete de res Águila Real y el pan que hornean aquí mismo. Gran restaurante que podría o ponerse de moda o desaparecer de pronto. Merece más comensales. $500 por pareja.

AL ANDALUS

Mesones 171, Centro; 5522 2528; lunes a domingo de 9 a 18 horas. Lo abrieron en 1994 y han intentado algunas excursiones fallidas a Madero, al edificio Marconi e incluso a Santa Fe. Pero el éxito parece encontrarse sólo a esta altura de Mesones, al oriente de Pino Suárez, donde el escándalo y el acelere son masivos. Al Andalus es un refugio sorprendente, apacible. Es buena idea ir en domingo luego de museos y paseos, y descansar en una mesa frente al patio. La sucursal en la Nápoles no tiene el mismo encanto, pero es igualmente recomendable. Obligados: hojas de parra, jocoque, *tabule*, *kepe*, *shanclish*, arroz con lenteja y tripa rellena; al postre no hay que echarle imaginación: dedo de novia. $500 por pareja. Sucursal: Nueva York 91, Nápoles; 5523 4189.

CAFÉ DE TACUBA

Tacuba 28, Centro; 5518 4950; cafedetacuba.com.mx; lunes a domingo de 8 a 23:30 horas. Dionisio Mollinero lo inauguró en 1912. Lo decoran retratos enormes: ahí andan sor Juana, don José de la Borda, una niña de la nobleza colonial y figuras religiosas. Ha sido lugar de reunión para políticos, artistas y líderes de opinión. Aquí se casó Diego Rivera con Lupe Marín. Era uno de los sitios favoritos de Salvador Novo. Desde 1927 Andrés Henestrosa fue uno de los clientes habituales; llegó por primera vez al Café con Antonieta Rivas Mercado, quien acostumbraba desayunar ahí. El Café de Tacuba es el lugar en donde pasaban sus tardes poetas como Octavio Paz y Rafael Solana, y en la noche servía de lugar de tertulia para los compositores de la XEW. Se cuenta que en este restaurante Oscar Lewis conoció al mesero que le inspiraría para el libro *Los hijos de Sánchez*. Hoy las meseras, más amables que antes, sirven a una clientela nostálgica y turística con ricas enfrijoladas, exquisitas enchiladas de mole poblano, muy buenos chiles rellenos, grandes tamales, pan dulce (no hay que perderse el pan de muerto, todo el año) y postres del México viejo (huevo real, manzana al horno). También

Café de Tacuba

Danubio

son famosos el chocolate español y el rompope; y el fantasma de la monja que pocos han visto. $400 por pareja.

CASA ROSALÍA

Eje Central 46, Centro; 5512 3187; lunes a domingo de 13 a 19 horas. Posiblemente el mejor lugar para comer paella en la zona desde hace varias décadas. Tiene dos pisos, ambiente nostálgico y una vista formidable hacia las calles más occidentales y menos restauradas del Centro. Las meseras maquilladas y cariñosas te ofrecen un menú súper abundante: fabada, callos a la madrileña, pescados, por supuesto paella y más. No te pierdas los postres que parecen de otro tiempo. Dudamos que te quedes con hambre, pero si esto ocurre ve por un churro a El Moro, que está muy cerca. $400 por pareja.

“Para disfrutarlo plenamente se recomienda ir con el estómago vacío y tomar aire antes de ascender las elevadas escaleras. Sirven suficiente para no volver a comer en 24 horas.”

Jorge Legorreta en *Guía del pleno disfrute de la ciudad de México* (1994)

CASINO ESPAÑOL

Isabel la Católica 31, Centro; 5521 8894; casinoespanol.com.mx; lunes a domingo de 13 a 18 horas. La Asociación Española que reunía a la colonia española en México se fundó en 1862, y dos años más tarde cambió su nombre a Casino Español. Originalmente funcionó en el palacio del actual Museo de la Ciudad de México, pero en 1903 el arquitecto Emilio González del Campo construyó en Isabel la Católica el magnífico edificio de inspiración neoclásica que hoy lo caracteriza: con un patio cubierto en cuyos arcos aparecen los escudos de las provincias de España y una escalera de mármol de Carrara. Fue el primer edificio con luz eléctrica. En 1910 Porfirio Díaz le obsequió un par de vikingos de bronce. Como institución cultural atesora una biblioteca de más de 25 mil ejemplares. Su restaurante ofrece un menú diario; sus especialidades son la tortilla de patatas, la paella valenciana, los callos madrileños y el rabo de buey. Todos los postres son deliciosos, y el carajillo lo sirven bien. Para muchos el mejor restaurante del Centro. $800 por pareja.

Durante la Guerra Civil española la Falange celebraba en el Casino Español una reunión de "plato único" para recaudar fondos. Vencida la República, tres mil personas se reunieron para celebrar, incluidos los representantes de las potencias del Eje. Esa noche salieron del edificio algunos falangistas envalentonados a gritar mueras a Lombardo Toledano, y por esa razón, al día siguiente, el 3 de abril de 1939, la Secretaría de Gobernación cardenista proscribió a la Falange en México.

CENTRO CASTELLANO

Uruguay 16, Centro; 5518 2937; lunes a sábado de 13 a 23 horas y domingos de 13 a 20. La versión del final de los cincuenta de lo que debería ser un ambiente de toros, mucha piedra y tablones, óleos de índole "española" y un montón de fotos viejas. La carta es larguísima y los precios desiguales: hay gangas y robos en despoblado. Nosotros pedimos boquerones, fabada asturiana, huachinango a las brasas con refrito de mariscos y si traemos suficiente dinero corderito burgalés o lechón al horno. El Centro Castellano abrió en 1928. Los menús de siete y ocho tiempos le ganaron el mote de "tragadero", como al resto de "los hartazgos españoles a mano por el Centro", según palabras de Salvador Novo. $700 por pareja.

DANUBIO

República de Uruguay 3, Centro; 5518 1205; danubio.com.mx; lunes a domingo de 13 a 22 horas. Oficialmente nació en 1936, aunque existen noticias previas de un local de sándwiches y cervezas germánicas con ese nombre y en el mismo solar. Debe su identidad ibérica a Víctor Amundaráin y José Aranguena, exiliados de la Guerra Civil española. Tiene la nariz inclinada hacia el mar Cantábrico. Todo el mundo ha probado sus langostinos al ajillo o al natural, acompañados de mayonesa y limón, o sus *kokotxas* al pil pil o su robalo al champaña. Para los que no perdonan matar a un mamífero recomendamos el cabrito vasco. Bertha Cuevas desayunaba aquí cuando tembló en 1985; además, la historia que no cuentan las servilletas enmarcadas en sus muros es la principal, tal vez: su función de conciliábulo político nacional. $800 por pareja.

En una de las servilletas de los muros puede leerse esta inscripción de Octavio Paz: "Al Danubio, que sabe que la cocina es el primer y último arte humano". Quirarte, por su parte, dice: "Una forma del paraíso". Desde 1946 la mayora de la cocina pica cada mañana 100 kilos de cebolla para los 400 kilos de mariscos —100 de langostinos— y 50 de pescado que el chef Arnulfo Mosqueda coloca en los platillos diariamente desde hace más de medio siglo.

EL CARDENAL

Palma 23, Centro; 5521 8815; restauranteelcardenal.com; lunes a sábado de 8 a 18 horas y domingos de 9 a 18. Lo abrieron hace más de 40 años en el edificio de la Real y Pontificia Universidad de México y algún tiempo después se pasó a la calle Palma. Abrir su carta es extender un mapa gastronómico amplio y que transcurre en tiempo: hay un queso sonorense con chilorio o un caldo xóchitl del centro del país, un riquísimo queso envuelto en flores de calabaza, gusanos de maguey, y en agosto y septiembre chiles en nogada. Nuestra recomendación especial: el pollo a la brasa en adobo. $500 por pareja. Sucursales: Palmas 215, Lomas de Chapultepec; 2623 0402. Juárez 70 (Hotel Hilton), Centro; 5518 6632. Avenida de la Paz 32, San Ángel.

EL MAYOR

República de Argentina 17, Centro; 5704 7580; martes a viernes de 9 a 18:30 horas, sábados y domingos de 10 a 18:30. Justo atrás del Templo Mayor y sobre el edificio colonial de la librería Porrúa, que es una belleza restaurada hace poco, se encuentra esta rica terraza asoleada; perfecta para pasar el tiempo con una copa de vino blanco, contemplar la maravillosa vista del Zócalo, el sitio arqueológico de la vieja Tenochtitlan y la Catedral Metropolitana. La comida es correcta y sin muchas pretenciones. Gran sitio para desayunar. $500 por pareja.

Durante la remodelación del edificio de Porrúa en 2005 se desenterró una hermosa biznaga azteca labrada en basalto que ahora se exhibe en el vestíbulo del lugar. Adosada a uno de los muros, formó parte de la casa de Luis de Castilla y Osorio.

EL PENACHO DE MOCTEZUMA

Guerrero 142, Guerrero; 5592 7070; lunes a sábado de 13 a 22 horas, domingos hasta las 20. No está en el Centro, pero casi. Un lugar clásico del barrio que nos pone a prueba dialéctica: se hace llamar restaurante, pero es inconfundiblemente una cantina; su clientela sabe que cuando va asiste a una cantina, pero lo hace sobre todo por sus cualidades de restaurante. Tiene música en vivo, salón privado, juegos infantiles (sí, a nosotros también nos confundió esto), tragos previsiblemente bien servidos y un cabrito frito espectacular. Sugerimos ir en viernes, temprano, como una merecida pinta de la oficina, o para comer el sábado con la familia. $500 por pareja.

HOSTERÍA SANTO DOMINGO

Belisario Domínguez 72, Centro; 5526 5276; hosteriadesantodomingo.com.mx; lunes a domingo de 9 a 22:30 horas. Abierto el 4 de agosto de 1860 en la vieja calle de la Cerca de Santo Domingo el Grande (hoy Belisario Domínguez), en un pedacito sureño del convento dominico, el restaurante más antiguo de México delata encantadoramente su antigüedad: muros altísimos pintados de blanco, azul y rosa, gigantescas puertas de madera que impiden la salida a los fantasmas, un mural que parece una ventana a la plaza de Santo Domingo en los primeros años de la Independencia... En comida: tayoyos (se parecen a los tlacoyos, pero más pequeños), quesadillas de huitlacoche y de flor de calabaza, escamoles a la mantequilla, gusanos con guacamole y dos platos emblemáticos: la sopa enfrijolada, que es exactamente lo que su nombre indica, y la pechuga ranchera, que viene con nata de leche y chile pasilla. Asimismo son notables, al grado de estar incluidos en su eslogan, los chiles en nogada. $500 por pareja.

Durante estos 150 años todos han pasado por aquí: *Cantinflas*, Pedro Armendáriz, María Félix, Jacobo Zabludovsky, Andrés Manuel López Obrador, varios presidentes de México y un extenso etcétera. El plato principal es "la orfebrería coronada de rubíes de los chiles en nogada", según el circunloquio atribuido a Salvador Novo. Una anécdota apócrifa asegura que Lara mandó traer romeritos de esta cocina desde su lecho de muerte. También se dice que el platillo favorito del Dr. Atl era la pechuga ranchera de la Hostería.

LOS CANALLAS

Regina 58, esq. 5 de Febrero, Centro; lunes a jueves de 9 a 23 horas, viernes y sábado de 9 a 2; domingos de 13 a 21. Decir que es el mejor restaurante de la renovada Regina no es decir demasiado: la competencia aún no es reñida; lo que sí hay que anotar es que Los Canallas tienen una cocina acertada de inclinación italoargentina que mejora por el innegable encanto del local: un espacio modesto,

Hostería Santo Domingo

caluroso y apretado para quedarse platicando horas. Hay que pedir sopa de hongos, empanadas, arrachera a la parrilla y pan de elote. $350 por pareja.

LOS GIRASOLES

Tacuba 9, Centro; 5510 0630; restaurantelosgirasoles.com; martes a sábado de 13 a 00 horas y domingos a las 21. Llegó al Centro en 1994. Su locación es magnífica: la Plaza Manuel Tolsá, con su Carlos IV en "caballito" y frente al Palacio de Minería, tremenda obra neoclásica. Pide mesa en la terraza o junto a las ventanas y disfruta platos como el tuétano con tequila o el pollo en pipián verde. La carta es un primor de cursilería: "Sinfonía en rosa mexicano", "Ensalada de los sabios", etcétera. $600 por pareja. Sucursal: Masaryk 275, Polanco; 5282 3291.

SIETE DELIS FAVORITOS

CASA AMIGA
Horacio 1719, esq. Benito Pérez Galdós, Polanco; 5280 8587; lunes a jueves de 9 a 19 horas, viernes hasta las 17. Popular entre la comunidad judía-siria. Famoso por el pan, las roscas de anís, las aceitunas estilo Alepo y el zatar. Sucursal en Av. de las Fuentes 184, Tecamachalco; 5294 7337.

DELI ROMA
Orizaba 76, Roma; 5533 7780; lunes a viernes de 9 a 21 horas. Pan, quesos, sándwiches, hamburguesitas y frascos con cualquier cantidad de especias y aderezos. Está en la parte de abajo de La Casa Roma(ver página 97).

DELIRIO
Álvaro Obregón 116, esq. Monterrey, Roma; 5584 0870; martes a domingo de 9 a 21 hora. Deli bonito atendido por la hija de Mónica Patiño. Lleva el helado de jengibre y no te pierdas el pan.

DUMAS GOURMET
Alejandro Dumas 125, Polanco; 5280 1925; lunes a miércoles de 8 a 20 horas, jueves y viernes de 8 a 21, sábados de 10 a 21 y domingos de 10 a 18. La chef Sonia El-Nawal (que llegó a México encargada del Condesa DF) sirve como *traiteur* aquí. Pide el arroz salvaje.

FRESCO BY DIEGO
Montes de Oca 23, Condesa; 5553 1027; lunes a sábados de 9 a 22 horas. Buen sitio. Nosotros pedimos ensalada de pasta y el chocolatín.

HELUS
República del Salvador 157, Centro; 5522 2130; lunes a viernes de 9 a 19 horas y sábados de 9 a 17. Productos árabes desde 1949. Muy recomendable.

SENSES
Campos Elíseos 189, Polanco; 5980 1578; senses.com.mx; lunes a viernes de 8 a 23 horas, sábados de 9 a 20:30, domingos de 10 a 5:30. Muy buenas baguets, vinos, *biscotti* y panqués.

Mercaderes

MERCADERES
5 de Mayo 57, Centro; 5510 2213; restaurantemercaderes.com; domingo a jueves de 8 a 20 horas, viernes y sábado de 8 a 22. El atractivo principal no son sus precios, extrañamente altísimos, ni su apapachadora y a la vez fresca decoración de cantera, sino más bien la parrilla y su excelente parrillero: los machitos de carnero son memorables, cargados de sabor y grasa de la buena, y el solemne *rib eye* marmoleado y casi siempre suave alcanza bien para dos personas con hambre. También son recomendables el potaje de lentejas, la ensalada de pulpo (sobre todo en días de calor), las carnitas de pato y los tacos estilo Rosarito con camarón guisado y aguacate en tortilla de trigo doradita. Se encuentra en un notable edificio del siglo XVIII que ocupa parte del solar donde se erigiera el palacio de Axayácatl y los dos Moctezumas. El servicio es de los mejores del Centro. $800 por pareja.

MIRALTO
Torre Latinoamericana. Madero 1, piso 41, Centro; 5518 1710; miralto.com.mx; lunes de 13:30 a 21 horas, martes a sábado de 13:30 a 2, domingos de 13:30 a 22. No importa que esté nublado, llueva o sea de noche: desde aquí ves un gran pedazo del DF y comes rico sin vértigos ni disgustos (los meseros son suficientemente atentos). Prueba algunos de los 11 tipos de martini que sirven. Pide la sopa de cebolla, las costillas de cordero y la tarta de limón. Y si todo te gusta pregunta por el chef Jorge Muñoz para felicitarlo en persona. La decoración es sencilla. $400 por pareja.

NON SOLO
Motolinía 37, Centro; 5512 0619; domingo a miércoles de 14 a 20 horas, jueves a sábado de 13 a 2 horas. Es fácil encariñarse con el Non Solo del Centro: su servicio es amigablemente descuidado y la carta más que suficiente. En efecto no sólo hay *paninos*: el *spaghetti crudaiola* con jitomate fresco y albahaca y el pollo al curry también merecen ser ordenados. Los precios de los vinos resultan pagables. A la hora de la comida entre semana hay un menú que incluye *bruschetta* o ensalada, pasta y una copa de vino a menos de 100 pesos. Se llena, comprensiblemente. $400 por pareja. Sucursal: Plaza Luis Cabrera 10, Roma; 3096 5128. Álvaro Obregón 130, Roma; 5574 8577.

SALÓN LUZ
Gante 21, Centro; 5512 4246; domingo a martes de 12 a 21 horas, miércoles a sábado a 22 horas. Hubo un tiempo en que el Salón Luz era uno de los favoritos del DF: lo abrieron en 1933, y aún en los años setenta había un par de sucursales por la ciudad. Eso fue hace mucho, sí, pero qué bien se sigue comiendo aquí: revitalizante sopa de pollo con un huevo cocido; salchichas asadas de taberna de Europa Central (el primer chef del local, de apellido Weingartshober,

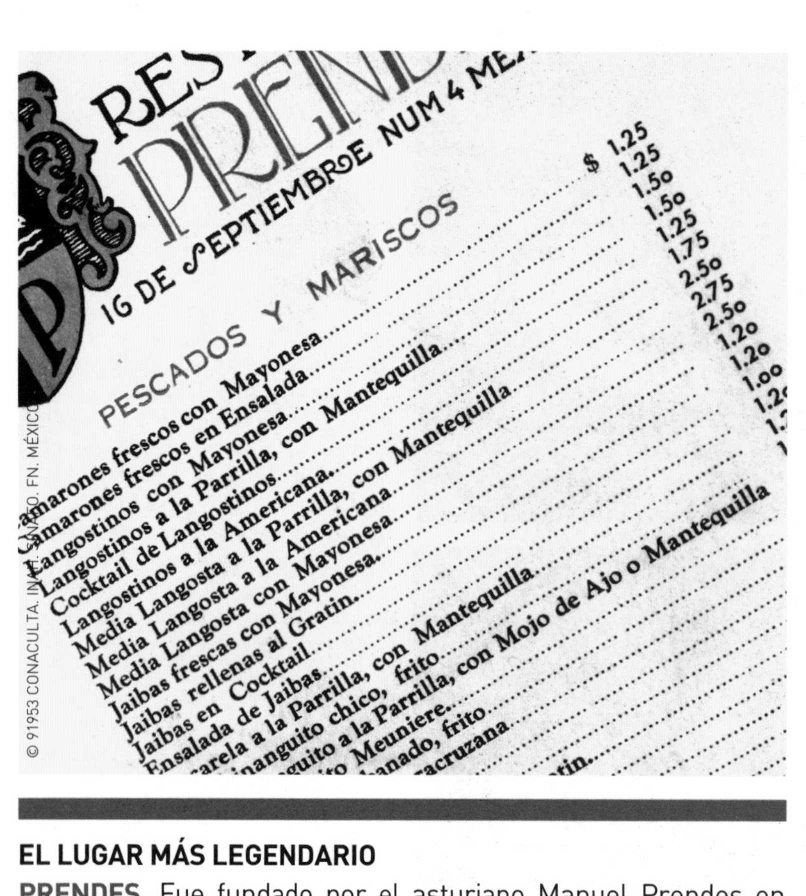

© 91953 CONACULTA. INAH. SINAFO. FN. MÉXICO

EL LUGAR MÁS LEGENDARIO

PRENDES. Fue fundado por el asturiano Manuel Prendes en 1892 y funcionó hasta 2002. Desde 1937 ocupó dos locales en la calle 16 de Septiembre: en el número cuatro y luego en el 10 (hoy existe aquí una tienda El Ánfora). El escritor David Siller recuerda "los platos de gusanos de maguey dorados con guacamole, los boquerones, las manitas de cerdo deshuesadas a la mostaza, los jaiboles, la gelatina de frutas bañadas con rompope". El restaurante estaba adornado con murales de Dr. Atl, Roberto Montenegro, Roberto Alegre, Teresa Morán y Eduardo Castellanos. En 1967 este último comenzó un mural en el que retrató a 70 personalidades, de entre los 2,500 clientes distinguidos del Prendes. Ahí estaban el torero Carlos Arruza, Porfirio Díaz, Joaquín Pardavé, Virginia Fábregas, el payaso Ricardo Bell, Frida Kahlo, Salvador Novo, María Félix, Antonieta Rivas Mercado y Pedro Vargas, entre otros. José Antonio Prendes, nieto del fundador, le relató a Siller que "en el segundo cambio de local entró a comer Emiliano Zapata con todo y su caballo" y que "aquí cenó León Trotsky una noche antes de que lo asesinaran". En este sitio se inventó el filete chemita, orgullo de la gastronomía defeña.

era austriaco); emparedados de hamburguesa ("hamburguesa" aquí equivale a albóndiga empanizada); y montaditos de una sobresaliente carne tártara con la cantidad justa de cebolla y gotas de mostaza.

ROMA Y CONDESA

AGAPI MU

Alfonso Reyes 96, Condesa; 5286 1384; agapimu.com.mx; domingos y lunes de 13:30 a 18 horas, martes a sábado de 13:30 a 23. Abierto en 1992 es uno de los restaurantes inaugurales de la Condesa como hoy la conocemos, y también el primero que le puso una calcomanía de arcoiris a su entrada. Intenta recrear una taberna griega con bailes (jueves, viernes y sábados), sillas azul oscuro y las paredes blancas e irregulares. Recomendamos el *tzatziki*, las hojas de parra, las bolas de carne, la sopa de yogurt y la *moussaka*. $400 por pareja; $40 pesos de cover durante los fines de semana.

ARTURO'S

Cuernavaca 68, Condesa; 5553 0403; domingo a miércoles de 13 a 18 horas, jueves a sábado de 13 a 23. Después de años de servir a sus clientes favoritos —y a los otros también, ni modo— en el Champs Élysées, Arturo, el capitán, se asoció con el chef y ambos abrieron una casita con muchas mesas para seguir atendiendo y sirviendo igual, pero a precios algo más sanos. El mismo filete pimienta, los mismos riñones al vino tinto, la misma cocina afrancesada que conocemos del clásico de la Zona Rosa. Es buena idea ajustarse a las sugerencias del día, que suelen ser lo más fresco. $600 por pareja.

BISTRO MOSAICO

Michoacán 10, Condesa; 5584 2932; lunes a miércoles de 8 a 23:30 horas, jueves y viernes de 8 a 00:30, domingos de 8 a 18. Cuando era un solo lugar en la Condesa tenía un enorme encanto y ahora que hay más lo ha perdido, pero sólo en parte. La cocina es correcta, aunque no como antes; aquí siguen la influencia francesa y española. Los platos

Agapi Mu

Cabiria

Casa D'Italia

del día se acaban pronto, y pueden ser lo más interesante. Los clientes asiduos piden paté y terrina de la casa, hojaldre de queso de cabra, ensalada y filete pimienta con papas fritas y de postre *crème brûlée*. $600 por pareja. Sucursales: Guillermo González Camarena 800, Santa Fe; 5292 5326. Avenida de la Paz 14, San Ángel; 5550 9778. Paseo de la Reforma 316, Juárez; 5514 0450. Masaryk 134, Polanco; 5531 4112. Terminal 1, Aeropuerto Internacional; 2599 1129.

BRASSERIE LA MODERNA

Orizaba 95, Roma; 5525 1100; hotelbrick.com; lunes a sábado de 13 a 23 horas, domingos hasta las 20.
Es el restaurante formal del joven hotel Brick, que ha sabido tomar lo mejor del espíritu visual de la zona: mezcla art déco con *belle époque*, y art nouveau con arquitectura neocolonial. Ha sido asesorado, en la cocina, por el chef Richard Sandoval. Su carta es de clásicos franceses pasados por un muy fino tamiz defeño. Obligado: hamburguesa sobre brioche con un huevo estrellado, chile toreado y papas fritas con aceite de trufa y parmesano. $800 por pareja.

La casa en México del presidente del Banco de Londres se construyó con ladrillos importados de Inglaterra. Luego fue la casa de citas de madame Olivia, ferretería La Moderna y finalmente el hotel Brick.

BROKA

Zacatecas 126, Roma; 4437 4285; lunes a viernes de 2 a 20 horas (bar de tapas de 20 a 2). Este restaurancito, además de sus cinco mesas, tiene una barra agradable en la que puedes cenar por tapeo mientras bebes vino o el agua del día. Es perfecto para ir en plan romántico, sólo si no te importa que todos escuchen. Cada día ofrecen un menú único, fresco y suficiente. Los viernes hay que llegar temprano. Lindísimo lugar.

CABIRIA

Plaza Luis Cabrera 7, Roma; 5584 5051; domingo a miércoles de 13:30 a 23 horas, jueves, viernes y sábados hasta la 1. Con su área de bar a nivel de la calle y la amplia terraza cubierta en el segundo piso que mira a la plaza con su enorme fuente y grandes árboles el Cabiria ofrece cocina italiana que se deja llevar por agradables influencias de otros lares: una sabrosa tártara de atún con salsa de hinojo, *risotto alla pescatora* de mariscos, costillas de cordero al carbón y el *fondant* de chocolate con helado de menta, que está muy rico. Carta de vinos bien escogida. Es un buen lugar, aunque le sobre espacio (o le falte clientela). $700 por pareja.

CANNEO

Michoacán 126, Condesa; 5256 5037; canneo.com; lunes a sábado de 13 a 23 horas, domingo hasta las 18. A este lugar le gusta que lo apelliden "bistro mexicano", acaso con razón. Tiene algo en su relajado ambiente, en el interés por la cocina regional, en el delicado esmero de su servicio que en efecto recuerda esos restaurantes franceses. La decoración es más elegante que la del estándar bistrotequero, con altos claroscuros, azulejos y sillas tejidas. En la carta: sopa de tortilla sencillísima, llega servida en simpáticos guajes, tlayuda con tasajo y albóndigas al chipotle. En jueves y viernes se hace necesario reservar.

CASA D'ITALIA

Agustín Melgar 6, Condesa; 5286 2021; lunes a sábado de 13:30 a 23:30 horas. Fundado en 1997 éste es un restaurante para asiduos. La carta lleva años con cambios mínimos. Los que saben siguen las sugerencias del día o piden el cumplimiento de un capricho. Si tienes suerte tendrán mejillones con alubias, *ragù* de res al vino tinto con papas, ensalada de conejo y *fettuccine* con estofado de cordero. Todo está bueno, todo está caro. $800 por pareja.

CHARRO

Vicente Suárez 38, Condesa; 4333 3481; lunes de 13 a 23 horas, martes y miércoles hasta las 00, jueves a sábado hasta la 1, domingos hasta las 22. El segundo restaurante de Daniel Ovadía, chef y propietario de Paxia, es un relajado local de servicio amistoso, techo decorado con florecitas moradas y una pequeña barra de mariscos. Hay algunos platos provenientes de Paxia, como la torta ahogada de carnitas de ternera, la ensalada de texturas de jitomate y quesillo o el sensacional aguachile de camarón. La carta de vinos se lee bien, pero no ha cumplido con estar surtida. De jueves a sábado hay un grupo musical caribeño pegajosísimo. $700 por pareja.

Contramar

CONTRAMAR

Durango 200, Roma; 5514 3169; contramar.com.mx; lunes a domingo de 13 a 18:30 horas. Abrió en 1998 y sigue lleno desde entonces. Es un gran espacio donde predominan el blanco y el azul, transmisores de frescura. La cocina está a la vista. Recomendamos pedir patas de cangrejo, tostadas de atún, filete de extraviado con anchoas, pescado entero a la talla y el pay de higo (apártalo). Hay pocos vinos, pero cumplen. $800 por pareja.

DOMINGA

Veracruz 85, Condesa; 5256 3835; dominga.com.mx; lunes a sábado de 14 a 0 horas (bar, hasta la 1:30). Localizado en la tranquila avenida Veracruz, el joven restaurante Dominga comienza a tomar ritmo. Es un local largo y de muy buenos bigotes, cuya carta mantiene una agradable inclinación mediterránea. Entre los platillos que hay que mencionar: *carpaccio* de pulpo con vinagreta de limón, tártara de atún con pan árabe, *penne* con jitomate deshidratado y pastel de zanahoria con coco. Lo mejor es su política de vinos, con una larga selección a muy buenos precios. $600 por pareja.

GURÍA

Colima 152, Roma; 5207 1006; lunes a domingo de 13:30 a 18 horas. En este lugar de abolengo vasco se come y se murmura. Los viejos no hablan, los políticos se secretean y todos voltean a mirarte cuando entras. Se come bien, aunque pesado; como para ir con toda la familia y pedir al centro chipirones en su tinta, empanada de cerdo, bacalao a la vizcaína o al pil-pil, robalo al perejil y chuletón. Al final no te pierdas la tarta crujiente de manzana. La carta de vinos es aceptable. $800 por pareja. Sucursales: Javier Barros Sierra 555, Santa Fe; 5292 5544.

EL JAPONEZ

Vicente Suárez 42, Condesa; 5286 0712; eljaponez.com.mx; lunes a miércoles de 13 a 23:30 horas, jueves a sábado de 13 a 00:30, domingos de 13 a 22:30. Este lugar ya se estableció como uno de los mejores de la zona, por lo que siempre está lleno. Ni modo, a esperar o llegar a deshoras. El sofá largo es más cómodo que las sillas y el servicio a veces es lento, pero es porque los cocineros están muy ocupados. La cocina es muy estándar:

CUATRO HAMBURGUESAS QUE HACEN HISTORIA

BARRACUDA DINER

Nuevo León 4, Condesa, 5211 9480; barracudadiner.com; domingo a miércoles de 13 a 2 horas, jueves a sábado hasta las 3. Enormes, ingeniosas, llenadoras, no tan caras.

BRASSERIE LA MODERNA

Orizaba 95, Roma; 5525 1100; hotelbrick.com; lunes y martes de 13:30 a 1 horas, miércoles a sábado hasta las 23, domingo hasta las 18. Suculentas y todavía no tan conocidas.

DISTRITO CAPITAL

Juan Salvador Agraz 37, Santa Fe; 5257 1300; hoteldistritocapital.com; lunes a martes de 7 a 22 horas, miércoles hasta las 23, sábados y domingos hasta la 1. Originales y cada vez más populares, en especial la de kobe con trufa.

HUDSON

Anatole France 70, Polanco; 5281 7093; domingos y lunes de 13 a 18 horas, martes a sábado hasta las 00:30. Como si estuvieras en Nueva York.

Dominga

arroz frito, sopa miso, calamares rellenos, tempura de verduras y té verde. Se agradecería que mejoraran su oferta de vinos por copa. $500 por pareja. Sucursal: Juan Salvador Agraz 37, Santa Fe; 5292 2547.

KACZKA

Mazatlán 24, Condesa; 5211 8894; lunes a miércoles de 13 a 23:30 horas, jueves a sábado de 13 a 00, domingos hasta las 18. Un restaurante relativamente joven —abrió en 2005—, pero ya firmemente asimilado al paisaje. Muy buena comida típica polaca. La casa es de las pocas transformadas de manera exitosa en restaurante, con una amplia escalera, una barra grande, un mural interesante y una buena disposición de las mesas y sillas (el autor de la remodelación fue el arquitecto Rodrigo Herrera). Hay varias recomendaciones: arenque y crema con vodka, sopa de betabel, crepa Nalesnik con queso y *blueberries*, y más. Lo imprescindible es el pato (*kaczka*, en polaco), servido en 12 versiones: orégano, fruta seca, *confit* en cazuela, oporto… $800 por pareja.

LA BUENA TIERRA

Atlixco 94, Condesa; 5211 4242; labuenatierra.com; lunes a domingo de 8 a 23 horas. El menú de comida saludable se ha convertido en uno de los favoritos de la ciudad, y no en vano: acá no sólo sirven ensaladas sino también hamburguesas y pastas. Los jugos son muy recomendables. Su filosofía de cuidar el medio ambiente (con programas de reciclaje y reforestación, por ejemplo) lo convierten en un excelente lugar para comer y ayudar al planeta al mismo tiempo. $400 por pareja. Sucursales: Anatole France 120, Polanco; 5281 2324. Periférico Sur 4609, Pedregal; 5528 3436. Insurgentes Sur 1026; 5575 1549. Centro Comercial Santa Fe; 2167 4037.

LA CAPITAL

Nuevo León 137, Condesa; 5256 5159; lunes a sábado de 13 a 2 horas, domingos hasta las 18. Un local tal vez demasiado grande para los estándares de la Condesa, pero bueno y cada vez más concurrido. La Capital tiene el alma dividida entre ser cantina y ser restaurante. Hace ambas cosas con soltura suficiente. Hay buenos tragos, como el Oaxaca 86, una suerte de mojito mezcaloso con pepino, y buena comida en porciones redundantes. Buenas opciones: tostadas de atún con aguacate, cebolla deshidratada, chile de árbol, piquito de aceite de oliva; tacos de camarón con mayonesa de chipotle, aguacate y cebollín; y un respondón pollo al pastor que es casi una comida completa. $600 por pareja.

LA MORENA

Atlixco 94, esq. Michoacán, Condesa; 5553 7086; lunes a jueves de 13 a 23 horas, viernes y sábados de 13 a 1, domingos de 13 a 22. Aquí se especializan en pescados, mariscos y toda clase de comida del mar. A veces tienen música en vivo. El ambiente es informal y relajado. Muy buena coctelería. De los lugares más concurridos del rumbo. $500 por pareja.

LA VINERÍA

Fernando Montes de Oca esq. Amatlán, Condesa; 5553 9901; lunes a sábado de 13 a 23 horas. Para conocedores. Lejos del tráfico de Michoacán, es un lugar tranquilo, de atención personal y amable. Cocina internacional con influencia española bastante aceptable. Las mesas de afuera son buenas para los días de calor y brisa. Aquí hay que pedir hojaldre de queso y hongos, rollos de berenjena, pasta thai, filete a la pimienta o pescado especial y el brownie con helado. $600 por pareja.

LAMPUGA

Ometusco 1, Condesa; 5286 1525; lunes a sábado de 13:30 a 23 horas, domingos hasta las 18 horas. Uno de los mejores restaurantes de la Condesa: muy buena carta de vinos, precios bien intencionados y servicio cuidadoso. Tiene pinta de bistro marisquero con un copetito. Nuestros platos preferidos son el carpaccio de atún con chile jalapeño (también lo sirven en tostadas con poro frito), el arroz caldoso de influencia andaluza, la baguet de filete o de camarón gratinado y el ceviche. En postres: el doméstico flan. $600 por pareja.

LIGAYA

Nuevo León 68, Condesa; 5286 6268; ligaya.com.mx; domingos y lunes de 14 a 18 horas, martes a sábado hasta las 00 horas. Un tiempo fue de lo mejor de la Condesa; ha decaído, aunque sigue muy agradable. Su comida es moderna, bonita y sabrosa. El patio es el espacio más reconfortante, por sus plantas y la luz del sol. De la carta: rollos primavera, crema de chicharrón, ravioles a los cuatro quesos, pollo en cerezas negras, filete roquefort, pastel Milky Way y *banana brûlée*. $800 por pareja. Sucursal: Juan Salvador Agraz 37, Santa Fe; 5292 2214.

MEROTORO

Amsterdam 204, Condesa; 5564 7799; martes a domingo de 14 a 23:30 horas. Jair Téllez, chef del increíble restaurante Laja en el Valle de Guadalupe (Baja California), es el responsable de este local, uno de los más afortunados de la ciudad. Decorado con una elegante rusticidad su cocina refleja esa doble cualidad. Es también una cocina "de producto", y por esa razón su carta cambia constantemente. Hay que probar el callo garra de león al sartén con pecho de cerdo y coliflor cremosa; el *risotto* a la mexicana con camarones y rabanitos curtidos; los *capellini* con almeja de manila, camarón y chile; las sardinas frescas rostizadas con toronja, salicornia y berros; la quijada de puerco al sartén con lentejas braseadas y huevo pochado. Y el pan. Y el aceite de oliva y los quesos del Rancho de Cortés y la miel orgánica. Y los vinos, que están excelentemente escogidos. Un restaurante excepcional. $800 por pareja.

MOG

Álvaro Obregón 40, Roma; 5264 0016; martes a domingo de 11 a 23:30 horas. Comida japonesa deliciosa y a precios *zen*. La decoración es maravillosamente ecléctica y los meseros te tratan como te mereces, a pesar de que la mayoría no habla castellano. Pide uno de los menús, y de postre el panqué de té verde. Saldrás de aquí muy satisfecho. Si vas en sábado, reserva. Y si hace calor, que te asignen una de las mesas de afuera. $400 por pareja.

MONGO

Atlixco 94, esq. Michoacán, Condesa; 5553 2028; lunes a jueves de 13 a 23 horas, viernes y sábados de 13 a 23:30, domingos de 13 a 21:30. Un clásico para comer entre semana con los compañeros del trabajo. La atractiva barra de comida asiática, donde tú mismo preparas el platillo con los diversos ingredientes y las salsas que escojas, generalmente deja satisfecho a todo el mundo. Dependiendo de cuánto pese tu comida es lo que se te cobra. La atención es agradable y rápida. $300 por pareja. Sucursales: Insurgentes 822, Nápoles; 5687 0790; Periférico Sur 4609, Jardines del Pedregal; 5528 4989

Merotoro

MOSHI MOSHI

Plaza Villa de Madrid 22, Roma; 5511 8390; moshimoshi.com.mx; lunes a jueves de 13:30 a 23 horas, viernes a sábado de 13:30 a 1, domingos hasta las 18. Lo más cercano que tenemos a una lonchería de Tokio. Las bandas sinfín acarrean los platos de colores (por precio) con distintos manjares y tú los vas bajando a la mesa. Los platos calientes se piden aparte. El lugar es divertido, más si aprecias la animación japonesa. Puntos a favor: la sopa miso y el tazón de atún marinado en salsa de sake y soya sobre arroz. $600 por pareja. Sucursales: Vasco de Quiroga 2000, Santa Fe; 5281 8977. Av. de La Paz 58, San Ángel; 5550 9962. Michoacán 74, Condesa; 5286 0331. Paseo de los Tamarindos 90, Arcos Bosques; 9135 0031. Antara Polanco: Ejército Nacional 893, Polanco. Parque Duraznos 39, Bosques de las Lomas.

NONNA

Amsterdam 240, Condesa; 2978 0700; domingo a miércoles de 13 a 00 horas, jueves a sábado hasta la 1. Si se aproxima una renovación del restaurante italiano en la ciudad, Nonna tendrá que estar en la lista. Oscurito por sus mesas y paredes de madera, pero semiabierto sobre Amsterdam y Michoacán, con una barra en su centro y un acento de color madera y ladrillo. La carta es previsible, pero su realización sorprendentemente fluida: *pizzeta margherita* e *insalata caprese* de enorme frescura, medio pollo a las brasas grasosito y de excelente sabor, muy buenos trozos de carne al carbón y un pastel de chocolate *fondant* de buena factura. Los vinos a precios emborrachantes. $600 por pareja.

OUEST

Juan de la Barrera 101, Condesa; 5256 4004; letseat.at/ouest; lunes a miércoles de 13:30 a 1 horas (cocina, hasta las 23), jueves a sábado de 13:30 a 2 (cocina, hasta las 00). Abrieron en la primavera de 2010. El chef Pablo Peñalosa logra una cocina molecular que él llama tecno-emocional. Pide la ensalada de manzana en gelatina, el cochinillo al vacío durante 12 horas con salsa *demiglace* y melón osmotizado en clorofila, y el chocolate en cinco texturas: esponja, cremoso, peta-zeta, arena y gelatina. No le caben muchas personas, así que sugerimos reservar. El lugar también funciona como galería. $1,400 por pareja.

Rosetta

PECES

Jalapa 237, Roma; 8596 9004; domingo a jueves de 13:30 a 19 horas, viernes y sábado hasta las 22:30. Simpático no sólo por su ilusionado eslogan ("El único negocio que no es de Carlos Slim") ni por la decoración relajada o sus izquierdosas noches musicales: también por el platón de *fish and chips*, tan famoso a estas alturas; las ricas tostadas de machaca de marlin en un escabeche con zanahorias, cebollas y rajas —que se siente como un cosquilleo bucal—; y los tronchos, que son filetones de pescado en varias recetas (a las hierbas o con chimichurri). El mejor acaso es el pez bruja en hoja de plátano: sencillo, jugoso. Venden cerveza artesanal. El local de Regina es muy agradable los fines de semana. Sucursales: Ricardo Castro 106, Guadalupe Inn; 5662 8054. Regina 49, Centro; 5709 4730.

Su propietario, Marco Rascón, fue parte de la guerrilla comunista en los años setenta, y después del terremoto del 85 encarnó literal y abundantemente a Superbarrio, antecedente necesario del Subcomandante Marcos. El PRI lanzó a Superpueblo, de escasa memoria, como desafío, pero fue sin duda cuando venció a El Sida, que usaba máscara de calavera, que anotó su triunfo en la leyenda. Otra máscara, de cerdo, en otro acto teatral, en el Congreso, lo fijó en el anecdotario público.

PRIMOS

Michoacán 168, esq. Mazatlán, Condesa; 5256 0950; lunes a sábado de 8 a 23 horas, domingos de 9 a 18 (*brunch* hasta las 13:30). Si no valiera por nada más, el bistrot Primos valdría por su *hot dog*: una salchicha ancha, curva, como de 20 centímetros, entre el rosa, el ámbar, el rojo, el marrón; una *baguette* crocante, nueva, ligerísimamente chiclosa; un aderezo que contiene mayonesa; *sauerkraut* suavemente amarga, avinagrada. La buena noticia: Primos vale por otras cosas también: una carta de vinos atinada, un ambiente perpetuamente ruidoso y cálido y una buena torta ahogada de pato ahogado. Prueba el té de la casa: riquísimo. $600 por pareja. Panadería: Alfonso Reyes 215, casi esq. Ometusco, Condesa; 5273 0126.

ROJO BISTRO

Amsterdam 71, Condesa; 5211 3705; lunes a jueves de 14 a 23 horas, viernes y sábados de 14 a 00, domingos de 14 a 17. Se mantiene con precios razonables y clientela asidua, aunque ya esté algo viejito (lo abrieron en la primera ola del bistrot defeño, en 2000). Cocina tipo fonda francesa que va bien con la plática entre amigos, o mientras se lee. Es fácil llegar, es tranquilo. Recomendables: tártara de atún con aderezo de anchoas, hojaldre horneado con cebolla caramelizada, roquefort y jamón serrano, pasta con jitomate y *ricotta*, sándwich de pechuga de pollo al *grill*. $600 por pareja.

De una etiqueta de vino encontrada al azar en un viaje por Francia nació la tipografía de la marquesina de neón que ostenta el nombre del lugar, y que le da a la esquina un aire al barrio parisino de Pigalle.

ROSETTA

Colima 166, Roma; 5533 8346; lunes a sábado de 14 a 23 horas (panadería desde las 9). El restaurante más *hypeado* de la colonia Roma en los últimos tiempos tiene, afortunadamente, elementos para cumplir las expectativas que ha generado su *hype*. De entrada, está en un predio bellísimo de la mejor arquitectura del fin de *siècle* mexicano. Su cocina cumple dignamente: sardinas marinadas y asadas, pollito rostizado con *cous cous* y su juguito, ravioles de espinaca y *ricotta*, y los *gnocchis* con alcachofas tiernas. Favor de no olvidar, al final, pedir una rebanada de su sensacional queso gorgonzola. Buenos precios, buena carta de vino. $700 por pareja.

SOBRINOS

Álvaro Obregón 110, esq. Orizaba, Roma; 5264 7466; lunes a martes de 8 a 23 horas, miércoles a sábado de 8 a 00, domingos de 8 a 18:30. Un miembro más de esa familia que incluye Primos en la Condesa y Casa Tíos (Palmas 530, Lomas de Chapultepec; 5202 9466). A la cocina de éste, en la planta baja de una casa encantadora en la Roma, le han dado una inclinación cantinosa que va muy bien con su decoración. Para estar acorde con la inspiración del lugar hay que pedir la oreja de elefante, tacos de chamorro, los de cochinita pibil o coctelito de camarón. Buenos mezcales. $600 por pareja.

SPECIA

Amsterdam 241, Condesa; 5564 1367; lunes a sábado de 13 a 23:30 horas, domingos hasta las 18. Este lugar de cocina de influencia polaca, oscurito y algo *demodé* (como la palabra *demodé*) tiene un muy agradable aire oficinesco: se antoja para cerrar un negocio de no muy promisorio porvenir. Hay *blinis* de arenque, *carpaccio* de res, queso de cabra horneado, ensalada con cilantro, salchicha polaca, tártara especial, pato al horno (en varias formas), *blintzes* de queso y zarzamora. Es, digamos, el hermano mayor de Kaczka. $600 por pareja.

STAMPA DE MAR

Orizaba 28, Roma; 5207 0731; stampademar.com.mx; domingo a miércoles de 13:30 a 18 horas, y jueves a sábado de 13:30 a 23. Frente a la impecable iglesia jesuita. Preparan los cocteles según tus indicaciones; el arroz a la tumbada tiene una chupeteable consistencia líquida, su robalo está asado sobre carbón y por tanto se mancha de tizne de veras. Buenas quesadillas de cazón y almejas chocolatas frescas con limoncito. Y un excelente surtido de salsas embotelladas (El Yucateco, Valentina, Huichol, Cholula, LolTun, Melinda, Búfalo…). Los precios de los vinos son excesivos. $600 por pareja.

THAÏ GARDENS RICE 'N' NOODLES

Tamaulipas 100, Condesa; 5256 0500; thaigardensgroup.com; lunes y martes de 13:30 a 23 horas, miércoles a sábado hasta las 00, domingos de 13:30 a 21:30. De los más originales en la Condesa, con auténtico diseño tailandés. Faltan las meseras de allá, pero hay flores, incienso, adornos, para sentirse exótico, y los platillos, aunque de porciones pequeñas, son bastante sabrosos. Se antoja para celebrar un cumpleaños. Pide la sopa de leche de coco y pollo, empanadillas, pato picante, cerdo con cacahuate y de postre flan de coco. Éste, de la Condesa, nos gusta más, pero el original de Polanco (Calderón de la Barca 72; 5281 3850) también está muy bien. $700 por pareja.

TIERRA DE VINOS

Durango 197, Roma; 5208 5133; tierradevinos.com.mx; lunes a sábado de 13:30 a 23 horas, domingos de 13:30 a 17:30. Decorado en tonos ocres, con mucha madera, de todos los bares de vino que hay en la ciudad es en éste donde más se tiene la sensación de estar literalmente en una cava: cero ventanas, temperatura controlada y paredes y paredes de vino. No hay que sentirse intimidado por la impresionante selección vinícola, aunque sí por los precios de la comida. Es buena idea quedarse en la barra a tapear (ojo doble: chistorra a la sidra y pan con tomate y serrano). $1,000 por pareja.

TONBO

Av. México 188, Condesa; 5212 2110; thehippodromehotel.com; lunes a viernes de 8 a 00 horas, sábados de 8 a 00, domingos de 7 a 12. Localizado en la planta baja del precioso y minúsculo hotel Hippodrome, si algo ha definido este espacio en sus cinco años de vida es acaso la indecisión. Con el casi imperdonable nombre de Hip Kitchen tuvo más de una decena de chefs, entre ellos el diseñador de su carta inicial Richard Sandoval, quien propuso una suerte de fusión mexicano-asiática, la cual prevalece. Su más reciente avatar es Tonbo, y a lo mexicano ha agregado referencias latinas. La última vez que estuvimos ahí probamos unos tostones de plátano macho verde con hongos y queso, una bien sazonada crema de frijol con edamame, un salmón glaseado con chipotle y un pay de queso con maracuyá. La carta de vinos es pequeña; la coctelería, excelente. $800 por pareja.

Bellinghausen

JUÁREZ Y CUAUHTÉMOC

BELLINGHAUSEN

Londres 95, Juárez; 5207 4978; lunes a domingo de 13 a 19 horas. ¿Se te antoja probar lo que comía Porfirio Díaz? Su chef abrió este restaurante cuando se le acabó el trabajo, en 1915. Muchos piensan que a su cocina le hace mucha falta una desempolvadita, pero lo cierto es que vienen por los platos que hicieron regresar a sus padres o abuelos. Tú ven por un filete chemita de los de antes, un chamorro como el que le servían a Revueltas o un filete de pescado desmenuzado servido en tacos con cebolla, cilantro y limón. $800 por pareja. Sucursal: Av. Santa Fe 443, Cruz Manca; 5292 6986.

Se dice que Germán Bellinghausen cocinó para Guillermo II de Alemania antes de venir a México, en los primeros años del siglo xx, y convertirse en el chef de don Porfirio en el Castillo de Chapultepec. En

Sobrinos

En la carta: tarta de cebolla, de queso y jitomate, de verduras, filete con hierbas finas, a la pimienta y *clafoutis* de postre. La carta de vinos, de tamaño mediano, se deja pagar. $600 por pareja.

Casa Bell

una de sus mesas, un personaje de Sergio Pitol escucha con fastidio y dolor de muelas a un productor de teatro ineficaz y confunde a una comensal en otra mesa con su primer amor; esto en *El tañido de una flauta* (1972).

BISTROT ARLEQUÍN

Río Nilo 42, Cuauhtémoc; 5207 5616; lunes a sábado de 13:30 a 23:30 horas, domingo de 13:30 a 17. Hasta hace poco un secreto muy bien guardado. Diminuto, el Arlequín ofrece comida, ambiente y servicios de auténtico *bistrot* francés. Las mesas se amontonan (es casi como un comedor comunitario), el ruido se acumula y huele a comida sabrosa.

CASA BELL

Praga 16, Juárez; 5208 4290; lunes a domingo de 13 a 19 horas. Aquí vinieron a dar las recetas del antiguo Prendes, un famoso restaurante del Centro (ver la página 20). La casa tiene ciertos felices elementos ingleses y una amplia terraza que invita a echarse una comida larga. No hay que perderse las tostadas de marlin ahumado, el salmón empapelado, los langostinos a la talla, el pato Bell, el filete Chemita y la tarta de higo. $800 por pareja.

CHAMPS ÉLYSÉES

Paseo de la Reforma 316, Juárez; 5514 0450; lunes a sábado de 14 a 23 horas. Fue el restaurante más sofisticado y elegante de la ciudad durante décadas, pero ya lo rebasaron muchos otros; sin embargo nunca habrá uno con una lista de comensales tan importantes. El lugar pasó recientemente a manos del grupo La Mansión, con manita de gato incluida. Aquí hay que probar la ensalada de cangrejo y toronja, el *confit* de pato y de postre el crujiente de avellana. $900 por pareja.

Monsieur Bouteille, ciclista de juventud en Auvergne, fundó el Champs Élysées en 1965. A su regreso de la India, Octavio Paz era habitual, y en esas sobremesas nació la idea de la revista *Plural*.

DIANA

Torre Libertad. Paseo de la Reforma 439, Cuauhtémoc; 5228 1818; stregis.com; lunes a domingo de 6:30 a 11:30 horas, de 13 a 17 y de 19 a 23. El restaurante del hotel St. Regis Mexico City, en el tercer piso, es uno de los lugares más exquisitos para desayunar, comer o cenar en el DF de 2011. La iluminación natural, los tonos rojos y marrones y un asombroso mural floral constituyen un marco muy agradable para probar la comida mediterránea con ingredientes locales de Jean François Peláez. También

Fonda el Refugio

TRES SOLUCIONES PARA LOS QUE BATALLAN

KOSHER

KLEIN'S

Presidente Masaryk 360, Polanco; 5281 0862; lunes a viernes de 7:30 a 00 horas, sábado y domingo de 8:30 a 00. El lugar clásico para desayunos *kosher* en Polanco. Hay enchiladas, chilaquiles, *bagels*. Para el día que te aburran las Krispy Kreme. Hay una sucursal en centro comercial La Piazza Interlomas (Circuito Comercial s/n, San Fernando la Herradura).

ORGÁNICO

ORÍGENES ORGÁNICOS

Glorieta de Popocatépetl 41, Condesa; 5208 6678; origenesorganicos.com; lunes a viernes de 9 a 21 horas, sábados y domingos de 9 a 18. Un restaurante (y tienda) cuya preocupación orgánica no los hace descuidar el buen sazón. A nosotros nos gusta más para desayunar, con vista a una de las partes más bonitas de la colonia. Pide el omelet de salchicha campestre con queso. Hay servicio a domicilio.

VEGETARIANO

YUG VEGETARIANO

Varsovia 3-B, Juárez; 5533 3296; lovegetariano.com; lunes a viernes de 7 a 20:30 horas, sábados y domingos de 9 a 19. Uno de los primeros vegetarianos de la ciudad. Lo abrieron en 1963. Sirven desayunos todos los días, un buffet de 13 a 17 horas entre semana, comidas y cenas a la carta, en las que se antoja la lasaña de espinacas y el espagueti marinara.

la linda terraza llama la atención. A nosotros nos gusta la albóndiga de pato y pistache con mermelada de cebolla y los *tournedos* de huachinango con jamón serrano, y de postre el chocolate con lima. Y por supuesto el bloody mary de la casa (con mezcal y chile pasilla), que traen del vecino Bar King Cole. $1,000 por pareja.

EL CHALET SUIZO

Niza 37, Juárez; 5511 7529; chaletsuizo.com.mx; domingo a jueves de 13 a 22 horas, viernes y sábado hasta las 23. Quién sabe a quién se le ocurrió, a principios del siglo pasado, construir un chalecito suizo en la Juárez —barrio cuyo diseño estaba inspirado en el centro de Viena— pero qué bueno que lo hizo: el detallazo permitió que en los años cincuenta se inaugurara aquí un restaurante cuyo nombre sería previsiblemente El Chalet Suizo. Todo es viejito: el servicio, la carta, los precios. Pide la ensalada de salchicha con queso, el hígado de ternera al jerez y, por Dios, el *fondue* de queso. $700 por pareja.

La instalación de El Chalet Suizo en 1951 en la casa de la familia Alcázar Corcuera está ligada al carácter de *village* que definió a la Zona Rosa durante los años sesenta. Prisse, la primera galería de arte del DF, según Cuevas, estuvo en esta parte de la Juárez. "Si uno quería estar *in* había que ir a la Zona Rosa", dice Margo Glantz. Al café Carmel, de su padre, asistían Mathias Goeritz, Manuel Felguérez, Lilia Carrillo, Jaime García Terrés y eventualmente el grupo de *El espectador* —Fuentes, Villoro, González Pedrero y más—. Noldi Schreck, que remodeló El Chalet Suizo y el Focolare, fue uno de los artífices de aquella Zona Rosa que hoy resulta difícil evocar ante su estampa actual. La confección del mural efímero de Cuevas en una azotea de Génova y Londres señala la hora culminante del Montmartre mexicano, el 8 de junio de 1967, y el inicio de un declive que parece no pisar fondo.

FONDA EL REFUGIO

Liverpool 166, Juárez; 5525 8128; fondaelrefugio.com.mx; lunes a domingo de 13 a 23 horas. Favorito de defeños interesados en pasear turistas, el lugar no ha cambiado en (casi) nada desde que abrió hace más de cinco décadas, y todos somos felices por ello. El ambiente de casa mexicana amable y alegre, los detalles de papel picado o cobre, los dulces mexicanos: todo deja agradables recuerdos de refugio. Cuando nos toca a nosotros pasear a un estadounidense o a un alemán en busca de "color local" les invitamos unas pellizcadas con longaniza, un caldo xóchitl, un chicharrón en salsa verde y una natilla. Se van encantados y con ganas de volver –generalmente lo hacen. $600 por pareja.

La Fonda el Refugio está decorada con caricaturas de Abel Quezada. Su creadora, Judith Martínez Ortega de Van Beuren, vivió en las Islas Marías como secretaria particular de Francisco Mújica y formó parte del servicio exterior mexicano. Escribió el libro de cuentos *La isla* y también narró sus vivencias como jugadora en *Las jugadoras*.

ISTAMBUL

Río Pánuco 163, Juárez; 5511 2482; istanbulturkishcuisine.com; martes a sábado de 12 a 23:30 horas, domingos de 12 a 22. Casi podemos jurar que no hay, ni ha habido, un mejor restaurante para comer como turco en la ciudad de México. Conviene el hecho de que la competencia es computable en cero. Es una cocina intensa, muy especiada, barroca. La decoración deja mucho que desear, pero el patio es fresco. Hay que probar el puré de berenjena, espinacas al yogurt, tortas de calabaza, albóndigas fritas, sopa de yogurt y arroz, brochetas de cordero y calabaza en dulce; todo al centro y para compartir con alegría. $600 por pareja.

Les Moustaches

LA LANTERNA

Reforma 458, Juárez; 5207 9969; lalanterna.com.mx; lunes a sábado de 13 a 23 horas. Un súper clásico. Abrió en mayo de 1966 y fue de los que propiciaron una de las épocas más honorables de la colonia Juárez. La cocina italiana sabía a gloria. Parece que los meseros son los mismos, y el lugar tiene su encanto de nostalgia; viejito, pero tradicional; amable. Los clientes asiduos siguen pidiendo *carpaccio*, ensalada de alcachofas, *lasagna carbonara* o *pesto*, *tortelloni salvia*, filete *burro nero* y ravioles. $600 por pareja.

LE CORDON BLEU

Casa de Francia. Havre 15, Juárez; 5208 1868; lcbmexico.com; lunes a domingo de 8:30 a 18 horas. Es un secreto que compartimos los aficionados a la Zona Rosa. Su chef, el joven Miguel Ángel Quezada, propone una cocina evidentemente francesa con tildes de México y a veces de Oriente. Hay que probar el *carpaccio* de salmón, atún, callo de hacha y robalo —suerte de *sashimi* mixto—, su tarta tatin de jitomate y queso de cabra, que está a punto de convertirse en un clásico, y el mareante chamorro de ternera braseado en su jugo. Hay también panadería y *deli*. Como funciona para foguear a los alumnos de la escuela de gastronomía los precios son muy dignos. $700 por pareja.

LES MOUSTACHES

Río Sena 88, Cuauhtémoc; 5533 3390; lesmoustaches.com.mx; domingo a martes de 13 a 17 horas, miércoles a sábado hasta las 23:30. Lo abrieron al principio de los años setenta durante el apogeo de una Zona Rosa casi recién bautizada, al interior de una vieja y elegante casona de la colonia Cuauhtémoc: sobria y decorada al estilo del suroeste francés. El chef Rafael Bautista ha ocupado su puesto desde el día de su inauguración. Lo remodelaron a mediados de los dosmiles —pisos de madera oscura, un barcito azul a la entrada. Y Rafael mejora: filete de venado con setas, cocodrilo con crujiente de avellanas, salmón a la mantequilla de azafrán en cama de arroz salvaje. $900 por pareja.

MIKADO

Paseo de la Reforma 369, Cuauhtémoc; 5525 3096; lunes a viernes de 13 a 23 horas, sábados hasta las 22, domingos hasta las 19:30. Abrió en 1983, aprovechando una inteligente ubicación a un costado de la embajada japonesa. Guapo y cachondón, con luces bajitas y un sótano para recluirse. Nosotros solemos pedir la comida completa: sopa *misoshiru*, *sashimi* de salmón y robalo, atún crudo picado finamente y envuelto en *nori*, *tempura* de *zucchini* y camarón y una milanesa de cerdo (o algo muy parecido a ella) con una ensaladita de jitomate y lechuga: un instante de comida corrida mexicana metido imprevisible y acaso de forma involuntaria en un menú extremadamente oriental. $500 por pareja.

Adonis

ORFEÓ CATALÀ

Marsella 45, Juárez; 5533 0005; miércoles a domingo de 14 a 19 horas, martes de 13:30 a 21:30. Los aficionados a lo catalán tienen poquitas oportunidades de ejercer ese apego glotón en el DF. Pero por fortuna el Orfeó Català reabrió hace algunos años su olvidado restaurante y, aunque con altibajos, ha seguido practicando un cuidadoso amor por la cocina catalana casera, de transmisión oral. Nosotros pedimos el arroz negro y los canelones. Suficiente carta de vinos españoles. Cuando vayas, además de saludarlos de nuestra parte, aprovecha para apuntarte en su lista: de pronto convocan a catas, pláticas y degustaciones.

El Orfeó Català inició en 1906 como un lugar en el que algunos catalanes se reunían a cantar canciones regionales. Al canto le siguió la sociabilidad (juegos, bailes, reuniones) y luego sus formas estructuradas: teatro, deportes, etc. Los refugiados del exilio republicano le dieron sus años de máximo esplendor cultural. En 1974 se muda a la ubicación actual. La biblioteca Pompeu Fabra guarda 10 mil volúmenes, sobre todo en catalán.

ROBATAYAKI DEL FUJI

Río Pánuco esq. Río Tiber, Cuauhtémoc; 5514 6814; lunes a sábado de 19 a 22:30 horas. Una de las tres áreas del Fuji. Está en la planta alta, donde uno se sienta a la barra a pedir directo del cocinero las deliciosas brochetas y pescados que ofrece. La cocina es totalmente japonesa, quizá no del gusto de todos. Los clientes asiduos, casi todos japoneses, piden pescado relleno de hueva, brochetas de corazón de pollo, espárragos con tocino, bacalao en salsa dulce o la anguila. Por cierto que en japonés *robata* es una pala de madera y *yaki* es la parrilla. $500 por pareja.

TEZKA

Amberes 78, Juárez; 5228 9918; tezka.com.mx; lunes a viernes 13 a 17 y de 20 a 23 horas, sábados hasta las 18, domingos hasta las 17. Durante muchos años el Tezka ha sido uno de los mejores restaurantes de la ciudad (a veces el mejor). A principios de 2010 vio la salida del joven y notable chef Pedro Martín, quien le había aportado una cocina menos experimental, pero de sabores más contundentes. El restaurante está pasando por una renovación de la carta —tras la de su mobiliario—, pero ahí siguen algunos tesoros como los clips de cogollo con mango graso y *foie*, los ravioles de espinaca con ternera, el callo de hacha con pico de gallo y polvo de corteza de cochinillo, y la lengua con aire de zanahoria. El servicio sigue siendo poseedor de un cronómetro exactísimo. Si sabes lo que te conviene pedirás la mesita en la terraza. $1,200 por pareja.

Robatayaki del Fuji

POLANCO

ADONIS

Hegel 205, Polanco; 5531 6940; adonis.com.mx; lunes a miércoles de 13 a 00 horas, jueves a sábado de 13 a 2. Decoración como extraída del sueño de una Sherezada febril y mexicana, y cocina de inspiración del Medio Oriente. De noche, los fines de semana, hay bailarinas y música en vivo. Además tiene tienda. Quienes comen aquí piden *kepe*, jocoque, hojas de parra, *tabule*, arroz y pasta, cordero, tripa rellena, y toda una variedad de pastelillos árabes. $600 por pareja.

Au Pied de Cochon

Benkay

ALFREDO DI ROMA

Hotel Presidente Intercontinental. Campos Elíseos 218, Polanco; 5327 7766; alfredodiroma.com.mx; lunes a jueves de 13 a 23:30 horas, viernes y sábados hasta las 00, domingos hasta las 18. Está asociado con el restaurante original, y lo que uno más quisiera es estar en un bello edificio italiano y no en ese hiperiluminado salón. Pero se salva por la delicia de las pastas, la esmerada atención y el cantante de ópera. Obligados las *fettuccine* Alfredo, pasta con mariscos, lenguado con limón y alcaparras, y de postre tortina de manzana o *panacotta* con caramelo. $1,200 por pareja.

ASTRID Y GASTÓN

Tennyson 117, Polanco; 5282 2666; astridygaston.com; lunes a sábado de 13:30 a 23, domingos hasta las 18. Gastón Acurio, el reconocido chef peruano que ha modernizado una original cocina del sur del continente, abrió en 2009 esta versión elegante de su comida, con un toque de cocina francesa. Los que conocen piden piqueo marinero o criollo, anticuchos de corazón de ternera, raya al mensí suave con mantequilla chifa, cabrito, cochinillo confitado y laqueado, y de postre al menos un suspiro limeño. Excelente carta de vinos. $1,200 por pareja.

AU PIED DE COCHON

Hotel Presidente Intercontinental. Campos Elíseos 218, Polanco; 5327 7756; aupieddecochon.com.mx; abierto todos los días las 24 horas. Hermano elegante del original en París, es una locura que nunca cierra; pero siempre hay gente, entre más tarde parece que más. Decorado con pinturas alegres y delicadas, es un lugar para estar a gusto y sentirse en el centro de lo que está pasando. Nosotros solemos pedir salchicha con lentejas, una fuente royal de mariscos, tártara de res y milhojas de frutas. $1,200 por pareja.

BELLARIA

Masaryk 514, Polanco; 5282 0413; bellaria.com.mx; lunes a miércoles de 13:30 a 23:30 horas, jueves a sábado de 13:30 a 23, domingos de 13:30 a 18. Emplazado hacia el final de Masaryk, Bellaria está algunos escalones por encima de la típica *trattoria*, con un encanto levemente rústico proporcionado por sus arcos y su horno de leña a la vista. A la cocina también podría acomodársele esa descripción, pues su refinamiento no deja de tener cierta feliz rusticidad. Hay que probar el salami de pulpo aliñado con limón y aceite de oliva; el *risotto* con camarón, espárragos y azafrán de excelente manufactura; las rebanadas de filete de res con arúgula y parmesano salseadas con una reducción de tinto. Y las pizzas, claro, delgaditas y crujientes, que también se pueden pedir para llevar. (Nuestra preferida: la sencilla *margherita.*) El servicio es amable. Vale la pena reservar. $600 por pareja. Sucursal: Juan Salvador Agraz 37, Santa Fe; 2591 0521.

BENKAY

Hotel Nikko. Campos Elíseos 204, Polanco; 5283 8700; hotelnikkomexico.com; lunes a domingo 13 a 23 horas. Podría decirse que de los lugares japoneses en la ciudad, éste es el más sobrio, auténtico y elegante, hasta con música instrumental japonesa. Echamos de menos los desayunos con pescado asado a la sal, sopa de soya y otras delicias, pero también la comida y la cena están muy bien. Los clientes asiduos prefieren cortes de *sashimi*, *shabu shabu*, *sukiyaki*, *tempura* de camarón y verduras, pasta de soya y *kobe* a la parrilla. Para extremar la frescura siéntate a la barra. $1,200 por pareja.

BIKO

Plaza Zentro. Masaryk 407, Polanco; 5282 2064; biko.com.mx; lunes a sábado de 13:30 a 17 y de 20 a 23 horas. El restaurante de Mikel Alonso y Bruno Oteiza quedó el año pasado en el número 46 de la lista S. Pellegrino de los mejores del mundo. Es una cocina juguetona, imaginativa, feliz, irónica, de una gran belleza plástica. Déjate llevar por el menú de degustación —de preferencia con maridaje—, que puede incluir platillos como el algodón de azúcar con *foie gras* y jerez, sus frutas en camisas de otras frutas o la codorniz envuelta en palomitas. Muy probablemente el mejor restaurante de México. $1,200 por pareja.

Casa Portuguesa

BISTRO CHARLOTTE

Lope de Vega 341, Polanco; 5250 4180; domingo a viernes de 12 a 18 horas. Un lugar diminuto donde te atienden como si fueras un familiar, y la simpatía de la chef y anfitriona inglesa, Charlotte Williamson, se desborda desde la cocina. Su menú está hecho a partir de las recetas que le han gustado de los muchos países que la señora conoce, así que puedes confiar en que ésta sí es "cocina internacional". Sobresale lo mediterráneo. Pide entrada griega, pato con frutas, cordero tradicional y trufa de chocolate. $800 por pareja.

BRASSERIE LIPP

Hotel JW Marriott. Andrés Bello 29, Polanco; 5281 3538; lipp.com.mx; lunes a sábado de 7 a 3 horas, domingos hasta las 00. Las opiniones están divididas: a los muy "parisinos" les gusta decir que la comida en el Lipp defeño no es como la del original (como se sabe, abierta en 1880 en el boulevard Saint-Germain); a los muy respingados les encanta ser vistos en este restaurante de muy buenos bigotes. A nosotros nos gustan la carne tártara con papas, el invencible chamorro de puerco con lentejas y el exquisito milhojas con crema de vainilla. Enorme carta de vinos; precios inquietantes. $1,200 por pareja.

BRASSI

Virgilio 8, Polanco; 5281 4357; lunes y martes de 13:30 a 17:30 horas, miércoles a domingo hasta las 00. Un punto extra para la actual fascinación defeña por la *brasserie*. Brassi, abierto en 2009, ofrece una cocina sencilla, amable, llenadora. La carta de vinos es pequeña, pero suficiente; el servicio atento, pero no encimoso. A nosotros nos gustan el sándwich de *entrecot* con manchego, tomate seco y arúgula; los mejillones fritos; la hamburguesa de sirloin, y el buenísimo *ossobuco* de ternera braseado con *couscous*. Atención usuarios de *foursquare*: aquí sabrán recompensarlos. $700 por pareja.

BROS OYSTER BAR

Lope de Vega 226, Polanco; 5250 1325; lunes a domingo de 13 a 00 horas. Bar tipo bostoniano de encantadora atmósfera y comida confiable en un menú pequeño, pero constante. Hay que llegar temprano, en un grupo chico para ocupar una de las mesas con lámpara (más a gusto). Pide el ceviche especial, *carpaccio* de atún, ostiones frescos o florentinos, el denso *prime rib* (en tres cortes) con puré de espinaca, el *rack* de cordero con menta y el *brownie* de chocolate. $1,000 por pareja. Sucursal: Juan Salvador Agraz 37, Santa Fe; 5292 9532.

CASA PORTUGUESA

Emilio Castelar 111-A, Polanco; 5281 0075; casaportuguesa.com.mx; lunes a miércoles de 8 a 22:30 horas, jueves a sábado de 8 a 23:30, domingos de 9 a 18. (Viernes y sábado, música portuguesa en vivo.) Sin pretensiones incumplidas, este simpático lugar con muros cubiertos de azulejo portugués y servicio amable siempre está justamente lleno. La cocina portuguesa se basa en productos del mar, y aunque no tenemos su costa, la imitación es muy buena. Quienes lo frecuentan piden *boliños* de bacalao, *rissois* de camarón y salsa blanca, pulpo laminado en aceite de olivo, camarones fritos, tortilla de bacalo, extraviado en vinagreta y tocino del cielo. Buena selección de vinos portugueses; a nosotros, por ejemplo, nos encanta el tinto alentejano Terra do Zambujeiro. Se agradece también su oferta de comida para llevar. $700 por pareja.

CENTRAL BRASSERIE

Masaryk 123, Polanco; 5545 5628; centralbrasserie.com; lunes a sábado de 10 a 23 horas, domingos de 11 a 18. Con su sofisticada y sencilla elegancia contemporánea, pretende ser una puesta al día de la clásica *brasserie*. Es caro, pero se come bien con un menú conciso de platillos franceses modernizados. Aquí hay que pedir sopa de cebolla, patas de cangrejo, pollito rostizado, *steak frites*, *cassoulet* y *crème brûlée*. Muy buena carta de vinos. $1,000 por pareja.

Chiringuito

Hudson

CHINA GRILL

Hotel Camino Real. Mariano Escobedo 700, Polanco; 5263 8887; caminoreal.com; lunes a miércoles de 13 a 00 horas, jueves a sábado de 13 a 1, domingos hasta las 23. Cocina de fusión asiática, accesible al paladar, pesada para la cartera. El local es descomunal, como un antro enorme. Los clientes asiduos piden costillitas de cordero glaseadas en ciruela, *dumplings* de res picante, ensalada de lechugas con calamar frito y camarones al ajo con *fetuccine* al curry. $1,400 por pareja.

CHIRINGUITO

Julio Verne 87, Polanco; 5280 5161; chiringuito.com.mx; domingo a lunes de 12 a 23 horas, martes y miércoles hasta la 1, jueves a sábado hasta las 2. Comida española de buena calidad. El local es pequeño, caluroso, atmosférico. La cava está bien surtida. El montadito de *foie* con manzana confitada, los boquerones a la vizcaína y la tortilla de patata rellena de ensaladilla rusa están entre lo más recomendable. Hay que hacer reservación o llegar temprano. La sucursal de la Condesa ocupa el local de la añorada pollería Tío Luis. $800 por pareja. Sucursal: Fernando Montes de Oca 83, Condesa; 5211 7975.

DO DENOMINACIÓN DE ORIGEN

Hegel 406, Polanco; 5255 0912; denominaciondeorigendo.com; lunes a sábado de 14 a 2 horas (cocina a las 10:30) y domingos de 13 a 17. Abrió en el acelere defeño de las tapas, en 2003, y su chef y propietario Pablo San Román impecablemente lo ha mantenido. Una cocina que va de acuerdo con su nombre: interesada por el producto y su proveniencia. El lugar es muy agradable, entre el blanco y gris de su salón principal y el rojo de la barra (a nosotros nos gusta la barra). Quienes lo frecuentan recomiendan gazpacho de melón con polvo de jabugo, jamón serrano, croquetas, cortes de morcilla, huevos rotos con papas y verduras, jamón o chorizo, pámpano a la sal, estofado de rabo de toro y bisque de higo. $800 por pareja.

DOMINGA

Galileo 31, Polanco; 5282 3457; domingueros.com.mx; lunes a sábado de 13:00 a 00 horas, domingos hasta las 20. Todo es lo mismo, pero las carnes se cuecen en un horno más profesional de barro, las pastas vienen de más lejos y los meseros son chicos argentinos simpáticos y atarantados que hacen su tarea. Todo negro y sobrio da un buen efecto. Los clientes asiduos prefieren argollas de calamar empanizadas con cerveza, *carpaccio*, cortes de carne, pasta con mejillones y postre de leche. No tiene nada que ver con el Dominga de la Condesa (ver la página 22). $600 por pareja.

ERAWAN

Antara Polanco. Ejército Nacional 843, Polanco; 5281 3181; lunes a sábado de 13 a 00:30 horas, domingos hasta las 17:30. Uno de los restaurantes más bonitos de la ciudad: en su centro una apacible fuente con aires de piscina. El menú es panasiático: hay platillos japoneses, tailandeses, chinos, indios. El *pad thai* es muy sabroso, el *shot* de erizo muy potable, las costillas BBQ súper tiernas. $1,000 por pareja.

HARVEY'S

Newton 178, Polanco; 5545 1732; harveys.com.mx; martes a sábado de 13:30 a 2 horas, domingo y lunes hasta las 18. Mucha intimidad acá. Solitario, oscurito, con madera por casi todos lados, sillones de piel que calientan los muslos, gabinetes que te esconden del resto del molesto mundo, meseros discretos que sin darte cuenta te sirven y sirven y sirven. Buenos tragos y una larga carta de vinos. La comida es excelente. Pide los ostiones gratinados, el cebiche peruano y el *prime rib* añejado. $1,200 por pareja.

HUDSON

Anatole France 70, Polanco; 5281 7093; lunes de 1 a 10 horas, martes a sábado hasta la 1, domingo hasta las 18 horas. Una excelente demostración de que la

CONTRAMAR

Restaurante

Durango No. 200
Col. Roma Norte

Reservaciones:
55143169 / 55149217

Horario:
Lunes a Domingo
13:00 a 18:30 hrs.

www.contramar.com.mx

Jaso

gastronomía de Estados Unidos —en su caso inclinada a la Costa Este— responde brillantemente a la apertura y el mestizaje. En la carta hay buen *clam chowder*, ostiones Rockefeller, *king crab* con mantequilla clarificada, sándwich de *roast beef* con *demiglace*, unas ostras absolutamente sensacionales con vinagreta de echalote y soya, y una preciosa hamburguesa con *gruyère*, salsa BBQ, jitomate y arúgula. Muy buena selección de vinos estadounidenses. $1,000 por pareja.

IVOIRE

Emilio Castelar 95, Polanco; 5280 0477; lunes a sábado de 13:30 a 00 horas, domingos hasta las 17:30. Diseñado como la casa más acogedora, con un juego variado de estampados en grises y un agradable ambiente de trópico de isla indochina francesa, con esquinas simpáticas donde las amigas pueden chismear y los amigos hacer planes. Los que comen allí piden brochetas de pollo, empanaditas de queso, rollos de pato con salsa agridulce, ceviche oriental, sándwich de filete, steak con papas y *crumble* de pera. $1,100 por pareja.

IZOTE

Masaryk 513, Polanco; 5280 1671; lunes a sábado de 13 a 23 horas, domingos hasta las 18. Éste es el restaurante de la cocinera Patricia Quintana, una excelente promotora de sus logros. El local es de regulares bigotes, con muy buen servicio y buena carta de vinos, aunque algo desangelado. Nosotros nos quedamos con sus platos más sencillos, como los sopes de camarón con frijol y naranja, el cordero en salsa borracha y *mousse* a los tres mangos. $1,200 por pareja.

JALEO

Emilio Castelar 121, Polanco; 5281 8970; jaleo.mx; lunes a sábado de 11 a 00 horas, domingo de 12 a 18. El restaurante y bar de tapas del chef canario Pedro Martín —ex del Tezka— es una de las gemitas que se sumaron este año a la capital. Sus meseros le agregan un poco de *couleur locale* español: se gritan las comandas de un lado a otro del bar; su cava en el subsuelo es considerablemente elegante; las croquetas, pimientos, revueltos y papas arrugadas (únicas en el DF, que nosotros sepamos) exigen la repetición. Parece más barato de lo que es. $800 por pareja.

JASO

Newton 88, Polanco; 5545 7476; jaso.com.mx; lunes a sábados de 14 a 23:30 horas. Un caso muy notable de refinamiento culinario. Jared Rendon, el chef encargado de los platillos salados, es un artesano de buena mano; Sonia Arias, la chef repostera, es dueña de un oficio sorprendente y una imaginación muy juguetona y divertida. Guarda la mayor parte del espacio estomacal para los ricos postres para llevar que venden en Jaso Bakery. $1,400 por pareja.

LA HACIENDA DE LOS MORALES

Vázquez de Mella 525, Polanco; 5283 3055; haciendadelosmorales.com; lunes a domingo de 13 a 1 horas. La finca data del siglo XVII. En el XIX Juan O'Donojú e Iturbide intercambiaron sonrisas en un desayuno en este casco. En 1967 se inauguró el restaurante. El menú es muy extenso y, aunque no hay cocina contemporánea, todo lo clásico es muy comestible. Ejemplos: crepas de huitlacoche o de flor de calabaza, ensalada César, robalo con salsa holandesa, cabrito norteño e islas flotantes con fruta. $1,000 por pareja.

A La Hacienda de los Morales la regaba el río San Joaquín, donde Diego Delgadillo emprendió la crianza de gusanos de seda en 1528 con la protección del virrey. Durante la guerra con Estados Unidos, Juan Álvarez, con su caballería, atendió la instrucción de Santa Anna de defender Chapultepec; en este lugar. Basurto y De la Lama fraccionaron y urbanizaron la zona en los años veinte. Todavía en los treinta Gómez Morín, como rector de la Universidad Nacional, considera fugazmente

Oca

la opción de instalar junto a La Hacienda de los Morales un campus nuevo para la institución. También figuró como lugar para importantes corridas de toros.

LE BOUCHON

Julio Verne 102, Polanco; 5281 7902; lebouchon.com.mx; lunes a sábado de 13:30 a 00 horas, domingos hasta las 17:30. Se siente más como la *brasserie* de la colonia, donde todos se detienen a platicar. La gente suele ser un poco mayor y se instala horas a disfrutar sus platillos favoritos. La barra es muy agradable para pedir vino y comer algo, si tienes prisa. Los expertos piden alguna de las terrinas, huachinango en costra de tapenade, dorado en mantequilla de toronja con puré de camote, costilla en pimienta y granos de sal para dos, *blanquette* de ternera y *fondant au chocolat*. $800 por pareja. Sucursal: Juan Salvador Agraz 37, Santa Fe; 5292 8686.

LOBBY

Hotel Habita. Masaryk 201, Polanco; 5282 3100; hotelhabita.com; lunes a miércoles de 7 a 23 horas, jueves a sábados hasta las 00 y domingo hasta las 22. Injustamente no suele aparecer en las listas de los mejores restaurantes de la ciudad –en la nuestra sí. Su cocina a cargo de Enrique Olvera es de fonda defeña potenciada y casi siempre logradísima. La carta de vinos, la selección de quesos, el propio menú: todo es breve, pero muy bien escogido y realizado. Recomendamos mucho la ensalada de nopales a la sal, el pollo rostizado y las albóndigas al chipotle. $800 por pareja.

L'OSTERIA DEL BECCO

Goldsmith 103, Polanco; 5282 1059; losteriadelbecco.com; lunes a sábado de 13 a 00 horas, domingos de 13 a 18. Un muy buen restaurante que ha quedado un poco en el olvido. En la cocina se elaboran excelentes pastas y *risottos*. Es difícil obtener mesa en el salón del frente o el patio trasero. La cava de cristal es impresionante y se puede cenar allí dentro. Hay que pedir la pasta con *ragout* de pato, *tagliata* de res con alcaparras, robalo salento y el crujiente de avellana. $1,100 por pareja.

OCA

Molière 50, Polanco; 5281 5055; ocarestaurante.com; comida de martes a sábados de 13:30 a 16:30 horas y cena de 20 a 22:30, domingos de 14 a 17. El español Vicente Torres le apuesta a la cocina molecular con cierta vanguardia mediterránea y respeto a los clásicos y al mercado local. Es una de las cocinas más avanzadas de la ciudad de México. Hay que pedir el menú de degustación con la esperanza de que traiga las láminas de pulpo con arroz cremoso y almejas, el atún con arrope de tomate y el lechoncito. $1,200 por pareja.

OSCAR WILDE 9

Oscar Wilde 9, Polanco; 5280 2723; lunes a viernes de 13 a 18 horas. Tapeo y comida europea en un local pequeño y acogedor. La chef Ana Cristina Cerrillo cambia los menús semanalmente. Hay que llegar temprano o reservar una de sus seis mesas. Buenos vinos. $600 por pareja.

PUJOL

Francisco Petrarca 254, Polanco; 5545 4111; pujol.com.mx; lunes a sábados de 13:30 a 16:30 horas y cenas de 19:30 a 23:30. El restaurante del chef Enrique Olvera, abierto desde hace 10 años, se encuentra entre los mejores del mundo por la reelaboración a veces nostálgica de platillos de la memoria del propio Olvera, y por el aporte que su imaginación le da a esos platos. Además, claro, del servicio impecable, la carta de vinos sensacional, el cuidado tremendo en cada mínimo detalle. Los precios están por los cielos, pero lo vale. Hay que probar el menú de degustación, que

EL JAPONEZ
Condesa
Vicente Suárez #42
T. 52 86 07 95
52 86 19 08
Santa Fe
Juan Salvador Agraz #37
Col. lomas de santa fe
Planta Alta
T. 52 92 25 47
52 92 32 17
www.eljaponez.com.mx

traerá algunos clásicos como el aguachile de garra de león, los ravioles de aguacate y camarón, el huarache de *kobe* y el mole de olla. $1,600 por pareja.

SALOTTO

Molière 44, Polanco; 5280 3002; martes a sábado de 13 a 23 horas, domingos de 11 a 18. Un restaurante italiano muy serio, elegante, con cava para cenar en corto y muchísimo *elbow-room*. Ha tardado un poco en agarrar su paso, pero hay muy buenas cosas como el *capunet al sugo de carota* —picadillo de rica salchicha italiana, envuelto en col y salseado con zanahoria—, la ensalada tibia de mariscos y papa, el cabrito en su jugo y la *panna cotta alla salvia*. $1,000 por pareja.

SIR WINSTON CHURCHILL'S

Manuel A. Camacho 67, Polanco; 5280 6070; lunes a sábado de 13 a 1 horas. Este fino restaurante, instalado en 1972 en una casona que es una joya de diseño arquitectónico y amueblado inglés, es una experiencia muy curiosa, como de otro tiempo. No hay que temerle a la cocina inglesa clásica: hay platillos deliciosos como la sopa de cola de res, sopa de lenteja escocesa, *roast prime rib of beef* (hay varios cortes y de rojo a bien cocido) con Yorkshire *pudding*, y claro la tarta de almendra. $1,100 por pareja.

TANDOOR

Copérnico 156, Nueva Anzures; 5203 0045; tandoor.com.mx; lunes a sábado de 13 a 23 horas, domingos de 13 a 20. Es una lástima la cortísima oferta de cocina india en la ciudad de México, especialmente desde el cierre del Kohinoor en Santa Fe. Esta parte de la Anzures densa de oficinas, los corbatudos hambrientos han hecho de Tandoor, máxima y casi única estrella de esa oferta, uno de sus lugares favoritos. Los amables anfitriones, que abrieron el lugar en 1986, te preguntan qué tan picante quieres el curry; en cualquier caso un *lassi* (de yogurt) te quitará el calor. A nosotros nos gustan mucho el arroz *basmati*, las tortitas de harina de garbanzo, el curry de carnero, el pollo *tikka* y el rico postre de leche. $600 por pareja.

TONG FONG

Hotel Nikko. Campos Elíseos 204, Polanco; 5283 8700; hotelnikkomexico.com; lunes a miércoles de 19 a 23 horas, jueves a sábado hasta las 00. Se trata de un bar adyacente al restaurante Teppan Grill del Nikko, pero nosotros lo consideramos por su cuenta; y, como tal, uno de los mejores restaurantes japoneses de la ciudad. Pide un *box* surtidito, que trae varios *nigiri* y un rollo, y agrega un pilón de erizo. Es un restaurante casi secreto; puedes ir con amante (el hecho de que está en un hotel no le cae nada mal). $1,000 por pareja.

TOROBI

Oscar Wilde 9, Polanco; 5280 1834; martes a sábado de 13 a 00 horas, domingo hasta a las 22. El nuevo restaurante de la chef Kazu Kumoto —ex de Tori Tori— es pequeñito, amable, híper japonés. Lo mismo puede decirse del servicio, a veces ejercido por la propia chef. Aquí importa mucho menos la imaginación de los cocineros que su destreza con el cuchillo y la absoluta frescura del producto. Vete por lo más sencillo: *sashimi*, *nigiri de o'toro*, sopa casi transparente. Delicioso. $800 por pareja.

ZHEN SHANGHAI

Hotel Presidente Intercontinental. Campos Elíseos 218, Polanco; 5327 7774; zhen.com.mx; martes a sábado de 13 a 1 horas, domingos de 13 a 22. Comida china súper refinada. Va de la elegancia de la mesa con mantel grueso al servicio esmerado, la presentación y la delicia de los platillos. Uno se queda con el antojo de volver seguido, pero cuidado con la cartera. Aquí hay que pedir *dim sum* de camarón, pato laqueado en taquitos, costillas de cerdo agridulces, pollo en *wok* con nueces de la India, espirales de res con hongos y buñuelos de chocolate. $1,600 por pareja.

Tandoor

Bistro Estoril

Camarena 999, Santa Fe; 5292 1211; bistroestoril.com; lunes a sábado de 13 a 23:15 horas, domingos de 13 a 18. El original está en Polanco (Alejandro Dumas 24, Polanco; 5280 9828; estoril.com.mx), pero esta versión es más moderna y amable, con su gran terraza. El menú no es el mismo: este bistró tiene una agradable inclinación mexicana. Los tacos de tuétano o de lengua, las crepas de chicharrón, las albóndigas de pescado, el mole negro con pollo y la tarta de higos son muy recomendables. $800 por pareja.

CASA MERLOS

Victoriano Zepeda 80, Observatorio; 5516 4017; casamerlos.com; jueves a domingo de 13 a 18 horas. Lugar muy recomendable para comer la auténtica cocina poblana, aunque siempre esté a reventar, las meseras sean un poco pesadas y no acepten tarjeta. Lucila, mujer diminuta e incansable, sigue creando moles estupendos y haciendo cada salsa y plato con atención en todos los detalles y sin perder la tradición. Pide manitas en escabeche, mole blanco de pepita de melón, totopostles, chiles en nogada y de postre la natilla de piñón. $600 por pareja.

ELAGO

Lago Mayor, Segunda Sección del Bosque de Chapultepec; 5515 9585; lago.com.mx; lunes a jueves de 7:30 a 23 horas, viernes y sábados hasta las 23:45, domingos de 10 a 16:30. Uno de los restaurantes más espectaculares de la ciudad de México, por su ventanal gigante y la vista hacia la gran fuente del lago en Chapultepec. Ambiente setentero, con picos, rayas y colores, y casi se espera ver a las señoras en chongo y con mink corto. Hay que probar la degustación de tres pescados, ensalada de anchoas, tacos de *rib eye* o langosta, res con hongos y *foie gras*, y *crème brûlée* de nuez. $900 por pareja.

« Los que pueden pagarse el lujo de una comida o cena en el Restaurante Lago disfrutan desde sus mesas del espectáculo lacustre con las fuentes que orinan chorros coloridos en varias formas y direcciones. Espectáculo grato, apacible y

PONIENTE

BAKÉA

Sierra Ventana 700, Lomas de Chapultepec; 5520 6954; lunes a sábado de 13:30 a 00 horas (cocina hasta las 23). En su momento fue un restaurante muy revelador de la cocina vasca con influencia francesa. Pintaba para convertirse en una referencia clave; no lo logró, pero sigue siendo correctísimo. A mediodía está lleno; de noche es un poco más holgado. Hay buen *foie gras*. Ordena sopa de jitomate y callo de almeja, *risotto* al azafrán y de postre el milhojas de frambuesa. $1,000 por pareja.

BISTRO ESTORIL

Centro Santa Fe. Guillermo González

favorable a una plácida digestión.”

Salvador Novo en *Los paseos de la ciudad de México* (1974).

HUNAN

Paseo de la Reforma 2210, Lomas Virreyes; 5596 4355; hunan.com.mx; lunes a jueves de 13:30 a 23 horas, viernes y sábados de 13:30 a 00, domingos hasta las 18. Uno de los favoritos de cocina china en la ciudad. Siempre lleno y con un ambiente que da hambre al ver los platillos de otras mesas: están bien servidos y muy bien preparados. Los que conocen la carta piden taquitos de lechuga (rellenos de pollo, nuez, soya y chile), empanadas de camarón, rollos de verduras, *dumplings* de cerdo, res o callo, robalo entero frito, pato pekinés y para terminar un té verde. $900 por pareja. Sucursales: Pedro Luis Ogazón 102, San Ángel; 5661 6414.

IHOP

Palmas 275, Lomas de Chapultepec; 5520 9141; ihop.com; domingos a jueves de 7 a 22 horas, viernes y sábados de 7 a 00. La conocida International House of Pancakes de Estados Unidos sirve ahora en la capital mexicana sus tradicionales desayunos dignos de un Michael Phelps con déficit calórico. Hay de otra (ejemplo: ensaladas, pescado con salsa holandesa), pero no te hagas: lo que quieres es hot cakes con tocino, jamón, frutas, miel y varios etcéteras. $400 por pareja. Sucursales: Manuel Ávila Camacho 1895, Satélite; 5562 9613. World Trade Center: Montecito 38-PB; 9000 9544.

LA MAR

Juan Salvador Agraz 37, 2° piso, Santa Fe; 5292 9776; lamarcebicheria.com.mx; martes a jueves de 13 a 23 horas, viernes y sábados hasta las 00, domingos y lunes hasta las 18. Abierto en 2007 este hijo jovial del chef Gastón Acurio significó la revelación de la cocina peruana para los defeños: ¿dónde habían estado los anticuchos, las causas (esas montañitas de papa casi fundentes), los cebiches eróticos, los tacutacus con callo de hacha al *wok* y esa degustación de leches de tigre que van del verde limón al negro pata de mula; y por qué nunca nos los habían servido con esta frescura total, sencilla y rotunda? Una delicia que no ha desmejorado para nada. $800 por pareja. Sucursal: Plaza Loreto: Altamirano 46, Tizapán; 5616 5249.

MORTON'S

Torre Óptima. Palmas 405 PB, Lomas de Chapultepec; 5540 7897; mortons.com; lunes a sábado de 13 a 1 horas, domingos de 13 a 21. La carne que ofrecen en esta sucursal del original de Chicago es en verdad buena, suave, delicada y añejada en su punto (más o menos 21 días después de la matanza). Parece restaurante para viejos: todo alfombrado, muy sobrio, con imágenes de temas ecuestres, como oficina del jefe. Los expertos disfrutan el coctel de camarones o de cangrejo, la sopa de langosta, la ensalada tibia de filete, las costillas de cordero, un maravilloso filete (hay 10 tipos) y el rico pastel de chocolate. $1,400 por pareja.

NÁOS

Palmas 425, entre Sierra Gamón y Sierra Mojada, Lomas de Chapultepec; 5520 5702; monicapatino.com.mx; lunes y martes de 13:00 a 23 horas, miércoles a sábado hasta las 24, domingos hasta las 18. El restaurante contemporáneo de la chef Mónica Patiño sigue ofreciendo una cocina mexicana ligera y sabrosa con chispeantes toques orientales. Es como estar a dieta. El lugar es airoso y fresco, con sus velas blancas cubriendo la terraza. Muy familiar en fin de semana. No hay que perderse el *carpaccio* de atún con cítricos, tostadas de jaiba, pulpo o camarón, burritas de salmón con queso crema y chile, filete con especias y la estupenda tarta de higo. $1,000 por pareja.

NOBU

Arcos Bosques. Paseo de los Tamarindos 90, Bosques de las Lomas; 9135 0061; noburestaurants.com; lunes a miércoles de 13 a 24 horas, jueves a sábado de 13 a 1, domingos hasta las 18. Una de las aperturas más esperadas de los últimos años, e inmediatamente después una de las más recusadas: los

Ihop

Náos

Puntarena

precios son tremendos. El chef Nobu Matsuhisa es famoso por su mestizaje de platillos tradicionales japoneses con ingredientes y preparaciones occidentales (principalmente peruanas). Nosotros pedimos tiradito peruano, *tempura* de camarón roca con salsa cremosa picante y callos de hacha con salsa de *wasabi* y pimienta. No olvides el *fondant* de chocolate sin harina ni probar su excelente coctelería. $1,600 por pareja.

PUERTA DE CASTILLA

Vasco de Quiroga 3880, Santa Fe; 2591 0811; puertadecastilla.com.mx; lunes a sábado de 13 a 23 horas, domingos de 13 a 19. Cocina española en un ambiente que ellos mismos describen como medieval, con muros rústicos, acabados en piedra, techos abovedados, pisos de madera, mobiliario robusto y elegantes herrajes. La comida es preparada con atención al detalle. Su mejor plato es la paella, pero también las vieiras con caviar y el filete de extraviado con cebollín valen mucho la pena. Al final el ate con queso en cuadritos, que hace valer el viaje hasta acá. $1,000 por pareja.

PUNTARENA

Palmas 275, Lomas de Chapultepec; 5520 1723; puntarena.com.mx; lunes a jueves de 13 a 23 horas, viernes a sábado hasta las 23:30, domingos hasta las 18. Uno de los restaurantes favoritos en la zona abrió en 2001 y ha estado lleno ininterrumpidamente. Su cocina está encandilada con las cocinas mediterráneas. Todo es muy recomendable: el coctel de callo de almeja, la tártara de atún, la sopa verde (especialidad de la casa), el huachinango, la hamburguesa de atún y el *rib eye black angus prime* con espinacas cremosas. Los precios son igual de impresionantes. $1,100 por pareja. Sucursal: Avenida de la Paz 57, San Ángel; 5616 8638.

RESERVA 555

Palmas 555, Lomas de Chapultepec; 5540 2945; reserva555.com; lunes a sábado de 13 a 00, domingos hasta las 18. La seriedad se le nota en los muebles y las paredes oscuros, las luces extremadamente económicas (las luces, no las lámparas). La cocina está a cargo de Alberto Cano, con recetas de Daniel Ovadía, y llega a la mesa como una colección de reinterpretaciones de platos mexicanos como el puerco en verdolagas, el robalo a la veracruzana con jalapeño esferificado —atención aficionados a la cocina molecular— y ternerita pibil. Buena carta de vinos, buen servicio, precios intimidantes. $1,000 por pareja.

RIVOLI

Arcos Bosques. Paseo de Tamarindos 90, Bosques de las Lomas; 5246 3560; lunes a sábado 13 a 23 horas, domingos de 13 a 18. El Rivoli abrió en los años cuarenta en la calle de Hamburgo, en la Juárez, a cargo del austriaco Von Marx y el húngaro Dario Borzani, que también llevaba el Martinique, en Nueva York. Luego cerró. Hace poco lo reabrieron en "El Pantalón". Muy buen servicio y cuidadosa carta de vinos. No fallan el bisque de langosta, filete con salsa de morillas, dorado al limón y *soufflé* de cajeta. $1,000 por pareja.

“Rivoli, como usted lo sabe, es el nuevo restaurante que ha abierto el barón Von Marx, y el barón Von Marx es el banquero austriaco ascendido por vocación a profesor de cocina cuando hace siete años abrió en México cursos que tomaron por deporte algunos señores y algunas señoras.”

Salvador Novo en *La vida en México en el periodo presidencial de Adolfo Ruiz Cortines* (1996)

SHU

Calle Tres 55, esq. Avenida Santa Fe, La Fe; 5292 4834; shu.com.mx; lunes a jueves de 13 a 23:30 horas, viernes y sábados de 13 a 00, domingos de 13 a 19. Es un Suntory, pero trepado en la montaña y disfrazado de nave extraterrestre. Hay notables platillos japoneses con ligera influencia mexicana, preparados en asadores medio *hi-tech*, servidos en generosas porciones de precios nada generosos. Quienes vuelven prefieren *hifukidori* de langosta o de pollo (un tazón con cantidades ingentes de chile de árbol frito), ensalada de cangrejo, tacos de *rib eye* con chile toreado y tempura de helado. $1,200 por pareja.

Antigua Hacienda de Tlalpan

XAAK

Mario Pani 200, Santa Fe; 5292 6117; xaak.com.mx; miércoles a sábado de 13 a 23 horas, domingo a martes de 13 a 18. Este restaurante se anuncia como de luz y sombra y es resultado de la unión de esfuerzos de varios chefs vascos que ya tienen su lugar en la ciudad. Moderno y de mucho diseño. Se come bien. Quienes van seguido piden croquetas de jamón, terrina de boquerones, tacos de pato, consomé de tomate, sopa de almejas y papas, pescado al carbón con refrito, *txipirones* con arroz negro y *confit* de pato con peras, higos caramelizados. $900 por pareja.

SUR

ALAIA

Río Magdalena 80, Tizapán San Ángel; 5616 6336; alaia.com.mx; lunes a miércoles de 13:30 a 23 horas, jueves a sábado la cocina cierra a las 23:30, domingos de 13:30 a 18. El chef Alberto Ituarte, aunque se mantiene un poco fuera de reflectores, es uno de los más acuciosos lectores de la cocina vasca (pasó por la cocina de Arzak, inauguró Tezka). Su restaurante Alaia es de lo mejor del sur capitalino aunque no reciba la atención que, acaso, se merece. Es espacioso, silencioso, un poquito solemne. Su servicio es puntual, su carta de vinos bien estructurada. En la carta: excelentes pimientos del piquillo rellenos de bacalao cremoso, croquetas de jamón, ensalada de pulpo y pochas, crema de brie, pescado entero dorado al carbón, chuletón con pimientos, laminado de mango y leche frita. $900 por pareja.

ANTIGUA HACIENDA DE TLALPAN

Calzada de Tlalpan 4619, Tlalpan; 5655 7888; antiguahaciendatlalpan.com.mx; lunes a sábado de 13 a 1 horas (cocina a las 23), domingos de 13 a 18. Vale la pena conocer el gigantesco jardín de esta ex hacienda construida en 1737, que es un verdadero asueto en días calurosos y aletargados. Pasean por ahí cisnes, pavorreales y patos que graznan y echan agua en el río artificial. La cocina es mexicana e internacional. En la carta no hay nada ni sorprendentemente logrado ni particularmente decepcionante; pide la sopa de médula, el pato en pipián y el flan de queso. $700 por pareja.

> “A lo largo y mullido de este siglo Coyoacán flota entre San Ángel y San Agustín de las Cuevas —Tlalpan— como aristocrático sitio al que las familias *popoff* iban a 'mudar temperamento', según palabras de la marquesa Calderón de la Barca.”
>
> Salvador Novo en *Breve historia de Coyoacán* (1962)

AZUL Y ORO

Centro Cultural Universitario, Ciudad Universitaria; 5622 7135; lunes y martes de 10 a 18 horas, miércoles a sábado de 10 a 20, domingos hasta las 19. Desde nuestro punto de vista la crítica ha tenido una manga demasiado ancha respecto a este lugar. Sí, el trabajo de investigación de su chef Ricardo Muñoz Zurita es valuable; su sazón agradable; su emplatado por arriba del promedio. Pero en verdad aún no hemos encontrado el momento resplandeciente de su cocina. De cualquier modo no esperes cualquier cafetería de la UNAM: hay algunos platillos atractivos como la gordita de bacalao, el filete de res en chichilo negro y el pescado en achiote. Los postres están bien servidos. No hay vinos. $400 por pareja.

CLUNY BAR

Avenida de la Paz 57, San Ángel; 5616 3582; lunes a sábado de 12:30 a 00 horas, domingos hasta las 23. Es el localito que acompaña a la famosa crepería Cluny, pero con mucho más personalidad. Su carta es pequeña, con unos cuantos esenciales como el sándwich *croque-monsieur* de jamón con *gruyère*, el plato de montaditos de salmón, bacalao y queso brie, las tacitas de aceitunas verdes y negras marinadas con hierbas y aceite de oliva. Ventaja: puedes pedir la carta de la crepería. Carta de vinos bien elegida y nada

Corazón de Maguey

encajosa. Servicio de cuates. De lo poco bueno es que abre hasta tarde en domingo. $600 por pareja.

CORAZÓN DE MAGUEY (OH MAYAHUEL)

Plaza Jardín Centenario 9-A, Coyoacán; 5659 3165; lunes a domingo de 13 a 00 horas. Esta mezcalería de Coyoacán ha tenido varios nombres; ahora le dicen, simplemente "los mezcales" (y los hay: el de la casa es el Oh; tienen también AM, Alipús, Los Danzantes y San Honesto, además de una buena lista de cocteles mezcaleros). Son dos pisos de estancia muy cómoda y agradable; nosotros preferimos sentarnos en la terraza, frente a la plaza, para pedir tlayudas con chorizo y tasajo o enfrijoladas con pollo. $600 por pareja.

"La sección Oeste de la plaza [de Coyoacán] quiere ser la liberal, la posmoderna, la futura, la más empeñosamente simbiótica... El rebullicio revuelve *freaks*, punks y *skins* aborígenes con parejas de caramelo, turistas de *zoom back*, musicastros de quena y bombo, gurúes albeantes, niñas punto de turrón, intelectuales que orean su Savater, esnobs con el péndulo dispuesto a 'fukó', limosneros de toda catadura, parejas pomadosas, activistas cuya causa quiere contar contigo y desde luego la última frontera de la nación jipi que todavía cree en jarecrishna y aún habla en argó."

Guillermo Sheridan en el artículo "Yes, in Coyoacán you can" de la revista *Vuelta* (1998).

DEIGO

Pestalozzi 1238, Del Valle; 5605 6317; martes a sábado de 13 a 22 horas, domingos de 13 a 19. Un lugar que fue de barrio, vecinal, durante bastante tiempo y que recientemente ha adquirido cierto renombre. Está frente al Parque de Pilares. De sencilla decoración japonesa, tiene un jardín casi relajante. Además es de los pocos lugares de cocina japonesa con buenos precios de veras. Los comensales prefieren *nigiri* de erizo, almeja y calamar, res rebanada cruda, calamar empanizado, tallarines con verduras, arroz con mariscos y helado de lichis. Todo muy bueno. $500 por pareja.

EL TAJÍN

Centro Cultural y Social Veracruzano. Miguel Ángel de Quevedo 687, Cuadrante de San Francisco; 5659 5759; centroveracruzano.com.mx; lunes a domingo de 13 a 18 horas. Un buen restaurante veracruzano al que le caería bien una remodelada. La chef es Alicia Gironella, quien consigue excelentes taquitos de chilorio, gorditas, quesadillas de picadillo, taquitos de quelite, tostadas de marlin, camarones al tamarindo y lengua de res a la veracruzana. Todo súper bueno. $700 por pareja.

FIESOLE

Avenida del Parque 2, esq. Revolución, Tlacopac; 5663 1772; lunes a sábado de 13 a 23 horas, domingos hasta las 18. Un localito casi imperceptible en la zona de Barranca del Muerto. Blanco, con dos plantas, rusticón, con buen servicio y cava bien informada de italianos. Hay muchas cosas recomendables, como el bracito de pulpo asado a la brasa con arúgula, limón, hojuelas de chile y tizne; *risotto* con camarones y azafrán amarillo y delicado; provoleta con jitomatitos deshidratados; chamorro de ternera en su jugo, y muy buenas pizzas (ejemplo: la de atún y cebolla). $700 por pareja.

LA CASSEROLE

Insurgentes Sur 1880, Florida; 5661 5152; lunes a sábados de 7:30 a 00 horas, domingos de 7:30 a 19. Simpático restaurante con decoración original de los años sesenta, que emula una cabaña de la campiña francesa con todo y chimenea de piedra. Cocina francesa de libro de texto. Es para ir en pareja: pidan *fondue* de queso, caracoles, bisque de langostino, *coq au vin* y *fondue* de fruta. $600 por pareja.

LA TABERNA DEL LEÓN

Altamirano 46 (Plaza Loreto), Tizapán San Ángel; 5616 2110; monicapatino.com.mx; lunes a jueves 14 a 23 horas, viernes y sábados de 14 a 24, domingos hasta las 18. Después de La Taberna del León de Valle de Bravo —que estuvo abierto de 1982 a 1992— Mónica Patiño se mudó al DF y con el tiempo abrió un restaurante homónimo en Plaza Loreto en 1994. Fue por entonces uno de los lugares más emocionantes del sur defeño. Hoy sobrevive, muy bien cuidado, aunque a la cocina de Patiño ya la rebasaron las siguientes dos generaciones de chefs. Hay platillos sensacionales: los ostiones gratinados, la ensalada de nopales y pulpitos en escabeche, las tostadas de tinga, el pato glaseado. Buena carta de vinos. $1,100 por pareja.

Los Danzantes

LE PETIT RESTO

San Antonio 100, esq. Indiana, Nápoles; 5611 9128; lepetitresto.com; domingos y lunes de 13:30 a 18 horas, martes a sábado de 13:30 a 19. Ahora que el eje tiene puente es más difícil llegar, pero vale la pena, por la exquisita cocina francesa que allí preparan. Una vez adentro la decoración es de abuelita, y los dueños, una amable pareja francesa, te transportan al pasado francés. Es buena idea atenerse a las recomendaciones del día o bien entrarle a la crema de cangrejo, la res a la pimienta o con salsa de mostaza y el *coq au vin*. Un gran lugar. $900 por pareja.

LOS DANZANTES

Plaza Jardín Centenario 12, Villa Coyoacán; 5658 6054; losdanzantes.com; domingo a jueves de 13 a 23, viernes y sábados de 13 a 1. Un espacio muy agradable, sobre todo en la planta alta —mezcla de bar y cava— y por algunos platillos que no se dejan olvidar: hoja santa rellena de queso oaxaca y queso de cabra sobre una salsa de tomate verde y chile meco, tostadas de salpicón de venado, crema de frijol con queso fresco y juliana de tortilla y un sabroso atún de costra de pistache con cama de lentejas. Servicio desigual. La carta de vinos mexicanos complace a todos. $700 por pareja.

MARALUNGA

San Jerónimo 14, Tizapán San Angel; 5683 8491; maralunga.com.mx; lunes a miércoles de 13:30 a 23 horas, jueves a sábado de 13:30 a 00, domingos de 13:30 a 18. Sirven cocina mediterránea, sobre todo de pescado y mariscos. El lugar tiene un diseño muy agradable, con bóvedas de tabique aparente, iluminadas de noche con muchas velas. Para disfrutar una buena cena, sobre todo cuando hace frío. Nosotros pedimos cazuela de almejas, pasta con mariscos y atún Maralunga al perejil con aderezos de mostaza, agridulce o soya picante. $800 por pareja.

“Cuando compré terreno en Coyoacán, una de las virtudes que le encontraba al lugar es que parecía un pueblo fantasma. Era de difícil acceso, estaba vacío y era suficientemente feo para que a nadie se le ocurriera convertirlo en una meca turística. La iglesia ya la habían echado a perder, el palacio de Cortés ni fue de Cortés ni tuvo nunca ningún chiste; había una nevería, cuatro boticas, una taquería, un tranvía —que según los habitantes de la región 'hacía un ruido infernal'—, las calles eran lodazales y en las noches estaban como boca de lobo. Una vaca se comía con regularidad el acanto del portal de mi casa. Un lugar ideal para vivir.”

Jorge Ibargüengoitia en el artículo "Los misterios del Distrito Federal" de la antología *¿Olvida usted su equipaje?* (1997).

NAGAOKA

Arkansas 38, Nápoles; 5543 9530; nagaoka.com.mx; martes a sábado de 13 a 22:30 horas, domingos de 13 a 19:30. Aunque los restaurantes en una casa ya necesitan más imaginación, dada la competencia feroz de lugares muy diseñados, lo bueno de este lugar tradicional es que sigue atendiendo la misma familia. El ambiente es amable, como visitar a amigos japoneses. Para los más asiduos, es el mejor lugar de cocina japonesa. Recomendamos el *sashimi* corte grueso, *tempura* mixto y los ostiones empanizados. $500 por pareja.

Paxia

NOVO'S

Madrid 13, Coyoacán; 5659 5776; novos.com.mx; lunes a miércoles de 12 a 22 horas, jueves a sábado hasta las 2. La que fue casa de Salvador Novo ahora es una cantina *gourmet*, en la que puedes degustar magníficos destilados de agave provenientes de distintos puntos de la República. También tienen pulque. El ambiente es relajado, la música agradable (sones jarochos, ritmos caribeños) y la comida buenísima. Pide la entrada mixta y luego déjate consentir por el mesero, que te ofrecerá platillos mexicanos suculentos y a precios justos. $400 por pareja.

PAXIA

Avenida de la Paz 47, San Ángel; 5616 6964; paxia.com.mx; lunes a jueves de 13 a 00 horas, viernes y sábados hasta la 1, domingos hasta las 18. El joven Daniel Ovadía abrió Paxia en 2006 y pronto se hizo de un muy buen éxito. Su cocina, que practica una general reconfección de platillos mexicanos clásicos, empieza a afianzarse. A veces es nostálgica, a veces irónica, a veces experimental. Hay un *foie gras* con espuma de Boing! de guayaba y unos tacos de la plaza que reinterpretan a los del Villamelón frente a la Plaza México (chicharrón, bistec y chorizo con salsa verde y roja). Su mejor plato, en nuestra experiencia, es la ensalada de lechugas con láminas de piña deshidratada, toronja, queso de cabra y mango. No te pierdas los buñuelos con helado de vainilla. Excelente carta de vinos mexicanos y mezcales. $1,000 por pareja. Sucursal: Juan Salvador Agraz 44, Santa Fe; 2591 0429.

PIEGARI

Avenida de la Paz 6, San Ángel; 5550 3535; piegari.com.mx; lunes a miércoles de 8 a 00 horas, jueves a sábados hasta la 1, domingos hasta las 19. Un lugar más de cocina italo-argentina, parte de una cadena bonaerense de escala elevada, tanto en precio como en instalaciones. Por la noche las lámparas de cristales de colores le dan cierta cualidad antrera. Hay buenos platillos como los rollos de berenjena, los camarones a la milanesa, los canelones boloñesa, el arroz con mariscos, y el lenguado con arúgula. $900 por pareja. Sucursal: Arcos Bosques: Paseo de los Tamarindos 90; 5570 3434.

SAN ÁNGEL INN

Diego Rivera 50, esq. Altavista, San Ángel Inn; 5616 1402; sanangelinn.com; lunes a viernes de 7 a 12:30 horas y de 13:30 a 1, sábados y domingos de 8:30 a 22. Lo que ahora es el San Ángel Inn fue construido en el año 1692, y ha visto de todo: fue casa del embajador de España y de su mujer, de la escritora Calderón de la Barca; dicen que Santa Anna planeó aquí la batalla de Chapultepec en 1847; convertido en hotel durmieron entre sus muros Caruso, Gershwin y Juventino Rosas... Como restaurante ha visto mejores tiempos; la cocina de la ciudad ya lo dejó atrás. Sin embargo, sigue llenándose, acaso porque sus crepas de huitlacoche, la sopa de tortilla con sesos y el mole poblano no decepcionan a nadie. Nosotros preferimos el patio polícromo para compartir botanitas y beber martinis helados. $900 por pareja.

La esquina de Altavista y Diego Rivera fue ocasión de polémica en junio de 2010 cuando se corrió la voz de que Altavista iba a llamarse José Luis Cuevas a partir de la inauguración de 15 piezas escultóricas del artista a lo largo de la calle. Guadalupe Rivera, la hija de Diego, lo consideró una afrenta a la memoria de su padre porque una calle llamada José Luis Cuevas no podía cruzar con una calle llamada Diego Rivera; no deberían reunirse el animador de la Ruptura (con el muralismo) con el capitán del muralismo. Fabrizio Mejía cuenta en una crónica que José Luis Cuevas se encontró con Rivera cuando éste dirigía la composición del mosaico que decora la fachada del Teatro Insurgentes: "'Buenas tardes, soy José Luis Cuevas'. Rivera no hizo un solo gesto; únicamente encañonó a Cuevas, quien daba pasos para atrás. Sin mirar atrás, Cuevas siguió su camino".

Viña Gourmet

Sud 777

SUD 777

Boulevard de la Luz 777, Jardines del Pedregal; 5568 4777; sud777.com; lunes a martes de 8 a 23 horas, miércoles a sábado de 8 a 00, domingos de 9 a 17. Se nota que hacía falta un lugar en el Pedregal, pues éste pegó con fuerza. El diseño recoge la tradición arquitectónica de la zona, moderna y lineal, con el juego de piedras, cristales, acero, jardines y alturas; la cocina es muy moderna y sabrosa también: una mezcla de *steak house* y cocina francesa. Excelentes: hamburguesa, tártara de atún, *roast prime rib* añejado y tarta de plátano. No te pierdas la Degustación de Joselito, que trae jamón, chorizo y lomo de puerco ibérico de bellota. Bravo por el chef Édgar Núñez. Buen servicio. Estupenda carta de vinos. $1,000 por pareja.

SUNTORY

Torres Adalid 14, Del Valle; 5536 9432; restaurantesuntory.com.mx; lunes a jueves de 13 a 23 horas, viernes y sábados hasta las 23:30, domingos hasta las 21. Fue de los primeros lugares japoneses en la ciudad y sigue estando entre los mejores (y más caros), con sus salones de teppanyaki, esmerado y amable servicio y la sensación de que uno debe estar aquí. Disfruta en tu mesa cómo prepara el experto la comida con precisión casi electrónica. Hay que hacer varias recomendaciones, como los tacos de *rib eye*, el *sashimi* de atún, los *nigiri* de toro, el tempura de camarones y verduras y el helado de té. $1,000 por pareja. Sucursal: Montes Urales 535, Lomas de Chapultepec; 5202 4711.

TRATTORIA DELLA CASA NUOVA

Avenida de la Paz 40, San Ángel; 5616 2288; lunes de 18 a 00, martes a viernes de 8 a 00, sábados y domingos de 9 a 00. Aunque su decoración tiene algo de impersonal, como para salir del paso, se trata de un restaurante clave del sur

Nicos

defeño. Es amplio y cómodo, con tienda y panadería. Pide la pizza *margherita*, o si te gustan más gorditas la *ripiena* que trae las orillas rellenas de queso, y los clásicos como los *gnocchi* ligeros o el estupendo filete con salsa de oporto y naranja sobre *ravioli*. Con sus más de 20 años no han envejecido nada; todo sigue buenísimo. La panadería está entre las mejores de la ciudad; llévate a casa un rehilete de nuez. Por la mañana pide *bagel* con salmón, huevo revuelto, eneldo y alcaparras o *waffles* con crema esponjosa. $600 por pareja.

VIÑA GOURMET

Plaza Santa Teresa. Periférico Sur 4020, Jardines del Pedregal; 5568 3191; lunes a sábado de 13 a 23 horas, domingos a 18 horas. Uno de los primeros y más firmes impulsores de la denominación "restaurante / tienda de vinos" (acá la tienda fue primero: abrió en 1994). El Viña Gourmet es probablemente el mejor restaurante del sur profundo de la ciudad. Su diseño es limpio, claro, fresco y aprovecha muy bien su espacio reducido. En la carta de comida: *risotto* milanés, atún encostrado en pimienta y muy buenos quesos; la carta de vinos es previsiblemente su punto fuerte. $900 por pareja.

WA

Insurgentes Sur 1843, Guadalupe Inn; 5662 0262; restaurantewa.com; lunes a miércoles de 13 a 23 horas, jueves a sábado a 00, domingos a 19. Versión contemporánea de lo que debe ser un salón de parrillas japonesas en México. Enorme, muy moderno, todo blanco y espacioso. La cocina es de primera y la colección de sake muy tentadora. A nosotros nos gustan las almejas con callo de hacha, espárragos envueltos, *sashimi* de res, rollo de camarón y cangrejo y el pastel de queso *tempura*. Riquísimo. $800 por pareja. Sucursal: Juan Salvador Agraz 60, Santa Fe; 5292 9787.

ZERU

Avenida de la Paz 37, San Ángel; 5550 9544; de domingo a miércoles de 13:30 a 18 horas, jueves a sábado hasta las 23. Pequeñito y de altos vuelos el Zeru pertenece al grupo del Alaia en Tizapán y el Xaak en Santa Fe; es más modesto que ellos y probablemente bastante mejor. Su carta tiene unos pocos platos fijos —como el impecable revuelto de rabo de buey o las croquetas de jamón con alioli— y una oferta de buenas cosas en constante rotación. Pide también las alubias con almejas, el ate y el pastel de chocolate. Y bebe el *txakoli*, ese delicioso y emborrachante vino vasco. Buen servicio. Sin duda uno de los mejores restaurantes de la ciudad de México. $800 por pareja.

NORTE

EL BAJÍO

Av. Cuitláhuac 2709, Obrero Popular; 5234 3763; carnitaselbajio.com.mx; lunes a viernes de 8 a 18:30 horas, sábados y domingos de 9 a 18:30. Carmen Ramírez —o Titita, como le dicen su familia y *name-droppers*— ha conseguido uno de los restaurantes más entrañables de la ciudad. Es cocina mexicana auténtica, de pueblo, y por tanto rica y pesada. No pidas demasiado, aunque todo se te antoje. ¿Qué pedir? Todo está bueno: sopa de médula, gorditas de plátano con frijol y salsa negra, tacos de carnitas y de cochinita pibil, y de postre la natilla. $400 por pareja. Sucursales: Alejandro Dumas 7, Polanco; 5281 8245. Parque Delta: Av. Cuauhtémoc 462, Narvarte; 5519 7073. Reforma 222, Juárez; 5511 9117. Centro Comercial Parque Lindavista: Colector 13 núm. 280, Magdalena de las Salinas; 5119 1959. Parque Tezontle: Canal de Tezontle 1512, Alfonso Ortiz Tirado; 9129 0059.

MONTE CRISTO

Insurgentes Norte 1980, Lindavista; 5577 9262; rmontecristo.com; lunes a jueves de 13 a 22 horas, viernes y sábados a 23, domingos hasta las 19. Instalado en una bella casa antigua que ha terminado rodeada de puentes y tráfico, una vez adentro uno se remonta efectivamente al siglo XIX: largos manteles y deliciosa cocina tradicional mexicana. Conviene ir con calma, probando antojitos y disfrutando. Quienes ya lo conocen piden tacos de lechón, ensalada de nopal, sopa de frijol, huachinango en chicharrón, pato en ate de membrillo y el flan de queso. $700 por pareja.

NICOS

Av. Cuitláhuac 3102, Clavería; 5396 7090; lunes a sábado de 7:30 a 18:30 horas. Un restaurante de larguísima trayectoria, que comenzó como fuente de sodas en 1957. Gerardo Vázquez Lugo, hijo de la familia fundadora, lo tomó en 1996 y lo ha convertido en un curioso refugio de los conservadores y apasionados de las denominaciones de origen. Hay que probar las trancas de pollo —especie de miniflautas doradas—; chalupitas, dobladitas y gorditas, todas con maíz criollo de Querétaro; la sopa seca de natas, replanteamiento de una receta del convento de monjas capuchinas de Guadalajara; y la caldosa de frijol con chochoyotes (albondiguitas de masa de maíz) y queso de Pijijiapan, Chiapas; y la pechuga crujiente con semillas. $300 por pareja.

Archivo General de la Nación, Fondo Enrique Díaz.

Durante la primera mitad del siglo XX comer en uno de los buenos restaurantes de la ciudad de México —la mayoría en el Centro o en las inmediaciones del Bosque de Chapultepec— constituía una experiencia mayormente masculina, como puede apreciarse en esta foto. La vida social de las mujeres transcurría más bien en los cafés. Si bien los menús solían ser sobre todo franceses, la sociedad posrevolucionaria comenzaba a apreciar algunos platillos e ingredientes provenientes de la cocina popular. Así nacen por ejemplo el filete chemita o el bacalo a la vizcaína (que de vizcaíno no tiene mucho). **dF**

TACOS, TOSTADAS Y QUESADILLAS
TORTAS, SÁNDWICHES Y HAMBURGUESAS
CREACIONES DEFEÑAS
PIZZAS · FONDAS Y RECOVECOS

Archivo General de la Nación, Fondo Hermanos Mayo

TACOS, TOSTADAS Y QUESADILLAS

CARNICERÍA ATLIXCO

Atlixco 42, esq. Juan Escutia, Condesa; lunes a jueves de 9 a 16 horas. Suele estar llena hacia el mediodía de fugitivos de oficinas y talleres de la zona. Cada día hay un guisado distinto (a nosotros nos gusta el cerdo con morita de los martes), y de lunes a jueves hay otro taco perfecto: tocino con bistec en tamaño desarmante.

COPACABANA

San Juan de Dios 497, esq. Acoxpa, Prado Coapa; 5673 6622; taqueriascopacabana.com; domingo a jueves de 12 a 2 horas, viernes y sábados de 12 a 7. Al final de los setenta, Copacabana fue un puestito de tacos junto al cine de ese nombre, en Coapa; el éxito los agrandó, y hoy ocupan un local gigante: el del propio cine Copacabana. El taco de bistec es pertinentemente grande. Sucursales: División del Norte 3111, Candelaria; 5549 7547. División del Norte 1832 esq. Dr. Vértiz, Del Valle; 5605 8669.

DON BETO (LOS DE COCHINADA)

Dr. Vértiz 1026, casi esq. Eje 5 Sur, Narvarte; lunes a jueves de 17 a 4 horas, viernes y sábados de 19 a 7. He aquí que la cochinada ("cochi", de cariño) es el trasunto de grasa, carne y restos misceláneos que se juntan al fondo del ollón donde se ha confitado suadero, longaniza y etcéteras. La cochinada se usa como salsa en un taco que sabiamente combina ese suadero, esa longaniza, acaso bistec, un poco de chicharrón.

La oferta de comida callejera hace tres siglos, como ahora, respondía al horario de la dieta: "Durante la mañana se vendía atole —dice Enriqueta Quiroz—, tamales y bizcochos corrientes. Por la tarde, las cocinas ofrecían chiles rellenos y rebozados, moronga, menudo, entomatadas de puerco, mole colorado, lomo colorado, lomo enchilado, manitas de puerco, piltrafas de carne y tripas, nenepile de panza, bonete, librillo y cuajar de res".

El Califa

DONERAKI

Universidad 537, Narvarte; 5575 3062; arabes.com.mx; lunes a jueves de 13 a 23 horas, viernes y sábados de 13 a 00, domingos hasta las 22. Estos árabes sí que pegaron, pues siguen abriendo sucursales por toda la ciudad. Confía en su popularidad: tantos tragones no pueden estar equivocados. Sucursales: consultar sitio web.

EL BORREGO VIUDO

Revolución 241, esq. Viaducto, Escandón; lunes a domingos 24 horas. Los favoritos para después de la fiesta. Hay quienes cuestionan su calidad y le atribuyen el éxito a los grados de alcohol en la sangre de sus comensales. Aguas con las picosísimas salsas, cuyo fuego puede alivianarse con el fresco tepache.

EL CALIFA

Altata 22, esq. Alfonso Reyes, Condesa; 5271 6285; elcalifa.com.mx; domingo a jueves de 11:30 a 6 horas, viernes y sábados de 11.30 a 7:30. Además de la experiencia gastronómica (carne suave y jugosa, tortillas recién hechas y salsas más que suficientes), venir aquí es un evento social de la madrugada en la Condesa. Prueba la gaona, la chuleta con queso o el pastor mientras saludas a todo el mundo. Son apropiadamente caros. Sucursales: Av. San Jerónimo 265, Pedregal; 5550 3392. Av. Stim 1328, Lomas del Chamizal; 5251 0028.

EL CUÑADO

Isabel la Católica esq. Juan A. Mateos, Obrera; lunes a sábado, 19 a 1 horas (horarios flexibles). El mejor taco de la Obrera, y probablemente de la ciudad: una tortilla grande, del tamaño de un plato de plástico, mojada en grasa de cerdo color rojo, con bistec marinado en mucho jugo de limón y asado a la plancha; sazonado con longaniza, cebolla y cilantro, pápalo, jitomates y aguacates, mojado con salsa de ternera y otra, a discreción del comensal, de habanero.

EL FARAÓN

Oaxaca 92, Roma Norte; 5533 9268: taqueriaelfaraon.com.mx; domingo a miércoles de 12 a 2 horas, jueves a sábados hasta las 6. También conocido como "el califake". Es una gran idea venir aquí para después de fiestear por la Roma o para seguirla. Mucho espacio, muchos tacos y muchas cervezas. Sucursal: Masaryk 101, Polanco; 5254 5378.

EL GRECO

Michoacán 54, Condesa; 5553 5742; lunes a sábado de 14 a 22:30 horas. A simple vista son tacos árabes "normales", pero su sazón es inigualable. También tienen una hamburguesita deliciosa. El

El Greco

sitio es pequeño, con excelente ambiente. Deja espacio para el caldo de frijoles y el postre: flan o pay de limón; riquísimos.

EL HIDALGUENSE

Campeche 155, Roma; 5564 0538; viernes a domingo de 7 a 17 horas. Probablemente la mejor barbacoa de la zona. Pero tiene otro detalle que presumir: hay tacos para vegetarianos o aquellos que extrañamente le ponen peros al intenso sabor del borrego, y magníficos mixiotes de setas y queso fresco artesanal. Las tortillas y los curados de fruta también son encomiables.

EL HUEQUITO

Ayuntamiento 21, Centro Histórico; 5518 3313; elhuequito.com.mx; lunes a sábados de 9 a 22 horas. El local cumple victoriosamente con su nombre: es de veras un huequito incrustado entre dos puertas; comes en la banqueta, donde está el limón, el refresco, la salsa. Son tacos de pastor perfectos ligeramente quemados, salseados con una de chile de árbol y un guacamole líquido. Abrieron en 1959, y el éxito los ha llevado a poner varias sucursales y a ofrecer *catering*, pero la modestia del Hueco de Ayuntamiento es su símbolo más feliz. Sucursales: Bolívar 58, Centro Histórico; 5521 0207. Pennsylvania 73, Nápoles; 5543 7821; Tintoretto 148, Nápoles; 5598 9027. Gante 1, Centro; 5521 8834.

EL JAROCHO

Tapachula 94, esq. Manzanillo; Roma; 5574 7148; taqueriaeljarocho.com.mx; lunes a sábado de 8 a 22 horas, domingos hasta las 19. Surgió en los cuarenta como tortillería, y ahora es un concurrido local de dos pisos con una enorme cantidad de guisados, varios de ellos muy sabrosos. Empieza con los de carne deshebrada, morita, mole verde, médula y machaca con huevo, y síguele con los demás.

EL LAGO DE LOS CISNES

Prado Norte 391, Lomas de Chapultepec; 5282 4347; ellagodeloscisnes.com; domingo a miércoles de 8 a 2 horas, jueves a sábado hasta las 6. Taquería fresa a prueba de miedosos que creen que taco es sinónimo de bichos. La especialidad es el pastor, pero la carta es vasta y tiene opciones para vegetarianos y melindrosos.

EL PAISA

Coruña 299, Viaducto Piedad; lunes a domingo de 8 a 5 horas. Un taco —o torta, como prefieras— al pastor singularísimo: la carne no se asa completamente en el gigantesco trompo, sino que, a media cocción, se pasa a un braseado lento. La técnica le da jugosidad e intensidad muy llamativas. Compruébalo intentando hacer la exasperante cola.

EL RINCÓN DE LA LECHUZA

Miguel Ángel de Quevedo 34, Chimalistac; 5661 5911; lunes a domingo de 13 a 00 horas. Tacos tradicionales, extremadamente bien hechos. Aparte del prestigioso pastor, el bistec, los higaditos y los hongos son memorables. También prueba la sopa de lentejas.

EL RINCÓN TARASCO

Martí 142, esq. Patriotismo, Escandón; 5277 2548; lunes a domingo de 9 a 16

El Vipsito

horas. Aparte de las espectaculares carnitas, hay tacos y quesadillas de sesos para perder los mismos. Los fines de semana vienen los familiones y hay que hacer fila; pero no importa, pues vale mucho la pena.

EL VENADITO

Universidad 1701, casi esq. Miguel Ángel de Quevedo, Chimalistac; 5661 9786; lunes a viernes de 11 a 20 horas. Llega temprano, pues la fama de estas carnitas es tan enorme que llegan a acabarse muy rápidamente. Si quieres otro platillo, ve directo al área del restaurante. Lo más importante: pide que a tu taco le pongan "chiquita" —esto es un doradísimo tocino crujiente.

EL VILLAMELÓN

Tintoretto 123, esq. Augusto Rodin, Mixcoac; 1042 2352; elvillamelon.com; martes a domingos de 9:30 a 18 horas. Nacieron en 1961 para alimentar a las benditas hordas de la Plaza de Toros México. Hoy la concurrencia es tan campechana como sus tacos: fresas, fanáticos de los toros, celebridades y despistados, todos unidos en nombre de la salsa (y la cruda). Pide el taco costeño —una acertadísima mezcla de chicharrón, carne y longaniza, cebolla, cilantro y dos salsas—. No está de más decir que el chef Daniel Ovadía los homenajea en la carta de su restaurante Paxia (ver pagina 49).

EL VIPSITO

Petén casi esq. Av. Universidad, Narvarte; lunes a jueves de 20 a 3 horas, viernes y sábados de 19 a 3, domingos de 20 a 2. Sabia y aromática combinación: taller mecánico en el día, magnífica taquería durante la noche. Sus pastor, bistec y chuleta al carbón son monumentales, y el guacamole y las salsas igual. El servicio es rápido y eficaz.

HOSTAL DE LOS QUESOS

Pilares 205, esq. Av. Coyoacán, Del Valle; 5559 9651; lunes a jueves de 8:30 a 1 horas, viernes y sábados de 8:30 a 2, domingos hasta las 23. Lo abrieron en 1972, y como su nombre sugiere, se especializa en todo lo que lleve queso. Nuestro voto se va para la chuleta Hostal: buen trozo de puerco acompañado de tocino y cebolla asada.

LA GÜERA

5 de Febrero 39, Centro; lunes a sábado de 11 a, más o menos, 20 horas. Discretísima, la *Güera* y su puestito de lámina semiambulante han ido ganando adeptos con merecida razón. Sus tostadas de salpicón y tinga son enjundiosamente nutritivas, ¡en serio!

LA LUPITA AYUUK

Rosa de Castilla 36, entre Rosa Té y Rosa Fuego, Molino de Rosas; 5593 9146; lunes a domingo de 11 a 1 horas. El puritito atasque por poco dinero. Un paraíso para glotones y enfiestados que necesiten volver a la normalidad. La especialidad son los alambres, unas montañas de carne, tocino, queso y ricas verduras.

LA NENA

Chiapas esq. Mérida, Roma; lunes a sábado de 19 a 00 horas. La *Nena* colocaba su parrilla afuera de la vinata de enfrente, pero la multitud clamó por un local propio. Excelentes tacos al carbón (bistec, costilla, pechuga) y frijoles en vasito. Tarde o temprano, la *Nena* tendrá un restaurante formal, después una franquicia, y sus tacos dejarán de ser deliciosos. Aprovecha.

LA OVEJA NEGRA

Sabino 215, Santa María la Ribera; 5541 0405; sábados y domingos de 7:30 a 18 horas. Esta familia lleva más de 50 años alimentando a familias hambrientas con los borreguitos que cría en su propio rancho, en Hidalgo. Exquisita barbacoa, servida en penca de maguey y con tortillas hechas a mano. No dejes de probar el consomé, el queso (también hecho por ellos) y los pulques curados.

LAS COSTRAS

Bosque de Duraznos, entre Bosque de la Reforma y Bosque de Ciruelos, frente al Bandasha, Bosque de las Lomas; jueves a sábado de 19 a 5 horas. Sobre una tortilla de harina va la costra, que es queso Oaxaca tostadito, y encima bistec en trozos, salsa inglesa y limón. Ideal para cerrar las borracheras al poniente de la ciudad.

LOS ARBOLITOS

Veracruz 22, San Ángel; lunes a jueves de 16 a 4 horas, viernes y sábados hasta las 6, domingos hasta la 1. Su pastor ha colocado a Los Arbolitos en buenos puestos de los *rankings* personales de tacófilos y borrachines sureños. Hay quienes vienen con la esperanza de toparse a alguna celebridad, pero a la mayoría los trae un hambre honesta y apremiante.

LOS CHUPACABRAS

Churubusco y Av. Coyoacán, debajo del puente; domingo a jueves de 7 a 3 horas, viernes y sábados 24 horas. De estar de moda pasaron a ser un clásico y son pocos quienes reniegan de la genialidad en la mezcla de bistec, cecina, chorizo e “ingredientes secretos” del legítimo *Chupa*. Aguas con los taqueros albureros.

LOS COCUYOS

Bolívar 56, casi esq. Uruguay, Centro; de lunes a sábado de 12 a 3 horas. No sólo los borrachos de la cantina Los Portales de Tlaquepaque (juntito a la taquería) afirman que aquí se come el mejor suadero de la ciudad de México y por tanto del mundo, también catadores curtidos y golosos selectos. La lengua también es deliciosa.

LOS GÜEROS

Rodríguez Saro 303, esq. Moras, Del Valle; 5524 8675; lunes a domingo de 8 a 18 horas. Empezó la mamá con tacos de canasta en la calle, y ahora son el emporio taquero de la colonia. Todos los hermanos atienden, hasta el “viene viene” es de la familia. Aparte de los de guisado, hay carnitas, flautas y sopes.

Jorge Ibargüengoitia dice en el artículo "Tortas y tacos compuestos" que "la introducción en el mercado de los tacos sudados constituye uno de los momentos culminantes de la tecnología mexicana, comparable en importancia a la invención de la tortilladora automática o a la creación del primer taco al pastor. El taco sudado es el Volkswagen de los tacos: algo práctico, bueno y económico. Entre que pide uno los tacos y se limpia uno la boca satisfecho, no tienen por qué haber pasado más de cinco minutos".

LOS LATOSOS

Av. Adolfo López Mateos 13, San Mateo Naucalpan; lunes a domingo de 19 a 5 horas. En medio del enjambre de gente verás este puesto, donde se gestan excelentes tacos y las exquisitas “empanadas latosas” de pastor, bistec o campechana. Tienen una página de Facebook con varios miles de seguidores.

LOS PAISAS

Regina esq. Jesús María, Centro; lunes a domingo de 10 a 1 horas. El *Alacrán* es sin lugar a dudas el parrillero más simpático y bailarín del Centro Histórico; su dominio del cuchillo y la espátula merecería, cuando menos, una intervención en algún noticiero. Los tacos son de bistec y longaniza, y también tienen cacerolas para agregarle papa, frijoles y demás a las tortillas hechas al momento. El agua de jamaica es deliciosa.

Los Arbolitos

LOS PANCHOS

Tolstoi 9, Anzures; 5254 2082; lunes a domingo de 9 a 22 horas. Los señores que trabajan en la zona esconden el *lunch* que les mandó su esposa y se vienen a echar sus carnitas aquí. No los culpamos. Ojo: abren todos los días del año.

LOS PARADOS

Monterrey 333, esq. Baja California, Roma; 8596 0191; lunes a domingo de 12 a 3 horas. Están aquí desde los sesenta. Se dicen fundadores del taco al carbón chilango, y no es imposible que lo sean. Se llama así porque no hay sillas, lo cual facilita las cosas: por más lleno que esté —suele estarlo— no tendrás que esperar mesa. Tienen los obligados de cualquier taquería, más una arrachera al pastor verdaderamente buena y una dignísima hamburguesa al carbón. Marida con microscópicos Orange Crush.

Los Cocuyos

LOS PERICOS

Torres Adalid esq. Enrique Rebsamen, Narvarte; 5687 2109; lunes a domingo de 12 a 00 horas. Si probaras el taco al pastor, bien servido y con buen sazón, antes de ver el precio, no lo creerías: sólo cuesta dos conmovedores pesitos. Con queso: ¡cuatro! El pericazo es la especialidad: un alambre de chuleta, cebolla y tocino.

LOS TRES REYES

Alejandro Allori 129, Alfonso XIII; 5563 6648; miércoles a viernes de 8 a 17 horas. Finísima barbacoa, acompañada de uno de los mejores consomés de la tierra, tortillas a mano y salsas intachables. Un lugar imperdible para los borregófilos.

CINCO CREACIONES DEFEÑAS

CALDO TLALPEÑO
Un plato cuyo nombre también desmiente su origen: no nació en Tlalpan, sino en la estación Indianilla (en la colonia Doctores de hoy), donde salían tranvías hacia Tlalpan.

CARNE A LA TAMPIQUEÑA
Salvador Novo la pondera en su *Nueva grandeza mexicana* (1946): carne "desdoblada" (un filete se corta a la mitad, horizontalmente; se desdobla en dos partes, que se cortan a la mitad también, y así hasta hacer una larga tira), asada a la plancha, servida con enchiladas, frijoles refritos, totopos. La inventaron en el Tampico Club, que estaba en Balderas 33, Centro.

FILETE CHEMITA
Hubo un tiempo en que el Prendes fue el mejor restaurante de la ciudad. Había un enorme mural. También había una invención del Prendes: el filete chemita, cuya gracia secreta era que su salsa se refinaba con azúcar. El Prendes murió, pero el filete ahora se puede comer en El Encino (Insurgentes Sur 3846, Tlalpan; 5665 5000) y en Bellinghausen (Londres 95, Juárez; 5207 4978).

MACHETES
Queja típica de provincia: en el DF las quesadillas no siempre llevan queso. Tienen razón, y qué bueno que así sea. Los machetes son la expresión más extrema de nuestro gusto por la queca desquesada: tortillas larguísimas asadas y rellenas de guisados (tinga, flor de calabaza cocida, hongos, chicharrón). Sólo si estamos de buenas los pedimos con queso. Hay que probarlos en Machetes Amparo, en la esquina de Manuel Payno y Bolívar, colonia Obrera, o en el metro Camarones.

QUESOCARNE
Es menos una invención que una conjunción feliz de dos materias primas (adivinaste: queso y carne). Van asados a la plancha y son más tepiteños que Pepe el Toro.

MANOLO
Luz Saviñón y Av. Cuauhtémoc, Narvarte; lunes a jueves de 14 a 1 horas, viernes y sábados hasta las 3, domingos hasta las 00. Empezó como puestito y fue creciendo hasta abarcar varios locales en la cuadra. El mismo Manolo siempre anda por ahí verificando que su imperio funcione como relojito. El de ley es el taco Manolo, de bistec con cebolla y tocino picados finamente.

MI TACO YUCATECO
Aranda 36, Centro; 5512 4965; lunes a sábado de 13 a 19 horas. Hasta los puristas que se niegan a probar la cochinita fuera de su hábitat natural ceden ante las delicias de este lugarcito, especie de túnel cuántico a la Península de Yucatán. A veces tienen un fantástico pan de cazón.

MISCELÁNEA SAN JOSÉ
Melchor Ocampo esq. Francisco Sosa, Coyoacán; lunes a sábado de 9 a 16 horas. Un gran cocinero toluqueño, el chef-tendero prepara afuerita de su tienda uno o dos guisados cada día. Su chicharrón en salsa verde es sensacional. Los sábados, si está de buenas, asa unas mojarritas muy sabrosas. Ojo: cómprale también torta de queso de puerco de verdad.

PARRILLA DANESA
Matanzas 669, Lindavista; 5586 0741; parrilladanesa.com.mx; lunes a domingo de 8 a 1 horas. Tacos en plan restaurantesco, realmente deliciosos. El pastor es excelente, pero el lomito adobado se lleva las palmas. Si vas de noche, échate un trago en el Bar Vikingo, un rincón *kitsch* decorado con escudos y motivos nórdicos.

RICHARD
Tamaulipas esq. Alfonso Reyes, Condesa; lunes a sábado de 11 a 17 horas, aproximadamente. Richard no tiene local sino una pick-up con cubetitas de guisados, pero su constancia lo ha puesto en esta esquina durante más de una década. Martes, jueves y sábados lleva carnitas (con mucho, pero con mucho, las mejores de la colonia) y milanesa; lunes, miércoles y viernes, guisados: mole verde, bistec a la mexicana, atún con pico de gallo, deliciosa cochinita pibil. Aguas con la salsa verde.

TACO TOLUCA/OLIVER
Puente de Peredo esq. López, Centro; horarios intermitentes. Qué capricho el de este taquero el de abrir cuando se le pega la gana. Pero no hay modo de discutirle: sus tacos de queso de puerco de Mexicaltzingo, de obispo,

Richard

de chorizo almendrado, de cecina son probablemente los mejores del centro de la ciudad.

TACOS CHARLY
San Fernando 201, esq. Fuentes, Tlalpan; lunes a jueves de 16 a 2 horas, viernes y sábados hasta las 4. Los meros, meros del suadero. También hay de cabeza y de lengua, pastor y a la plancha. La salsa es grasosa, casi como un guisado. Sucursal: Insurgentes 11, esq. Mártires, Barrio La Fama.

TACOS GUS
Amsterdam 173, esq. Citlaltépetl, Condesa; 044 551384 3077; tacosgus.com; lunes a jueves de 9 a 16:30 horas, jueves a sábados hasta las 2 horas. Gus abandona el año pasado los famosos Tacos Hola/El Güero y monta a pocas cuadras un local más amplio, con los mismos guisados, aunque más baratos, parrilla, un mejor horario y el mismo éxito. Nuestras preferencias: nopales y picadillo con frijoles líquidos, hígado, nopales y queso fresco.

“Las tortillas, alimento habitual del pueblo, y que no son más que simples pasteles de maíz mezclados con un poco de cal y de la misma forma y tamaño de nuestros *scones*, las encuentro bastante buenas cuando se sirven muy calientes y acabadas de hacer, pero insípidas en sí mismas. Su consumo en todo el país se remonta a los primeros tiempos de su historia, sin cambio alguno en su preparación, excepto con las que consumían los antiguos nobles mexicanos, que se amasaban con varias plantas medicinales, que se suponía las hacían más saludables. Se las considera particularmente sabrosas con chile, el cual para soportarlo en las cantidades en que aquí lo comen, me parece que sería necesario tener la garganta forrada de hojalata.”

Madame Calderón de la Barca en *La vida en México* (1840)

TACOS HOLA
Amsterdam esq. Michoacán, Condesa. Para entender bien esta reseña hay que leer la anterior. Y saber que los Tacos Hola siguen igual de buenos, hay que decirlo. Sin Gus, aunque con más o menos el mismo éxito (y precios). Ideal para nostálgicos de la década que termina.

TACOS PROGRESO
Progreso 173, Escandón; 5515 1353; lunes a domingo de 10 a 16:30 horas (cerrado los martes). Discreto local al que es más fácil llegar por el olor que por la vista. A pesar de la competencia en la zona, se mantiene en pie tras más de 50 años de servicio. El favorito es el taco de achicalada, que es la "cochinada" (ver la reseña de Don Beto en la página XX) de los tacos de carnitas).

TACOS TURIX
Emilio Castelar 122, esq. Ibsen, Polanco; 5280 6449; lunes a domingos de 10 a 22 horas. Exitosísima y abarrotada a la hora de la comida, esta taquería también maneja tortas rellenas de estupenda cochinita pibil. Aguas con el penetrante olor que despide el local, que se impregna hasta el alma.

Tacos Gus

CUATRO MANERAS DE COMER POLLO

EL POLLO SINALOENSE
Dr. Lucio 102, Doctores; 5761 0009; martes a domingo de 8 a 20 horas. El pollo sinaloense marinado con un adobo de naranja, hierbas y ajos; luego se asa al carbón y se sirve con tortillas norteñas, cebolla, chiles. Prepárate para agregar una adicción a tu currículum.

PIN POLLOS
Campeche 75-A, Roma; 574 6349; lunes a domingo de 11 a 18 horas. Pollos rostizados a la leña. Acabados perfectos; francamente deliciosos.

POLLOS SAN FERNANDO
San Fernando casi esq. Cruz Verde, Tlalpan; sábados y domingos de 11 a 17 horas. Un aroma que alcanza para enloquecer a medio barrio: pollos al carbón adobados o "al natural". La familia que atiende este *garage* vuelto expendio pollero simplemente no se da abasto. Considera llegar con muuuucho tiempo de anticipación: vale la pena.

TITIPOLLOS
Sur 73 núm. 213, Sinatel; 5674 4670; lunes a domingo de 11 a 18 horas. Una idea genial: envolver un pollo entero en barro crudo, hornearlo un par de horas, romper el caparazón con un martillito. Imagínate lo jugoso. Ahora ve por uno.

TLAXCALA
Tlaxcala esq. Manzanillo, Roma; lunes a sábado, de 8:30 a 16 horas, aproximadamente. Son quecas (o largos tacos de guisados: la frontera entre las denominaciones es porosa): de rajas, de tinga, de chicharrón prensado, de mole en cantidades sustanciosas y con buen sazón.

TORTAS, SÁNDWICHES Y HAMBURGUESAS

EL LUGAR MÁS LEGENDARIO. Jorge Ibargüengoitia dice: "La torta de Armando es una creación barroca en la que intervienen aproximadamente 25 elementos [...] que deben intervenir en orden riguroso. Si se altera el orden —por ejemplo, si se pone primero el chipotle y después el queso— o si la calidad de alguno de los elementos falla —que el aguacate sea pagua— lo que se come uno no es torta de Armando [...] La torta de Armando es clásica, y como tal pasó a la historia".

ARMANDO'S
Humboldt 21, esq. Reforma, Centro; 5510 8640; lunes a viernes de 9 a 22 horas, sábados y domingos de 9 a 21. Los empleados de este local gustan de calificar a Armando como el inventor de la torta mexicana. Nosotros decimos que es una bonita leyenda —según ella, don Armando conoció en Francia el bolillo, lo trajo a México, y acá le insertó una milanesa—, pero también decimos que las tortas de Armando's siguen estando entre las más sabrosas del centro capitalino.

BARRACA VALENCIANA
Monterrey 220, esq. Tapachula, Roma Norte; 5564 7293; lunes a jueves de 12 a 23 horas, viernes y sábados de 11 a 2, domingos de 11 a 20 horas. Aunque tienen unos cuantos platillos españoles —muy bien por sus patatas bravas—, lo mejor son las tortas. Prueba la de calamar con chimichurri y la de pulpo gallego. Se agradece que sirvan vasitos de vino.

BARRACUDA DINER
Nuevo León 4, Condesa, 5211 9480; barracudadiner.com; martes a viernes de 13 a 1:30 horas. Réplica de un merendero gringo de los años cincuenta, sirve apetitosas hamburguesas con sus respectivos acompañantes inseparables: papas o aros de cebolla y espesas malteadas. Ahora tienen desayunos y servicio a domicilio, pero seguimos extrañando cuando abrían las 24 horas.

BIARRITZ
Insurgentes Sur 470, Roma; 5564 3746; lunes a domingo de 10 a 00 horas; tortasbiarritz.com. Básicas en el mapa gastronómico de la Roma. Las más pedidas son las de pavo, pulpo y bacalao; saboréalas en una de las mesas al aire libre, y no te vayas a perder los deliciosos vegetales en escabeche (chiles, zanahorias, coliflores). Sucursal: Centro Comercial Santa Fe: Tortas Biarritz; Vasco de Quiroga 3800, Santa Fe; 2167 4111.

BROKA
Zacatecas 126, Roma; 4437 4285; lunes a viernes de 14 a 17 y de 20 a las 00 horas. A punto de decidirse a ser bar de tapas o sandwichería. Las tapas salen de "la imaginación" del chef —lo que quiere decir, básicamente, que no hay carta sino unos cuantos ingredientes combinables. Buenos vinos.

CARL'S JR.
Homero 1371, esq. Séneca, Polanco; 5282 0790; carlsjr.com.mx; lunes a domingo de 9 a 22 horas. Sí, son de cadena, pero ¿a poco no las extrañas? Aún puedes disfrutar una clásica Six Dollar Burger en las pocas sucursales que sobreviven en el área metropolitana. Sucursales: consultar sitio web.

DON POLO
Félix Cuevas 86, Del Valle; 5534 1805; lunes a sábado de 7 a 23 horas, domingos de 8 a 23. Don Polo, según él mismo, inventó la torta caliente. Aquí nació, se supone, la cubana que ahora no falta en ningún puesto ni tortería. Hay quien las considera en decadencia, otros afirman que continúan siendo insuperables; lo cierto es que son ligeras, tibias, suficientemente doradas, por el interior, con mantequilla.

EL CAPRICHO
Augusto Rodin 407, esq. Empresa, Ciudad de los Deportes; 5563 9158; lunes a

domingo de 10 a 21:30 horas. Grandotas y sabrosotas, se recomienda llegar con el estómago vacío para poder con ellas. Prueba la Sánchez, un portento de 900 gramos que lleva pierna, milanesa y queso.

EL CUADRILÁTERO

Luis Moya 73, Centro Histórico; 5521 3060; lunes a sábados de 7 a 20 horas. Si en menos de 15 minutos te acabas la torta gladiador, de casi dos kilos, te la dan gratis. Mejor no pongas tu vida en peligro y pide una de tamaño normal. El local pertenece al luchador Súper Astro, y a veces te puedes encontrar a sus colegas zampando.

EL PIALADERO DE GUADALAJARA

Hamburgo 332, Juárez; 5211 7708; lunes a domingo de 9:30 a 19:15 horas. Tortas ahogadas como deben ser, con su birote tapatío bañado en picosa salsa de chile de árbol y con relleno de carnitas o camarón. Para que no te embarres te dan guantes de plástico, un detalle híper tapatío. También hay barbacoa, tacos y quesadillas de camarón, aguachile, pierna, birria y jugo de carne. Fantástico. Sucursal: Plaza Zéntrika, Santa Fe; 2591 0459.

EMBERS

Ejército Nacional 840, Los Morales; 5282 1905; embers.com.mx; lunes a miércoles de 11 a 22 horas, jueves a sábados de 11 a 2:30, domingos de 13 a 21. Tienen 43 tipos de hamburguesas, ¡43! Las hay con mole, paté, salsa de chipotle y zarzamora, crema agria, aderezo mil islas y un montón de cosas más. En las noches de los fines de semana también es antro con karaoke, pero no es muy recomendable. Nos gusta más una sucursal que hasta ellos quieren guardar en secreto: la de Doctor Vértiz esq. Morena, colonia Narvarte.

FAFFA'S

Av. Alfonso Reyes 139-2, Condesa; 2614 9217; martes a sábado de 14 a 22 horas, domingos de 14 a 20. Abierta en 1979, ésta es una especie de comuna *hippie* que en vez de cultivar mota hidropónica sirve hamburguesas con nombres cinematográficos o simplemente pop. A nosotros nos gustan la Xaviera Hollander, marinada en chiles, y la Tom Selleck, con una rebanada de

Barracuda Diner

Frutos Prohibidos

piña. Tienen una excelente variedad de cervezas nacionales e importadas.

FRUTOS PROHIBIDOS

Amsterdam 244, Condesa; 5264 5808; lunes a viernes de 8 a 22 horas, sábados y domingos de 9 a 18 horas. Suerte de hijos bastardos del sándwich y el *wrap*, los "pecados" son panes que pasan bajo un rodillo hasta que se aplanan cual tortilla gorda; rellenos (de salmón, de seis quesos, de *prosciutto*), vueltos a enrollar, son deliciosos. Buenas ensaladas, excelentes jugos. Sucursales: Toledo 4, esq. Reforma, Juárez; 5207 1717. Antara Polanco: Ejército Nacional 843, esq. Molière, Polanco; 5282 2495.

HAMBURGUESAS AL CARBÓN (LAS DEL SORIANA DE CUITLÁHUAC)

Cuitláhuac casi esq. con Continuación Nueces (afuera del Soriana); lunes a sábado de 9 a 2 horas. Tal vez las mejores hamburguesas al carbón dentro de los límites de la ciudad: buen tamaño, cocción finísima, mucha verdura. Se dice míticamente que hace muchos años propiciaron el cierre de un cercano Burger Boy. Tienen un puesto hermano (aunque no son al carbón), también muy exitoso, aunque quién sabe si legítimo, en Colima esq. Morelia, colonia Roma.

HOLLYWOOD

Insurgentes Sur 407, Roma; lunes a sábado de 12 a 23 horas. Un localito minúsculo que invita a un gran ejercicio de nostalgia: no ha cambiado en los últimos 48 años. Su dueña y luego la hija de ésta hicieron hamburguesas también minúsculas hasta que a Bimbo se le ocurrió la brillante idea de desaparecer los bimbollitos. Ahora son tamaño normal,

La Casa del Pavo

La Doña

aunque lo suficientemente delgadas como para comerte dos. Les ponen una salsa secreta picosita que, junto al escabeche de pepinillos, es toda su personalidad.

JOHNNY ROCKETS

Galerías Insurgetes, Parroquia 179, del Valle; 5627 8491; johnnyrockets-mexico.com; lunes a jueves de 12 a 21 horas, viernes y sábados de 13 a 21, domingos de 9 a 21. Son hamburguesas en serie, pero a nosotros no nos importa; la decoración cincuentera y el sabor son realmente buenos. Para vegetarianos nostálgicos: hay un hamburguesón de soya muy comestible. Marida tu platillo con una malteada gigante.

LA CABAÑA DE FUENTES

Av. de las Fuentes s/n, Satélite; 5398 3456; lunes a domingo de 12 a 00 horas. Símbolo esencial del sueño americano de Satélite, la fama de estas hamburguesas ha cruzado las fronteras del Edomex. y hay quienes hacen el viaje sólo para comerlas. Con toda la razón del mundo: grandes, con piña, asadas al oloroso carbón, complejas.

LA CASA DEL PAVO

Motolinía 40, Centro; 5518 4282; lunes a domingos de 8 a 21 horas. Abierto, según sus propietarios, en 1901. Vuelan por la barra primero un plato con una telerita, ligeramente mojada de grasa, rellena de carne oscura de pavo, crocante la piel, suave todo lo demás, con un guacamole semilíquido, después uno con las mejores rajas en escabeche del centro.

LA CASTELLANA

Revolución 1309, San Ángel; 5593 5798; tortaslacastellana.com; lunes a sábados de 8 a 21:30 horas, domingos de 8 a 20 horas. Sencillísimas y muy ricas, estas tortas son una verdadera necesidad sureña. Los fines de semana se llena tanto el local que parece que las regalan. Nosotros pedimos la de jamón con huevo. La abrieron en 1946. Sucursales: Homero 1329, Polanco; 5280 2060. Plaza Zéntrika, Lateral Autopista México-Toluca 1235, Santa Fé; 5292 9777.

LA DOÑA

Magdalena esq. Los Ángeles, Del Valle; lunes a sábado de 9 a 17 horas. Ésta es la torta de la hora de la comida, tanto por el tamaño de su pan (unos 25 centímetros de largo), como por la cantidad de sus condimentos: casi un aguacate, un jitomate, varias cucharadas de frijol, ajonjolí, polvos secretos (que le dan un filo inusitado), cebolla y chipotle. Varias son sus especialidades, pero lo que no se debe dejar de lado es la combinación de todo (literalmente) y la de salchicha.

LA RAMBLA

Motolinía 38, Centro; lunes a sábado de 9 a 17 horas. Nacida en 1928 a dos puertas de La Casa del Pavo, su máxima competencia, con la que comparte clientela, fealdad desastrosa y la apuesta por la torta perfecta. Aquí es la de lomo adobado, una pieza que cruje primero, luego se entrega a la mordida y al final se deshace en la lengua. El consomé con huevo es un antídoto contra crudas y depresiones.

LA SAMARITANA

Campos Elíseos esq. Hegel, Polanco; 5250 2608; lunes a viernes de 8 a 18 horas, sábados de 8 a 17. Se dice que María Félix frecuentaba este lugar, donde clientes menos famosos siguen apegados a la de milanesa y a la salsa de chipotle.

LA TEXCOCANA

Independencia 87, Centro Histórico; 5521 7871; lunes a sábado de 10 a 19 horas. Chiquitas y extremadamente

La Rambla

sencillas, estas tortas llevan más de 70 años de servicio, constatables en fotografías pendientes de sus paredes. Fidel Castro las probó y no se atragantó. A nosotros nos gustan las de carnitas, pero las de paté, bacalao y queso con aguacate son también muy recomendables.

LAS MARGARITAS

Molière 352, Polanco; 5280 7081; lunes a sábado de 9:30 a 20:30 horas. Están dentro de una tiendita, y aunque son muy sencillas, sus clientes las califican como las mejores tortas frías de la ciudad. La de paté con queso blanco y la de lomo con chihuahua son las preferidas.

LAS MUERTORTAS

Acoxpa casi esq. Miramontes, frente a Waldo's Mart; lunes a domingo 24 horas. Son tan, pero tan grandes, que puedes morir en el intento de comértelas. Hay sólo dos mandíbulas humanas que logran abarcar su grosor. El local anda por los 25 años de éxito, fama y malestar estomacal.

LAS TORTUGAS

Masaryk 249, Polanco; 5280 1290; lunes a domingo de 10 a 23 horas. Son de estilo callejero: calientitas, grasosas, chonchas y, para estar donde están, realmente muy accesibles.

LE PAIN QUOTIDIEN

Amsterdam 309, Condesa; 5574 7916; lepainquotidien.mx; lunes a domingo de 7 a 23 horas. Todavía no decidimos definitivamente qué es lo que más nos gusta de Le Pain, pero mientras lo hacemos te lo recomendamos por sus sándwiches abiertos (los llaman *tartines*) de salmón, de pechuga de pollo y de *prosciutto*. Bueno, y por su sopa de lentejas, sus huevos en cazuela, su chocolatín, su *couque suisse*, su flauta de avellana y su chocolate caliente. Sucursales: Bosques de Duraznos 39, Bosques de las Lomas; 5245 2056. Insurgentes Sur 1630, Crédito Constructor; 5661 9240. Oscar Wilde 20, Polanco; 5280 0759.

LEÓN

Balderas 12, esq. Reforma e Hidalgo; 5521 4360; lunes a domingo de 10:30 a 22 horas. Abrieron hace unos 20 años —cuando le tocó su manita de gato a esta triple esquina—, y su mejor torta sigue siendo la de huevo con frijoles. Haznos caso y ponle bastantito escabeche: agregarás un punto encantador de acidez que hace tronar la lengua.

LOS GUAJOLOTES

San Antonio 4, Nápoles; 5523 3367/2988; lunes a domingo de 8 a 00 horas. Todos ubican al pavito de la fachada, parte del paisaje urbano, pero no las tortas. Entérate: son sabrosas, breves como un respiro oloroso a pavo.

MR. KELLY'S

Insurgentes Sur 337, Condesa; 5584 5281; lunes a domingos de 10 a 23

SIETE PIZZERÍAS FAVORITAS

50 FRIENDS

Cadereyta 19, esq. Tamaulipas, Condesa; 5553 4353; domingo a miércoles de 13 a 00 horas, jueves a sábado de 13 a 2. Sucursales: Emilio Castelar 95, Polanco; 5280 9074. Antara Polanco: Ejército Nacional 843, esq. Molière, Polanco; 5282 2495.

BELLARIA

Masaryk 514, Polanco; 5282 0413; bellaria.com.mx; lunes a miércoles de 13:30 a 23:30 horas, jueves a sábado de 13:30 a 23, domingo de 14 a 18. Sucursal: Juan Salvador Agraz 37, Santa Fe; 2591 0521.

FIESOLE

Av. del Parque 2, esq. Revolución, San Ángel; 5663 1913; fiesole.com.mx; lunes a sábado de 13 a 00 horas, domingos hasta las 18. Sucursal: Masaryk 192, Polanco; 5281 3515.

IL POSTINO

Plaza Villa de Madrid 6, Roma; 5208 3644; lunes a sábado de 13:30 a 00 horas, domingo a 18:30. Sucursal: Vosgos 240, Lomas Virreyes; 5202 1235.

PIZZA AMORE

Michoacán 78, esq. Tamaulipas; 5286 5126; lunes a miércoles de 11 a 00 horas, jueves a sábado hasta las 3, domingos hasta las 20. Sucursales: Sonora 140; 5286 5126. Florencia casi esq. Londres, Juárez.

SANTINO

Nuevo León 4, casi esq. Sonora; 5286 6072; lunes a domingo de 12 a 00 horas. Sucursal: Masaryk 178, Polanco; 5545 2626.

TRATTORIA DELLA CASA NUOVA

Av. de la Paz 40, San Ángel; 5616 2288; lunes de 18 a 00 horas, martes a viernes de 8 a 00, sábados de 9 a 00, domingos de 9 a 23.

horas. Clásico de los años ochenta. Los ahora treintañeros van a revivir sus años dorados con los paquetes de una o dos hamburguesas y papas especiadas. Qué sabrosa es la nostalgia. A los más jóvenes, acostumbrados a la opulencia de la hamburguesa del siglo XXI, suelen parecerles inconsecuentes.

RUBEN'S

Newton 93, Polanco; 5203 2994; lunes a sábados de 12:30 a 22 horas, domingos hasta las 21. Hamburguesas que jamás te quedarán mal. Carne, pan y queso de primera, cocinados como debe ser, puestos donde deben ir. La opción vegetariana es el chayote relleno, muy bueno. Sucursales: Av. de La Paz 58, San Ángel; 5616 8687. Prado Norte 341, Lomas de Chapultepec; 5204 2270. Av. Eugenia 101, Del Valle; 5682 5341. Av. Stim 1317, Bosques de las Lomas; 5245 0784.

THE BURGER SHOP GOURMET

Parroquia 709, Del Valle; 5524 7878; martes a sábado de 14 a 22 horas, domingos hasta las 20. Los de este lugar no quieren que pienses en "comida rápida" cuando escuchas la palabra "hamburguesa", por eso la ofrecen en variedades "de autor" y "de alta cocina" que, en su opinión, nada tienen que ver con las grandes cadenas.

TORTAS ROBLES

Colón 10, casi esq. Dr. Mora, Centro; 5521 1624; lunes a domingo de 10:15 a 18:30 horas. Está a un lado del Museo Mural Diego Rivera (ver página 180). Hace 50 años nació este punto de reunión para reporteros y fotógrafos. Cuando murió el señor Robles, el negocio se mudó al pequeño local actual, donde el sabor de antaño se conserva intacto.

FONDAS Y RECOVECOS

BEATRICITA

Londres 190-D, Zona Rosa; 5511 4213; beatricita.com; lunes a domingo de 10 a 18 horas. ¿Te acuerdas de los Tacos Beatriz, los "primeros de la ciudad"? Cerraron hace tres años, pero este

Chon

localito de magnífica comida corrida es un logrado *spin-off* de aquel legendario fallecido. Se hacen unas filas tremendas, pero cuando llegas a la mesa todo cobra sentido.

CHON

Regina 160, Centro; 5542 0873; restaurantechon.com; lunes a sábado de 12 a 18:30 horas. Al rescate de las recetas prehispánicas, este discreto lugar lleva más de 50 años ofreciendo platillos apantallantes —y un menú de comida corrida perfectamente normal: sopa de verduras, arroz, mole rojo, etcétera—. Hay que atreverse con la fauna exótica: avestruz, cocodrilo, faisán, venado, gusanos de maguey, jabalí, chapulines, pulgones y escamoles. Don Fortino recuerda que en los ochenta "había que hacer cola de media cuadra para entrar, y eso que era una fonda de verdad, con telarañas y todo. Conocí a un emperador chino, a presidentes de varios países, a actores famosos".

EL GENERALITO

Filomeno Mata 18, Centro; 5518 3711; domingos, lunes y martes de 10 a 18 horas, miércoles y jueves de 10 a 22, viernes y sábados 10 a 2. Colorida y con muy buen ambiente, aunque algo ruidosa, tiene comidas corridas que cambian todos los días y algunos antojitos a la carta. Acompaña los profanos alimentos con cerveza de barril.

EL MORRAL

Allende 2, El Carmen Coyoacán; 5659 0168; lunes a domingo de 8 a 22 horas. Conocido porque sirven chiles en nogada todo el año, es también un gran sitio para desayunar (sus molletes son admirables) y probar varios platillos tradicionales acompañados de tortillas hechas a mano y ricas salsitas.

EL POPULAR

5 de Mayo 50 y 52, Centro; 5518 6081; lunes a domingo 24 horas. Eternamente abierto, delicioso y muy barato. Pide la carne a la tampiqueña, el plato Oaxaca o las enchiladas verdes, y deja espacio para un pan dulce recién hecho y un vaso de café con leche. El original siempre está a reventar y es incómodo, pero la verdad sigue siendo entrañable.

FONDA 99.99

Moras 347, Del Valle; 5559 8762; martes a sábado de 13 a 20 horas, domingos hasta las 18. Auténtico yucateco, alegre y casi siempre a reventar, ideal para atascarte de papadzules, cochinita y panuchos. El fin de semana preparan más especialidades: relleno blanco, relleno negro, mondongo y queso relleno. Llega con mucho tiempo y suficiente paciencia.

FONDA MARGARITA

Adolfo Prieto 1364, casi esq. Pilares, Del Valle; lunes a sábado de 5 a 11:30 horas. Con horario para trasnochados y

La Poblanita de Tacubaya

La Blanca

madrugadores, esta fonda tiene ya casi 60 años de vida. Es obligado empezar con frijoles con huevo, y de ahí seguirse con algún otro guisado: milanesa, bistec en pasilla, chicharrón en salsa verde, tortas de carne, entre otros. Buen detalle: todo se prepara al carbón, en ollas de barro.

FONDA MI LUPITA

Buentono 22, casi esq. Delicias, Centro; lunes a sábado de 13 a 18 horas. Si tienes antojo de un mole poblano casero, prueba el de este localito, un secreto bien guardado en las inmediaciones del Mercado de San Juan.

LA BLANCA

5 de Mayo 40, Centro; 5510 9260; lunes a domingo de 6:30 a 23 horas. Café tradicional que conserva la atmósfera de los años cuarenta: la decoración, el uniforme de las meseras, la concurrencia. Comida mexicana de estilo casero, café con leche y pan dulce.

LA CASA DE TOÑO

Floresta 77, Clavería; 5386 1125; lacasadetono.com.mx; lunes a sábado de 9 a 23 horas, domingos hasta las 22. Abrió en 1983, como un microlocal frente a la gasolinera en Clavería: hoy tiene seis sucursales. Pozole magnánimo, con la carne de tu elección, verdura fresca y condimentos para que te lo prepares. El mismísimo Toño anda por ahí verificando que quedes satisfecho. Los precios son enternecedores. Sucursales: Sabino 166, Santa María la Ribera; 2630 1084. Bahía del Espíritu Santo 21, Anáhuac; 5260 5222. Guillermo Massieu Helguera 86, La Escalera. Av. Morelos 170, San Cristóbal Ecatepec. Cuauhtémoc 439, Piedad Narvarte. Londres 144, Juárez; 5639 5111.

LA CASA DEL MOLE NEGRO

Insurgentes Sur 295, Condesa; 5564 8043; lunes a sábado de 11 a 18 horas. No es un restaurante fusión ni una electrofonda *cool*. Es un localito que sirve delicias oaxaqueñas legítimas, como mole, tlayudas y carne asada con el saborcito de allá. Tampoco los precios son condechi: es muy barato.

LA POBLANITA DE TACUBAYA

Luis G. Vieyra 12, San Miguel Chapultepec; 2614 3314; poblanita.com; lunes a domingo de 9 a 19 horas. Lo mejor son los moles (dulces o almendrados, como en la misma "Ciudad de los Ángeles"), pero también los antojitos, los caldos de gallina y el arroz con plátanos son dignísimos.

LA TOMA DE TEQUILA

Toluca 28, Roma; 5584 5250; lunes a domingo de 13 a 20 horas. El nombre es mala descripción del lugar, especializado en comida de Chihuahua, y en el que más bien se bebe mezcal. Aquí puedes conocer los legítimos burritos de carne o de queso; los frijoles norteños y el caldo con machaca también son imperdibles. De postre, pregunta si hay flan horneado con mezcal.

PLACERES Y MILAGROS

Plaza Mariscal Sucre. Amores esq. División del Norte, Del Valle; lunes a sábado de 13 a 18 horas. La cocina de Placeres y Milagros no es, afortunadamente, tan cursi como su nombre: la comida corrida puede traer una enfrijoladita de entrada, una buena sopa de hongos, una pechuga en salsa cremosa de poblano y un interesante postre de chocolate.

RESTAURANTE SAN FRANCISCO

San Ildefonso 40, Centro; 5795 7266; lunes a sábado de 8 a 18 horas. Local especializado en comida de Tlaxcala. Pide los moles regionales, el pollo Tocatlán o las tortitas de huazontle. No te vayas sin probar los postres, completamente fuera de serie. En esta casa vivió José Martí.

TEMPLO HARE KRISHNA

Tiburcio Montiel 45, esq. José María Tornel, San Miguel Chapultepec; 5276 9879; lunes a domingo de 13 a 16:30

horas. Comida corrida completamente vegetariana, muy rica y barata. El pan es de primera, la empanadita de cortesía un bocado majestuoso (pide más), y los platillos son tan ricos que se te olvidará que son saludables.

TÍO PEDRO

Antonio Caso 42, Tabacalera; lunes a domingo las 24 horas. La noche de los hambrientos vivientes se vive en este legendario sitio, que lleva décadas con sus antojitos, tortillas hechas a mano y caldos de gallina.

OSTIONERÍAS

BELLOPUERTO

Julio Verne 89, Polanco; 5281 0980; lunes a miércoles de 13 a 23 horas; jueves y viernes a 00; sábados de 11 a 00; domingos de 11 a 18. Una muy fresca adición al Polanquito, en una esquina a la que le ha costado trabajo sobrevivir. Blanco casi todo, con unos cuantos detalles coloridos. Buen aguachile negro, tostadas de ceviche y pulpo.

BOCA DEL RÍO

Ribera de San Cosme 42, San Rafael; 5535 0128; restaurantebocadelrio.com.mx; lunes a domingo de 11 a 22 horas. Tradicional ostionería de ambiente *retro*-proviciano, servicio lento y mariscos tan buenos que te transportan adivina a dónde.

EL CAGUAMO

Ayuntamiento casi esq. López, Centro; lunes a sábados de 11 a 18 horas. Sabemos que los puestos callejeros de mariscos inspiran recelo, pero ya quítate lo fresa: los ceviches y caldos, los antojitos y las sopas son tan ricos que hasta les perdonarías una eventual intoxicación (tocamos madera).

FRESCOS COMO EL MAR

Uruguay 31, Centro; lunes a sábado de 12 a 17 horas. Si tienen otro nombre no hemos logrado descubrirlo, y su *bartender* viejito no quiere dar su brazo a torcer. Pero, caramba, el filete frito con arroz y sobre todo el ceviche son imparables. Lleva paciencia.

Bellopuerto

LA EMBAJADA JAROCHA

Zacatecas 138, esq. Jalapa, Roma; 5584 2570; lunes a domingo de 14 a 1 horas. Su nombre no le queda grande: de verdad ofrece una enorme variedad de platos veracruzanos. Cerveza en mano disfruta de los cocteles, el arroz a la tumbada, el filete al acuyo o el coco relleno de camarón. De jueves a domingo hay música a partir de las 16 horas, se vale bailar.

LA SIRENITA

Regina 61, Centro; lunes a sábado de 12 a 18 horas. Una marisquería de sorprendente modestia: parecería que sus dueños y mayoras no se han dado cuenta de que en La Sirenita se come realmente bien. Nosotros pedimos quesadillas de camarón y arroz enmariscado.

LA VERACRUZANA

Medellín 198-B, esq. Chiapas, Roma; 5574 0474; lunes a domingo de 13 a 20 horas. La primera impresión es excelente: decoración sencilla, pero muy cuidada, colores pastel y mucha luz. La segunda es mejor: del menú todo se antoja, los precios son accesibles y te traen un caldito de camarón de cortesía.

LAS PALMAS

Palma 24-A, Centro; lunes a sábado de 12 a 19 horas. Una ostionería de las clasiquísimas con marinas de colores imposibles y vidrio pintado con langostas y moluscos. Abrieron en 1950 y dicen que inventaron el vuelvealavida.

LAS PESCADILLAS DEL CALLEJÓN

Callejón de 5 de Mayo casi esq. Palma. Lunes a viernes de 12 a 16 horas. Los horarios son caprichosos: la señora de las pescadillas, cuyo puesto es poco más que un huacal, puede o no estar ahí. Y son deliciosas: de pescado, de camarón, de pulpo, lleva unas cuantas en una canastita. También lleva unas pequeñas cubetas con ceviche, que sirve en tostadas con salsa y limón.

LOS DE MARIANO ESCOBEDO

Mariano Escobedo esq. Tolstoi, Anzures. Lunes a sábado de 12 a 17 horas. Otro puesto de mariscos de los que quedan pocos —quién sabe por qué la afición a la higiene los fue borrando de la ciudad—. Los filetitos de pescado rebozados y el coctel de camarón son sus imperdibles.

PABLO EL ERIZO

Fernando Montes de Oca 6, Condesa; 5211 9696; lunes y martes de 13 a 21 horas; miércoles a sábado a 23; domingo a 18. Excelente producto: langosta al estilo de Puerto Nuevo, Baja California —con frijoles, tortillotas y arroz—, y tostadas de bacalao medio plagiadas al puesto de La Guerrerense en el centro de Ensenada.

Las mujeres que preparan y despachan alimentos en la calle, junto a su anafre, son una escena ancestral de la ciudad de México. José Antonio Alzate se refiere a los puestos de "agachados", que servían guisados recalentados a clientes que comían de pie. Puestos de pestilente nenepile (cabeza, tripas, patas de toro) en taco, con salsa, se servía en el siglo XVIII igual que el XXI. No había más que extender sobre la mano una tortilla, para que las nenepileras sirvieran "una cucharada de chile y un pedazo de carne" (según observó Brantz Mayer en la década de 1840). La gente decente, no obstante, siempre prefirió servidos en plato "los frijoles o el chile con carne", y comer "haciendo de tortilla una cuchara". **dF**

Chilpancingo 46
Col. Hipódromo
México DF

CAFÉS · HELADERÍAS PASTELERÍAS · DULCES PANADERÍAS · CHURROS CHOCOLATES

CAFÉS

CENTRO Y ALREDEDORES

CAFÉ CORDOBÉS

Ayuntamiento 18, esq. López, Centro; 5512 5545; cafecordobes.net; lunes a sábado de 8 a 20 horas, domingos de 10 a 18. En este bonito local sirven café de Córdoba, por supuesto. Es famoso el aroma que inunda esta esquina y sus inmediaciones. También ofrecen cafeteras, equipo y asesoría para montar una cafetería. Sucursal: Donceles 87, Centro; 5518 2538.

CAFÉ EL POPULAR

5 de Mayo 52, Centro; 5518 6081; todos los días, 24 horas. Café de chinos que ofrece mucho más que café con leche y pan dulce; de hecho también funciona como restaurante. Muy cerca del Zócalo y también del corazón de muchísimos capitalinos y visitantes desde 1948. Lo fundó el señor Luis Eng Fui. Hace cuatro años ampliaron el local hasta la esquina con el callejón, pero las filas para entrar no ceden. Por algo será. Los productos lácteos los traen de un rancho en Texcoco, el café de Chiapas y el chocolate de Oaxaca. Sobre la misma calle, casi llegando al Eje Central está su hermanastro La Pagoda; pero éste nos gusta más.

“ A fines del siglo pasado [siglo XIX] muchos chinos llegaron a México [...] Abrieron cafés por los barrios. Hacían el pan, distintos algunos de los bizcochos conocidos [...] Los exhibían tentadores en el pequeño escaparate que reducía la puerta de entrada al café. Y preparaban un café espeso que las meseras adiposas servían a chorros simultáneos [...] Antes habían instalado una coladera; nada repugna más al mexicano que la nata en su café con leche. En las mesas había manteles de hule y servilletas de papel [...] La aculturación gastronómica chino-mexicana no ocurrió en el Centro [...] [sino] en los barrios y en los cafés modestos a que iban a desayunar ciertos oficinistas, y a merendar los vecinos y los novios. Y los estudiantes. ”

Salvador Novo en *Historia gastronómica de la Ciudad de México* (1967)

Café Equis

CAFÉ EQUIS

Roldán 16, Centro; 5522 4263; lunes a viernes de 10:30 a 16 horas y sábados de 9 a 17. Se dice que fue de los primeros en traer a la ciudad el café de Veracruz y Chiapas, además de que lleva muchísimos años en el negocio. Último baluarte de otros tiempos, el local ha resistido a la mudanza de sus vecinos con la decoración original de anaqueles de madera y vitrinas. La inauguración en 2009 del Corredor Cultural Alhóndiga, en el entrañable barrio de La Merced, facilita visitarlo. Atención con otra joyita muy cerca de aquí: el Café Bagdad con su antigua caja registradora.

CAFÉ GRAN PREMIO

Antonio Caso 72, esq. Sadi Carnot, San Rafael; 5535 0934; lunes a sábado de 8 a 20 horas. Tiene fama de café bohemio, pero la mayoría de su concurrencia proviene de la Gran Logia Valle de México, a pocos metros de aquí. Y no sabemos qué tan bohemio pueda resultar esto. Lo cierto es que el local invita a la conversación, sobre todo durante las tardes en que la colonia se baña de luz filtrada por los árboles.

CAFÉ LA HABANA

Morelos 62, esq. Bucareli, Centro; lunes a jueves de 7 a 23:30 horas, viernes y sábados de 7 a 1:30 y domingos de 8 a 22:30. El más tradicional de la zona desde 1954. Situado en la calle donde los voceros recogen día a día su mercancía, por décadas ha sido el favorito de los periodistas citadinos por su proximidad a las oficinas de *El Universal* y *El Excélsior*, pero también de literatos: era punto de encuentro de los infrarrealistas Montané, Mario Santiago y Roberto Bolaño, y escenario recurrente en las novelas *Los detectives salvajes* (1998) y *Putas asesinas* (2001) de Bolaño. Sus puertas han visto desfilar a otros personajes notables, como los entonces conspiradores *Che* Guevara y Fidel Castro. Adolfo Castañón relata: “El libertario Ricardo Mestre se bebía una soda mientras yo tomaba café y hablábamos de Práxedis Guerrero” en este lugar. Por su parte, Paco Ignacio Taibo II recuerda: “Nuestras eran las neverías de Coyoacán, nuestro el Cine París y nuestro el Café La Habana”.

“ Estaba sentado junto a los ventanales que daban a Bucareli con un café con leche servido en vaso, esos grandes vasos de vidrio grueso que tenía La Habana y que nunca más he vuelto a ver en un establecimiento público. ”

Roberto Bolaño en *Putas asesinas* (2001)

Café La Habana

Do Brasil La Balsa

CAFÉ MOKA

Santa María La Ribera 6, San María La Ribera; 5535 8452; lunes a sábado de 10 a 14 horas y de 16 a 20. Lleva décadas aquí. La decoración es entrañable, con reseñas de periódicos viejos en la pared. El propietario, el español Ovidio Rodríguez Guzmán, te atiende personalmente; por cierto que también se dedica a la heráldica.

CAFÉ TREVI

Colón 1, esq. Balderas, Centro. Tan cerca del Museo Mural Diego Rivera como del Laboratorio Arte Alameda; esto al poniente del primer parque de la Nueva España, justo donde el Santo Oficio tuvo su primer quemadero en el siglo XVI. Los dibujos en las paredes, la iluminación nostálgica y las meseras cariñosas te roban un suspiro. Dan ganas de salir del museo y tomar un café aquí mientras ahondas o conversas sobre el mural de Rivera. Una opción más actual es el Café Denmedio, a un lado, que suele tener una concurrencia animada.

CAFETERÍA DEL CENTRO

Terraza del Sears. Av. Juárez 14, Centro; 5521 0041; lunes a domingo de 11 a 20 horas. Venden café, té y comidas ligeras; pero lo que deja a todos con la boca abierta es su magnífica vista a Bellas Artes y la Alameda Central. A veces hay que hacer fila, pero vale la pena.

DO BRASIL LA BALSA

Bolívar 45, Centro; 5510 3658; dobrasil.com.mx; lunes a sábado de 10 a 20 horas. La experiencia de tres generaciones mantiene inmejorable la mezcla de esta casa con más de 50 años de historia. La empresa se encarga en su totalidad de la producción, desde el cultivo en la ciudad veracruzana de Coatepec. A muchos les gusta acompañar su café con el pinole que venden aquí. Durante un tiempo fue sitio de reunión de los españoles republicanos en el exilio. También tuvo su época taurina y vio pasar a Manolete. Sucursales: Amsterdam 55-2, esq. Sonora, Condesa; 5211 8253. Dr. Lucio 103, Doctores; 5588 8875. Dr. Vértiz 822-C, Narvarte; 5590 2135.

EL RINCÓN DE ASTURIAS

Izazaga 32, Centro. Sobre "Isaaczaga", como ha sido conocida esta avenida entre algunos miembros de la comunidad judía, y no muy lejos de la entrada al Hostal Virreyes. Desde muy temprano ofrecen una mezcla de café potente, popular y aromática. El local es profundo y con decoración alusiva al norte de España. Un clásico de los comerciantes del rumbo y los estudiantes del Claustro de Sor Juana.

GABI'S

Liverpool 55, esq. Nápoles, Juárez; 5511 7637; lunes a sábado de 7:30 a 22. Pequeño, aromático y decorado con viejos utensilios cafeteros (es casi un

museo). Es un clásico de muchos años, frecuentado por periodistas y adeptos a la literatura. Pide el café Pin Pon, que es café expreso con Lechera.

JEKEMIR

Isabel la Católica 88, esq. Regina, Centro; 5709 7038; lunes a sábado de 8 a 21 horas. Desde su fundación en 1938 por Salomón Guraieb, el Jekemir —"príncipe guerrero" en árabe— ofrece los mejores cafés turcos de la ciudad de México con la posibilidad de acompañarlos con algún dulce libanés (sobresale el Dedo de novia). Se ofrece una gran variedad de mezclas, siempre con un marcado cuidado. Sucursales: Centro Comercial San Jerónimo; 5681 3613. Galerías Insurgentes; 5627 8480. Patio Pedregal: Periférico Sur 5270; Pedregal del Sur. Patio Predregal: Periférico Sur 5270, Pedregal del Sur.

Café Emir

LA BLANCA

5 de Mayo 40, Centro; 5510 9260; todos los días de 6 a 23 horas. Está muy cerca de cumplir los 100 años. No extraña, pues, que sea considerado por muchos como uno de los lugares con mayor tradición en el Centro. El café americano es fuerte, los panes dulces cumplidores. Sentarse en la barra y admirar las fotografías antiguas en la pared forman parte de la experiencia. Excelente lugar para dominguear a solas.

LA PICCOLINA

Luis Moya 91, esq. Márquez Sterling, Centro. "Simplemente el café más pequeño de la ciudad", según Jorge Legorreta en *Guía del pleno disfrute de la ciudad de México* (1994). Mide 12 metros cuadrados y le caben 21 personas. Muy popular en el rumbo del Mercado de San Juan. Además del rico café tipo italiano sirven comida.

SANBORNS DE LOS AZULEJOS

5 de Mayo esq. Paseo de Condesa, Centro; 5512 7824; sanborns.com.mx; lunes a domingo de 7 a 00 horas. Uno de los "palacios de porcelana" más famosos de los que hablaban los viajeros europeos en el siglo XIX cuando se topaban con construcciones cubiertas de azulejos. La casa de los condes del Valle de Orizaba, y más tarde sede del Jockey Club y de la Casa del Obrero Mundial, aloja desde 1919 el primer Sanborns. Atención con el mural *Omnisciencia* de José Clemente Orozco en las escaleras. Las opiniones sobre el café de Sanborns inicia las discusiones más acaloradas; mejor pedir un chocolate caliente ¡y los Tecolotes (platillo original de este lugar)!

“Los jóvenes poetas que años después pasarán a la historia como 'los contemporáneos' —Jaime Torres Bodet, José Gorostiza, Bernardo Ortiz de Montellano, Enrique González Rojo, Xavier Villaurrutia y el que habla— se dan todos los sábados el lujo de ir a comer a Sanborn's por algo así como cinco pesos por persona. Paladean novedades como el *corn beef hash* y la ensalada de frutas con *cottage cheese*. O entre semana, si van a merendar, las tostadas Melba, delgadas, duras y fuertemente espolvoreadas con canela; o un *ice cream soda*.”

Salvador Novo en *Historia gastronómica de la Ciudad de México* (1967)

ROMA Y CONDESA

BISTROT 61

Álvaro Obregón 61, Roma; 5219 3983; lunes a domingo de 7 a 23 horas. Con ventanales y mesas en el exterior. Para los amantes del café americano cargado este lugar es el indicado. Recomendamos probar el quiche de flor de calabaza en salsa de chile poblano, la repostería y el pan casero. A veces hay lecturas de poesía y cuentos, exposiciones de pintura y presentaciones musicales.

BOLA DE ORO

Nuevo León 192 B, esq. Baja California, Condesa; 5211 4612; lunes a viernes de 7 a 22 horas, sábados de 9 a 19. Café *gourmet* proveniente de Coatepec, una de las grandes plantaciones de altura en el país, donde se ubica la cascada Bola de Oro. El local es agradable, en especial cuando no es hora pico. No dejes de probar los pasteles.

“El café, que aquí crece de la mejor clase, lo preparan tan mal que es casi imposible beberlo. Por el contrario el chocolate muy especiado con canela es muy bueno y se bebe mucho.”

Paula Kollonitz en *La corte en México* (1867)

CAFÉ DE CARLO

Orizaba 115, Roma; 5574 5647; lunes a domingo de 8 a 22 horas. Veinticinco años seduciendo a clientes y caminantes con un intenso aroma que inunda el local y alrededores. Aquí mismo lo tuestan, muelen y preparan a la antigua, sin las máquinas de las grandes cadenas de café. Saben consentir a sus clientes; aprovecha y pide tu café como más te guste: cargado, regular o ligero (ojo: el ligero es en realidad fuerte). No muy lejos, en Álvaro Obregón 100 (antes Av. Jalisco 100), estuvo el Café de Nadie, célebre punto de reunión de los estridentistas durante los años veinte.

CAFÉ EMIR

Veracruz 38, Condesa; 5212 1922; cafeemir.com; lunes a viernes de 7 a 22 horas, sábados de 9 a 21. Esta cafetería lo tiene todo: el número justo de mesas, baristas conocedores, café turco de excelente calidad y una concurrencia fiel. Ideal para conversar a gusto. También

Caffè Toscano Condesa

Caffè Toscano Roma

venden café de grano para llevar. Sucursales: Uruguay 45, Centro; 5521 2669. Prado Norte 265-B, Lomas de Chapultepec; 5520 4009.

CAFFÈ TOSCANO

Orizaba 42, Plaza Río de Janeiro, Roma; 5533 5444; lunes a domingo de 7:30 a 22 horas. El original está en la Condesa (Michoacán 30, esq. Parque México; 5584 3681), pero este que abrieron el año pasado nos gusta más por amplio y bonito y por la agradable vista al parque. Sirven café Illy. Es posiblemente una de las cafeterías más lindas de la ciudad de México. Aprovecha antes de que se atasque como la matriz.

CAFEMANÍA

Av. México 123, esq. Iztaccíhuatl, Condesa; 5264 0577; lunes a viernes de 8 a 23 horas, sábados y domingos de 8 a 22. Ofrecen *espresso*, vienés, capuchino y americano; calientes o fríos. Además venden ensaladas, *bagels*, sándwiches, *croissants*, baguetes y varios postres. También se puede pedir café por kilo. Con vista al Parque México la cafetería es tranquila e ideal para lectores que disfrutan de su propia compañía (o del amorfo busto de Albert Einstein que la comunidad judía donó en 1979).

EL OCHO

Av. México 111, esq. Chilpancingo, Condesa; 5584 0032; domingo a miércoles de 8 a 00 horas, jueves, viernes y sábados de 8 a 1. Tienen dos niveles: un *lounge* arriba y el café abajo. Te prestan revistas, juegos de mesa y hasta laptops. Su ubicación es excelente, frente al parque. Tienen una carta vasta y original en la que sobresalen la comida sana y los tés.

PLAZA VILLA MADRID

Plaza Villa de Madrid 15, Roma. No tienen teléfono y sus mesas sólo cuentan tres. Sin embargo, se trata de una cafetería extraordinaria que sirve café chiapaneco de excelente calidad a través de una ventanita. Ve temprano si quieres probar las deliciosas galletas de chocolate, pues se acaban pronto.

PONIENTE

BONDY

Galileo 38, esq. Newton, Polanco; 5281 7028; martes a viernes de 8 a 19 horas, sábados y domingos de 9 a 19. Las conchas son famosísimas desde hace décadas. El café también. Hay comida. Suele estar lleno para desayunar. La decoración es bonita, y a nosotros nos encanta el letrero en la fachada de la casa.

> “‘¡Oye, Manuel, tráeme un capuchino’, le piden de tú a su cuate, a su *brother*, el mesero, que tratan como si hubieran jugado a las canicas juntos desde pequeños. ¿Democracia? No. Juventud [...] Ir al Café 58 [en Polanco] es todo un *happening* que no hay que perderse, siempre y cuando se tenga menos de 20 años. De lo contrario no hay que olvidar que no muy lejos está Bondy, que también es un café muy agradable, pero un poquito más conservador.”
>
> Guadalupe Loaeza en *Las reinas de Polanco* (1988)

CAFÉ EUROPA

Emilio Castelar 107, Polanco; cafeeuropa.com.mx; lunes a sábado de 7 a 22 horas, domingos de 9 a 21. Con 15 sucursales en Michoacán, de donde son originarios, llegaron a la ciudad de México para asombrar a todos. Prueba su mezcla de caracolillo con planchuela, a la que se le aplica un tueste medio-alto, sello de la casa.

CAFÉ FÉNIX

Corporativo Diamante. Vasco de Quiroga 3900, local 20, Santa Fe; 1084 8500; cafefenix.com.mx; lunes a viernes de 7:30 a 6:30 horas. En medio del bullicio y la locura del rumbo este lugar resulta un verdadero oasis con buen café, jugos y fruta, *paninis*, ensaladas y más.

CAFÉ O

Monte Líbano 245, Lomas de Chapultepec; 5520 9227; lunes a viernes de 7:30 a 23:45 horas, sábados de 8 a 23, domingos de 9 a 17. Tranquilo y bonito. Tiene su propio deli y florería, además de que puedes ir a desayunar, comer y cenar rico. Venden libros y revistas. Si está muy lleno pásate a Un lugar de la Mancha, que no queda lejos (ver página 216).

CAFÉ TASSAJARA

Protasio Tagle 132, San Miguel Chapultepec; 4753 7426; cafetassajara.com; lunes a viernes de 11 a 21 horas, sábados de 14 a 22. La especialidad de este lugar es el té *chai*, pero en su menú también encuentras café y otras bebidas, así como chapatas, crepas, ensaladas, pastas y repostería.

CELESTE CHAMPAGNE TEA ROOM

Darwin esq. Kepler, Anzures; 2614 6031; celeste.com.mx. Terraza que funciona como bar por las noches (ver página 93), pero en la que durante el día sirve café, té, scones, sandwiches, galletas, vino, champaña y dim sum. Atención con la habitación para fumar con chimenea. Forma parte de Celeste House, en donde también encuentras la Celeste Concept Store (ver página 126).

Celeste Champagne Tea Room

CIELITO QUERIDO CAFÉ

Parque Duraznos. Bosque de Duraznos 39, Bosques de las Lomas; 5596 3893; lunes a jueves de 8 a 22 horas, viernes y sábados de 9 a 23, domingos de 8 a 22. Se anuncian como "un refugio único que se inspira en nuestra historia". El diseño corrió a cargo del estudio Esrawe en colaboración con Ignacio Cadena, quienes mezclaron un ambiente mexicano con el diseño americano de hace un siglo, e inspirándose en las tiendas de ultramarinos y viejas boticas. Sucursal: Parque Delta: Av. Cuauhtémoc 462, Narvarte.

PUNTA DEL CIELO

Arquímedes 69, Polanco; 5280 7094; puntadelcielo.com.mx; lunes a viernes de 7:30 a 22:30 horas, sábados y domingos de 9 a 22. Esta cadena ha recibido dos veces el primer lugar en la selección de "taza distintiva de café mexicano" que otorga la Asociación Mexicana de Café, gracias a su cosecha de café de Ixhuatlán. Sabemos que los saborizantes son una blasfemia para los catadores de café, pero aquí preparan uno muy bueno de almendra. Establecimientos: consultar sitio web.

SEGAFREDO ZANETTI

Alejandro Dumas 71, Polanco; 5281 1398; segafredo.com.mx; lunes a miércoles sábado de 8 a 2 horas, jueves a sábado de 8 a 1, domingos de 9 a 23. Tienen su propia plantación en Brasil, aunque la preparación es más bien italiana. Su especialidad es el *espresso*. Los desayunos son exquisitos. Sucursal: Bosques de Radiatas 50, Bosques de las Lomas; 5257 1598.

SOCIETY

Antara Polanco. Ejército Nacional 813, esq. Molière; 5282 2243; societysignaturecoffees.com; lunes a viernes de 8 a 22 horas, sábados 9:30 a 22, domingos de 10 a 21. Recomendamos el *frapuccino* con chile, así como la variedad de tés, *brownies* y cocadas *light*. Y los alfajores y merengues. Establecimientos: consultar sitio web.

THE COFFEE BAR

Temístocles 73, Polanco; 5280 4901; thecoffeebar.com.mx; lunes a viernes de 7:30 a 22 horas, sábados de 8 a 22 y domingos de 9 a 22. Venden café mexicano y tés de importación, ambos a granel y por taza; aunque su amplia variedad de

Cielito Querido Café

cafés saborizados y aromatizados sí son de importación. Pide el grano según el tueste de tu preferencia. Sucursales: Centro Comercial Interlomas. Emilio Castelar 240, esq. Masaryk; 5282 1038. Centro Comercial Parque Alameda; 5510 2025.

THE COFFEE BEAN & TEA LEAF

Masaryk 111, Polanco; 5545 7174; coffeebean.com.mx; lunes a viernes de 7 a 22 horas. Enorme con tres pisos y tres terrazas, una de ellas con chimenea. Exponen obra como en una galería. Sus variedades de café y té suman más de 60.

Punta del Cielo

Passmar

El menú se enfoca en comida más bien ligera, que además está muy rica. Es un gran lugar. Sucursales: Centro Comercial Arcos Bosques: Paseo de los Tamarindos 90, Bosques de las Lomas. Paseo Acoxpa: Av. Acoxpa 430; Ex Hacienda Coapa. Alejandro Dumas 77; Polanco.

VERDE BISTROT

Julio Verne 31, Polanco; 5282 2404; lunes a domingo de 8 a 18 horas. Está en el centro comercial Concept-O, de perfil holístico. Abrieron en octubre de 2010 y desde entonces ofrecen café orgánico de Chiapas, una terraza libre de humo y una cocina asesorada por Sonia El-Nawal.

SUR

CAFÉ TAMAYO

Madero 16, esq. Hidalgo, Tlalpan Centro; 5513 4872. Una cafetería pequeña con exposiciones de arte y a veces jazz en vivo. Destaca por su delicioso café y atmósfera agradable.

EL GRAN CAFÉ DE LA PARROQUIA

Insurgentes 1870, Guadalupe Inn; 5661 1959; lunes a domingo de 7 a 23 horas.

El Gran Café de la Parroquia

Única sucursal en el DF del clásico establecimiento veracruzano fundado en 1808. Pide el café lechero con una bomba, que es una concha rellena de mermelada o crema. Te garantizan que el café está preparado con granos frescos, transportados desde el estado de Veracruz en tráilers climatizados. Por si esto fuera poco, cuentan con un estupendo y veloz servicio a domicilio.

EL JAROCHO

Cuauhtémoc 134, esq. Allende, Del Carmen Coyoacán; 5554 5418; cafeeljarocho.com.mx; lunes a domingo de 6:30 a 2 horas. Cafetería vuelta institución en Coyoacán, en donde abrió sus puertas en 1953. Sus donas de chocolate y de moka, el capuchino malvavisco, el capuchino vainilla, el capuchino cajeta, el chocolate cajeta y el chocolate malvavisco son lo más pedido por los vecinos y visitantes desde hace años. También ofrecen un rico café de olla, cubano, turco, marago y muchas otras variedades. Establecimientos: consultar sitio web.

PASSMAR

Mercado Lázaro Cárdenas. Adolfo Prieto 250, Del Valle; 5669 1994; cafepassmar.com; lunes a sábado de 7:30 a 19:30 horas. Primero famoso entre la gente del rumbo, últimamente por toda la ciudad. La razón: han sido baristas nacionales a lo largo de tres años consecutivos. El aroma que despide su molino al interior del mercado Lázaro Cárdenas es impresionante y delicioso. Además, si quieres aprender a catar café este es el lugar indicado; recomendamos inscribirte a uno de sus cursos.

TÉ Y TAPIOCA

BENESSERE

Anatole France 70, Polanco; 5280 9813; lunes a sábado de 11 a 20 horas, domingo de 13 a 18. Aquí encuentras más de 80 mezclas y tisanas de la marca parisina The Ô Dor. También hay regalos bonitos relacionados con el té. La compra mínima es de 100 gramos.

CARAVANSERAÏ

Orizaba 101, esq. Álvaro Obregón, Roma; 5511 2877; caravanserai.com.mx; lunes a viernes de 10 a 21 horas, sábados y domingos de 12 a 21. Un clásico. Estetista, orientalista y cómodo. Gran variedad de tés.

CASSAVA ROOTS

Prado Norte 400, Lomas de Chapultepec; 5202 7744; cassavaroots.com; todos los días de 9 a 21 horas. Tés de china servidos en un ambiente de salud, *anime* y rock. Pide el *smoothie* con tapioca, cada vez más famoso. Mira las sucursales en la página web.

LA ESQUINA DEL TÉ

Amsterdam 55, Condesa; 5553 9081; laesquinadelte.com; lunes a sábado de 9 a 22 horas, domingos de 9 a 21. Se jacta de ser la primera casa de té mexicana. Tiene sucursales en San Jacinto 3, San Ángel, y Parque Interlomas (Jesús del Monte 34, Huixquilucan).

TAPIOCA GO

Pabellón Altavista. Desierto de los Leones 52, San Ángel; tapioca.com.mx. *Smoothies* con bolitas de tapioca, pero también puedes pedir el té tradicional con base de agua o leche.

TEAVANA

Juan Salvador Agraz 37, primer piso, Santa Fe; 2591 0516; teavana.com.mx; martes a sábado de 12 a 22 horas, domingos de 13 a 20, lunes de 12 a 20. Cuentan con más de 100 variedades de té. También venden a granel. Tiene cinco sucursales más, consulta su sitio web.

HELADERÍAS

ALTO TANGO

Musset 3, esq. Masaryk, Polanco; 5282 2020; altotango.com; lunes a miércoles de 8 a 23 horas, jueves domingo de 8 a 22:30. Servicio a domicilio. Helados artesanales argentinos, entre los que destaca el de dulce de leche en cuatro presentaciones: tradicional, con nueces de Castilla, con trocitos de brownies y con chocolates. También hay cafés, sorbetes, cremas, pasteles y una interesante carta de comida. Sucursal: Centro Espacio Interlomas, Jesús del Monte 37, Huixquilucan; 5247 4615. Campeche 439, Condesa; 4444 9760.

CHIANDONI

Pensilvania 255, Nápoles; 5523 8379; lunes a domingo de 11 a 21 horas. Fundada en 1957 por el italiano Pietro Chiandoni, que antes de dedicarse a este negocio fue luchador ocasional en la Arena Modelo en los años treinta. Sus 30 sabores se apegan a la preparación original. Si creías que el *hot fudge* había desparecido, puedes estar tranquilo porque de hecho ésa es la especialidad de la casa. No dejes de probar los *banana split* y los *espumonis*. Figura en *Pasado presente* de Juan García Ponce y en *Los años con Laura Díaz* de Carlos Fuentes. El distinguido etnógrafo Manuel Gamio frecuentaba el local.

COLD STONE CREAMERY

Centro Comercial Santa Fe. Av. Vasco de Quiroga 3800; 2167 4085; coldstone.com.mx; lunes a jueves de 11 a 21 horas, viernes y sábados de 11 a 22. El lugar indicado para comer helados de crema con galletas, brownies, frutas, nueces y dulces. Los sirven con auténticos malabares que le sacan la sonrisa a más de uno.

EL NEVADO

Av. Azcapotzalco 591, Azcapotzalco. Muy tradicional y aparentemente con la misma decoración desde 1942. Aparte del café y las comidas corridas lo esencial aquí son las paletas cubiertas de chocolate y la enorme variedad de sabores de helados. "Todo de fabricación nacional resiste la llegada en tropel de los consorcios extranjeros", escribiá Jorge Legorreta en 1994. Está frente a la plaza.

HELADOS PALMEIRO

Mercado de Medellín, Campeche y Medellín, local 507, Roma; 5574 4811; lunes a domingo de 10 a 19 horas. Hace cuatro años el químico Eugenio Palmeiro decidió capitalizar su práctica en las glucosas y tasar otras soluciones: esquimos, malteadas, helados. Los comerciantes vecinos llaman a su local "los helados cubanos". Las malteadas que sirven aquí llevan malta, un derivado de la cebada —fermentado, pero sin alcohol— que rara vez se emplea como base de las malteadas en México.

LA BELLA ITALIA

Orizaba 110, Roma; 5264 7960; lunes a domingo de 11 a 21 horas. Uno de los establecimientos clásicos de la colonia Roma, fundado en 1922 por la familia Chiandoni. Se dice que aquí López Velarde flirteó con Virginia Pedrazzi. Tiene el delicado prestigio de figurar en *Las batallas del desierto* de José Emilio Pacheco: "Rosales, el niño más pobre de mi antigua escuela [...] Mira, ven, te invito un helado en La Bella Italia [...] No, Carlitos, mejor invítame una torta, si eres tan amable". Qué mejor sabor que el de un helado elaborado con crema y sin conservadores.

LA ESPECIAL DE PARÍS

Insurgentes 117, San Rafael; 5591 1017; lunes a domingo de 12 a 20:30 horas. El puesto de madera que Domingo Lozada abrió entre las calles de Artes y París en 1921 servía modestos, discretos, sólidos sabores de limón y vainilla. A partir de 1942 ocupó el local donde perdura una de las mejores neverías de la ciudad. Entre las fotografías que lo adornan, dos mujeres con peinados Bob saborean un helado de vainilla de Papantla sin esencias. Los fuertes de la casa son los frutos secos: pistache, piñón y cacao de Guerrero. Miguel Ángel Lozada, tercera generación, recuerda a Cantinflas y María Félix como clientes regulares del lugar y nunca olvidará el día en que Miguel de la Madrid, que venía de la CTM, mandó parar la comitiva presidencial para comprar un helado.

Moyo

TRES HELADOS SIN CULPA

YOGURTLAND

Masaryk 111, Polanco; 52540626; yogurt-land.com; domingos a jueves de 9 a 22 horas, viernes y sábados 10 a 24. Su propósito es que la gente disfrute la experiencia del yogurt helado con ingredientes naturales, promoviendo un estilo de vida saludable. Afortunadamente lo consiguen.

MOYO

Centro Comercial Santa Fe. Vasco de Quiroga 3800, Santa Fe; 5258 0613; lunes a domingo de 9 a 22 horas. Incluyen yogurt probiótico con lactobacilos, todos son libres de grasa y tienen un tercio de las calorías en comparación con un helado convencional. Tiene varios establecimientos, consulta el sitio web.

TASTI D LITE

Masaryk 341, Polanco; 5576 8728; tastidlite.com.mx. Este lugar, original de Nueva York, es ya favorito de muchos defeños a dieta, pero que gustan de helados, *smoothies*, pasteles y pies. Tiene otra sucursal en Prado Norte 314, Lomas de Polanco; 5202 7458.

Roxy

Cupcakes by Tom

NEVE E GELATO

Cuernavaca 124, esq. Michoacán, Condesa; 5256 3345; nevegelato.com; lunes a domingo de 8:30 a 23 horas. Es un placer poder paladear un helado artesanal. El amplio horario de este local y su variedad de sabores te dejan con la boca abierta, o mejor dicho muy cerrada y en movimiento. También venden buen café, crepas y malteadas. Las nieves son extraordinarias. Establecimientos: consultar sitio web.

PACIUGO

Blv. Magno Centro 26, La Herradura; 5247 7644; paciugo.com.mx; lunes a sábado de 12 a 22 horas, domingos de 12 a 21. Helados originarios de Turín. Una particularidad es que sirven bolas pequeñas, perfecto para quien no desee excederse. Encuentras desde el típico helado italiano, como el de *stracciatela*, hasta sabores algo más exóticos como *lychee* o aceite de oliva. Sucursal: Julio Verne 104, Polanco; 5280 9441.

ROXY

Mazatlán 80, esq. Montes de Oca, Condesa; 5286 1258; lunes a domingo de 11 a 20 horas. La heladería por excelencia de la Condesa. Fiel a sí misma y con el mismo tipo de instrumentos desde 1944. Atención con los helados de turrón y de plátano, predilectos entre los vecinos. La nueva sucursal en Lomas de Chapultepec rompe con la imagen a la que nos tenían acostumbrados. Sucursales: Tamaulipas 161, Condesa; 5256 1854. Prado Norte 343 B, Lomas de Chapultepec; 5520 2819. Emilio Castelar 107, Polanco, 5281 5988.

PASTELERÍAS Y PANADERÍAS

BO PASTISSERIA

Fernando Montes de Oca 114-B, Condesa; 1450 2494; bopastisseria.com; lunes a sábado de 11 a 20 horas, domingos de 11 a 18. Los sabores son realmente variados, por lo que hay para todos los gustos: galletas de cacahuate, tarta de higos frescos, pastel de doble chocolate amargo, etcétera. Veden deliciosos macarrones, difíciles de encontrar en México. La decoración discreta y hermosa de esta pastelería, propiedad de las chefs Ezra e Ilse Aguilar, deja encantados a sus clientes. Hay servicio a domicilio. Sucursal: Sonora 174, Condesa; 4622 7050.

CARAMEL

Barranca del Muerto 33, esq. Otoño, Merced Gómez; 5664 0141; lunes a sábado de 8 a 20:30 horas, domingos de 8 a 19:30. Panadería francesa de mucha fama en el sur del DF. Los panes salados son los más socorridos, en especial el de tocino y el de cebolla y ajo. Los panes dulces y pasteles también son buenísimos. Sucursal: Corina 117, Del Carmen Coyoacán; 5601 3472.

CUPCAKES BY TOM

Chilpancingo 35-6, Condesa; 5564 8459; cupcakesbytom.com; lunes a viernes 8 a 21 horas, sábados de 9 a 17, domingos de 10 a 18. Probablemente el lugar más solicitado de la ciudad de México para conseguir *cupcakes*, esos pastelitos estadounidenses recientemente tan de moda por acá. Los prepara el canadiense Tom Grant en diferentes sabores; de los 11 que existen nosotros recomendamos el Red Velvet Queso y el tradicional Vainilla-Chocolate. En el pequeño local, cómodo y rosa, también venden *muffins*.

DA SILVA

Oscar Wilde 12, Polanco; 5280 9875; dasilva.com.mx; lunes a viernes de 7:30 a 19 horas, sábados de 7:30 a 17:30. Repostería y pan elaborados con ingredientes que importan de Europa y Asia. El chef Eduardo da Silva cumple 10 años con este negocio. Quien conoce su pastel mil hojas, el *mousse* de mango y maracuyá o su *cheese cake* (con queso de cabra) no deja de recomendarlo. Se aconseja no perderse el pan de jitomate, espinaca y aceitunas. También tienen ricos chocolates.

FRESCO BY DIEGO

Fernando Montes de Oca 23, casi esq. Tamaulipas; 5553 1027; lunes a sábado de 9 a 22 horas. Prueba el pastel de mango, jengibre y coco; sigue con las conservas de higo, zarzamora y naranja; luego el tiramisú; y entonces a tu casa a dormir el resto de la tarde y la noche. Al día siguiente la tarta de pera con romero. Cuidado con la adicción que genera este sitio con horno visible. Y no te pierdas el chocolatín súper rico.

HADASA

Barranca del Muerto 307, San José Insurgentes; 5651 3092; hadasa.com.mx; lunes a viernes de 9 a 18:45 horas, sábados de 9 a 16:45, domingos de 10 a 15. Empezaron en 1977 en un pequeño local en la calle Félix Parra, luego se movieron a su ubicación actual donde Halina Unikel te atiende con cariño. Además de pan casero, canapés y servicio de banquetes, destaca su variedad de panadería y repostería para diabéticos e intolerantes al gluten.

LA CASITA DEL PAN

Av. México 134-B, Del Carmen Coyoacán; 5554 6183; lacasitadelpan.com.mx; lunes a sábado de 7:30 a 20:45 horas, domingos de 8:30 a 20. Un clásico a punto de cumplir 20 años. Ha ganado gloria gracias a sus pasteles de tres leches –no hay que perderse el de cajeta. El tambor de merengue, los *mousses* y las tartaletas de fruta son sus especialidades. Sucursales: Miguel Ángel de Quevedo 951, El Rosedal; 5549 2019. Parroquia 716-B, Del Valle; 5524 2570. Torres Adalid 1112, Narvarte; 5543 7574.

LA CRÊPE PARISIENNE

Antara Polanco. Molière esq. Ejército Nacional, Polanco; lacrepeparisienne.com. Crepas y panini para llevar. Comenzaron con un pequeño carrito en Plaza Loreto y hoy tienen varias sucursales, incluso en Nueva York y Los Ángeles. También venden café Illy. Sucursales: consultar página web.

LA LORENA

Monte Líbano 265, Lomas de Chapultepec; 5202 4594; lalorena.com.mx; lunes a sábado de 8 a 23 horas, domingos de 8 a 18. Su lema es: "Porque la vida es deliciosa". El local, de estilo *shabby chic*, tiene servicio de restaurante y una excelente pastelería que se ha vuelto famosa por los *scones*.

LA MAREN

Petén 145, esq. Cumbres de Maltrata, Narvarte; 5639 6067; maren.com.mx. lunes a sábado de 7 a 21 horas, domingos de 8 a 21. Las tartaletas de frutas son muy célebres, igual las gelatinas. Sin embargo los pasteles y las conchas continúan como protagonistas. Un clásico del barrio, remodelado a últimas fechas.

LA UNIVERSAL

Lirio 2, esq. Cedro, Santa María la Ribera; 5541 0015; pastelerialauniversal.com; lunes a domingo de 6:30 a 9:30 horas. Pan dulce exquisito desde los años treinta. Su sabor recuerda a las panaderías de antes, cuando se usaban ingredientes más finos. Sucursales: Clavería 165, Clavería; 5396 3461. Lauro Aguirre 163, Agricultura; 5341 8615. Lago Erne 53, Pensil; 5386 5484. Río Churubusco 2109, Gabriel Ramos Millán; 5650 7692. Av. Azcapotzalco 555, Villas de Azcapotzalco; 5347 4100.

> “Si me haces 'pan de muerto' te doy tu 'pan de caja', te llevo de 'corbata' de 'oreja' hasta el panteón.”
>
> "La Chilindrina" de Chava Flores

LA VASCONIA

Tacuba 73, esq. Palma, Centro; lunes a domingo de 7:30 a 21:30 horas. Existe desde 1870 y es considerada la panadería en funciones más antigua del DF. Las conchas y orejas son enormes y muy dulces. También hay pasteles y galletitas. Trenza de higo: hojaldre, higo y nueces. Delgadita, doradita, rica, exclusiva.

LA VICTORIA

Nuevo León 50, Condesa; elpandelavictoria.com; martes a viernes de 8:30 a 21 horas, sábados y domingos de 9 a 19. La única panadería rioplatense en el DF está frente al Parque España. Dan ganas de

La Vienesa

comprarse un alfajor de chocolate y pasear por ahí. Las humitas frías y horneadas son ricas, también los sándwiches de miga.

LA VIENESA

Revolución 1481, San Ángel; 5662 6857; lavienesa.com.mx; lunes a sábado de 9 a 20 horas, domingos de 10 a 16. Cuarenta y seis años después de su apertura La Vienesa es todavía una referencia obligada de la alta repostería en la ciudad de México. Y no por nada. Aquí se dedican a preparar postres austriacos como el pastel *Linzer*, con mermelada y nueces, o las islas de chocolate y almendra. Pero lo que en verdad destaca es la *Sachertorte* (pastel de chocolate con mermelada recubierto de chocolate negro glaseado), cuya receta es propiedad del famoso hotel Sacher en Viena.

LE PAIN QUOTIDIEN

Amsterdam 309, Condesa; 5574 7916; lepainquotidien.com; lunes a viernes de 7 a 22 horas, sábados y domingos de 8 a 22. La cadena panadera más célebre de Bélgica desembarcó en México con el pie derecho. Además de servir desayunos (¡los fines de semana hasta las 15 horas!), comidas y cenas todos los días este local ofrece un pan delicioso y fresco, hecho a mano y horneado diariamente y a base de ingredientes orgánicos. Prueba el pan campesino y el *pain au chocolat*. Sucursales: Oscar Wilde 30, Polanco; 5280 0759. Bosques de Durazno 39; 52452056. Insurgentes Sur 1630, esq. Barranca del Muerto; 5661 9314.

MAQUE

Circuito Cirujanos 15, Satélite; 5393 9987; lunes a sábado de 8 a 22 horas, domingos hasta las 21. Los brownies y el pastel de fresa con chantilly son, además del pan dulce, lo más popular en la carta de esta cafetería-panadería. Los desayunos son buenos, en especial las enchiladas poblanas. El local de la Condesa es lindo. Sucursal: Ozuluama 4, Condesa; 2454 4662. Emilio Castelar 209, Polanco; 5281 6429. Cerrada Monte Líbano, Lomas de Chapultepec 16-D; 5202 7378. Plaza San Ángel: Altavista 131, San Ángel; 5550 5863. Avenida Stim 1327, Lomas del Chamizal; 5245 8250.

MATISSE

Amsterdam 260, Condesa; 5584 3210; matisse.com.mx; lunes a sábado de 7:30 a 24 horas, domingos de 8 a 22. Restaurante con panadería y pastelería de estilo europeo y procesos caseros. Se recomienda acercarse al pastel Matisse, con base de nuez, crema batida y cubierta de chocolate. El pan dulce es exquisito. Sucursales: Eugenia 111, Del Valle; 5687 1356. Centro Comercial Interlomas; 5290 4590.

NIBELUNGEN GARTEN

José María Vértiz 1024, esq. Eugenia, Narvarte; 5674 7788; martes a domingo de 13 a 21 horas. En la azotea está el restaurante, abajo la panadería. No esperes gangas, pero sí la mejor panadería alemana en el DF. Atención con los *pretzels*, las galletitas y el *strudel* de manzana.

PAN Y HORNOS IDEAL

Insurgentes 309-A, Condesa; 5574 4118, lunes a viernes de 9 a 20 horas, sábados de 9 a 18. Empezaron vendiendo hornos, y pan a manera de muestrario, y luego las piezas de pan dulce se hicieron famosas entre los vecinos que no podían creer el tamaño de las conchas. Todo está recién hecho. Dan ganas, efectivamente, de comprarles un horno.

PASTELERÍA IDEAL

República de Uruguay 74, Centro; 5512 2522; pasteleriaideal.com.mx; lunes a domingo de 6:30 a 21:30 horas. Pasó de un modesto expendio de pan, en 1927, a un emporio del barroco panadero y pastelero. Es prácticamente un museo. En este terreno estuvo el zoológico de Moctezuma Xocoyotzin, y durante un periodo del virreinato el solar formó parte del convento de San Francisco. Luego abrieron el Monte Carlo, uno de los primeros y más exitosos cabarets en México. Sucursales: 16 de Septiembre 18, Centro; 5130 2970. Av. Hank González 773, Valle de Aragón; 5120 5015.

PASTELERÍA LA CASITA

Acueducto Río Hondo 110, Lomas Virreyes; 5540 5602; pasterialacasita.com; lunes a sábado de 9 a 20 horas, domingos de 9 a 19. Abrió hace más de 50 años en la esquina de Prado Norte y Montes Urales, pero hace 10 se mudaron a Lomas Virreyes y comenzó la apertura de sucursales. El pastel de chocolate sigue igual de famoso, lo mismo el brownie con queso. Puras delicias en esta pastelería que recomendamos especialmente. Sucursales: Av. Prol. Reforma 1297, Bosques de Las Lomas; 5596 0538. Periférico Sur 2930; 5683 9086. Circuito Empresarial 13, Huixquilucan; 5291 8960. Bernardo Quintana 80, La Loma Santa Fe; 5292 7466.

PASTELERÍA LA GRAN VÍA

Amsterdam 288-A, Condesa; 5574 4008, lunes a sábado de 9 a 20:30 horas,

Pastelería Ideal

domingos de 9 a 19. Pan y pasteles para llevar. La especialidad es el pastel La Reina de Fresa, que se prepara con pan de vainilla y relleno de fresa y crema batida. Los polvorones están muy ricos. Sucursales: Horacio 132, Chapultepec Morales; 5255 1106.

PASTELERÍA MADRID

5 de Febrero 25, Centro; 5521 3378; lunes a sábado de 7:30 a 22 horas, domingos de 7:30 a 21:30. Fundada en 1939. Acá encuentras pastelotes, chocolates, pan campesino, gelatinas, un montón de piezas de pan dulce (las orejas son grandes, pastosas y azucaradas), galletas y más. Pero no hay bolillos. Las empleadas son súper amables. Sucursal: República de Uruguay 81, Centro.

PASTELERÍA SUIZA

Parque España 7, Condesa; 5211 0904; pasteleriasuiza.com; lunes a sábados de 8 a 21 horas, domingos de 8 a 20. Pastelería y panadería artesanal que hornea célebres roscas para el Día de Reyes y panes de Día de Muertos con un relleno de nata que provoca filas. Prueba los brazos de gitano, así como sus especialidades suizas y catalanas.

PÂTISSERIE DOMINIQUE

Chiapas 157-A, Roma; 5564 2010; patisseriedominique.com.mx; martes y miércoles de 10 a 18 horas, jueves a sábado de 10 a 20. Repostería francesa. Este pequeño local es famoso por sus exquisitos *croissants* de mantequilla y almendra.

PRIMOS

Alfonso Reyes 215, Condesa; 5273 0126; lunes a sábado de 8 a 21 horas, domingos de 8 a 19. Pizzas, panes salados y algunas piezas de pan dulce. El chocolatín podría ser uno de los mejores del DF.

RUTA DE LA SEDA

Aurora 1, esq. Pino, Santa Catarina Coyoacán; 3869 4888; rutadelaseda.com.mx; lunes a sábado de 8 a 22 horas. Repostería orgánica del Mediterráneo y Asia. Ideal para diabéticos e hipoglucémicos; aquí encuentras postres sin gluten ni azúcar.

Churrería El Moro

SACHER

Pedregal 17-A, Lomas de Chapultepec; 5282 5835; sacher.com.mx; con cita. Pasteles de boda con diseños y sabores extraordinarios. Si quieres que tu boda sea perfecta ven aquí. Sucursales: Campana 16, esq. Patriotismo, Insurgentes Mixcoac; 5563 0501. Capulín 189, Las Peritas Xochimilco; 5675 3364.

TRATTORIA DELLA CASA NUOVA

Av. de la Paz 40-200, San Ángel; 5616 2288; lunes de 18 a 00 horas, martes a viernes de 8 a 00, sábados de 9 a 00, domingos de 9 a 23. Es un restaurante amplio y cómodo con una panadería buenísima. Recomendamos el rehilete de nuez. Por cierto que son los panaderos de Delirio (ver página 19).

DULCES, CHURROS Y CHOCOLATE

ALFAJORES HAVANNA

Masaryk 76, Polanco; havannamexico.com; 5254 2609; lunes a domingo de 8 a 23 horas. Tienen de chocolate blanco, nuez, cacao, merengue y más. Alfajores Havanna abrió sus puertas en nuestra ciudad 62 años después de la inauguración de la marca en Mar del Plata, Argentina. Estas galletas rellenas de dulce de leche y cubiertas de chocolate son ya un clásico en nuestro país. También hay galletas y chocolates.

CANELÉS DE BOURDEAUX

Sócrates 515, casi esq. Masaryk, Polanco; 5280 6997; lunes a viernes de 10 a 20 horas y sábados de 12 a 18. Tienen sólo tres mesitas, pero todos los días se abarrota de clientes entusiastas. ¿La razón? Los tradicionales canelés de Burdeos que venden aquí desde octubre de 2009. ¿Las responsables? Las emprendedoras Ángeles Pompa y Corynne Lapeyre, que ofrecen estos bizcochos por primera vez en el DF.

CHURRERÍA EL MORO

Eje Central 42, Centro; 5512 0896; abre 24 horas. Gran clásico desde 1933, sobreviviente de dos incendios. Todo el mundo ha terminado aquí de madrugada, mañana, tarde o noche. Hay chocolate caliente español (muy espeso), francés (dulce) y mexicano (medio amargo) para acompañar los delgados churros.

EL LUGAR MÁS LEGENDARIO

DULCERÍA DE CELAYA. 5 de Mayo 39, Centro; 5521 1787; lunes a domingo de 10:30 a 19:30 horas. Tradición es un término que se queda corto cuando se sabe de su nacimiento en 1874. Su umbral bien podría ser un pasaje a otros tiempos y una reputación intacta. El local es un clásico donde predominan el color dorado, los aparadores de encino, las planchas de mármol y un piso de mosaicos que vio pasar las plantas de tanta gente. Más de 150 postres elaborados a lo largo de 126 años. "Lo único que queda en tiendas antiguas", sentenció Novo en los cincuenta. Sucursal: Orizaba 37, Roma; 5514 8438.

"El emperador no tomaba más potaje que el chocolate sazonado con vainilla y otras especias [...] reducido a una especie de espuma de la consistencia de miel que se disolvía poco a poco en la boca [...] Era servido en copas de oro."

William Prescott en *La conquista de México* (1843)

CHURROS EL CONVENTO

Plaza del Carmen 4, San Ángel; 5616 0978; lunes a viernes de 8 a 1 horas, sábados y domingos de 9 a 00. Clásico sureño. Famosos por ser muy crujientes y llevar canela además del azúcar. Todos los días se producen 2,500 piezas.

CHURROS EL DORADO

Tlalpan 1793, Churubusco Coyoacán; 5544 8158; churroseldorado.com.mx; lunes a domingo de 8 a 23 horas. Clasicazo. Durante 30 años han vendido churros que merecen filas. Todos vienen por los churros rellenos. Sucursales: América 191, Concepción Coyoacán. Hidalgo 102, Villa Coyoacán; 5658 1346.

DULCERÍA EL SECRETO

Cerrada de Monte Líbano 13, Lomas de Chapultepec; 5520 1953; lunes a viernes de 10 a 18 horas, sábados de 10 a 15. Aquí encuentras dulces mexicanos contemporáneos. Sucursal: Altavista 131, San Ángel; 5550 3584.

L'ATELIER DU CHOCOLAT

Altavista 131, San Ángel Inn; latelierduchocolat.com.mx; 5616 5707; lunes a viernes de 10 a 20 horas, sábados de 10 a 19, domingos de 11 a 18. Boutique de chocolates en todas las presentaciones: de pelota de futbol a rosa de chocolate. Sucursales: Newton 105, Polanco; 5250 1355. Antara Polanco: Ejército Nacional 843, Granada; 5278 2009. Parques Polanco: Lago Alberto 320, Polanco. Camino Santa Teresa 1421, Jardines del Pedregal; 5652 9973.

LE CHOCOLAT

Prado Norte 543, Lomas de Chapultepec; 5582 4466; lechocolat.com.mx; lunes a sábado de 10 a 19 horas. Chocolates en mil presentaciones: macizos, rellenos, trufas, pralines, enjambre, paletas y más. Sucursales: Plaza Bosques: Bosque de Duraznos 187, Bosques de las Lomas; 5251 1488.

MAMÁ SARITA

Juan de la Barrera 5, Condesa; 5553 0933; lunes a sábado de 9 a 22 horas, domingos de 9 a 21. Chocolate tabasqueño tostado y molido aquí mismo. Dulce, amargo y hasta picante, con leche o con agua (a la antigua).

MAZAPANES TOLEDO

16 de Septiembre 6, Centro; 5512 1698; lunes a sábado de 10 a 20 horas, domingos de 11 a 18. Fundado en 1939 por el español Luis García Galiano este local ofrece inolvidables pasteles de almendra, figuras de mazapán, turrones tipo Alicante, yemas de huevo y pastel de mazapán con la preparación tradicional. Sucursales: Hegel 237, Polanco; 5203 3592. Holbein 168, Noche Buena; 5611 8567. República de Uruguay 29, Centro; 5518 3042.

"Cuando empezaba en el periodismo las fufurufas, las guacamayas, se aparecían en las páginas de Sociales y les pintaba un globito surgiendo de su boca en el cual escribía: 'Diario meriendo mis polvorones', y cuando me parecían menos intolerables: 'Yo como Mazapanes Toledo'."

Carlos Monsiváis en *A ustedes les consta* (2006)

XOKAWA

Alfonso Reyes 239, Condesa; 5025 9137; xokawa.net; domingo a jueves de 12 a 23 horas, viernes y sábados de 12 a 00. Autodefinido como chocolate bar, en este bonito local encuentras chocolate caliente según tu preferencia.

Archivo General de la Nación, Fondo Hermanos Mayo.

Gran importancia mantuvieron las cafeterías a lo largo del siglo xx como lugar de reunión, recreo y hasta trabajo. La ciudad de México cuenta con una rica tradición en los usos y costumbres de su personal, por ejemplo en los uniformes de las meseras. El primer café que introdujo meseras fue el liberal El Progreso, en 1875. En la fotografía de la segunta mitad del siglo xx apreciamos una imagen afable, y al mismo tiempo no deja de notarse el contraste entre el titular del periódico y la sonrisa de la mesera, un contraste típico, casi cotidiano, en esta capital. **dF**

ANTROS BARES KARAOKES

CERVEZA
Modelo
Especial
CERVECERIA MODELO
MEXICO
1925
Sabor y calidad premium desde 1925

Al Andar

Barney's

BARES

AL ANDAR
Regina 27, casi esq. Isabel la Católica, Centro; 5709 1229; lunes a miércoles de 12 a 22 horas, jueves a sábado de 12 a 2, domingos de 12 a 16 . La calle más efervescente de esta parte del Centro tiene mucho que agradecerle a Mariano y secuaces, entre ellos su adorable madre, quienes desde hace cuatro años se esmeran por servir mezcales artesanales y comida casera en un local pequeño lleno de corazón. Prueba la cerveza china.

ARTIC BAR
Nuevo León 73, Condesa; 5553 0438 y 5256 4555; miércoles a sábado de 20 a 2:30 horas. Aunque la estancia reglamentaria para permanecer en un *artic bar* es de 20 minutos, aquí uno puede entrar y salir de él a placer. El frío se mitiga con chamarras y guantes que proporcionan en el lugar. A las chicas se les recomienda evitar tacones, faldas y sandalias. Hay que irse con cuidado con la propina, pues si se deposita sobre la contrabarra de hielo se corre el nada agradable riesgo de que el dinero se hunda, literalmente, y no pueda recuperarse. La música va del indie al hip hop. Hay que reservar.

ATLÁNTICO
República de Uruguay 84, tercer piso, esq. 5 de Febrero, Centro; 5512 9494; atlantico.mx; lunes a miércoles de 13 a 00 horas, jueves a sábado hasta las 3. Es un centro cultural con bar y billar. Se exhibe arte experimental, la cerveza es barata y la vista del Centro muy agradable. Tiene 11 balcones, una barra cómoda y con frecuencia tocan grupos locales interesantes. Un gran lugar.

BAR ÁREA
Masaryk 201 (hotel Habita), Polanco; 5282 3100 ext 988; jueves a sábado de 17 a 2 horas, domingo a miércoles de 17 a 23. Sin duda es uno de los grandes bares del DF, no sólo por la espectacular vista que ofrece de la ciudad, sino también por su atención personalizada y la decoración simple y linda. Está dividido en dos niveles: uno cerca de la barra y otro a un lado de la alberca; el segundo es ideal para reuniones más privadas.

BAR MILÁN
Milán 18, Juárez; 5592 0031; jueves a sábado de 20 a 3 horas. El bar más longevo del DF continúa siendo un clásico del precopeo. Aquí pagar la cuenta no resulta enfadoso: basta canjear los pesos por esos billetitos llamados "milagros", que tienen valor sólo en el Milán; esto para que cada quien pague su trago y nadie se haga bolas con la propina, que ya va incluida. El nopalote en la barra, de Tolita Figueroa, sigue tan emblemático como la buena música noventera y los excelentes mojitos. Tienen predilección por el rock pop en inglés y español.

BARBA AZUL
Bolívar 291, esq. Gutiérrez Nájera, Obrera; 5588 6070. Salón de baile de toda la vida. Existe desde hace más de 50 años. Abren a partir de las 20 horas. Hay ficheras experimentadas y dispuestas. Decoración espectacular. Buen sonido. Perfecto para ir en bola, gastar poco, divertirse mucho y bailar como se hacía antes. No cobran la entrada, por supuesto.

BARNEY'S
Fernando Montes de Oca 43, Condesa; 5212 0007; martes a sábado de 19 a 1:30 horas. Una gran opción para empezar la noche en la Condesa. Es pequeño, así que llega temprano o reserva la salita del fondo. La selección musical es probablemente de las mejores en la zona; el dueño es miembro de los Flash Tacos y sabe lo indispensable que resulta para algunos defeños escuchar a Tom Waits o David Bowie mientras se bebe una cerveza Cosaco. Hay hamburguesas muy ricas.

BENGALA
Sonora 34, Roma; 5553 9219 y 5211 4690; bengalabar.com; martes a sábado de 21 a 2 horas. Acogedor y perfecto para una cita romántica. La decoración es una fusión de lo mexicano y lo oriental. Los martes y jueves hay jazz, el resto de los días, una mezcla de blues y house por parte del DJ. Para comer se recomienda el hot dog estilo

Nueva York y para beber un Marea Roja (vodka con jugo de varias frutas). Menores de 30: piénsenlo dos veces.

BIG RED
Masaryk 101, Polanco; 5255 5277; bigs.fishers.com.mx; lunes 11 a 22 horas, martes de 11 a 00, miércoles a sábado de 12 a 2. Precios razonables, ambiente universitario y un volumen alto. Recomendado para los que gustan botanear con mariscos. Generalmente está a reventar; aun así, el servicio es ágil. Perfecto para el ligue postadolescente. Sucursal: consultar el sitio web.

BLACK DOG
Vasco de Quiroga 3900, Lomas de Santa Fe; 5148 2525; lunes a sábados de 14 a 2 horas. Elegante y sobrio, como sus clientes —a quienes después de la medianoche sólo les queda lo elegante—. Los viernes se llena de ejecutivos del rumbo con muchos ánimos de divertirse. Buen sitio para ligar.

BLACK HORSE
Mexicali 85, Condesa; 3547 9494; caballonegro.com; martes a sábado de 18 a 3 horas. De los pocos *pubs* con alma británica en la ciudad de México. Aquí, los clientes frecuentes, que suelen pedir *pints* de cerveza oscura, aprecian la preferencia de los DJ por grupos como The Smiths o The Clash. No es raro encontrar escoceses, alemanes, irlandeses y mexicanas con ánimos de ligue internacional. Los miércoles las mujeres pagan 12 pesos por trago, y los martes hay dos por uno en tragos y comida.

BÓSFORO
Luis Moya 31, casi esq. Independencia, Centro. Mezcalería pequeñita con mucho encanto. La música puede ser esnob —y qué—; la concurrencia para nada. Ideal para experimentar una noche diferente, cerca de la Alameda Central. Recomendamos probar los curados de pulque.

CELESTE CHAMPAGNE TEA ROOM
Darwin esq. Kepler, Anzures; 2614 6031; celeste.com.mx. Forma parte de la Celeste House. Es una terraza que de día funciona como salón de té y por las noches sirve champaña y licores ricos. La cava es excepcional. No hay que perderse los gusanos de maguey, los quesos y el jabugo. Es un bar de lujo que vale la pena conocer; de lo mejor en la ciudad.

El Cielo de Cortés

CIBELES DE NOCHE
Plaza Villa de Madrid 17, Roma; 5208 2029; miércoles a sábado de 19 a 2 horas. En este lugar la reservación es esencial, pero si no la hiciste y de todas formas quieres ir, entonces llega temprano. El mobiliario, la música y la concurrencia son elegantes, aunque sin exagerar.

CICERO CENTENARIO
Plaza del Ángel. Londres 195, Juárez. Está en el corazón de la Zona Rosa, pero no es un lugar gay —o acaso sí—. Al fondo de la plaza está la tienda de Daniel Liebsohn (ver página 44); enfrente, unas escaleras que conducen a un restaurante exagerado-elegante y padre-vacío en el que se come rebién en un ambiente anticuado y con meseros ibídem. Todo bueno, todo caro. El bar te deja con la boca abierta, lista para beberte un tequila. Es un lugar muy original. Sucursal: República de Cuba 79, Centro.

CORAZÓN DE MAGUEY
Jardín Centenario 9, Coyoacán; 5659 2913; domingo a miércoles de 13 a 1 horas; jueves a sábado de 13 a 2. Es un espacio diseñado para promover y dar a conocer la cultura del mezcal. Marida con el Oh Mayahuel (ver página 47) "una cocina indígena actual y una auténtica coctelería mezcalera en medio de un deleite visual", según sus propietarios; no se equivocan.

EL BAR DEL FOUR SEASONS
Paseo de la Reforma 500, Juárez; 5230 1818, ext. 1616; lunes a viernes de 12 a 1 horas, domingos de 13 a 24. Como estar en una biblioteca o salón inglés, con ventanas que dan hacia un jardín interior. Tiene grandes y cómodos sillones y una agradabilísima terraza para fumar. Destaca la selección de tequilas.

EL CIELO DE CORTÉS
Hidalgo esq. Paseo de la Reforma, Centro; 5518 2181; jueves a domingo de 18 a 2:30 horas. Está en la azotea del Hotel de Cortés, fundado en 1620 y que desde el año antepasado funciona como hotel boutique. El ambiente *lounge*, la

Félix

Felina

vista a la Alameda Central y los asientos tipo cama resultan idóneos para mantener conversaciones cómodas y en confianza. Sólo ten cuidado si ves que va a llover.

EL DEPÓSITO

Baja California 375, esq. Camargo, Condesa; 5272 0716; lunes a sábado de 12 a 00 horas, domingos de 12 a 20. Cervezas de diferentes países y sabores. Es un lugar muy agradable, con mesas en la banqueta, en una zona inesperada de la colonia. Verdaderamente recomendable.

EL DIENTE DE ORO

Plaza Iztaccíhuatl 36, Condesa; 5264 4617; eldientedeoro.com; martes a sábado de 18 a 2 horas. Pequeño y muy cómodo. Además la música y el volumen son agradables. Es un bar especializado en servir buenos whiskys, con una carta que resulta de verdad impresionante. Perfecto para salir con pocos amigos, o con los compañeros del trabajo. Se pone bien los viernes cuando empieza a oscurecer.

EL HIJO DEL CUERVO

Jardín Centenario 17, Coyoacán; 5658 7824; elhijodelcuervo.com.mx; lunes a miércoles de 16 a 00 horas, jueves a domingos de 12 a 1. Este lugar se atasca prácticamente todos los días desde hace casi 20 años, y por algo será. Es el más longevo y popular de Coyoacán. Alejandro Aura y Pablo Boullosa lo fundaron en 1987, y aparte de bar lleva una vida respetable como institución cultural. Fue remodelado en 1994. Llega temprano si quieres entrar pronto.

EL MITOTE

Amsterdam 53, Condesa; 5211 9150; elmitote.com; jueves a sábado de 20 a 2 horas. Sorprende que se haya mantenido vigente todos estos años. Es muy agradable y tiene buenas propuestas musicales para todos los gustos: indie, funk, retro y electro. Tiene un salón Astronauta, otro para el DJ y una azotea muy conveniente para quienes fuman.

EL TALLER / EL ALMACÉN

Florencia 37, Juárez; 5207 0727; eltaller-elalmacen.com.mx; juves a domingo de 17 a 3 horas. Popular, pero decadente; como la propia Zona Rosa. Un clásico de la vida gay masculina en el DF. Tiene memoria: nació en la envoltura de un proyecto sociocultural que promovía campañas de prevención contra el sida. Como bar instauró la moda de quitarse la camisa.

FC

Parque Interlomas. Jesús del Monte 41, local 13, Huixquilucan; 5247 1723; fcinterlomas.com; lunes a miércoles de 13 a 23 horas, jueves a sábado de 13 a 2, domingo de 13 a 18. Cantina futbolera, fresona y de moda. La sucursal de Satélite es más escenosa. Sin duda el mejor lugar de la ciudad —bueno, área metropolitana— para ver partidos de futbol. Sucursal: Pafnuncio Padilla 26, Ciudad Satélite; 5374 3962; fcsatelite.com.

FELINA

Ometusco 87, Escandón; 5277 1917; miércoles a sábado de 18 a 2 horas. Un lugar con carisma que puede convertirse en una buena alternativa para precopear en la Condesa. Con ir una sola vez todo el mundo sale encantado. Quizás es porque acá se atreven a poner música como les da la gana, y eso la gente lo siente honesto y disfruta. Felina es el nombre del pueblo italiano de donde proviene uno de los dueños. Gran lugar para salir entre semana.

FÉLIX

Álvaro Obregón 64, Roma; lunes a sábado de 17 a 1 horas. Olvídate del Covadonga; éste es el nuevo lugar para ser alguien en la escena *hipster*. Pequeño como esta reseña, alegre como su nombre y con comida rica.

FRIDA

Plaza San Jacinto 1, San Ángel; 5550 0736; miércoles a sábado de 14:30 a 2 horas. Bar súper buena onda, ambiente entre amigos y trato espectacular. Lo mejor acá es pasar la noche jugando al Wii con desconocidos que dejan de serlo pronto. Aguas: los mezcales son baratos, ¡así que cuidado con cuántos te tomas!

Hostería La Bota-Cultubar

FLY MEZCALINA

Orizaba 145, Roma; 5264 6339; lunes a miércoles de 14 a 00 horas, jueves a viernes de 14 a 2. Se dice que éste fue el lugar que puso de moda los mezcales en la ciudad, antes de que otros les arrebataran la popularidad. Un buen lugar para platicar tranquilamente con alguien o salir con pocos amigos. La decoración es sobria y cálida, y el volumen de la música aceptable. Debería haber más lugares así en la Roma.

Hace medio siglo Salvador Novo escribía en su bitácora: "Accedí a probar con ellos mezcal de Oaxaca, y lo encontré mucho más sabroso que el odioso *whisky*: con un perfume de tierra, de barro. No sé por qué los esnobs no adoptan los licores nacionales".

GALERÍA BAR PARADA 54

Molière 54, Polanco; 044 55 1451 6994; parada54.com; diario de 13 a 1 horas. Tomarte un par de copas y comer algo rico, escuchar música y admirar la obra de artistas independientes es lo que encuentras en este bar galería. Es un lugar novedoso por su diseño, muebles y arquitectura.

GATO CALAVERA

Insurgentes 393, Condesa; lunes a miércoles de 14 a 22, jueves y viernes de 14 a 2, sábados de 16 a 2. Bar efervescente de adolescentes *punks*, *rockabillies* y *grungeros*. Los lunes la cerveza cuesta 15 pesos, o sea cinco menos que el resto de la semana. Los martes juegan Guitar Hero. Los miércoles son de metal. A veces hay bandas en vivo. *Hipsters*: abstenerse.

HOOKAH LOUNGE

Campeche 284, Condesa; 5264 6275; hookahlounge.com.mx; lunes a jueves de 16 a 2 horas, viernes y sábados de 15 a 3. Una interesante mezcla de comida oriental, música electrónica y concurrencia veinteañera. Es muy buena opción para salir con varios amigos en plan relajado y divertido —fumar narguile nunca dejará de ser original—. La decoración es excesiva, pero a la vez funciona rebien. Sucursales:

Galería Bar Parada 54

Frida

Centro Santa Fe: Vasco de Quiroga 3800, Santa Fe; 5292 5562. Pafnuncio Padilla 26, Satélite; 5374 3541.

HOSTERÍA LA BOTA-CULTUBAR

San Jerónimo 40, Centro; 5709 9016; hosterialabota.blogspot.com; domingo a miércoles de 13 a 00 horas, jueves a sábado hasta las 2. Comenzaron sirviendo tapas, pero hoy esta taberna, abierta en 2005, prodiga platillos más sofisticados, buen vino, blues, jazz y un ambiente inmejorable. Es el favorito de la lustrosa Regina, con todo y que se cambiaron el año pasado a la calle de atrás. Se come bien y se bebe a buen precio. Gran sitio para los viernes al anochecer.

IVOIRE

Emilio Castelar 95, Polanco; 5280 0477; lunes de 18 a 24 horas, martes a sábado de 18 a 1:30. Este restaurante francés cuenta con una simpática terraza que da al parque, ideal para relajarse después del trabajo. Es famoso por la excelente atención de los meseros.

KAYA

Tamaulipas 223, Condesa; 5272 0709; kayabar.com; jueves a sábado 18 a 2 horas. Un bar de culto para los amantes del reggae. La decoración tiene que ver con la cultura

OCHO KARAOKES FAVORITOS

COLLAGE CANTABAR

Londres 167, Juárez; 5208 7234; cantabarcollage.com; lunes a miércoles de 15 a 23 horas, jueves de 16 a 1, viernes de 16:30 a 4, sábado de 16 a 4. Uno de los cantabares más amigables de la ciudad: sin cóver y buenos tragos.

COTTON CLUB

Insurgentes Sur 2113, San Ángel; 5616 6828; cottonclubmexico.com; viernes y sábados de 20 a 3 horas. Para entonar alguna de las más de cinco mil canciones que tienen en este local, hay que anotarse en una lista por mesa.

ESCAPARATE

Tolstoi 6, Nueva Anzures; 5250 7655; escaparatebar.com; miércoles a sábado de 20 a 3 horas. Ideal para los mayores de 30 años. Viejón, padre.

IL CANTO

Campos Elíseos 247, Polanco; 5280 1268; martes a sábado de 21 a 3 horas. Puedes cantar con una banda en vivo.

LA LUNE

Séneca 37, Polanco; 5281 6931; martes a sábado 21:30 a 3 horas. Cantabar con espíritu bohemio, piano y ambiente romántico.

MASARYK 52

Masaryk 52, Polanco; 5250 2522; jueves a sábado de 00:30 a 2:30 horas. Aquí puedes cantar desde tu mesa, y si lo pides te graban un CD con la interpretación de tu canción favorita.

PEDRO INFANTE NO HA MUERTO

Insurgentes 2351, San Ángel; 5616 4585; miércoles a sábado de 21 a 3 horas. El calor y la mala iluminación no han ahuyentado a los clientes asiduos a este local afteroso.

ROMEO & JULIET

Insurgentes 1223, Extremadura; 5611 1841; romeojulietcafe.com; jueves a sábado 18 a 3 horas. Uno de los cantabares más versátiles de la ciudad.

La B

jamaiquina y rastafari —no te pierdas el mural del artista visual Christopher Lagunas—. La música no separa a Bob Marley de Peter Tosh. De pronto puede tocarte la visita de algún grupo en vivo, aunque no es lo habitual. El volumen y la atención son realmente agradables.

KING COLE BAR

Paseo de la Reforma 439, Cuauhtémoc; 5228 1818, ext. 1702; lunes a sábado de 12 a 2 horas. Famoso por sus experimentos con el Bloody Mary, que adecuan según los ingredientes y preferencias de la región, este bar neoyorquino llega a México para agregarle mezcal y chile pasilla a la emblemática bebida, creando así el Sangrita María. El lugar, con madera oscura y detalles en verde, está decorado con un mural de Pablo Weisz Carrington, hijo de Leonora. La terraza es súper agradable.

KING'S PUB

Campos Elíseos 269, Polanco; 5280 1114; thekingspub.com; lunes a miércoles de 17 a 2 horas, jueves a sábado de 17 a 3. Dentro de la oferta polanquera, sateluca y santafeña este *pub* puede ser una muy buena alternativa, sobre todo durante la Champions League. También es perfecto para reunirte con varios amigos. La comida es rica. Sucursales: consultar sitio web.

LA B

Malitzin 155, Del Carmen, Coyoacán; 5484 8230; jueves a sábado de 13 a 2:30 horas, domingo a miércoles de 13 a 00. Una de sus mejores virtudes es el refrescante martini de pepino, otra que la rockola no cuesta, por eso hay que apañar la música un buen rato. Mientras que abajo la onda es más tranquila, en el piso de arriba el *antro* se presta más para reventar. No hay guardarropa y es caluroso, pero los meseros son amables y rápidos. Uno de los mejores lugares del sur, con su simpática estética de fonda mexicana posmoderna y las botellitas de Lulú para servir las salsas.

LA BOTICA

Campeche 396, Condesa; 52110 0645; laboticacantina.com.mx; domingo a martes de 17 a 00 horas, miércoles a sábado de 17 a 2. También conocido como "la mezcalería", este local que puso de moda el consumo de mezcal continúa ofreciendo una experiencia única en el DF. Han abierto varias sucursales; la de Amberes poco a poco se convierte en la más concurrida, quizá por ser también la más grande. Cualquiera es ideal para ir después del trabajo. Las habas con chile son adictivas y los gajos de naranja resultan un complemento perfecto para los destilados. Sucursales: Alfonso Reyes 120, Condesa; 5212 1167. Orizaba 161, Roma. Amberes 1, Juárez; 5511 1384. Oscar Wilde 9-H, Polanco; 5281 2090.

La Nacional

LA CASA ROMA
Orizaba 76, Roma; 5533 7780; a partir de las 13 horas. Nos van a matar por publicar la dirección, pues se supone que éste es un club social privado —el concepto amenaza con ponerse de moda al menos en la Roma—. Prueba la cerveza Tijuana, siéntete libre de poner en la tornamesa los discos de vinil que tienen en el salón y concéntrate en la carta para dejarte sorprender. Se cena bien.

LA CLANDESTINA
Nuevo León esq. Álvaro Obregón, Condesa. Mezcalería agradabilísima con pocos metros cuadrados y una clientela creciente. Estupendo para precopear antes de lanzarse a El Imperial Club.

LA NACIONAL
Orizaba esq. Querétaro, Roma. Recientemente una de las esquinas más populares de la colonia. Su mejor momento es el sábado antes de que oscurezca. Venden mezcal, Boing! y cervezas artesanales de diferentes puntos de la República. Pide una ensalada de nopalitos, una Tempus dorada y espera a que la noche empiece a tomar forma solita.

LOS CANALLAS
Regina 58, Centro; 5709 1200; lunes a jueves de 8 a 23 horas, viernes y sábados de 8 a 2, domingos de 9 a 22. De los más agradables de la calle. La comida y la bebida tienen precios razonables, y los meseros son súper amables. Aquí les gusta poner bossa nova, house y tangos para acompañar la comida que sirven. El mojito Canalla lo sirven con hielo frappé y es uno de los tragos favoritos de los asiduos. Excelente taberna.

LOS INSURGENTES
Insurgentes 226, Roma; 4751 9326; domingo a miércoles de 13 a 00 horas, jueves a sábado de 13 a 2. Acá se viene a probar la bebida más fina de los aztecas. Los fundamentalistas odian el lugar, pues para ellos una pulquería debe tener mal aspecto y encontrarse en algún rumbo alejado. Ésta es relajadísima, oscurita, y tiene tres pisos y varios salones. Sólo aceptan efectivo.

LUCILLE
Orizaba 99, Roma; 5207 8441; lunes a miércoles de 10 a 23 horas, jueves a sábado de 10 a 2, domingos de 13 a 22. El billar con onda de la colonia. Venden cerveza artesanal. Siempre hay buen ambiente. Las hamburguesas son muy ricas. Hay que llegar temprano.

MAGNOLIA
Reforma 505 (Torre Mayor), segundo piso, Cuauhtémoc; torremayor.com; jueves a sábado de 22 a 4 horas. Club con ínfulas lujosas, pensado para empresarios que trabajan en la zona. Es caro, pero el servicio lo vale. Si tienes menos de 30 te sentirás fuera de contexto. La decoración muy bien.

MEXINACO
Amsterdam 300, Condesa; 5584 0711; mexinaco.tv; lunes a sábado de 13 a 2 horas. Dizque chistocito, dizque *kitsch*. El lugar cae mal desde que uno lo divisa a varios metros. Pero una vez dentro, es realmente agradable. Nostálgicos de la estética noventera: éste es su lugar. A veces hay fiestas padres.

M.I.C.
Molière 237, Polanco; 5531 5828; micplanco.com; jueves a sábado de 18 a 3 horas. Durante seis años fueron el Bambaata, y recién cambiaron de nombre y concepto a M.I.C., que significa Music Integrates Community. Bar con aires sofisticados, concebido para postuniversitarios que buscan empezar la noche en instalaciones de lujo. Es un lugar agradable y tiene privados súper cómodos. Gran sistema de sonido; pídele a un mesero que te explique la tecnología video-mapping, de la cual son pioneros en México.

MO...
Tennyson 102, Polanco; martes a sábado de 14 a 2 horas. Es el Momma, pero con otro nombre. Sigue teniendo el éxito de siempre, quizá debido a que la atención es igual de buena. Empieza aquí tu noche si tu intención es pasar una velada sofisticada y sin escatimar en gastos. Te sugerimos reservar.

MOON BAR
Hotel Camino Real. Mariano Escobedo 700, Polanco; 5263 8887; martes a sábado de 21 a 2 horas. Terraza acondicionada como jardín oriental, techo plegable y espacios abiertos, apreciadísimos por los fumadores, y sillones muy cómodos. La decoración también incluye espejos, velas y una alberca decorativa. Es muy buena idea

para una cita romántica. Se recomienda probar alguno de sus famosos tragos moleculares.

NICHO BEARS & BAR

Londres 182, Juárez; 5208 1947; bearmex.com; jueves a sábado de 20 a 3 horas. Bar gay de "osos" (hombres robustos y de aspecto viril) y sus admiradores. La música es tal como la estás imaginando. Ambiente relajado y buena onda. Muy divertido también para heterosexuales.

OASIS Y VIENA

República de Cuba 2 y 3, Centro; 5521 9740; domingo a miércoles de 15 a 1, jueves a sábado de 15 a 2:30. El corazón del famoso corredor gay del Centro. Son dos lugares distintos, pero con los mismos clientes que salen de uno y entran en el otro continuamente, desde hace casi 60 años. Hombres vestidos de vaqueros y con bigote, y condeseros perdidos: todo en un mismo tándem cantinero. En el Oasis aprovecha el eterno dos por uno de la cerveza de barril, y no te pierdas el espectáculo de los meseros los viernes. El Viena, recién remodelado, parece un Vips con pista de baile; no deja de ser interesante.

PATA NEGRA

Tamaulipas 30, Condesa; 5211 5563; patanegra.com.mx; lunes a domingo de 13:30 a 2 horas. Un clásico de la Condesa. Si quieres bailar ve directo al segundo nivel, pero si lo tuyo es el ligue y el apretujamiento quédate en el primero. Llega temprano porque después de las 23 horas tendrás que esperar mucho tiempo en la puerta. Muy recomendable cuando tienen actos en vivo.

LOVE

Masaryk 169, Chapultepec Morales; 1995 8926; liveinlove.com; viernes a sábado de 23 a 3:30 horas. Este bar se ha puesto de moda recientemente entre los veinteañeros del poniente de la ciudad. Las botanas son buenas y la música complaciente y acertada.

PRIDE

Alfonso Reyes 281, esq. Baja California, Condesa; 5516 2368; martes a jueves de 18 a 2 horas. Bar gay. Uno de los favoritos para ellas, sobre todo en jueves. Si te gustan las mujeres bonitas, jóvenes y simpáticas éste es tu lugar. La atención es personalizada y cálida, y los precios razonables. El único problema es su inexplicable cóver.

Zinco Jazz Club

SKY BLUE BAR

Hotel Camino Real. Guillermo González Camarena 300, Santa Fe; 5004 1616; lunes a sábado las 24 horas. Desde aquí tienes una formidable vista de la ciudad. Además, la decoración *lounge* con muebles blancos es increíble. La comida excelente y el servicio impecable. Sin duda, uno de los mejores lugares de Santa Fe para empezar la noche.

ST. ELMO'S BAR

Bosques de Duraznos 187, Bosques de las Lomas; 5596 4999; jueves a sábados de 13 a 2 horas, lunes, martes y miércoles de 13 a 22. Aquí se reúnen los veinteañeros del rumbo que han decidido dormirse temprano (sin embargo al final pocos lo logran, hay que decirlo). En ocasiones hay música en vivo y los juegos de mesa siempre ayudan a aderezar el ambiente de camaradería que predomina en este nuevo clásico del DF.

T GALLERY

Saltillo 39, Condesa; 5211 1222; lunes a miércoles de 17 a 1 horas, jueves a sábado de 17 a 2. Su decoración causa sensación al mezclar muebles viejos de distintos estilos en sus salas, pues con ello crean uno de los mejores ambientes de la Condesa. Aquí vienen muchos extranjeros, sobre todo los viernes. De martes a sábado hay grupos en vivo. Te sugerimos reservar. Las pizzas están muy bien.

TANDEM PUB

Río Nazas 73, Cuauhtémoc; 5525 7358; de lunes a domingos de 11 a 2 horas. El papá de los *pubs* en la ciudad; discreto y acogedor, perfecto para platicar y escuchar buena música. La gente de las embajadas y los vecinos del rumbo suelen venir aquí a escuchar música alternativa, retro y un poco de electro, y algunos a jugar con los dardos.

THE WHISKEY

Hotel W. Campos Elíseos 252, Polanco; 9138 1800; lunes a domingo de 12 a 2 horas. Te atienden bien y es una buena idea para las reuniones informales con los compañeros de trabajo. La concurrencia suele rebasar los 30 años y el ambiente

Balalaika Plus

generalmente es relajado. Ya no está de moda como antes, pero continúa como uno de los mejores de la zona.

U.T.A.
Donceles 58, Centro; 5521 2588; martes a jueves de 15:30 a 22:45, viernes y sábados de 15:30 a 3 horas. Clásico de clásicos entre la comunidad dark y metalera del DF. Luego de cerrar el exitoso local a pocos metros de aquí y de mudarse brevemente a la calle Florencia el U.T.A. —Unión de Trabajadores Anarquistas— regresa al Centro para deleitar a todos los que extrañaban bailar como locos, con música a todo volumen, beber mucha cerveza, saludar viejos colegas del Tianguis del Chopo, presumir *look* y besarse con hombres, mujeres o quien se deje. Lugar súper interesante, aun si no eres *dark*.

ZAZÁ
Pachuca 1, Condesa; 5286 2407; lunes a miércoles de 14 a 00, jueves y sábados de 14 a 1, viernes de 14 a 2. Buenas cervezas —recomendamos las Tempus y Cosaco—, pizzas ricas y ambiente festivo (sobre todo los fines de semana). Es un gran sitio.

ZINCO JAZZ CLUB
Motolinía 20, Centro; 5512 3369; zincojazz.com; miércoles a sábado de 21 a 2 horas. Un escenario incomparable para albergar noches maravillosas con el mejor jazz en vivo. Por lo menos una vez al mes se presenta alguna agrupación internacional en este pequeño recinto, reinventado en un sótano de los años cuarenta, que fue la bóveda del Banco Mexicano. La acústica es excelente. No es barato.

ANTROS

A.M.
Nuevo León 67, Condesa; 5286 8572; miércoles a sábado de 22 a 4 horas. Cada vez menos lustroso, aunque igual de popular. Muchos lo consideran *after*, pero lo cierto es que a partir de las 3 horas la fiesta ya se movió a otros lugares. Es imposible entrar si llegas después de las 23 horas —imposible de verdad.

AMAPOLA MUSIC HALL
Insurgentes Sur 953, Nápoles; 5523 3936; amapolacabaret.com; viernes de 20 a 3 horas y sábados de 21 a 3. A dos años de su apertura sigue siendo un lugar intrépido, el espectáculo de cabaret y la oportunidad de bailar con música de bodorrio va cobrando sustancia a medida que avanza la velada. El lugar luce súper bien gracias al diseñador y teatrero Felipe Fernández del Paso, quien revistió todos los muros con distintos tapices floreados y utilizó el color rojo como *leit motiv* en alfombras, terciopelos, plumas y lentejuelas. Los meseros y las meseras van con corbata de moño y a los clientes asiduos les gusta producirse con atuendos que evocan las primeras décadas del siglo XX. El local tiene el prestigio de ocupar el espacio del mítico Rockotitlán, que en los años ochenta fue cuna del rock nacional. Pero antes de El Tri y Botellita de Jerez habían pasado por ahí otros grandes. En 1948 en esa esquina se inauguró el Terraza Casino, donde Armando Manzanero inició su carrera tocando el piano. Más tarde el lugar cambió de nombre a Casino Royal, con un concepto parecido al anterior. En septiembre de 1985, Fernando Arau lo convirtió en Rockotitlán. Junto al Tutti Frutti y el Nueve, concentraron la oferta de rock en esos años, entre Avándaro y los "hoyos fonqui" —a donde fue a parar el rock nacional cuando se enfrentó al autoritarismo moralino del PRI, durante los setenta—. Rockotitlán tenía la singularidad de presentar sólo bandas que cantaban en castellano.

ARGENTA
Plaza Fuentes. Av. de Las Fuentes 184, Lomas de Tecamachalco; 5294 8356; jueves a sábado de 21 a morir. El primer jueves de cada mes les gusta presentar fiestas temáticas. Se trata de una discoteca con aires nostálgicos, un imponente despliegue de luces y preferencia por la música de las tres décadas pasadas. Atención con la apertura de la pista, que resulta igual de espectacular que antes. Si tienes menos de 30 años ni lo intentes.

BALALAIKA PLUS
Eje Central 95, esq. Dr. Martínez del Río, Doctores; 5578 4642; balalaika.com.mx; martes a sábado de 19 a 3 horas. Parece congal, pero es mucho más

Cuché

que eso: un salón para los amantes de la charanga y el merengue. Rumberas, cabareteros y cumbiancheros: éste es el centro nocturno que les conviene.

BUNGALOW

Mario Pani s/n, Santa Fe; 5292 8336; jueves a sábado de 22 a 3 horas. Ambiente fresón, aunque relajado y sin poses. Destacan la pista de baile y el buen sonido. La mayoría de los asistentes son estudiantes de las universidades aledañas. Hay varios niveles y los sillones son cómodos.

BUTTERGOLD

Izazaga 9, Centro; 5761 1351; jueves a domingo de 21 a 4 horas. Mejor conocido como "el búter", este espacioso local se ha distinguido desde tiempos que parecen muy remotos por su maravilloso show travesti. La entrada incluye dos bebidas nacionales, y la atención de los meseros es excelente. Ve en sábado que es su mejor día. Últimamente se ha vuelto algo más "vaquero".

CABARETITO FUSIÓN

Londres 77, Juárez; 5511 1613; cabaretito.com; martes a jueves de 17 a 2 horas. Un clásico de la vida nocturna gay. Pagas en uno y puedes entrar a los demás gratis. Aunque cueste creerlo, aquí no hay menores de edad (el control en la puerta parece ser muy eficaz). Aquí los viernes es para mujeres, y los jueves es en el Cabaretito VIP. Recientemente han abierto en las ciudades de Acapulco, Cuernavaca y Querétaro. Están imparables. Sucursales: consultar sitio web.

CLASSICO

San Jerónimo 273, Loreto; 5550 7750; classico.mx; jueves a sábado de 22 a 3 horas. Bar de estilo *retro* en el que los sillones súper cómodos combinan con los espejos en las paredes, de la misma manera que la música ochentera lo hace con la concurrencia sureña. El DJ es estupendo y, por lo tanto, también el ambiente. Acá suenan Fey, Kabah, Onda Vaselina y un largo y coreado etcétera de clásicos veinteañeriles. Sucursales: Juan Vázquez de Mella 481, Polanco; 5282 0587. Circuito Empresarial s/n, Interlomas; 5290 3963.

CUCHÉ

Paseo de las Palmas 500, Lomas de Chapultepec; 5540 7488; cucheclub.com; jueves a sábado de 22 a 2 horas. Club verdaderamente elegante y sofisticado, lo cual se nota hasta en los muebles. Sus dos barras son eficientes por igual, y los *bar tenders* son auténticos conocedores. Hay áreas abiertas para que no te acalores si llega mucha gente. El ambiente se pone muy bien después de que abren la pista.

DADA X

Bolívar 31, Centro; 2454 4311. El hervidero de *darks*, *punks* y demás seguidores de lo "gótico" se dan cita aquí desde hace más de una década. Aunque el lugar es más bien feo, la música realmente recompensa a los asistentes que aman a Bauhaus, Joy Division y The Smiths. El ambiente es relajado y su ubicación muy conveniente.

EL IMPERIAL CLUB

Álvaro Obregón 293, Roma; 5525 1115; martes a sábado de 22 a 2 horas. Aunque por fuera no lo parezca, la decoración del lugar es súper acertada y tiene personalidad. Los meseros son amigables y la cartelera de eventos suele albergar actos de moda y DJ novedosos. En definitiva, uno de los mejores lugares para escuchar buena música en vivo. Sólo ten cuidado de llegar temprano si no quieres quedarte fuera.

EL UNDER

Monterrey 80, Roma; 5511 5475; theunder.org; jueves a sábado de 20 a 3 horas. En este lugar se congrega la crema y nata de los gremios *dark* y *punk*. Está dividido en dos niveles, cada uno con su propio DJ. El de abajo parece salido de una película de terror, así que lleva tu cámara. Arriba hay una tienda con ropa y accesorios para sentirte en contexto. A veces con tu cóver te regalan un CD. Se pone bien los jueves.

ENVY NIGHT CLUB

Palmas 500, Lomas de Chapultepec; 55406977; jueves a sábados de 22 a 2 horas. Es el *antro* gay fresa de nuestros tiempos. Muchos creen que ha superado al Grand Living, pero nosotros no estamos tan seguros. En el Envy la idea es envidiar o sentir la envidia de los jovencitos emperifollados que viven por el rumbo. Es ideal para mujeres heterosexuales con ganas de echarse un taco de ojo sin tener que eructarlo después —además no pagan cóver.

GRAND LIVING

Bucareli 144, Centro; 5286 0069; living.com.mx; viernes a sábado de 22 a 4 horas. *Antro* gay. DJ frenéticos, asistentes frenéticos y precios frenéticos. La barra es insufrible y el ligue imposible. Sin embargo la música es buena si tienes ánimos de bailar toda la noche, y además cierran tarde. Llega temprano si no quieres desperdiciar tu noche en la puerta.

HYDE
Tamarindos 90, Bosques de las Lomas. Una gran licuadora llena de tacones altos, credenciales de universidades caras, canciones de Luis Miguel, apellidos de abolengo y un montón de teléfonos caros. Y tú en medio de todo.

LA PERLA
República de Cuba 44, Centro; 1997 7695; viernes y sábados de 20 a 4 horas. Cantina cara con show travesti de *pedigree*. El espectáculo es divertido, pero la atención de los meseros no. Sin embargo sigue siendo un clásico para aquellos que deciden internarse por primera vez en esta parte del Centro.

LA PURÍSIMA
República de Cuba 21, Centro; jueves de 20 a 1:30 horas, viernes de 20 a 2:30, sábados 20 a 23. El nuevo lugar del corredor gay que se ha formado sobre esta calle. Lo encuentras justo enfrente del Marrakech, y de hecho, es de los mismos dueños. Espacioso, sin cóver y divertido a morir. Y la música muy bien. Gran lugar para ligar en jueves.

LEONOR
Nuevo León 163, Condesa; 5212 1018; jueves a sábados de 22 a 3 horas. El lugar es pequeño, por lo que se llena con rapidez. La decoración es oscura y elegante, amerita ir bien arreglado. Buena música que se mantiene, por lo general, en electrónica y pop.

LIPSTICK
Amberes 1, Juárez; 5514 4920; miércoles a sábado de 21:30 a 3 horas. El mejor *antro* del corredor gay Amberes y quizá de toda la Zona Rosa. Su decoración es admirable, lo mismo la vista hacia Reforma. El ambiente es relajado, aunque llega a ser incómodo si no te toca mesa y está muy lleno. Los jueves es el lugar preferido por las mujeres que buscan ligue. Dependiendo de la noche las veladas cambian de género musical.

LIVERPOOL 100
Liverpool 100, Juárez; 5208 4507; liverpool100.com; miércoles a sábado a partir de las 21 horas. Una de las opciones más exclusivas (bueno, de cierta forma) de la Zona Rosa. Los miércoles son de música electrónica. Llega temprano para entrar rápido. El espacio no es muy bonito, pero hay buenas oportunidades de ligue.

La Purísima

MAMA RUMBA
Plaza Loreto. Altamirano 46, San Ángel; 5550 2959; mamarumba.com.mx; jueves a sábado de 21 a 3 horas. En el Mama Rumba de Loreto, las parejas bailan al ritmo del son cubano en una pista que a veces resulta insuficiente. La enorme bandera de Cuba está cortada diagonalmente por la escalera roja del escenario, mientras que el emblema clásico del lugar, ese andrógino que aparece con el rostro cubierto por una gran estrella blanca, decora una de las paredes más espectaculares del lugar. La sucursal de la Roma (que para muchos es la favorita) tiene ya 20 años de vida. Sucursal: Querétaro 230; Roma; 5564 6920.

MARRAKECH SALÓN
República de Cuba 18, Centro; miércoles a domingo de 14 a 3 horas. Bar gay. Divertido a morir y abarrotado al punto que parece que no cabe un alma más —pero siempre cabe—. Hay quienes bailan en el pequeño tapanco, otros que ligan en las escaleras y varios más que fuman en la festiva banqueta. Víctor y José Luis te atienden con cariño y esmero. Y los DJ, muy bien. Ideal para indiescenosos frenéticos e intelectuales tímidos. De aquí hay que seguirla en Garibaldi.

Leonor

“En El Catorce [en Garibaldi] se apretujan las personas suficientes como para dar idea de la imposibilidad de moverse. La gran mayoría son jóvenes y sí —el aspecto es confesión laboral—, de ellos, la mitad por lo menos son soldados o albañiles o mecánicos. Unas cuantas mujeres se mueven y festejan con risas su insólita condición minoritaria. En la pista, cuarenta o cincuenta parejas apenas si se observan de reojo entre música techno, vallenatos, cumbias, merengues, redovas, salsa.”

Carlos Monsiváis en *Los rituales del caos* (1995)

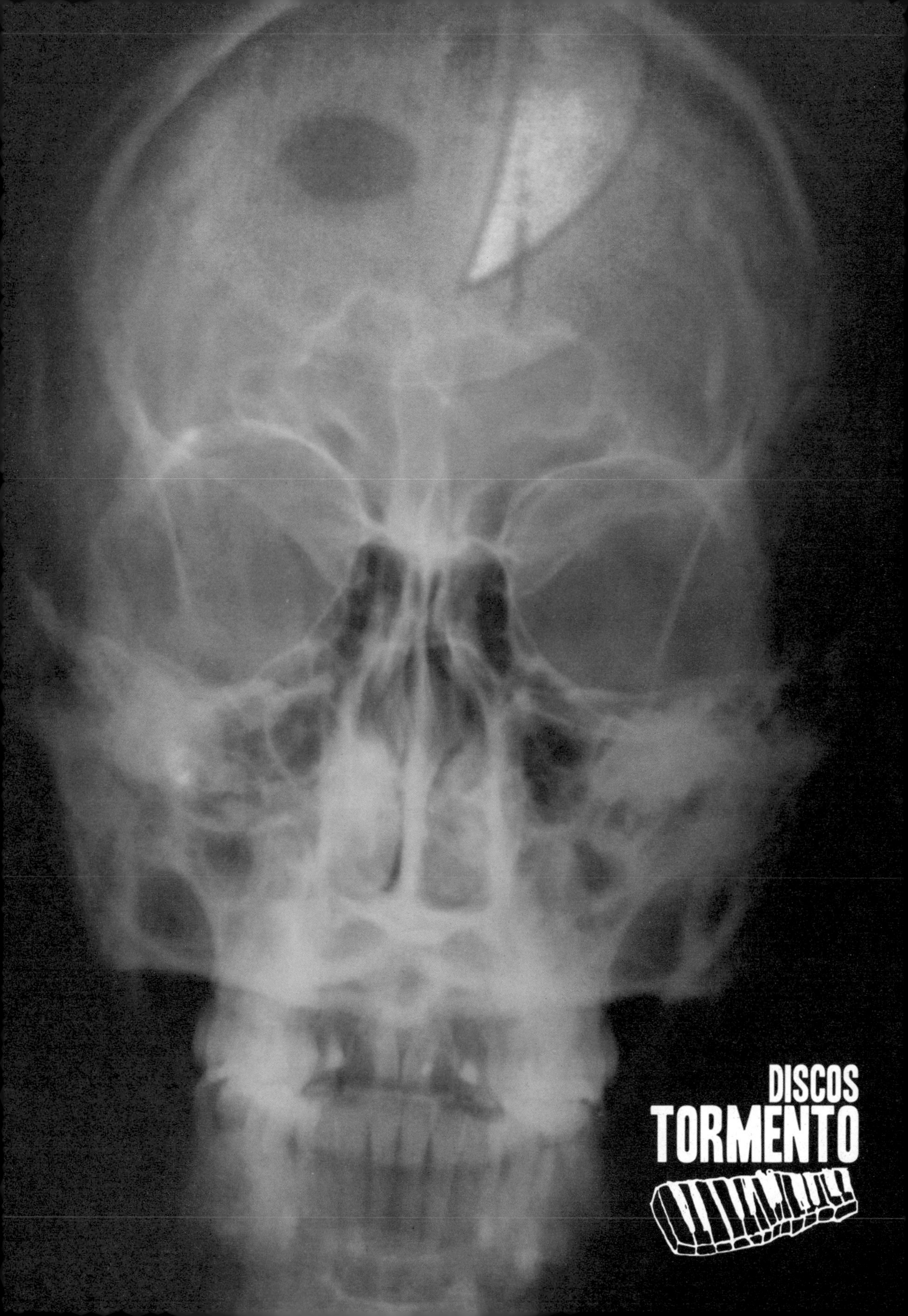

DISCOS
TORMENTO

NEW VAQUERO

Florencia 35-B, casi esq. Londres, Juárez. El *antro* gay más novedoso —o por lo menos original— de la Zona Rosa. La música es grupera, casi todos usan sombrero, rara vez cobran la entrada, el ligue es absoluto y en la barra te tratan como lo que eres: el rey.

PASAGÜERO

Motolinía 33, Centro ; 5512 6624; pasaguero.com; jueves a sábado de 10 a 2:30 horas. Más de seis años de ser el espacio *indie* del Centro Histórico por excelencia. Sus noches de iPods son ya memorables. La acústica no es la mejor, pero el ambiente es bueno, sobre todo los viernes. A veces exhiben trabajos de artistas plásticos emergentes.

PASAJE AMÉRICA

5 de Mayo 7, Centro; 5521 0870; pasajeamerica.tv; viernes y sábados de 23 a 3 horas. Este lugar sería perfecto sin la tercermundista costumbre del cadenero. Con todo se trata de uno de los mejores lugares del DF para bailar por horas con la música de los mejores DJ locales y algunos internacionales. De verdad los mejores. La decoración es muy afortunada y el servicio también. Los precios son exagerados, pero eso no parece importarle mucho a la concurrencia. Llega temprano. Ideal para escenosos con dinero —o con tarjetas de crédito.

En el Pasaje América tuvo una de sus primeras exposiciones Rufino Tamayo. Como sus obras no cabían en la Galería de Arte Mexicano, en la calle Abraham González, las hermanas Amor las presentaron en un local del Pasaje América, en donde estaban las oficinas de algunas aerolíneas y médicos de renombre en los cuarenta. En alguno de sus locales el grupo de Los Contemporáneos organizó una exposición con obra de Manuel Rodríguez Lozano y Agustín Lazo en 1928, como un acto de rebeldía contra le hegemonía de los muralistas. Fue uno de los primeros pasajes de su tipo en la ciudad, obra de Ignacio Marquina y Salvador Martínez Hornedo.

PATRICK MILLER

Mérida 17, Roma; 5511 5406; patrickmiller.com.mx; viernes de 21 a 3 horas. *Antro* de barrio para personas sin prejuicios sociales, con la mente abierta y un montón de ganas de sudar. Es una bodega enorme con láseres, bolas disco y pantallas. Cada semana la temática musical es diferente (te recomendamos las noches de *high energy* y de música de los setenta), así que consulta la cartelera en su página web. Un clásico de clásicos. Su gente lo describe como El Salón Los Ángeles de los noventa. Patrick Miller es un DJ mexicano que mezclaba *high energy* en el ambiente discotequero de los setenta de la Zona Rosa, donde era muy reconocido —por ejemplo en la disco Mamas and Papas—. Comenzó con Sonido Meteoro, pero lo sobrepasó y estableció su propio *set*. En 1985, "todos los jóvenes que no tenían acceso a una *discothèque* —recuerda su relacionista— se iban a 'los sonidos'. Patrick Miller abrió las puertas para todos los que no tenían la oportunidad de oír música y ver la iluminación, y escuchar el audio que sólo podían tener en una discoteca". Junto con Soundset, en Neza, y Polymarchs, en Iztapalapa, Patrick Miller dominaba la zona centro. Su *track* "Desesperado" estuvo en el número uno en Brasil, y entró al canon del *high energy* internacional. Sigue mezclando puro acetato. A partir de 1983 —a diferencia de otros sonidos— se estableció en un local, primero en Filomeno Mata, en el Club de Periodistas, y luego en la Roma.

Rhodesia Club Social

PETRA

Paseo de las Palmas 555, Lomas de Chapultepec; 5095 6555; miércoles a sábado de 21 a 2 horas. Si tienes más de 30 años y te entran ganas de ligar en un ambiente exclusivo, éste es tu lugar. La iluminación y el volumen están muy bien cuidados. La pista es ahora más grande que antes, y eso se agradece. Ve en sábado.

P.M. (POP MUZIK!)

Nuevo León 67, Condesa; 5286 8456; jueves a sábado 22 a 3 horas. El hermano bien portado del A.M., además de ser un consentido entre los escenosos que quisieron encontrar algo equivalente al Pasaje América, pero en la Condesa, le ofrece a esta misma concurrencia una alternativa para la música electro y hasta un karaoke. Buen ambiente.

PLAY BAR

Oaxaca 137, Condesa; 5207 4314; playmexico.com.mx; jueves a sábado de 20:30 a 3 horas. Bar gay sin demasiadas pretensiones, bien atendido y con música genérica. El volumen es excesivo, pero eso a la concurrencia no parece molestarle demasiado. Cierran tarde y es ideal para el ligue. El mejor día es el jueves.

RAGGA PRIMITIVE ROOM

Antara Polanco. Ejército Nacional 843, esq Molière, Polanco; 5281 3181; miércoles a sábado de 22 a 3 horas. Pasan los meses y el cadenero no cede. Es un lugar caro, pero lo vale: pista de baile de concreto translúcido, pantallas gigantes y una apertura de pista espectacular. Pide el martini de lichi y disfruta el pop en español mientras ves y eres visto. Acaso el mejor *antro* del DF de 2011. No hay que dejar de visitar el Fat Crow, el bonito bar de jazz al lado.

REINA

Av. San Jerónimo 239, La Otra Banda; clubreina.com.mx; 5550 4448; jueves a sábado de 22 a 4 horas. Nuevecito, donde antes estaba Le Cluv. Infalible para sureños de cepa o nostálgicos de los *antrotes* ochenteros de Acapulco. Es muy grande y bastante fresón, así que ya sabes qué esperar. Por nada del mundo olvides llevar tu tarjeta de crédito.

RHODESIA CLUB SOCIAL

Durango 181, Roma; clubsocialrhodesia.tv; 5533 8208; miércoles a sábado de 23 a 3 horas. Donde antes estaba el Malva, tan feo y lleno de recuerdos de 2008, hoy se encuentra este bar que hace poco inauguraron un grupo de chicos entusiastas. Lo dejaron muy bien. La idea es bailar al ritmo de los DJ más ultra modernos del DF. Más vale que lleves tus pantalones ajustados y el sombrerito *hipster*, o ya de plano el bolso *vintage* más grande que tengas.

SALÓN LOS ÁNGELES

Lerdo 206, Guerrero; 5597 5181; martes de 18 a 23 horas, domingos de 17 a 23. Uno de los salones de baile con más historia y tradición en el DF. Además el espacio es muy bonito. Aquí puedes venir a aprender a bailar o sencillamente deleitarte al mirar a los conocedores de la salsa o el danzón, entre otros géneros. Infalible para los que buscan una noche diferente.

SHINE

Pabellón Bosques. Prolg. Bosques de Reforma 1813, Vista Hermosa; 2167 5051; jueves a sábado de 22 a 4 horas. Uno de los mejores lugares para ligar y también uno de los más duros a la hora de pasar la cadena. Entrar al Shine no tiene nada que ver con la ropa o el dinero, sino más bien con el extrañísimo criterio de los cadeneros. Pero una vez adentro el esfuerzo habrá valido la pena, sobre todo si te gusta la música de los años ochenta. Los cocteles son buenos —y caros, pero eso ya lo sabías.

TOM'S LEATHER BAR

Insurgentes 357, Condesa; toms-mexico.com; martes a domingo a partir de las 21 horas. Sólo para hombres. La decoración de este lugar con ínfulas neogóticas es en sí misma lo suficientemente llamativa —¿hilarante?— como para que quieras conocerlo. Pero los mayores "atractivos" aquí son el cuarto oscuro, y claro los *strippers*. Ligue, pornografía, la voz de Maria Callas y camaradería: todo en un mismo bar. ¿A poco no suena… horrible?

ZOON

Río San Ángel 89, San Ángel; 3603 7412; zoon.com.mx; jueves a sábado de 22 a 3 horas. Sobresalen el juego de luces y la tarima que se eleva. El DJ es bueno y el ambiente hormonal. Llega temprano: la cadena puede resultar insufrible. Un nuevo clásico de la ciudad.

EL LUGAR MÁS LEGENDARIO. La leyenda del Salón Los Ángeles comienza en las épocas del mambo y del chachachá, durante los años cuarenta y cincuenta, tiempos que algunas películas lo popularizaron —como *Una gallega baila mambo* (1951) con Joaquín Pardavé, Silvia Pinal y Niní Marshall—. Por él han pasado todas las grandes orquestas. Pérez Prado hizo popular aquí el mambo. A mediados de los cincuenta la Orquesta América de Ninón Mondéjar inventó y puso de moda el chachachá en sus pistas. En una de las mesas Benny Moré escribió: "Pero qué bonito y sabroso bailan el mambo los mexicanos". Todos los que tienen un lugar en la música afroantillana han pasado por aquí: El Gran Combo, Willy Colón, Rubén González con la orquesta de Enrique Jorrín, Omara Portuondo con el grupo de Las D'Aida, Celia Cruz, Ray Barretto, Héctor Labó…

EL SALÓN MÉXICO Y SU ERA

Por Diego Flores Magón

La mejor manera de evocar la vida nocturna de la posguerra en la ciudad de México es viendo *Salón México* (1948), de Emilio Fernández, que inicia con un concurso de danzón en el Salón México —la película se grabó en un estudio que lo reproducía—. Pachucos, humo, orquesta, ficheras. En realidad esa película es una de las mejores maneras de evocar la ciudad de México de esos años: el Salón de Monolitos del Museo Nacional, cuando todavía estaba en la vieja Casa de Moneda, o la Catedral Metropolitana ("Es tan grande y tan imponente que después de estar aquí, bajo sus naves, todo me parece como más pequeño, como más llevadero", dice una acongojada Marga López) y el Zócalo de día y de noche (el mismo Manuel Ávila Camacho da el grito en una plaza atestada). Salvador Novo describe la clase de lugar que era el Salón México, en 1946: "Mientras los ricos [...] se consolaban de su riqueza en nuevos cabarets elegantes, bailaban un poco, los jóvenes empezaban a bailar mucho, y a su demanda surgió la múltiple oferta de *dancings* que gestaría la ulterior proliferación de los cabarets baratos. Hubo en la calle de Tacuba un Dreamland en el que llegaron a celebrarse bailes de resistencia, de no sé cuántas horas continuas. Hubo un Parisién en 16 de Septiembre; Antonieta Rivas Mercado abrió El Pirata por San Miguel; surgieron otros vastos salones de baile por Santa María la Redonda, en torno a —y menos abrumadoramente vastos que— un Salón México, que se especializaba en danzones y empleaba dos o más orquestas. Se llevaban los domingos, los sábados por la tarde, los jueves. En estos enormes salones de baile transpiraban su salud los muchachos obreros [...] Aquella nueva, redimida, numerosa juventud proletaria de la ciudad creciente se trenzaba en el jazz con el mismo espíritu fogoso y puro con que jugaría *foot-ball*". La época de estos grandes cabarets declinó a fines de los cincuenta bajo la regencia de Uruchurtu. dF

La fuerza se ve,
también el sabor

Lo *Especial* cuenta

093300201A3113
TODO CON MEDIDA

CENTRO · JUÁREZ CONDESA · ROMA ESCANDÓN · COYOACÁN TLALPAN Y MÁS

CENTRO Y ALREDEDORES

BAR GANTE

Gante 8, Centro; 5512 9298; lunes a domingo de 10 a 3 horas. El mobiliario es cincuentero, sus meseros, cincuentones. Se llena de comerciantes del Pasaje Iturbide y negocios aledaños. Dicen que aquí fue avisado don Abelardo L. Rodríguez de su nominación para la presidencia de la República.

BAR MANCERA

Venustiano Carranza 49, Centro; 5521 9755; lunes a jueves de 9 a 22 horas, viernes y sábados hasta las 2. De día es uno y conserva su espíritu original de hombres elegantes y muchos empleados de sucursales bancarias que juegan dominó. Pero es otro de noche: DJ, adolescentes rockeros, meseros agitados… La contrabarra de los años veinte es una joya estética del art déco en ebanistería y plomo.

Belmont

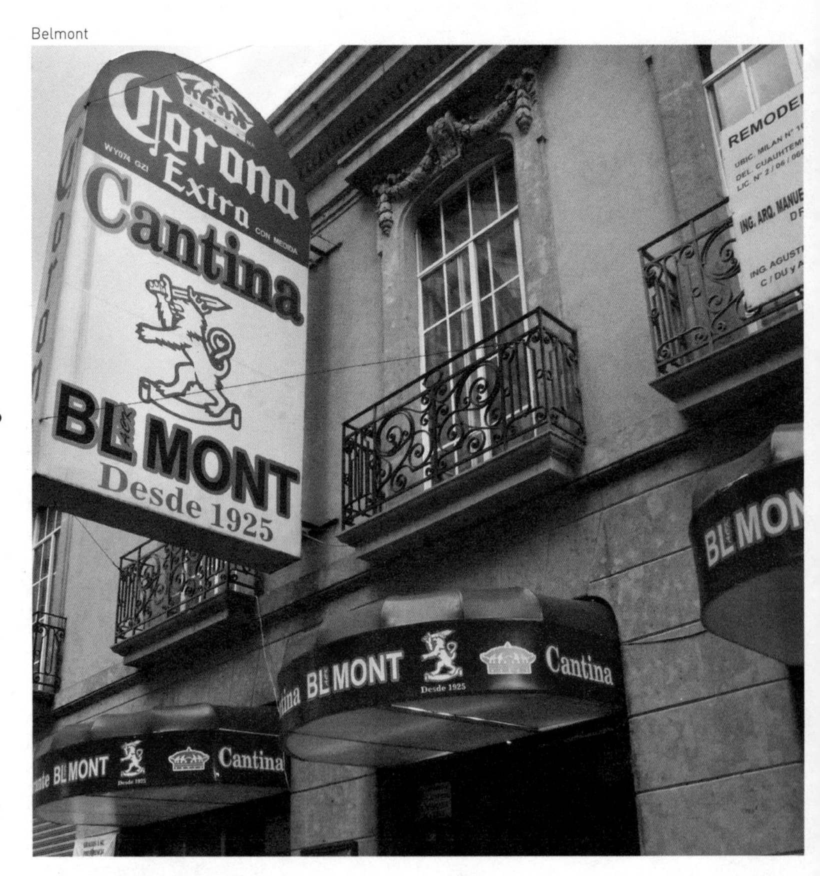

BELMONT

Milán 10, esq. Atenas, Juárez; 5535 9871; lunes a domingo de 13 a 22 horas. Bien atendida y con un apasionado ambiente de camaradería. Aquí, cantineros y parroquianos discuten acaloradamente desde hace años sobre política y temas por el estilo. Se trata de la cantina predilecta de los empleados de la Secretaría de Gobernación y de los periodistas que trabajan cerca. Tiene una de las mejores salsas molcajeteadas que puedan hallarse en la ciudad. Aún hay quien juega cubilete, mientras otros se concentran en las grandes pantallas de televisión. No hay servicio de botanas, pero la carta es espléndida.

CERVECERÍA ZACATECAS

Nogal 164-B, esq. Salvador Díaz Mirón, Santa María La Ribera. Gran lugar para cantinear en domingo. Es pequeña, casi familiar, y relajadísima. Vale la pena visitar los edificios de la Fundación Mier y Pesado y de la dulcería La Cubana, ambos cerca de aquí.

DOS NACIONES

Bolívar 58, Centro; 5521 8117; lunes a domingo de 11 a 3:30 horas. Se definen como museo de tragos y arrabal. Tiene solera, aunque no sea fácil notarla, y recuerda un poco al DF de los años setenta. Las ficheras del segundo piso transmiten nostalgia y experiencia. Pasaron todos los toreros por aquí, desde 1950, en que Francisco Alonso, refugiado español, bautizara el lugar con ese nombre que evoca su origen y cocina, la que cuatro generaciones de mayoras han preparado. Hay que pedir una pieza con Rocío, famosa por ser la segunda fichera más añeja de México.

EL CABRITO ASTUR

Palma 40, Centro; 5518 5002; lunes a domingo de 8 a 20 horas. Una grata sorpresa entre Madero y 16 de Septiembre. Hay que descender por unas escaleras que dan la impresión de conducir hacia algún tipo de tugurio secreto. En realidad se trata de un elegante restaurancito bar que sirve cabrito, pollo a las brasas, chuletas de cordero al romero y otras delicias. El hijo del propietario lo remodeló hace unos años, dejando atrás, al menos parcialmente, tantos recuerdos del viejo Bar Sobia, tan gustado por escritores y conocedores del Centro.

EL DUX DE VENECIA

Av. Azcapotzalco 586, Azcapotzalco; 5561 1664; lunes a domingo de 11 a 22 horas. No está en el Centro, pero tampoco queda lejos. Próxima al Jardín Hidalgo, en pleno centro de la delegación, se encuentra esta cantina tradicional con puertas batientes y azulejos en la barra. Dentro de pocos años cumplirá su centenario. El mole de olla que sirven como botana es my recomendable.

EL GALLO DE ORO

Venustiano Carranza 35, Centro; 5521 1569; lunes a sábado 13 a 00 horas. Para muchos, desde que cerraron El Nivel, este bar compite con La Peninsular

Dos Naciones

La Faena

(ver página 112) el prestigio de mayor longevidad en su gremio. Se fundó en 1874, y desde entonces ha ganado más parroquianos de los que ya tenía. La comida es rica —hay que aprovechar el buffet—, y las mesas, cómodas. Ideal para ver el futbol. Tal vez valga la pena recordar que de esta vieja cantina de periodistas mexicanos de la calaña de Renato Leduc salió Julio Antonio Mella con Tina Modotti, cuando fue asesinado, en 1929, según Henestrosa.

En medio de una aburrida y borrosa trama legal desapareció en 2008 la cantina más longeva de la ciudad, de 1867: El Nivel (Moneda 2, esq. Seminario, Centro). Un antro diminuto, en el entresuelo sofocante de un edificio ilustre —el de la primera universidad de América—. Un par de veces se trató de clausurar, sin efecto. La gente recuerda que tenía un reloj que iba al revés y que se servía un trago llamado Nibelungo.

LA CASTELLANA

Antonio Caso 58, San Rafael; 5535 4055; lunes a sábado de 13 a 00 horas. Una de las más antiguas de la zona. Se come muy bien. De ambiente familiar y con música en vivo, también tiene enormes pantallas para ver deportes. Por décadas ha contemplado el ir y venir de las manifestaciones de Insurgentes y Reforma, y ahora tiene una estación de metrobús enfrente. Su barra está muy bien surtida con bebidas tanto nacionales como internacionales.

LA FAENA

Venustiano Carranza 49-B, Centro; 5510 4417; lunes a domingo de 11:30 a 23 horas. Visitar esta cantina vale la pena por su decoración, ubicación y rocola —rica en éxitos ochenteros mexicanos—. El mostrador y la barra siguen igualitos: sobre cajas de refresco. El servicio y la variedad de bebidas son formidables. A los cantineros les encanta platicar, así que no importa si vas solo. Es impresionante su despliegue de trajes de luces desgastados detrás de vitrinas polvorientas. Algunos encuentran decadente esta decoración; otros, elegante. En las paredes de la entrada hay varios azulejos con frases de sabiduría popular que todo defeño debería conocer (y quizás aplicar).

LA FUENTE

Motolinía 4, Centro. Local estrecho y profundo, como la planta baja de casi todos los edificios de la zona. Cantina simplona, muy concurrida antes de la puesta de sol, cómoda y barata. Es un rincón encantador del agitado Centro.

LA MASCOTA

Mesones 20, esq. Bolívar, Centro; 5709 7852; lunes a domingo de 9 a 23 horas. Ricardo, un cancionero que afirma haber cantado con Gloria Trevi, dice con confianza que La Mascota es la mejor cantina en todo el Centro. Aquí pueden comerse excelentes quesadillas de sesos, carnitas y chiles rellenos a la hora de la botana. Y como en buena cantina, la rocola es infaltable. Sólo en sus pausas es que los cancioneros se ponen a entonar "Gema" o "Tres Regalos", de Los Dandys. Frecuentada por leyendas del box —Rubén *El Púas* Olivares, Chucho Castillo, Romeo Anaya y *Mantequilla* Nápoles—. "Si escucha que alguien habla golpeado, fuma Delicados y bebe tequila Sauza —apunta Jermán Argueta en un ejemplar de la revista *Crónicas y leyendas mexicanas*— es el *Indio* Fernández que ya muerto, dicen los dueños de La Mascota, aún sigue apareciendo por el lugar."

La Ópera

LA ÓPERA

5 de Mayo 10, esq. Filomeno Mata, Centro; 5512 8959; lunes a sábado de 13 a 00 horas, domingos de 13 a 18. Un bar seductor a primera vista debido a su regio abolengo y la contrabarra de maderas finas elaborada en Nuevo Orleans. Cortinas de terciopelo color vino, candelabros, gabinetes de maderas talladas y el famosísimo balazo de Pancho Villa en el techo son algunos de los rasgos más queridos de esta elegante cantina decimonónica. Es prolija en tapas españolas. Muchos piden salmón a la vizcaína, boquerones o codornices.

LA PENINSULAR

Alhóndiga 26, esq. Corregidora, Centro; 5522 4089; lunes a sábado de 9 a 22:30 horas. La cantina de la película *El callejón de los milagros* (Jorge Fons, 1995) promete un segundo aire a partir del Corredor Cultural Alhóndiga, en la zona oriente del Centro. Los cantineros son agradables, la barra cómoda y los precios decentes. Hay quien la considera la cantina en funciones más antigua del DF. Jorge Legorreta la ubica en su *Guía del pleno disfrute de la ciudad de México* (1994) en "el paso que une el Poder Ejecutivo (Palacio Nacional) con el Legislativo (Palacio de San Lázaro)".

LA POLAR

Guillermo Prieto 129, esq. Melchor Ocampo, San Rafael; 6470 5546; lunes a domingo de 7:30 a 2 horas. Una delicia que abra tan temprano y todos los días del año. Lástima que sea necesario

EL LUGAR MÁS LEGENDARIO. Las señoritas Boulangeot abrieron este local en 1876 con una patente de café y dulcería. Desde los asistentes que salían del Teatro de San Juan de Letrán y Juárez (al que debe su nombre) hasta el "resabio oropelesco de la *belle époque* mexicana (si es que tal cosa jamás existió)", que Carlos Fuentes evoca en el libro *Diana o la cazadora solitaria* (1994), La Ópera ha visto desfilar la historia de la ciudad como una procesión. Luego de matar a su mujer de un tiro, "el licenciado Jurado sacó a Burroughs de la cárcel en sólo 13 días y lo llevó a la cantina La Ópera", nos cuenta Villoro en sus *Efectos personales* (2001).

La Peninsular

Salón París

comer para ordenar bebidas alcohólicas, aunque la comida está tan rica que no cuesta trabajo (excepto a los vegetarianos, claro). Excepcional para terminar la fiesta o crudear. Aceptan todas las tarjetas.

LA RESURRECCIÓN

Mesones 59, Centro; 5709 2056; lunes a sábado de 9 a 22 horas, domingos de 10 a 18. Mesas de dominó sobre un piso de ajedrez y esa canción que dice "tus besos fríos como la lluvia" en la rocola. La cantina es cumplidora para aquellos solitarios que buscan desahogar sus penas en la barra. Tiene una vena salsera y tropical. Uno de sus tragos favoritos es la limonada eléctrica, preparada con vodka y *curaçao* azul.

LA VAQUITA

Mesones 54, esq. Isabel la Católica, Centro; 5709 3126; diario de 11 a 22 horas. Dicen algunos que ésta es una de las cantinas más viejas del Centro. Apenas al entrar, un jardín inglés en papel tapiz con falsa pretensión romántica saluda al visitante desde uno de los muros. Desde otro, un espejo del piso al techo. Los azulejos en las paredes sí son en verdad viejos. La torta de pavo ahumado es una verdadera delicia.

LOS PORTALES DE TLAQUEPAQUE

Bolívar 56, Centro; 5518 6344; lunes a domingo 11 a 2 horas. Ambiente cantinero favorecido por la maravillosa atención de las meseras. Para muchos es la cantina de ley en Bolívar, con personal amable y, que trata con familiaridad a la concurrencia, en un espacio más bien pequeño que facilita la conversación acompañada con buenas botanas. El chile relleno es muy bueno.

RÍO DE LA PLATA

República de Cuba 39, esq. Allende, Centro; 5521 7247; lunes a sábado de 10 a 2:30 horas. Adolescentes, cervezas baratísimas, un hombre que a veces toca el teclado en el tapanco, gran rotación de clientes, mucha fiesta y una sucursal a un lado. De un par de años para acá se ha convertido en la cantina más exitosa del Centro.

SALÓN CORONA

Bolívar 24, Centro; 5512 5725; saloncorona.com.mx; lunes a domingos de 11 a 00 horas. Para los más puristas, este famoso local ha perdido su esencia original. Pero quizá sólo estén resentidos de que el servicio no sea tan personalizado como antaño. En todo caso, este lugar, inaugurado en 1928, continúa siendo uno de los más agradables para pasar un viernes por la tarde en el centro. Atención con la foto invaluable del famoso penal de Hugo Sánchez en la que el fotógrafo Fabrizio de León capturó las expresiones de los televidentes. Dicen los que saben que si Hugo no hubiera fallado ese penal esa cantina no sería hoy lo que es. Sucursales: consultar sitio web.

SALÓN MADRID

Belisario Dominguez 77, Centro. Está en la esquina de los portales de la Plaza de Santo Domingo. También conocida como "La Policlínica", era frecuentada por estudiantes de la Facultad de Medicina cuando ésta se hallaba en el Palacio de la Inquisición. Los gabinetes son cómodos y bonitos. El lugar luce descuidado, pero sigue como una de las cantinas con mayor encanto del Centro.

SALÓN PARÍS

Torres Bodet 152, esq. Salvador Díaz Mirón, Santa María La Ribera; 5547 3710; lunes a sábado de 11 a 00 horas, domingos de 11 a 19. Sin duda, la cantina con mayor tradición de la colonia. Se distingue por sus abundantes botanas y platillos, y por ser capaz de albergar a mucha gente en un espacio amplio. El buffet es rico y económico. Se cuenta que en esta cantina comenzó su carrera defeña José Alfredo Jiménez. Un personaje de Arturo Azuela en *Alameda de Santa María* (2008) recorre con la vista "su mostrador de madera, los espejos en varias paredes, sus torres Eiffel biseladas en las puertas. ¡Si se hiciera una lista de las gentes que habían pasado por ahí!". Los viernes son su mejor día.

SALÓN TENAMPA

Plaza Garibaldi 12, Centro; 5526 6176; salontenampa.com; domingo a miércoles de 13 a 2 horas, jueves a sábados de 13 a 3. El lugar más tradicional de Garibaldi. Es visita de rigor para turistas y vecinos de la zona. Grande, bien atendido y favorecido por los amantes del mariachi. Es desvergonzado en su decoración alusiva a la ultradesgastada imagen del mariachi.

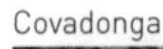

Covadonga

Tío Pepe

Inmortalizada en *La región más transparente* (1969), de Carlos Fuentes: "Los grupos de mariachis asaltaban los coches que penetraban en la Plaza Garibaldi; chaparreras y sombreros de fieltro cuajados de metal y guitarras y violines se agitaban de un extremo a otro del Tenampa; nenas con tobilleras rosas salían a bailar a cambio de un agua pintada".

TÍO PEPE

Independencia 26, esq. Dolores, Centro; 5521 9136; lunes a jueves de 12 a 22 horas, viernes hasta las 23, sábados hasta las 21:30. La contrabarra art nouveau es posiblemente la más bonita del DF. Ahí se han filmado películas y comerciales, y se conoce por ser una de las cantinas que mejor han conservado su origen porfiriano. La variedad de tequilas es asombrosa; la botana no tanto. Una gran cantina mexicana en pleno barrio chino; vale la pena (re)visitarla.

U DE G

Guerrero 258, Guerrero; 5526 8394; lunes a jueves y sábados de 10 a 23 horas, viernes hasta las 2, domingos (sólo el restaurante) de 13:30 a 23. Desde 1933. Cantinota ahora con todo y payaso para los niños, favorita para comer en familia. Aunque su nombre despiste, se trata de las siglas de "la Única de la Guerrero". Tiene un gran ambiente, repartido en tres pisos, y en ocasiones está a reventar. Bien atendida y con una decoración esmerada. No permitas que el rumbo te intimide: esta cantina es sencillamente imprescindible.

ROMA, CONDESA Y ALREDEDORES

BAR EL SELLA

Dr. Balmis 210, esq. Dr. Manuel Villada, Doctores; 5578 2001; lunes a sábado de 13 a 20 horas. Cantina para comer bien. Si vas con hambre, pide el chamorro, que es bastante popular entre los asiduos, o la tortilla de patatas. En la carta también hay filete en su jugo, queso Sella y postres ricos.

BAR MONTEJO

Benjamín Franklin 261, esq. Nuevo León, Condesa; 5516 2637; lunes a sábado de 12 a 00 horas. Una buena opción para cantinear y comer platillos yucatecos después de la oficina y antes de jugar al dominó tranquilamente.

COVADONGA

Puebla 121, Roma; 5533 2922; banquetescovadonga.com.mx; lunes a miércoles de 13 a 1:30 horas, jueves y viernes de 13 a 2:30. Cantina de moda, sobre todo los jueves por la noche, cuando se ve abarrotada por editores, productores, fotógrafos y escenosos. A este local español siguen acudiendo los señores que se han reunido aquí desde siempre para jugar dominó. No hay música, pero sí un bullicio agradable.

El Fuerte de la Colonia

EL CENTENARIO

Vicente Suárez 42, Condesa; 5553 4454; lunes a sábado de 12 a 1 horas. Un clásico con solera en el corazón (¿o el hígado?) de la Condesa. No ha perdido nada de lo que ha tenido siempre: es ruidosa y alegre a morir.

EL FUERTE DE LA COLONIA

José Martí 160, Escandón; 5515 7826; lunes a domingo de 10 a 23 horas. Festiva, bien atendida y con botanas que van sofisticándose conforme se piden más y más tragos. Precios justos.

EL LEÓN DE ORO

Martí 103-A, esq. General Murguía, Escandón; 5515 7751; lunes a sábado de 12 a 00 horas. Con una clientela alegre y

charro®

SIETE PULQUERÍAS SOBREVIVIENTES

EL TEMPLO DE DIANA
8 de Marzo 31, Centro de Xochimilco. Una alternativa a las choteadas trajineras. Es una pulquería muy linda y tradicional. Tienen un curado de piñón deliciosísimo.

LA ANTIGUA ROMA
Perú 36, esq. Allende, Centro. Vieja, variopinta, tristona, con un fuerte humor que alcanza el otro lado de la calle.

LA BELLA HORTENSIA
Callejón de la Amargura 4, Centro. A pocos pasos del Salón Tenampa, en pleno Garibaldi. Bonita, como para turistas. Muchos han pasado por aquí, suponemos que tú también.

LA PIRATA
12 de Diciembre 1, esq. 13 de Septiembre, Escandón. A pesar de su cercanía con la Condesa, se mantiene auténtica. La frecuentan los vecinos de siempre. Ambiente muy alegre y pulque cumplidor.

LA RISA
Mesones 71, Centro. Se cree que es la más antigua de la ciudad, de 1906. Muchos estudiantes, parroquianos de antaño y oficinistas son clientes habituales. Don Chuy, que aún atiende, tiene 52 años preparando curados con el pulque que traen fresco de Nanacamilpa, Tlaxcala.

LAS DUELISTAS
Aranda 30, Centro. Está entre Ayuntamiento y Puente de Peredo, por los rumbos del Mercado de San Juan. Recientemente le dieron una manita de gato. Los curados son muy recomendables. Con rocola.

NOMÁS NO LLORES
Galeana 6, Tepepan, Xochimilco. De las pulquerías más bonitas de la ciudad, iluminada y llena de color. Los curados no son demasiado dulces, y siempre resultan refrescantes.

La Guadalupana

treintañera que sale temprano de trabajar y recurre a las cervezas para comenzar a disfrutar la noche. A muchos se les derrite la boca con el primer bocado de lengua a la veracruzana en tortillas recién hechas.

LA COLONIAL
Revolución 216, esq. Mártires de la Conquista, Tacubaya; 5515 4132; lunes a sábado de 10 a 23 horas, domingo de 11 a 21. Después de tres bebidas, la botana se pone buenísima; por ejemplo, los caracoles con mole. Pide una botella; te tratarán como rey.

XEL-HA
Parral 78, Condesa; 5553 5968; lunes a sábado 13 a 1 horas, domingos de 13 a 19. Buena comida yucateca. La cochinita y los tacos en escabeche son extraordinarios. Es muy buen lugar para ver el futbol.

SUR

LA COYOACANA
Higuera 14, Coyoacán; 5658 5337; lunes a domingo de 13 a 2 horas. Una espaciosa cantina con música en vivo, dividida en tres partes: el área principal, una terraza para fumadores y el salón privado. Carta de alimentos y varias opciones de bebidas. Recomendamos el chamorro, la arrachera, los tlacoyos y la carne tártara, que preparan muy bien.

LA GUADALUPANA
Higuera 2, esq. Caballo Calco, Coyoacán; 5554 6253; lunes a sábado de 13 a 00 horas. Clásica. Abierta en 1928, se mudó de domicilio hace unos años, a media cuadra de su ubicación original. Se dice que Frida Kahlo la frecuentaba.

LA JALISCIENSE
Plaza de la Constitución 6, Centro de Tlalpan; 5573 5586; lunes a sábado de 12 a 23:30 horas. Casi 140 años de alegrar a los vecinos del rumbo. Renato Leduc fue su cliente más célebre y fiel. Pregúntele al dueño sobre el origen de la palabra "teporocho" para enterarse de estos importantes saberes populares.

LA VALENCIANA
Av. Universidad 48, Narvarte; 3330 7504; cantinalavalenciana.com.mx; lunes a sábado de 13 a 23 horas, domingo de 13 a 20. Surge en 1911 en la Calle de la Santa Veracruz esquina 2 de Abril, en la Guerrero, donde hoy está el Teatro Hidalgo. En 1968 se mudan a la Narvarte. Los siguientes 10 años constituyen su época dorada. Pide el abundante molcajete.

NOVO'S
Madrid 13, Del Carmen Coyoacán; 5659 5776; lunes a miércoles de 14 a 22 horas, jueves a sábado de 14 a 00. Mezcales regionales, sotol, carne de víbora; todo muy *gourmet* y original. Y a buen precio.

Archivo General de la Nación Fondo Hermanos Mayo

REVISIÓN HISTÓRICA DE LAS CANTINAS Y PULQUERÍAS DEFEÑAS

Por Diego Flores Magón

Durante el porfiriato aparecieron las cantinas o bares, salones con barra de metal pulido, cantineros de trato afable y atuendo irreprochable, mesas cubiertas de mármol, sillas de bejuco. Ahí se preparaban y bebían *cocktailes, high-balls, draks, mint-jules*; se servía *free-lunch*: pavo al horno, bacalao a la vizcaína, milanesas; y se jugaba a los naipes, dominó y cubilete. "El bar era una institución americana transplantada a nuestra ciudad en los últimos años del XIX", cuenta Rubén M. Campos en su libro *Historia de los bares* (1900).

Artemio de Valle Arizpe recuerda algunos de estos salones porfirianos: en la esquina del Portal de Mercaderes y Agustinos estaba el Salón Peter Gay, que se mudó a Plateros cuando se construyó el Centro Mercantil. Ahí la especialidad eran los vinos italianos. Luego este local pasó a manos de un "español muy adusto y callado", y se llamó El Moro. También recuerda el Salón Wondracheck, que pertenecía a "un húngaro o austriaco" llegado a México en el Segundo Imperio. Servía vinos franceses, supuestamente de la cava de Maximiliano, que "al caer de su trono en brazos de la muerte, los sacó a remate el gobierno republicano": 7,612 botellas, que enervaron con "trancas imperiales" a un número indefinido de borrachos "que luego se disipaban por calles oscuras, olorosas a caño", apunta Héctor de Mauleón. Este local perteneció después a Estanislao Knote, y fue predilecto de los modernistas —Tablada, Nervo, Dávalos.

En el Sylvain, uno de los restaurantes de más memoria de la ciudad, había también una cantina magnífica, a donde iban los "ricos elegantes, vacuos". En el cruce de Bolívar y 16 de Septiembre había una gran concentración de cantinas, como la Nueva Reforma; como La Noche Buena, frecuentada por "toreros o cómicos del Teatro Principal"; como La Alhambra, de Vicente Mijares, "un español tarraconense, grandote, gordinflón y colorado"; como el Salón Monte Carlo, que tenía en su portada este letrero: "Vayan pasando, vayan pidiendo, vayan bebiendo, vayan pagando, vayan saliendo", relata Valle Arizpe en *Calle vieja y calle nueva* (1949).

Un cuadro muy distinto se componía en las pulquerías de la ciudad, desterradas a la periferia por considerarse causa de todas las taras del pueblo. "Año tras año —dice De Mauleón—, virrey tras virrey, llegaban reglamentaciones tendientes a estorbar la embriaguez. Se prohibió por ejemplo la existencia de asientos en las pulquerías". Así las describe Guillermo Prieto: "Algunas pulquerías quedaron a las orillas de la población y a sus puertas se vendían enchiladas, envueltos, quesadillas y carnitas con salsa picante. Las más famosas [...] La Nana, Los Pelos y Tío Juan Aguirre [...] En un extremo de la pared solía haber un cuadro de la Virgen de la Soledad o un Divino Rostro [...] con sus nombres: La No Me Estires, El Valiente, La Currutaca, El Bonito [...]".

Todavía Kerouac, en los años cincuenta, se orienta por la ciudad por el tufo agrio de la pulquería: "Te daban un vaso de jugo de cactus por dos centavos" (*On the road*, 1957). Existía la costumbre de pintar sobre las paredes de las pulquerías. "Al fondo del jacalón —evoca Prieto— hay una pared blanca que a veces invadía la brocha gorda, exponiendo al fresco un caballo colosal con su charro o dragón encima, una riña de pelados o una suerte de toreo, cuando no un personaje histórico desvergonzadamente disfrazado." dF

GRANDES TIENDAS
ACCESORIOS · ZAPATOS
JOYAS · MODA URBANA
CONCEPT STORES
DISEÑO MEXICANO
SEGUNDA MANO

Archivo General de la Nación. Fondo Hermanos Mayo.

Frattina

los transeúntes pensaban que se trataba de un palacio, de ahí el nombre con el que abrió sus puertas en 1891. Ahí acudían las señoras de alcurnia y los caballeros de la época a que los mejores modistas les confeccionaran la ropa, y a comprar cristalería, tapices y muebles para sus casas. El magnífico edificio art nouveau que hoy vemos en 20 de Noviembre y Venustiano Carranza fue diseñado por Paul Dubois e inaugurado en 1921, después de que el original se consumió en un incendio. En los cincuenta empezó una expansión, primero con el almacén de Durango, en la colonia Roma, hasta sus más recientes apreturas: Casa Palacio, en 2006, y sucursales en Guadalajara y Acapulco en 2008. Una historia que va a la par de la de la moda en México y que no ha dejado de escribirse.

GRANDES TIENDAS

BLOOM

Antara Polanco. Molière esq. Ejército Nacional, Polanco; 5282 3862; bloom.mx. Ropa y accesorios de lujo para mujeres que saben de compras. Tienen buenas bolsas, joyería, lentes y sobre todo vestidos. Sobresalen las marcas Emilio Pucci, Galliano, Graham and Spencer y Tom Ford.

CAROLINA HERRERA

Altavista 147, San Ángel; 5550 5258; carolinaherrera.com; lunes a domingo de 11 a 20 horas. Esta venezolana presentó su primera colección en 1981, pero fue apenas en 2006 que la mismísima Carolina vino a inaugurar su primera tienda en México (y después abrió la sucursal polanqueña). Su presencia se nota: cada vez más chicos traen camisas de insólito buen gusto, con las discretas siglas CH, y las fiestas se engalanan con vestidos glamurosos y muy femeninos. Sucursal: Antara Polanco: Ejército Nacional 843, esq. Molière, Polanco.

CHANEL

Masaryk 450, Polanco; 5282 3121; chanel.com; lunes a viernes de 11 a 19 horas, sábados hasta las 15. No hay forma de huir: aunque pretendas que no te gusta la marca, si eres mujer, lo que traes puesto (a menos que te vistas a la usanza porfiriana) existe gracias a la revolución de Coco Chanel en los años veinte. Nada mejor que rendirle homenaje portando un *blazer* de *tweed* que combine con todo.

«Apenas hace meses era moda llevar una peineta que no tenía nada que envidiar al mejor biombo de nuestras abuelas [...] Ahora en nuestro siglo, ligero por excelencia, [...] si una mujer quiere tener un buen talle ha de parecer una avispa.»

Revista *El Mosaico Mexicano* (sección "Modas", 1 de abril de 1837)

EL PALACIO DE HIERRO

Av. 20 de Noviembre 3, Centro Histórico; 5728 9905; elpalaciodehierro.com.mx; lunes a viernes de 11 a 20:30 horas, sábado de 11 a 21 y domingo de 11 a 19. La moda en México no sería lo mismo si esta tienda no hubiera aparecido en el XIX. Y, aunque hoy tiene seis sucursales en la ciudad y otras tantas en el interior del país, El Palacio empezó como un pequeño negocio de ropa en pleno Zócalo, en 1850, con el nombre de Las Fábricas de Francia, y fue creciendo hasta convertirse en la primera tienda departamental de la ciudad de México, originalmente ubicada en lo que hoy es la esquina de 5 de Febrero y Venustiano Carranza. Mientras construían su estructura de hierro y acero,

EMPORIO ARMANI

Antara Polanco. Ejército Nacional 843, esq. Molière, Polanco; 5282 0901; domingo a viernes de 11 a 20 horas, sábados de 11 a 21. Aunque las mujeres se benefician con accesorios y ropa (incluso interior) de esta marca, también es un icono entre los hombres que no pueden salir de su casa sin lucir impecables, incluso si su *look* es informal.

ETRO

Masaryk 326, Polanco; 5280 5044; etro.it; lunes a sábado de 11 a 20 horas. La marca nació en los sesenta, y desde entonces se ha caracterizado por sus colores chillantes y los patrones geométricos (muy *ad hoc* con aquella época). El negocio se mantiene familiar e italiano, pero abriendo tiendas por todo el mundo. Qué fortuna que en México haya una. Sucursal: Antara Polanco: Ejército Nacional 843, esq. Molière, Polanco; 5282 1311.

FRATTINA

Masaryk 420, Polanco; 5281 5920; frattina.com.mx; lunes a sábado de 11 a 20 horas. Pionera en Masaryk, que en los ochenta lucía desangelada. Frattina distribuía Escada y otras marcas que entonces eran insólitas. Hoy se ven en la tienda modelos de Badgley Mischka, Ángel Sánchez, Class Cavalli, Gustavo Cadile y Monique Lhuillier. Sucursal: Altavista 76, San Ángel; 5550 4999.

El Palacio de Hierro

Etro

HUGO BOSS
Masaryk 300, Polanco; 5262 1000; hugoboss.com; lunes a domingo de 11 a 20 horas. Uno de los primeros grandes de la moda en llegar a México, un terreno que ha demostrado ser fértil para el lujo. Es otra de las firmas para caballeros preocupados por verse como un figurín las 24 horas del día, aunque para ellas también hay prendas para toda ocasión. Sucursales: Antara Polanco: Ejército Nacional 843, esq. Molière, Polanco; 5282 0952. Altavista 147, San Ángel; 5616 7436. Perisur: Periférico Sur 4690, Pedregal de San Ángel; 5171 5819.

SAKS FIFTH AVENUE
Centro Comercial Santa Fe. Av. Vasco de Quiroga 3800, Santa Fe. La tienda departamental más lujosa del país es el mejor lugar para comprar vestidos de noche de Oscar de la Renta o zapatos Ermenegildo Zegna. También tienen el perfume más caro del mundo, el Clive Christian No. 1, utilizado por la reina de Inglaterra y se dice que también por algunos gobernadores y gobernadoras mexicanos. Balenciaga, Valentino, Prada, Fendi y recientemente Chanel son algunas de las marcas estelares. La nueva tienda en la colonia Granada, tiene una extensión de 8,000 metros cuadrados. Tienda: Plaza Carso. Miguel Cervantes de Saavedra, Granada.

ZEGNA
Masaryk 454, Polanco; 5281 2444; zegna.com; lunes a viernes de 10 a 20 horas, sábados de 11 a 19. Hombres al borde de un ataque de compras. Incluso los más *sport* caen redonditos por un traje Zegna, y los formales siguen eligiendo esta marca de 100 años de antigüedad. Por algo será. Sucursales: Centro Santa Fe: Vasco de Quiroga 3800, Santa Fe; 5261 1006. Perisur: Periférico Sur 4690, Pedregal de San Ángel; 5424 1439.

ACCESORIOS Y ZAPATOS

CARTIER
Masaryk 465, esq. Molière, Polanco; 5283 9934; cartier.com; lunes a viernes de 11:30 a 18:30 horas, sábados de 12 a 15. Hace más de 10 años, mientras muchas firmas de lujo llegaban por medio de terceros, Cartier apostó por entrar directamente a México. Primero fue una tienda en la Zona Rosa, luego otra en Masaryk. Ha sido tan bien recibida que incluso han lanzado líneas basadas en el gusto local, como una que homenajeaba a María Félix. Tiendas: consultar sitio web.

COACH
Antara Polanco. Ejército Nacional 843, esq. Molière, Polanco; 5282 3743; mexico.coach.com; domingo a jueves de 11 a 20 horas, viernes y sábados de 11 a 21. Una marca de bolsas neoyorquina, tanto que cuando nació en 1941 se llamaba “Manhattan Leather Company”. Con los años se ha ido expandiendo por el mundo y las características letras C de su estampado son inconfundibles. Sucursal: Centro Santa Fe: Vasco de Quiroga 3800, Santa Fe; 2167 4296.

EL BORCEGUÍ
Bolívar 27, Centro; 5512 1311; elborcegui.com.mx. Esta tienda nació en 1865 en la calle de Tiburcio (hoy

República de Uruguay); años más tarde se cambió a Coliseo 11 (hoy Bolívar), donde actualmente funciona. La familia Chacón la poseyó muchos años, hasta que en 1900 la compró el navarro Lucas Lizaur Aznarez. Su hijo la vendió a don José Villamayor Castro, fundador de las zapaterías La Joya, cuyo hijo a su vez la dirige actualmente. Tiene ya varias sucursales, y continúa siendo la zapatería de mayor tradición en la capital mexicana.

FERRAGAMO

Masaryk 426, Polanco; 5282 1219; ferragamo.com; lunes a viernes de 11 a 20 horas, sábados y domingos de 12 a 18. ¿Quién no quiere unos Ferragamo? Aunque a México no llegan los modelos más atrevidos (y eso es algo que caracterizó a Salvatore: la innovación), invertir en un par de clásicos es un movimiento inteligente que el estilo y los pies agradecerán. Sucursal: Altavista 147, San Ángel; 5616 5567.

GUCCI

Masaryk 408, Polanco; 5281 5880; gucci.com; lunes a viernes de 11 a 20 horas, sábados de 11 a 19. Esta exitosa marca se creó en 1921, pero su auge fue en las décadas de los años sesenta y setenta, cuando las estrellas de Hollywood y celebridades de la política la usaban con orgullo. En los ochenta el lujo se vino abajo, pero hace más de 10 años Gucci volvió a despegar y a posicionarse como una de las mejores firmas de accesorios, bolsas y zapatos.

HERMÈS

Masaryk 422-A, Polanco; 5282 2118; hermes.com; lunes a viernes de 11 a 20 horas, sábados de 12 a 19. Esta firma empezó en 1837 como una tienda de sillas de montar y arneses artesanales para caballo. Ya en el siglo xx empezó a fabricar bolsos y otros accesorios, como los pañuelos de seda que hasta la fecha son tan representativos de la marca. Guadalupe Loaeza dice en *Las niñas bien* (1985): "Niños bien, políticos [...] tienen agenda Hermès. Usan pluma fuente. Se sientan adelante con el chofer y leen con anteojos el *Wall Street Journal* y *El Financiero* [...] Los fines de semana usan saco de gamuza, jamás de piel".

Hermès

LOUIS VUITTON

Masaryk 460, Polanco; 5980 8807; louisvuitton.com; lunes a viernes de 11 a 20 horas, sábados de 11 a 19. En 1858, cuando viajar era cosa seria, se creó la primera maleta Louis Vuitton, un modelo resistente que facilitaba las cosas a su dueño. Ahora esas maletas han dado la vuelta al mundo acompañadas de zapatos, accesorios y joyería. La marca también se ha caracterizado por sus fastuosos aparadores, aunque la tienda de México es más discreta. Sucursales: Altavista 147, San Ángel; 5616 6882. Centro Santa Fe: Vasco de Quiroga 3800, Santa Fe; 5257 9200.

MICROMEGA

Pasaje Polanco. Masaryk 360; 5281 6059; micromega.com.mx; lunes a sábado de 10 a 20 horas, domingos de 11 a 17. Si eres de los que no soporta los anteojos pesados, pero los de contacto te dan repelús, esta firma italiana es definitivamente para ti. Tienen los armazones más ligeros del mundo, que pesan menos de un gramo. Y si lo minimalista no te convence, tienen modelos extravagantes que le gustarían a Lady Gaga. Sucursal: Citlaltépetl 64, casi esq. Nuevo León, Condesa; 5264 6603.

PINEDA COVALÍN

Campos Elíseos 215, esq. Galileo, Polanco; 5282 2720; pinedacovalin.com; lunes a sábado de 9 a 20 horas, domingos de 10 a 14. Cristina Pineda y Ricardo Covalín crearon en 1995 esta firma, cuyos diseños están basados en las artesanías de todo el país, y que se ha convertido en una de las más emblemáticas de México en el mundo. Mascadas, bolsas y corbatas que enloquecen aquí y en China.

JOYAS

BERGER

Masaryk 438, Polanco; 5281 4122; berger.com.mx; lunes a viernes de 11 a 19 horas, sábados de 11 a 17. En 1943, el holandés Alex Elías Berger (que ya se había consolidado como uno de los mejores joyeros de Europa) fundó un taller en la calle Madero, en el Centro

Louis Vuitton

Berger

Bvlgari

Histórico. Así nació la tradición de este negocio familiar, que hoy representa firmas como Patek Philippe, A. Lange & Söhne, Urwerk, Hautelance, Greubel Forsey y MB&F, entre otras. Sucursales: Antara Polanco: Ejército Nacional 843, esq. Molière, Polanco; 5280 9647. Altavista 207, San Ángel; 5616 1594.

BLLOM
bllom.com.mx. Diana Benoit, Silvia Lloréns y Tatiana Ortiz Monasterio, gemólogas y joyeras, crearon esta boutique especializada en diamantes de color naturales. Además de diseñar joyas, tienen servicios de valuación.

BVLGARI
Masaryk 440, Polanco; 5281 1031; bulgari.com; lunes a viernes de 11 a 19 horas, sábados de 11 a 13. Fundada por el griego Sotirios Boulgaris hace más de 100 años, esta marca italiana empezó haciendo joyas, pero hoy también diseña relojes, bolsos, fragancias y accesorios. Sus seguidores le son fieles: una vez que se conoce ese lujo es difícil dejarlo.

DANIEL ESPINOSA
Tamaulipas 72, Condesa; 5211 3994; danielespinosa.com; lunes a viernes de 11 a 20 horas, sábados de 11 a 19, domingos hasta las 17. Este taxqueño estudió arte en Florencia, moda en Holanda y *marketing* en Nueva York. Si sumamos esos factores, el resultado es el que ahora vemos en sus tiendas: joyas que fusionan la tradición mexicana con la moda internacional. Tiendas: consultar sitio web.

GUSTAVO HELGUERA
Pasaje Polanco. Masaryk 360, Polanco; 5282 1140; gustavohelguera.com.mx; lunes a sábado de 11 a 15 horas y de 16 a 20. Este defeño lleva casi 20 años diseñando y se caracteriza por sus enormes collares y accesorios, en los que mezcla cristales Swarovski, piedras semipreciosas y otros materiales. El resultado es excesivo y muy llamativo para combinarse con atuendos sencillos.

PLADI
Francisco Javier Mina 9, Del Carmen Coyocán; 5658 5192; pladi.com.mx; lunes a viernes de 11 a 19 horas, sábados de 11 a 16. Martha García y Rocío Guardia, dos diseñadoras y amantes de la plata, fundaron esta firma en 1979 con la idea de hacer joyas, accesorios y hasta esculturas.

SWAROVSKI
Antara Polanco. Ejército Nacional 843, esq. Molière, Polanco; 5282 3718; swarovski.com; lunes a domingo de 11 a 20 horas. Daniel Swarovski era un checoslovaco experto en cristal cortado, tanto que patentó su primera máquina. Para 1895 ya tenía una fábrica en Austria junto con dos socios. Hoy Swarovski es sinónimo de brillo, ya sea en pequeñas joyas o grandes esculturas. Sucursales: Arcos Bosques: Paseos de los Tamarindos 400, Bosques dela Lomas; 2167 9552. Perisur: Periférico Sur 4690, Pedregal de San Ángel; 5528 2785. Parque Duraznos: Bosque de Duraznos 39. Bosques de las Lomas; 5251 6461.

TANE
Masaryk 430, Polanco; 5282 6200; tane.com.mx; lunes a viernes de 10 a 19

CUATRO CONCEPT STORES

CELESTE CONCEPT STORE
Cozumel 81, Roma; 2614 6031; celeste.com.mx. Diseñadores jóvenes crean colecciones especialmente para esta tienda. También tienen zapatos de Christian Louboutin, lencería y sombreros confeccionados a la medida.

COMMON PEOPLE
Emilio Castelar 149, esquina Lafontaine, Polanco; 5281 0800; commonpeople.com.mx; martes a sábado de 10 a 20 horas, domingos de 10 a 18. Mónika Biringer y Max Feldman se aventuraron con esta tienda que ofrece grandes marcas, diseño nacional e internacional, todo en el mismo espacio. Es como una pequeña tienda departamental con firmas como Carolina Herrera Bridal, los clásicos tenis franceses de Spring Court y los italianos de Volta Footwear, sombreros de Federica Moretti, prendas de Dsquared2, Chloé y Alexander McQueen, bolsas Prada y los lentes de diseño alemán de la marca Mykita.

MAGISTRAL CONCEPT STORE
Masaryk 495, Polanco; 5280 8942; magistralconceptstore.com; lunes a viernes de 10 a 19 horas, sábados de 9 a 17. Esta tienda abrió hace un par de años para beneplácito de los *fashionistas* mexicanos, pues vino a cubrir un hueco que nadie había llenado. José Juan Rodríguez y Moji Farhat, dos amantes de la moda, distribuyen marcas como John Galliano, Jeremy Scott, Bearbricks, Vivienne Westwood, Matthew Williamson y Lomography.

PUNTO I COMA
Monte Himalaya 815, Lomas de Chapultepec; 2623 0288; puntoicoma.com; lunes a viernes de 11 a 20 horas, sábados 11 a 19. Una especie de *concept store* que abrió a finales de 2008 y que reúne varias marcas de ropa y accesorios, como Pantera, Moicá, Mosicuss y Agua Bendita. También hay productos de belleza, decoración y hasta un espacio para hacer pilates.

Tane

horas, sábados de 11 a 15. Empezó en los cuarenta vendiendo bolsos de piel, pero en los cincuenta Tane ya había encontrado su camino: la plata. En un local de la Zona Rosa nació esta firma, que hasta la fecha es reconocida por sus exquisitos diseños artesanales mexicanos. Sucursal: Altavista 147, San Ángel; 5550 5632. Perisur: Periférico Sur 4690, Pedregal de San Ángel; 5606 3349. Centro Santa Fe: Vasco de Quiroga 3800, Santa Fe; 5259 2961.

TIFFANY & CO.
Masaryk 450, Polanco; 5281 5222; tiffany.com; lunes a viernes de 11 a 19 horas, sábados de 11 a 18. Hace más de 150 años, un negocio papelero cambió de giro y empezó a dedicarse a la plata. Sin saberlo, se estaba fundando una marca que actualmente es símbolo mundial de refinación y lujo. Sus joyas y accesorios son los regalos ideales para los amigos con buen gusto. Sucursales: Palacio de Hierro de Polanco: Molière 222. Perisur: Periférico Sur 4690. Centro Santa Fe: Av. Vasco de Quiroga 3800.

MODA URBANA

ADIDAS ORIGINALS
Atlixco 91, Condesa; 5256 2605, adidas.com; lunes a domingo de 11 a 20 horas. Aunque la prioridad de la marca es el deporte, en este espacio hay una tendencia clara hacia la moda. No sólo encontrarás los modelos más recientes y codiciados, sino también colaboraciones de Adidas con diseñadores en prendas *sport* para usar todos los días.

AMERICAN APPAREL
Colima 112, esq. Mérida, Roma Norte; americanpparel.net; lunes a sábado de 10:30 a 21:30 horas, domingos de 11:30 a 20:30. Que American Apparel esté en México se lo debemos en parte a la revista Celeste, pues por ella la gente de esta cadena se enteró de la escena *hipster*, y así decidieron abrir su tienda aquí. Estuvieron en Polanco y abrieron una sucursal en la Roma, pero recientemente las cerraron para inaugurar ésta en grande.

CONVERSE CONCEPT STORE
Ensenada esq. Vicente Suárez, Condesa; 5256 4628; converse.com.mx; lunes a sábado de 11 a 21 horas, domingos hasta las 20. Desde que Nike compró Converse en 2003, los clásicos tenis de tela y goma empezaron a verse en modelos cada vez más atrevidos. Cada año hay colaboraciones, ediciones especiales y en esta tienda puedes encontrarlos. Sucursal: Masaryk 360, Polanco; 5281 7204.

DESTRUCTIBLE
Colima 244, Planta Baja, Roma; 5511 1217; lunes a jueves de 12 a 20 horas, viernes a sábado hasta las 21, domingos de 13 a 18. Moda urbana para patinetos o seres que se mueven en cualquier otro medio de transporte. Además de mochilas, sudaderas y accesorios, hay playeras de la destacada marca God, You Are so Square.

DRGN

Álvaro Obregón 66, Roma; 5525 2176; drgnstore.wordpress.com; lunes a sábado de 11 a 19 horas, domingos de 12 a 17. Prendas de Band of Outsiders, Wings + Horns, Deluxe, Maiden Noir, Bedwin y otras marcas de moda urbana que difícilmente se consiguen en México.

HEADQUARTER

Colima 244, Planta Alta, Roma; 5511 1238; headquarterstore.com; lunes a sábado de 12 a 21 horas, domingos de 12 a 18. Como parte del *boom* de la calle Colima apareció esta tienda hace un par de años, en la que además de ropa de marcas como Original Fake, Surrender, Alife, Kid Robot, Devilock, Stussy, Pound, Kikstyo, Ice Cream y BBC, puedes encontrar libros, juguetes y objetos de diseño.

LEMUR

Jalapa 85, esq. Colima, Roma; 3547 2182; lemurshop.blogspot.com; lunes a sábado de 12 a 20 horas, domingos de 13 a 18. Pionero del corredor comercial-alternativo-*hipster* de Colima, esta tienda (famosa por el perro que siempre está por ahí) empezó a distribuir marcas como Blood Is the New Black, Converse, Imaginary Foundation, Insight, Palmer Cash, WeSC, Brixton y Heavy Rotation.

NIKE SPORTSWEAR 1902

Teotihuacan 18, Condesa; 5564 9393; nikesportswear.com.mx; lunes a viernes de 11:30 a 20 horas, sábados de 10:30 a 20:30, domingos de 10:30 a 19. Ya sea para ejercitarte o para armar atuendos casuales y urbanos, esta tienda siempre ofrece lo nuevo de la marca, ya sea en el ramo de alta tecnología deportiva o en el de diseños a la moda.

> “En la colonia Condesa [...] se inauguró en 1947 la primera gran tienda de departamentos norteamericana, Sears. Al día siguiente algunas amigas, las hijas de un político alemanista, llegaron a la Facultad vestidas como gringas.”
>
> Margo Glantz en *México: el derrumbe* (2004)

PANAM

San Andrés Atoto 22, San Esteban Hutzilacasco; 5576 4233; lunes a viernes de 9 a 17 horas, sábados de 9 a 15. Los niños de los ochenta usaron tenis Panam para hacer deportes en la escuela, y no eran muy populares en aquellos años. Con los años, la marca adquirió cierto encanto *retro*, y con el plus de que es cien por ciento mexicana, desde hace un lustro se veía venir un renacimiento muy fuerte. Hoy existen modelos de todos colores, combinaciones y diseñadores de todo el país los han intervenido. Por más que se pongan de moda, tienen un encanto a prueba de *hipsters*.

SHELTER

Colima 134, Roma; 5208 6271; shelter.com.mx; lunes a sábado 11:30 a 20 horas, domingos de 12 a 19. En los noventa, Nike se convirtió en la marca de los fans del basquetbol, y era la más cotizada en Pericoapa y Bazar Lomas Verdes. O sea, nada *cool*. Pero en la década pasada empezaron a llegar a México los modelos de diseño, que además de ser cómodos y funcionar para hacer deporte, lucían muy bien. Shelter fue pionera en la distribución de estos tenis. Se agradece.

SICARIO

Colima 124, Roma; 5511 0396; sicario.tv; lunes a domingo de 12 a 20 horas. Además de organizar fiestas y conciertos, venderse como *social media experts* y ser promotores culturales, los de Sicario tienen una tienda que intenta emular a Urban Outfitters: venden libros, juguetes, accesorios, bicis, *gadgets* y sobre todo ropa. Black Monkey, Yakuza, Puma, Incase, APB e Hilda son algunas de sus marcas.

UPPER PLAYGROUND

Amatlán 105, Condesa; 5256 1444; upperplayground.com; lunes a sábado de 12 a 20 horas. Desde 1999, Upper Playground es sinónimo de estilo urbano. Empezaron en San Francisco, pero sus tiendas-galerías se han extendido por ciudades como Seattle, Portland, Londres y la ciudad de México. Lo mejor son las camisetas.

Nike Sportswear 1902

Sicario

Brooks Brothers

DE COMPRAS POR EL MUNDO

ADOLFO DOMÍNGUEZ

Emilio Castelar 209, Polanco; 5282 1810; adolfodominguez.com; lunes a sábado de 11 a 20 horas, domingos de 11 a 18. Adolfo se dio a conocer en los ochenta en España, y su estilo funcional e urbano —cómodo, pero lucidor— pronto se convirtió en cadena de tiendas. A México llegó con El Palacio de Hierro, y después abrió sus propias tiendas. Sucursal: Centro Santa Fe; 2167 4051.

BROOKS BROTHERS

Antara Polanco. Ejército Nacional 843, esq. Molière, Polanco; 5281 8865; brooksbrothers.com; domingo a jueves de 11 a 20 horas, viernes y sábados de 11 a 21. Una marca que ha hecho historia en Estados Unidos: fue fundada en 1818 en Manhattan, e innovó en una serie de prendas masculinas que hoy son clásicas (como los cuellos con botones o la camisa rosa). Presidentes como Abraham Lincoln, Herbert Hoover, Theodore Roosevelt, Franklin D. Roosevelt, John F. Kennedy, Richard Nixon, Gerald Ford, Bill Clinton y Barack Obama la han usado.

GUESS

Antara Polanco. Ejército Nacional 843, esq. Molière; 5282 3747; guess.com; domingo a jueves de 11 a 20 horas, viernes y sábados de 11 a 21. Las prendas de esta marca se distinguen por ser atrevidas, pero sin caer en el mal gusto. Además venden accesorios y zapatos para hombres y mujeres jóvenes. Sucursales: Reforma 222; 5511 1615. Parque Lindavista: Colectores 13 núm. 280, Lindavista; 5119 2417. Parque Tezontle: Canal de Tezontle 1512, Alfonso Ortiz Tirado, Iztapalapa; 9129 0367.

LACOSTE

Masaryk 433, Polanco; 5280 4875; lacoste.com; lunes a viernes de 11 a 20 horas, sábados de 11 a 19, domingos de 11 a 17. La firma fue fundada en 1933, en Francia, y su primer gran lanzamiento fueron las camisas para tenis que hasta la fecha siguen siendo el símbolo de la marca (con su cocodrilito bordado, claro está). Más prendas para deportes como golf o velerismo siguieron, y a la fecha es fuente inagotable de estilo *preppy*. Tiendas: consultar sitio web.

MARC JACOBS

Masaryk 440, Polanco; 5281 6690; marcjacobs.com lunes a viernes de 11 a 20 horas, sábados de 11 a 18. Ya se veía venir: no podíamos estar por siempre sin las maravillosas prendas de Marc Jacobs en México. Y se vino por triplicado, con las tiendas en Masaryk, Antara y Arcos Bosques. Aunque la variedad es limitada y lo que más hay son bolsos, la sola idea de tenerlo más cerca hace felices a los *fashionistas* defeños. Sucursales: Antara; 5281 6640. Arcos Bosques; 9135 0085.

PASAJE POLANCO

Masaryk 360, Polanco. Conjunto de cafés y tiendas en un ambiente californiano, donde encuentras marcas nacionales, pero también de Estados Unidos o Europa, aparentemente inconseguibles. Hay que visitar In Boga, La Esquina Azul, Micromega, Macarena Gutiérrez y Tangerine.

RAPSODIA

Antara Polanco. Ejército Nacional 843, esq. Molière, Polanco; 5282 2736; rapsodia.com.ar; domingo a jueves de 11 a 20 horas, viernes y sábados de 11 a 21. La marca argentina fue creada hace más de 10 años y ha sido muy bien recibida en México por sus prendas femeninas románticas, vaporosas y con tintes *hippies*. Sucursales: Centro Comercial Arcos Bosques: 2167 9586. Reforma 222; 5207 6549.

THOMAS PINK

Antara Polanco. Ejército Nacional 843, esq. Molière, Polanco; 5282 3496; thomaspink.com; domingo a jueves de 11 a 20 horas, viernes y sábados de 11 a 21. Esta firma londinense se ha caracterizado por darle la vuelta a la ropa para ir a trabajar, y le pone estilo a prendas aparentemente intocables, como las camisas de vestir. Sucursal: Centro Comercial Arcos Bosques: 2167 9528.

TOMMY HILFIGER

Antara Polanco. Ejército Nacional 843, esq. Molière, Polanco; 5282 3820; tommy.com; domingo a jueves de 11 a 20 horas, viernes y sábados de 11 a 21. A pesar de las críticas, las prendas de este diseñador neoyorquino siguen siendo las favoritas de los amantes del estilo clásico y fresa. Suéteres, vestidos frescos, camisas y pantalones bien hechos, combinables y alegres. Sucursales: Reforma 222; 5511 2320. Parque Tezontle, Canal de Tezontle 1512, Alfonso Ortiz Tirado, Iztapalapa; 9129 0098. Parque Lindavista, Colectores 13 núm. 180, Lindavista; 5752 9863.

UNITED COLORS OF BENETTON

Antara Polanco. Ejército Nacional 843, esq. Molière, Polanco; 5282 3558; benetton.com; domingo a jueves de 11 a 20 horas, viernes y sábados de 11 a 21. En los sesenta, un italiano se atrevió a crear prendas coloridas y juveniles. Y funcionó. Fue la semilla del imperio Benetton, que en los noventa se hizo especialmente famosa por su polémica campaña fotográfica de Oliverio Toscani, que en México también se vio en revistas y anuncios espectaculares. Hoy siguen produciendo prendas divertidas, pero clásicas, que no pasan de moda y están tan bien hechas que duran años. Sucursales: Reforma 222; 5207 3665. Centro Comercial Arcos Bosques; 2167 9548. Plaza Universidad; 5604 7655. Parque Tezontle, Canal de Tezontle 1512, Alfonso Ortiz Tirado, Iztapalapa; 9129 0461.

DISEÑO MEXICANO

ALANA SAVOIR

Molière 54, Polanco; 5282 2841; alanasavoir.com.mx; lunes a sábado de 10:30 a 18 horas. Desde antes de inaugurar su *boutique* en 2006, ya se escuchaba hablar de los diseños de esta chica, que no se ve temerosa a la hora de mezclar lo elegante con lo atrevido.

ALEJANDRA QUESADA

Motolinía 33, Centro 157, Tlalpan; 5518 7235; alejandraquesada.com; lunes a viernes de 9 a 18 horas, previa cita. Esta mujer estudió en París y Londres, y regresó a su país a crear prendas románticas. Gwyneth Paltrow y Natalia Lafourcade son fans.

Archivo General de la Nación, Fondo Enrique Díaz.

EL LUGAR MÁS LEGENDARIO. Tardan se fundó en tiempos de Santa Anna, cuando las tropas estadounidenses acababan de poner su bandera en la portada de Palacio Nacional, en 1847, en el Portal de Mercaderes, donde está todavía, y que en 1880 pasó a manos de un Tardan, que se puso a fabricar sus propios sombreros por 1910. "Los muchachos de antes iban trajeados y ensombrerados; de Sonora a Yucatán se usaban sombreros Tardan", dice Margo Glantz. "Todos los compañeros de la CROM usan sombreros Tardan". Tocaron las cabezas de don Porfirio, Zapata y Lindbergh.

CABALLEROS COMO LOS DE ANTES

ARTÍCULOS INGLESES

5 de Mayo 19-B, Centro Histórico; 5512 3306; lunes a jueves de 10 a 19 horas, viernes y sábados hasta las 19:30. Fundada en 1936 por don Eduardo Martínez de Velasco Ovando y ahora atendida por sus no menos elegantes nietos, es una tienda como las de antaño, donde se pueden conseguir camisas finas y prendas en lino, *cashmere*, vicuña, *tweed*, además de accesorios como mancuernas, bastones, tirantes y cepillos.

GUAYABERAS CARR

López 13, Centro; 5521 2729; lunes a sábado de 11 a 18:30 horas. Desde hace más de 50 años, esta tienda funciona como embajada de la moda yucateca. Aquí hay frescas guayaberas en lino, algodón y poliéster, en diferentes estilos que van de lo casual a lo elegante, como para boda de político.

SOMBRERERÍA Y CAMISERÍA REGIA

Ayuntamiento esq. Eje Central, Centro. No es la más famosa, pero su clientela de años se mantiene fiel, y uno que otro jovenzuelo en busca de la elegancia de antaño se vuelve adepto de sus sombreros y camisas clásicas.

TARDAN

Plaza de la Constitución 7, Centro; 5512 3902; tardan.com.mx; lunes a sábado de 10 a 19 horas. La tienda se la debemos a Carlos Tardan, un visionario francés que conocía el oficio sombrerero y que en 1847 llegó a México. Años más tarde se asoció con un empresario para abrir el local que hasta la fecha está frente al Zócalo. Fueron prósperos hasta los cincuenta, pero luego se dejó de usar sombrero. Afortunadamente la moda ha vuelto, y los Tardan están de nuevo en las cabezas de chilangos y fuereños. No hay que perderse el café que abrieron hace poco, con una vista formidable hacia el Palacio Nacional.

Love is Back

CLARA GONZÁLEZ

Goldsmith 56, Polanco; claraglez.com; lunes a viernes 11 a 20 hotras. Clara le ha apostado a un estilo más clásico y romántico. Entre sus clientas se cuentan Julieta Venegas, Ana de la Reguera, Camila Sodi, Bárbara Mori, Cecilia Suárez, Paz Vega y Liv Tyler.

DIME

Álvaro Obregón 185, Roma; 2454 6790; dimetienda.com.mx; lunes a sábado de 11:30 a 20:30 horas, domingos de 11:30 a 16:30. Hace cinco años surge una tiendita como escaparate permanente de sus creaciones. Dime es una tienda siempre cambiante y muy colorida, con camisetas, bolsos, botas, vestidos y accesorios.

FASHION LOVERS

Álvaro Obregón 185, Roma; 5208 8290; fashionlovers.com.mx; lunes a sábados de 11 a 20:30 horas. Del mismo creador de Dime, Christian Arenas, llega un amigable escaparate para diseñadores nacionales que están dando de qué hablar, como Paola Hernández, Alexia Ulibarri y Daniel Andrade.

LOVE IS BACK

Amsterdam 127, Condesa; 5211 0200; loveisback-mexico.blogspot.com; lunes a domingo de 11 a 20 horas. Éste es el centro de operaciones de un colectivo preocupado por solucionar el problema, que además de ofrecer prendas funcionales, pero con personalidad, imparte cursos y difunde su mensaje.

M

Londres 209, Juárez; 5533 7856; somoseme.com; lunes a sábado de 10 a 18 horas. Una tienda donde varios diseñadores y marcas chilangas se unen: Paola Hernández, con sus prendas *nerd-chic*; TeAmo, intervenciones a hallazgos de segunda mano y prendas para escenosos, y Fou Fou Chat, joyería y accesorios hechos a partir de cháchara s.

MACARIO JIMÉNEZ

Séneca 57, Polanco; 5281 7783; macariojimenez.com; lunes a viernes de 11 a 19 horas, sábados 11 a 15. Este tapatío vino al DF y creó su firma en 1994, una era en la que la moda mexicana aún no afloraba, y desde entonces ofrece prendas femeninas exclusivas con mucha personalidad.

OCHÖ

Nuevo León 8, esq. Sonora, Condesa; 5211 0592; ochostore.com; lunes a domingo de 12 a 19 horas. El ex actor de telenovelas José María Torre junto con su hermano Juanchi lanzaron su propia marca de ropa para hombres y mujeres que quieren vestirse con originalidad, pero sin verse fuera de lugar.

PINK MAGNOLIA

Séneca 41, Polanco; pinkmagnolia.com.mx; lunees a domingo de 12 a 19 horas. "Girls in the city dress up pretty" es el eslogan de esta bonita marca creada por Paola Wong y Cuca Díaz, cuya filosofía es ofrecer prendas exclusivas, pero a precios accesibles.

TRISTA

Molière 61, Polanco; trista.com.mx. Giovanni Estrada y José Alfredo Silva, inspirados por la literatura, la arquitectura, la música y la ciudad, juegan con las infinitas posibilidades de los cortes sin caer en ridiculeces ni prendas inutilizables. Todo impecable.

SEGUNDA MANO

INDUSTRIAS DE BUENA VOLUNTAD

Álvaro Obregón 178, Roma; 5584 1226; industriasdebuenavoluntaddiap.org.mx; lunes a viernes de 10 a 17 horas, sábados de 9 a 14. La entrada, llena de muebles feos y chatarra, disuade a los compradores de pasar al fondo, donde se apila la ropa donada, que está padre.

KASI

Prado Norte 427, Planta Alta (entrada por el restaurante Lolo's), Lomas de Chapultepec; 5540 0177; lunes a viernes de 12 a 19 horas. Lo que ya no quieren las señoras de Las Lomas y zonas aledañas termina en este localito escondido.

PINO SUÁREZ

Callejón San Miguel, entre José María Izazaga y Fray Servando, Centro; lunes a domingo de 9 a 19 horas. Un basuródromo de ropa, donde lo mismo puedes encontrar un vestido Marc Jacobs arrugadito que ropa salida de las peores pesadillas suburbanas.

TEPITO (ZONA DE CHÁCHARAS)

Tenochtitlan, entre Granada y Rivero, Tepito; miércoles a lunes de 9 a 17 horas. Dicen que ya no es lo mismo y que vio mejores tiempos, pero lo cierto es que el visitante asiduo puede encontrar maravillas si se lo propone (y llega temprano).

VINTAGE HEAVEN ON EARTH

Córdoba 108, esq. Álvaro Obregón, Roma; 4336 1976; myspace.com/vintage_hoe. Joel de Fandino es de esos personajes que se fueron dando a conocer en ventas privadas y de boca en boca. Su buen ojo para el *vintage* lo llevó a abrir su propio local, con moda. dF

GRANDES TIENDAS · VINTAGE
ANTIGÜEDADES
ESTUDIOS DE INTERIORISMO
DECORACIÓN PARA TODOS

Archivo General de la Nación, Fondo Hermanos Mayo.

Centro de Diseño Alemán

GRANDES TIENDAS

CASA PALACIO

Antara Polanco. Ejército Nacional 843, esq. Molière, Granada; 9138 3750; casapalacio.com.mx; domingo a jueves de 11 a 20 horas, viernes y sábados de 11 a 21. Cuando esta gran tienda abrió en 2006, el panorama para los adictos a redecorar se iluminó. Desde alfombras y cortinas hasta la cucharita del té o los aceites para aromatizar cada habitación, Casa Palacio lo tiene todo para todos los estilos, y aunque el rango de precios es amplio las marcas suelen ser confiables.

CENTRO DE ARQUITECTURA Y DISEÑO

Juan Vázquez de Mella 481, Polanco; 1085 5430; cadmexico.com.mx; lunes a viernes de 11 a 20 horas, sábados hasta las 18. Si hablamos de grandes tiendas, ésta se lleva las palmas, y no sólo por el tamaño. No es una tienda, sino muchas: más de 50 *showrooms* bajo el mismo techo. El Centro acaba de cumplir cinco años, y en él puedes echarte un clavado para retacarte de lo mejor en tapices, alfombras, cubiertos, servilletas, muebles, lámparas y un larguísimo etcétera. Y, claro, con la asesoría de expertos en cada área. Realmente fascinante.

CENTRO DE DISEÑO ALEMÁN

Emilio Castelar 135, Polanco; 5281 1848; centrodedisenoaleman.com.mx; lunes a viernes de 11 a 19 horas, sábados de 11 a 17. Lo que empezó como una embajada del interiorismo alemán en México en nueve años se ha convertido en un sitio donde pueden hallarse muebles, tapetes y lámparas de toda Europa. Las marcas: Jab Anstoetz, Vitra, Walter Knoll, Kröncke, Thonet, Brühl, ClassiCon, Ingo Maurer, Anta, Belux, Nanimarquina, Kundalini, Artek, Plank y Gervasoni, entre otras. También desarrollan mobiliario e interiores a la medida. No dejes de visitar el Fuga Chocology para probar un té de menta.

DESIGN PRIMARIO

Arquímedes 35, Polanco; 5280 7116; designprimario.com.mx; lunes a viernes de 10:30 a 19:30 horas, sábados de 11 a 18:30. Un grupo de interioristas creó este despacho a principios de los noventa, que además de desarrollar proyectos (desde diseño de muebles y tapetes hasta remodelaciones) representa en México a las marcas Ligne Roset, Alessi, Serralunga y Magis.

DUPUIS

Palmas 240, Lomas de Chapultepec; 5540 5349; dupuis.com.mx; lunes a viernes de 10 a 19:45 horas, sábados de 11 a 19, domingos de 11 a 18. De una familia que creció en el entonces vanguardista Pedregal, y que se codeaba con Luis Barragán y Matías Goeritz, surgió la idea de esta tienda, donde impera el diseño funcional y sobrio. Además de ser muebles de gran calidad, da gusto saber que son mexicanos. Sucursales: Diego Rivera 50, San Ángel Inn; 5550 6169. Av. de las Fuentes 180-B, Jardines del Pedregal; 5595 4852. Juan Salvador Agraz 44, Santa Fe; 5292 2804.

> “Gracias a Dupuis la talavera desplazó a la porcelana y el cristal cortado fue sustituido por vidrio soplado. Le gustaba el ambiente *cozy* que se respiraba en sus cinco sucursales. Apreciaba el modo como la trataban las vendedoras, con tipo de 'niñas' de buenas familias. Las encontraba bien vestidas, educadas y con muy buen gusto. Intuía que estas 'monadas' vivían en casas con el Dupuis *look*.”
>
> Guadalupe Loaeza en *Compro, luego existo* (1992)

ESTUDIO LOFFT

Cuauhtémoc 158 B-4, Tizapán San Ángel; 9171 9153; lofft.com.mx; lunes a viernes de 10 a 19 horas, sábados de 11 a 17. La filosofía de este estudio es distribuir las más despampanantes marcas de diseño (Amat, Be, Chilewich, Slide, Like It, Blomus, Carpyen, Safreiti, David Trubridge, Agatha Ruiz de la Prada) y reclutar a los interioristas más capaces e innovadores para crear espacios

Funcionalismo

cómodos y deslumbrantes. En caso de boda o fiestón hay mesas de regalo y certificados.

FUNCIONALISMO
Nuevo León 150, Condesa; 5553 3587; funcionalismo.com; lunes a viernes de 10 a 14 y de 15 a 19 horas, sábados de 11 a 18. Venden diseños de la Bauhaus y corrientes derivadas. El tamaño del diminuto local es inversamente proporcional a su catálogo, que bien podría convertirse en un libro de texto para la carrera de Diseño Industrial.

Hannes Meyer, ex director de la Bauhaus, llegó a México en 1938 y vivió aquí de manera intermitente hasta 1949. En 1936 Van Beuren —otro egresado— llegó a Mexico para trabajar en *bungalows* del Hotel Flamingo, de Acapulco, y se quedó en México hasta su muerte en 2004. Van Beuren y Klaus Grabe —también egresado— amueblaron los hogares de la clase media mexicana con una versión asequible y doméstica

de lo moderno y lo internacional gracias a la marca Van Beuren S.A. de C.V., que abrió en 1950; recámaras, comedores, *chaises longues* "Alacrán", por ejemplo, amueblan nuestra imagen ideal de los cincuenta. Guadalupe Loaeza registra el matiz de este cambio en *Los de arriba* (1993): "En su interior, la decoración ya no era con muebles franceses o con los tradicionales coloniales, optaban por muebles súper modernos y sumamente estilizados. El terciopelo de los sillones había sido reemplazado por lana virgen".

KARTELL
Presidente Masaryk 515, Polanco; 5282 0607. Uno de los referentes de tendencia en mobiliario más importantes del mundo abrió el año pasado una *flagship store* en nuestra ciudad, diseñada por el famoso Ferruccio Laviani. Aquí es posible comprar la silla Mr. Impossible de Philippe Starck o el sofá Pop de Piero Lissoni, entre otras piezas igual de espectaculares.

HABITALY MARCOPOLO
Arquímedes 43-45, Polanco; 5281 0299; marcopolo-italy.com; lunes a sábados de 10:30 a 19 horas. Como su nombre sugiere, lo suyo es llevar el diseño de vanguardia italiano, y europeo en general, a cada rincón de tu casa. Lo que sobresale de este sitio es el excelente servicio, dedicado y personalizado.

MODA IN CASA
Palmas 746, Lomas de Chapultepec; 5202 0908; modaincasa.com; lunes a sábado de 10 a 20 horas, domingos de 12 a 19. El estilo de esta tienda es sobrio y, aunque tiene piezas atrevidas que pueden ser la cereza en el pastel de cualquier casa, es mejor para mobiliario básico de excelente calidad. Los materiales son una selección mundial: hay un equipo que va de aquí para allá buscando los mejores. Sucursales: Altavista 227, San Ángel Inn; 5550 4556. Blv. Magnocentro 37, Interlomas; 5247 7360.

NATUZZI
Galileo 73, esq. Masaryk, Polanco; 5280 8070; natuzzi.com.mx; lunes a sábado de 11 a 20 horas, domingos de 12 a 18. Si quieres invertir en un sofá italiano que te dure toda la vida y que se quede en tu familia por generaciones (a menos que algún nieto loco nazca con mal gusto), en Natuzzi puedes comprarlo. La mayoría de sus diseños son sobrios y clásicos, a prueba de caprichos de la moda. Y por supuesto son maravillosamente cómodos.

NOUVEL STUDIO
Gral. Agustín Millán 10, Naucalpan; 5576 3325; nouvelstudio.com; lunes a viernes de 9 a 17 horas. ¿Quién dijo que no había nada de diseño pasando el Toreo (aparte de las Torres, claro)? En Nouvel Studio —creada en 1994, pero cuya fábrica lleva más de 50 años de tradición vidriera— artesanos mexicanos producen maravillas en vidrio soplado creadas por diseñadores como Michel Rojkind, Emiliano Godoy, Teodoro González de León, Ricardo Legorreta, Bernardo Gómez-Pimienta, Héctor Esrawe, Ezequiel Farca, Francisco González Gortázar, Isaac Broid, Manuel Álvarez Fuentes y Javier Sánchez. Ojo, ahorradores: en la tienda hay piezas con "errores" (casi imperceptibles) con grandes descuentos.

PAVILLON CHRISTOFLE
Galileo 55, Polanco; 5282 2573; lunes a viernes de 10:30 a 14 y de 16 a 19 horas, sábados de 11 a 14. Desde su natal Francia, esta marca platera no sólo ha presenciado casi dos siglos de cambios en el arte y el diseño, sino que también

ha participado en ellos. Hoy sus exquisitas piezas son diseñadas por genios como Jean-Marc Gady, Adeline Cacheux, Ora-Ïto o Clara Halter. Sucursal: Altavista 94, San Ángel; 5550 3654.

Pocas cosas —escribe Fernando del Paso— irritaban tanto a Carlota como ver fumar a las señoras y que los invitados ¡robaran cubiertos de su vajilla Christofle!, que el mismo Napoleón III había mandado como un regalo a la pareja. Del Paso la imagina añorando en Europa el servicio de té Christofle que alguna vez tuvo en México, y que fue robado; pero en realidad se puede ver en el Castillo de Chapultepec. Algunos años más tarde la plata de Christofle en las recepciones del porfiriato era uno de los lugares comunes del lujo derrochador. Un personaje de Guadalupe Loaeza, casi 100 años después, confiesa en *Debo, luego sufro* (2000): "Aquí entre nos también me traje toda la cuchillería de Christofle, pero no le digas a nadie. ¿Qué crees? Me la metí adentro de los chones. En mi petaquita Louis Vuitton me traje la mitad. Estoy Feliz. Si sabe Antonio, me mata".

ROCHE BOBOIS
Masaryk 506, Polanco; 5281 4172; roche-bobois.com; lunes a sábados de 11 a 20 horas. A la mente de quien piense en muebles y decoración de primera, con gusto y calidad intachables, vendrán las palabras mágicas: "Roche Bobois". La marca empezó en los años cincuenta vendiendo marcas estilo Bauhaus, después incorporó diseño escandinavo, y hace apenas 10 años empezó su expansión a 40 países, entre ellos México. Sucursales: Periférico Sur 3335, San Jerónimo Lídice; 5595 1871. Centro Comercial Santa Fe; 5570 7257.

THE RUG COMPANY
Campos Elíseos 191, Polanco; 5980 1193; therugcompany.info; lunes a viernes de 11 a 20 horas, sábados hasta las 19. Hasta el más asmático y alérgico olvida su aversión a los tapetes cuando viene a esta tienda, donde los mejores materiales caen en manos de los mejores diseñadores para crear las mejores alfombras. Y si acaso no te gustara ninguno de los modelos de Vivienne Westwood, Tom Dixon, Paul Smith, Diane Von Furstenberg o entre muchas otras estrellas del diseño, puedes encargar tu alfombra, cojín o tapiz personalizado, y unos artesanos en Nepal los crearán para ti.

DFC Mexico City

DECORACIÓN PARA TODOS

5L-MENTO
Cuernavaca 79, Condesa; 5553 0394; lunes a sábado de 11 a 21 horas, domingos de 13:30 a 20. Las cosas como son: lo maravilloso de esta tienda es directamente proporcional a lo inflado de sus precios. ¡Listillos! Saben que es muy difícil resistirse a los maravillosos muebles, accesorios y objetos *retro* que ofrecen. En fin, a menos que viajes cada fin de semana a Nueva York o Berlín, terminarás comprándoles.

ADN
Molière 62, Polanco; 5511 5521; adngaleria.mx; lunes a jueves de 11 a 19:30 horas, viernes y sábados de 11 a 15. Un lugar para comprar, vender o admirar muebles, accesorios y objetos de arte que han marcado las tendencias en diseño de diferentes épocas. Además cuentan con una amplia colección de publicaciones de arquitectura, interiorismo y, claro, diseño.

CÉ DE CASA
Luis G. Urbina 74, Polanco; 5280 8989, ext. 116; cedecasa.com.mx; lunes a viernes de 10 a 20 horas, sábados de 10 a 20, domingos de 11 a 18. Aquí encuentras artesanías reinventadas: cojines bordados a mano, macetas con espejitos, vasijas de fibra de nopal, muebles forrados con manta… Tiendas: Amatlán 94, Condesa; 5286 7729. Pabellón Altavista: Altavista esq. Av. Revolución, San Ángel; 5550 5028.

CELESTE CONCEPT STORE
Kepler 5, esq. Darwin, Anzures; 2614 6031. Objetos interesantes de diferentes partes del mundo, viejos y nuevos. Libros, joyería, orquídeas, antigüedades, interiorismo, animales disecados y demás piezas que embellecerán tu casa quizás al nivel del hermoso Celeste Champagne Tea Room (ver página 93), que también forma parte de Celeste House.

DFC MEXICO CITY
5286 0904; dfcasa.com; previa cita. El departamento del australiano Tony Moxham y el guatemalteco Mauricio Paniagua es uno de los lugares más creativos de la Tierra. Juntos crearon a principios de siglo una increíble y

Galería Mexicana del Diseño

divertida línea de objetos decorativos que van desde cabezas de animales en cerámica pintadas de colores estrafalarios, hasta enormes plátanos chorreados de pintura.

DIMITRI

Orizaba 92, Roma; dimitri.mx; previa cita. Esta mueblería, que abrió sus puertas en 2009, ofrece piezas originales y restauradas. Además puedes encontrar vajillas y otros accesorios de cristal a precios muy accesibles. También presupuestan y decoran interiores, e incluso puedes encontrar ropa de la diseñadora Lorena Saravia.

GALERÍA MEXICANA DEL DISEÑO

Anatole France 13, Polanco; 5280 3709; galeriamexicana.com.mx; lunes a viernes de 11 a 20 horas, sábados hasta las 15. ¿Diseño mexicano en los noventa? No era un tema precisamente fuerte, pero hace 20 años Carmen Cordera Lascurain fundó esta empresa para impulsarlo y ponerlo en contacto con consumidores potenciales. Joyas, piezas gráficas, telas, objetos decorativos y una gran selección de libros retacan la tienda como preámbulo a la sala de exhibición.

GROBEN

Nuevo León 96, esq. Michoacán, Condesa; 5256 1184; lunes a sábado de 11 a 20 horas, domingos de 12 a 18. Aunque funciona más como tienda de regalos, siempre hay un detallito antojable para uno mismo, ya sea un tapetito de piedras de río, una lámpara que parezca de caramelo o unos imanes para el refri. Kikkerland, Koziol y Fatboy son algunas de sus marcas más populares.

HOME & MORE (BED, BATH AND BEYOND)

Gran Sur. Av. del IMAN 151, Pedregal; 5321 3011; bedbath.com.mx; lunes a sábado de 10 a 21 horas, domingos de 11 a 20. Si de pronto tus amigos estrenan sábanas, cortinas de baño, botecito de basura y hasta báscula, todos muy bonitos, seguramente es porque se dieron una vuelta por esta tienda. Sucursal: Blvd. Magnocentro manz. 3, lt. 2, Interlomas; 5321 3013.

IDEA

La Cúspide Sky Mall. Av. Lomas Verdes 1200, Lomas Verdes; 5349 3660; ideainterior.com; lunes a domingo de 8 a 22 horas. Una copia de Ikea que no intenta disimular; al contrario, con todo el orgullo pueden decir que ellos trajeron aquel concepto a México. El recorrido es igual: primero hay ambientes logrados con mercancía de la tienda, puedes ir anotando lo que te gusta, y al final vas a buscarlo. ¡Hasta en la lejanía son iguales! No es tan grandioso pero siempre hay un sofá, un librero modular o una lamparita que termina conquistándolo

CINCO DE ARTESANÍAS

BAZAR DEL SÁBADO

Plaza San Jacinto 11, San Ángel; sábados de 11 a 17 horas. Porque sí se vale reinventar tradiciones, las nuevas propuestas artesanales son bien recibidas en este lugar que cada sábado se llena de turistas y lugareños en busca de algo nuevo.

FONART

Paseo de la Reforma 116, esq. Milán, Juárez; 5328 5000, ext. 53089; fonart.gob.mx; lunes a viernes de 10 a 19 horas, sábados hasta las 16. Con apoyo gubernamental, las tiendas Fonart tienen una exquisita selección de lo mejor que se hace en cada pueblito de cada región de cada estado del país. Sucursales: Patriotismo 691, Mixcoac; 5093 6000, ext. 67579 y 67580. Av. Juárez 89, Centro; 5521 0171.

IZTA

Calle 11 núm. 201, entre Av. Cuitláhuac y Av. Vallejo, El Porvenir; 5355 5600; izta.com.mx; lunes a viernes de 9 a 18 horas. Quien haya perdido la fe en la plata mexicana la puede recuperar en este taller, donde los diseños de toda la vida son reinventados con gusto intachable.

MERCADO DE LA CIUDADELA

Entre Balderas, Enrico Martínez, Emilio Dondé y Manuel Tolsá, Centro; 5510 1828; lunes a sábado de 9 a 19 horas, domingos de 9 a 18. Lo bueno de México es que incluso los lugares para turistas tienen lo suyo, y La Ciudadela es un buen ejemplo. Aunque abunda la artesanía chafa y el recuerdito mal hecho, hay una que otra cosa que le iría bien a cualquier casa.

TIENDA DEL MUSEO DE ARTE POPULAR

Revillagigedo 11, esq. Independencia, Centro; 5510 2201, ext. 107; tiendamap.com; martes, miércoles y viernes a domingos de 10 a 18 horas, jueves hasta las 20. Objetos muy bien seleccionados de todo el país. Por ejemplo, tienen muebles de palma tejida de Ihuatzio, muy difíciles de conseguir fuera del estado de Michoacán.

Móbica

La Primavera Vidrio Soplado

a uno. Sucursales: Av. Bordo de Xochiaca 3, Ciudad Jardín Bicentenario, Nezahualcóyotl, Edo. de México; 1558 4280. Río Churubusco s/n, esq. Canal de Apatlaco, Central de Abasto; 5600 5250.

INAYA

Anatole France 140, Polanco; 5280 5907; lunes a domingo de 11 a 20 horas. Es como una dulcería para los amantes del diseño divertido, colorido e irreverente. Es decir, nada de minimalismo ni mamonalismo, aquí se trata de perpetuar al niño interior con los muebles, relojes, tapetes, viniles, vasos, cortinas de baño y un sinfín de objetos que no tienen que combinar entre sí para hacerte feliz. Sucursales: Parral 44, esq. Montes de Oca, Condesa; 5286 4373. Tlaxcala esq. Chilpancingo, Roma; 5256 5756.

IVO DESIGN

Luis G. Urbina 4, int. 303, Polanco; 5281 1577; ivo-design.com; lunes a sábado de 11 a 18 horas. Si nunca has ido a la tienda, posiblemente ubiques el sempiterno primer *stand* de Zona MACO con diseños maravillosos de Ceralart, Areaware, Artecnica, Vitra y DFC. También es posible que aquí te hayas gastado todo el dinero, antes siquiera de ver las galerías. Bueno, pues es la tienda de Zélika García, directora de la feria y mujer de indiscutible buen gusto. La tienda es chiquita, pero magnífica.

LA PRIMAVERA VIDRIO SOPLADO

Colima 264, Roma; 5584 4568 (761 782 1043 en Hidalgo); mexcon.net/laprimavera.htm; lunes a viernes de 8 a 18 horas, sábados de 10 a 14. De Hidalgo no sólo vienen la barbacoa y el pulque, sino también exquisitas piezas de vidrio soplado que venden en esta sencilla y acogedora tienda, un cálido oasis entre la presuntuosidad de la calle Colima. Todo muy tradicional y mexicano (que no *mexican curious*).

LÓPEZ MORTON

Masaryk 139, Polanco; 5254 5377; lopezmorton.com.mx; lunes a viernes de 9 a 19 horas, sábados de 11 a 15. Aunque su fuerte son los muebles de oficina y las sillas ergonómicas, también hay sofás, sillones reclinables y salas de piel con estilo *retro*. Tienen un plan de mantenimiento válido durante toda la vida útil de tus muebles, respaldado a lo largo de las tres generaciones que la tienda lleva de existir.

MITCHELL GOLD + BOB WILLIAMS

Anatole France 74, Polanco; 5281 5048; mgbwhome.com; lunes a sábado de 11 a 20 horas. ¡Qué cómodos son estos muebles! Y no sólo por el placer que da echarse sobre ellos, sino porque están fabricados de tal forma que no hay que preocuparse por mantenimiento nunca más; no dan problema. Bastante famosa en Estados Unidos, da gusto que la hayan traído a México hace un par de años.

MOB

Campeche 322, Condesa; 5286 7239; mob.com.mx; lunes a jueves de 11 a 19 horas, viernes y sábados de 12 a 20. Hace 10 años un grupo de diseñadores industriales (Cecilia León de la Barra, Enrique García Aguinaco, Óscar Núñez Martínez y Jesús Irízar) decidió crear una mueblería divertida, juvenil y funcional, inspirada en tendencias del pasado y aterrizadas en el presente. De aquel equipo, hoy sólo queda Irízar, pero se mantienen la filosofía y los precios casi accesibles.

MÓBICA

Blv. Magnocentro 45, esq. Vía Magna, Interlomas; 5290 1448; mobica.com.mx; lunes a domingo de 11 a 20 horas. ¡Aguarden un segundo! Estos diseños son muy parecidos a los de Ikea. Lo que, a falta de Ikea en México, se agradece. Son prácticos, bonitos y pueden ser que baratos. También tienen servicio de entrega y armado a domicilio. Sucursales: consultar sitio web.

CUATRO BASURÓDROMOS

BAZAR LEGARIA
Cerrada Ignacio Allende s/n, cerca de la Glorieta de Legaria, Torre Blanca, lunes a domingo de 10 a 17 horas. En un recóndito callejón de una recóndita colonia se encuentra esta recóndita bodega de chatarra. ¡Un momento! No todo es chatarra: detrás de tablas apolilladas u oxidados estantes podría esconderse un tocador art déco, un juego de sillas Van Beuren o una mesita sesentera. Casi todo necesita algún tipo de reparación, pero los precios lo valen. Si no tienes paciencia, olvídalo.

TENOCHTITLAN
Tenochtitlan, entre Granada y Rivero, Morelos; miércoles a lunes de 9 a 16 horas. Entre los vecinos del barrio que están chachareando como si nada, se distinguen un par de condeseros que tienen tiendas *vintage* de ropa o decoración ¡con las manos en la masa! Hay que tener suerte y volver cada semana –los miércoles son el mejor día.

SANTA CRUZ MEYEHUALCO
Unidad Santa Cruz Meyehualco, entre Samuel Gompers y Av. Ermita Iztapalapa; martes y viernes de 5 a 17 horas. Cada quien tiene su leyenda: hay quien encontró unos aretes de zafiro por 10 pesos, un juego de sillas del XIX por 100, un ropero de caoba por 500. Lo cierto es que, para esos hallazgo,s hay que llegar a las cinco de la mañana con una linterna.

TIANGUIS DE PORTALES
Fernando Montes de Oca, entre Santa Cruz y Libertad (detrás del Mercado de Portales), Portales; lunes a domingo de 10 a 17 horas. Por tradición es el botadero de muebles de las señoras de la Del Valle y colonias aledañas. Es fuente de increíbles muebles *vintage* de los años sesenta y setenta. Los coleccionistas de juguetes y chách:aras varias también podrían pasarla bien. En caso de no encontrar nada, una comida corrida en el mercado siempre es excelente consuelo.

Zientte

ZARA HOME
Perisur. Periférico Sur 4690, Jardines del Pedregal; 5335 3121; lunes a domingo de 11 a 20:30 horas. Ay, ya, acéptalo: a veces compras en Zara. Y si ya tienes un suéter de la marca, ¿por qué no una cobijita? O velas o portarretratos o vasos o cortinas. Como sus hermanos los de la ropa, los precios son más que razonables (y más en enero o julio). Sí, no es muy "exclusivo", ¿pero qué importa? Sucursales: Antara Polanco; 5282 3721. Parque Delta; 5530 9257. Lindavista; 5119 0906. Reforma 222; 5511 6180. Plaza Satélite; 5572 4090. Parque Tezontle; 9129 0263.

ZIENTTE
Goldsmith 101, Polanco; 5281 1476; zientte.com; lunes a viernes de 10:30 a 19 horas, sábados de 11:30 a 19. Por alguna espantosa razón el plastipiel en muebles se niega a desaparecer de las tiendas. La buena noticia es que en Zientte se consiguen increíbles sofás, sillas y *puffs* de piel "de verdad" (¡qué feo tener que aclarar!), ya sea clásico cuero negro, pelaje de vaca o gamuza teñida de azul cielo.

VINTAGE

CHEZ JEANNE
5208 1235; chezjeanne.com; previa cita. El eslogan es "Bazar de tesoros y cháchara s", y describe muy bien lo

Galería Julio de la Torre

que se encuentra en este *showroom*: mesas, sillas, salas, espejos, manteles, cubiertos, lámparas chiquitas y grandes. El denominador común es que son de alguna década anterior a los ochenta, y que son inesperados.

CHIC BY ACCIDENT
Álvaro Obregón 49, Roma; 5511 1312; chicbyaccident.com; lunes a viernes de 10 a 20 horas, sábados hasta las 17. Hace 15 años el francés Emmanuel Picault llegó a México cargando sus obsesiones y extravagancias. Después puso esta grandiosa tienda, en la que ofrece sus insólitos hallazgos del siglo XX —mexicanos o de donde sean— a precios altos y a la vez justos. Aquí mismo hay un área llamada "Sexe by accident", dedicada a antigüedades eróticas.

CREACIONES NUTRIA
Londres 28, Juárez. Este pequeño local en la Plaza Washington existe desde 1973 y se dedica a la reparación y venta de artículos de piel y gamuza. Además venden cháchara s en una atmósfera como de otra época. Con frecuencia anuncian una liquidación porque "ahora sí" se van, pero eso no ocurre.

GALERÍA JULIO DE LA TORRE
Valladolid 55, Roma; 5514 9822; galeriajuliodelatorre.com; martes a sábado de 11 a 20 horas. Julio no abrió esta tienda hace tres años porque quisiera

EL LUGAR MÁS LEGENDARIO. «Ese domingo en la Lagunilla los intensos rayos del sol y el esmog se filtraban entre las cháchara y los viejos libros. '¿Cómo le va, señor Olmedo?', le dije a mi viejo librero. 'Y ahora ¿qué trajo de interesante?'. 'Pues mire', contestó, 'a usted que le da por la nostalgia conseguí con muchas dificultades toda la colección ya encuadernada de la revista *Sociales* desde 1936 a 1968' (...) Pretendiendo una actitud de indiferencia (el señor Olmedo es aún más carero en cuanto percibe el interés del cliente) tomé el primer volumen y comencé a hojearlo. Cerré el libro y le pregunté al señor Olmedo: '¿Cuánto?'. Es toda una época de México que ya se la llevó el diablo. '¿Cuánto, señor Olmedo?' Allí están los artistócratas de don Porfirio, que luego se volvieron pobres y los nacos de don Miguel, que luego se volvieron millonarios. '¿Cuánto?' Trae de todo: recetas, consejos, cuentos, hasta fotonovelas con Julián Soler. '¿Cuánto?' Le insistía con la frente perlada, tratando de disimular mi interés [...] 'Pues como quiero que usted se quede con toda la colección porque usted sí sabe apreciar estas cosas se la dejo toda a 30 mil.' '¿Qué? [...] Quince mil.' '¡Ah, qué guasona!, deme aunque sea 25 mil, eso vale mucho, palabra'. 'Quince mil.' 'También hay otro cliente que se interesa.' 'Quince mil.' 'Con usted no se puede.' 'Quince.' (...) 'Bueno, ahí muere, deme los 15 para que me persigne.' (...) Me fui con mis cuatro tomos y pensé: 'Estos aspectos de la vida social de la metrópoli fueron el diablo que nos llevó'.»

Guadalupe Loaeza en *Las niñas bien* (1985)

poner un negocio y ya, sino porque más bien su pasión por coleccionar y restaurar objetos del pasado tuvo una consecuencia lógica. Entrar es como repasar la historia del diseño del siglo xx, con acentos art déco y Bauhaus.

GRANA

Álvaro Obregón 187-B, Roma; granatienda.blogspot.com; lunes a sábado de 11 a 15 y de 16 a 20 horas. Aunque la tienda es muy chiquita se requiere tiempo para visitarla y dejar que los simpáticos Aldo y Alfredo te hablen de cada uno de los objetos que venden. Aman el vidrio de leche, la memorabilia de México 68 y los juguetes *retro* de todo el mundo. También hay plata, máquinas de escribir, candeleros y piezas salidas de algún delicioso sueño cincuentero. Una maravilla de tienda que es imprescindible visitar si quieres decorar tu casa sin mucho dinero y con muy buen gusto.

TIANGUIS DE CUAUHTÉMOC

Jardín Dr. Ignacio Chávez, entre Av. Cuauhtémoc, Dr. Liceaga, y Dr. Carmona y Valle, Doctores; sábados y domingos de 10 a 17 horas. Este mercadillo, especializado en juguetes y libros, pero en el que también se encuentran muebles y cháchara del siglo xx, ha ido creciendo: originalmente sólo había puestos alrededor del parque, pero se las han ido arreglado para filtrarse a los espacios interiores.

LA LAGUNILLA

Paseo de la Reforma, entre Comonfort y Jaime Nunó, Peralvillo; domingos de 10 a 17 horas. Los fundamentalistas dicen que ya no es lo mismo, que venden pura basura a precios inflados, que es una mafia. Nosotros no somos tan negativos y afirmamos con toda seguridad que La Lagunilla sigue siendo el mercado de pulgas del DF, que por cierto se ha mantenido a pesar de la expansión de los fayuqueros por la calle Comonfort. En efecto hay que estar atento a los timos de un par de estafadores que te quieren vender cuentas de vidrio hechas en China como joyas *vintage*, pero uno va agarrando colmillo.

LA VALISE

Zacatecas 126, Roma. Otro de los proyectos del ingenioso Emmanuel Picault es esta tiendita misteriosa, donde la especialidad son libros —de todos los temas—. También vas a toparte con un montón de objetos *vintage* irresistibles.

PIEZAS ÚNICAS

5256 0791; piezasunicas.com. Un estudio vivo, en el que nunca vas a encontrar lo mismo. Ricardo Radosh restaura incansablemente los muebles que llegan a sus manos, y aunque parezcan insalvables él les da una nueva vida, una nueva personalidad.

PLAZA DEL ÁNGEL (MERCADILLO)

Londres 161, Zona Rosa; antiguedadesplazadelangel.com.mx; sábados de 9 a 17 horas, domingos de 11 a 17:30. Otro clásico de los mercados de pulgas, desde 1980. Los precios son un poco más altos que La Lagunilla, pero con mercancía mucho mejor escogida. Es buena idea pasar cuando los vendedores están a punto de retirarse; alguno sucumbirá a tus regateos.

TROUVÉ

Culiacán 8, Condesa; 5264 0637; lunes a viernes de 11 a 20 horas, sábados de 12 a 16. Hace un par de años surgió Trouvé, con una impresionante selección de muebles de los años cuarenta, cincuenta, sesenta, setenta y hasta ochenta. Y por si fuera poco abrieron una sucursal más grande, sobre Avenida Baja California (5276 5611).

UNO & AAD

Sinaloa 199, Roma; 5211 7126; unoaad.com; lunes a viernes de 11 a 19 horas, sábados de 12 a 18 horas. El interiorista Gustavo Villazul mezcla aquí piezas del siglo xx con creaciones propias, y ofrece servicios integrales de decoración.

ANTIGÜEDADES

DANIEL LIEBSOHN

Durango 131, Roma; 5525 3327; liebsohn.com.mx. Además de la tienda dentro de la Plaza del Ángel, el *enfant terrible* de las antigüedades en México tiene esta extraordinaria galería. Además del valor de los objetos hay que reconocer su talento para ordenarlos dentro del espacio y crear divertidas escenas y alegorías.

LA ORILLA

Veracruz 38, Condesa; 5553 4681; lunes a viernes de 12:30 a 15:30 y de 18:30 a 21 horas. Un localito tradicional de la Condesa, atendido por sus mismos dueños, apasionados de las antigüedades y muy honestos con lo que venden. Hay lámparas, muebles, adornos, cristal y sorpresas del siglo xx y hasta del xix.

MORTON

Monte Athos 179, Lomas de Chapultepec; 5283 3140; lmorton.com. Casa de subastas que existe desde 1988. Empezó como una galería de antigüedades y ahora se dedica a venderlas al mejor postor.

PLAZA DEL ÁNGEL (GALERÍAS)

Londres 161, Zona Rosa; antiguedadesplazadelangel.com.mx; lunes a viernes de 10 a 19 horas, sábados de 11 a 17. He aquí el punto clave para las antigüedades en el DF, con más de 15 tiendas-galerías. Entre ellas destacan Cirial, con piezas del siglo xix;

Daniel Liebsohn

TRES SUSTENTABLES

PIRWI

pirwi.com. La famosa marca de diseño sustentable, encabezada por Emiliano Godoy (godoylab.com) y Alejandro Castro (alejandrocastro.com), acaba de volver con un *showroom* en Polanco. Sus muebles tienen mucha personalidad y los puedes comprar sin remordimiento ecológico.

SALVADOR GALLARDO

Peralvillo 60, Morelos. Este local sigue siendo una refaccionaria, pero su dueño, el Sr. Gallardo, hace años decidió que las piezas de autos descontinuados podían tener una segunda vida como partes de muebles. Y se puso a soldar, con resultados bastante afortunados. Ahora le puedes encargar mesas, sillas y hasta camas de lo más originales, eso sí, muy pesadas.

SUHAB

Mérida 30, Roma; 5514 5471; suhab.com.mx. Un grupo de diseñadores comprometidos con el medio ambiente crearon hace dos años esta marca, que empezó con bolsas de tela que se distribuían en tiendas de diseño y que recientemente abrió su tienda. Ahí, además hallarás portacolillas, macetas, bolígrafos biodegradables con semillas integradas que al secarse se siembran y generan nueva vida, un compostero y camisetas para difundir el mensaje ambientalista.

La Estampa, donde hallarás libros y documentos impresos; Óscar Lozano, de estilo europeo de los siglos XVIII y XIX; y Daniel Liebsohn, con una gran selección de piezas mexicanas.

RODRIGO RIVERO LAKE
Campos Elíseos 199, PH, Polanco; 5281 5505; rlake.com.mx; lunes a viernes de 10 a 18 horas y fines de semana con previa cita. Es increíble venir a esta tienda, propiedad de uno de los anticuarios más importantes de México.

SAN CRISTÓBAL
Durango 87, Roma; 5207 8821. En palabras del propio Gabriel, dueño de este negocio de antigüedades desde 1987, el lugar no se mide por sus dimensiones, sino por lo que alberga. El sitio es una locura con objetos apilados por montones. Todo de excelente gusto.

ESTUDIOS DE INTERIORISMO

BALA STUDIO
Cuauhtémoc 168, Coyoacán; 5659 9964; balastudio.com; previa cita. Fundado en el año, 2000 por Xanath Lammoglia y Andrés Amaya, este estudio diseña muebles ergonómicos para tener sexo.

BGP
Chicago 27, piso 4, Nápoles; 5523 3468; bgp.com.mx; lunes a viernes de 9 a 14 y de 16 a 20 horas. Bernardo Gómez-Pimienta, uno de los interioristas mexicanos más famosos, y conocido por el Hotel Habita, es capaz de crear o convertir cualquier espacio.

ESRAWE
Alfonso Reyes 58, Condesa; 5553 8847; esrawe.com; lunes a viernes de 9 a 14:30 y de 16 a 19 horas. Studio: Culiacán 123, Condesa; 5553 9611; lunes a viernes de 9 a 19 horas. Originales y divertidos, pero funcionales ante todo. Así son los muebles y objetos de Héctor Esrawe. En el *showroom* hallas piezas de otros grandes del interiorismo mexicano.

EZEQUIEL FARCA
Campos Elíseos 158, Polanco; 5254 1625; ezequielfarca.com; lunes a viernes de 11 a 20 horas, sábados de 10 a 16. De las grandes ligas de interiorismo nacional. Farca y su equipo de expertos no sólo trabajan en grandes proyectos, sino que se adaptan a cualquier espacio.

HABITACIÓN 116
Campos Elíseos 116, Polanco; 5203 0904/1396; habitacion116.com; lunes a viernes de 11 a 19:30 horas, sábados hasta las 15. Este estudio ha estado al frente del diseño de Louis Vuitton, Chanel, Cosmética y el Rioma, etcétera.

OMELETTE
Chihuahua 78, Roma; 5564 7570; omelette.com.mx; previa cita. El diseñador Héctor Galván cree que lo más sencillo puede ser lo mejor. El estudio se hizo famoso por ambientar los hoteles Básico y Deseo en Playa del Carmen, y por su sede, la magnífica Casa Prunes.

STUDIO ROCA
Amsterdam 271, Condesa; 5004 1972; studioroca.com; lunes a sábado de 10:30 a 19:30 horas. Fundado en 2002, éste es un despacho de interiorismo que además de coordinar proyectos y tener sus propios diseños de muebles (hace poco lanzaron una ecológica que hay que mirar) distribuye marcas como Tom Dixon, Alphaville Design, Moooi, GT Design, Black+Blum, Bloom y Dab.

Esrawe

Ezequiel Farca

Daniel Liebsohn

INTERIORISMO EN LA ÉPOCA COLONIAL

En 1565, el fraile Andrés de Urdaneta estableció una ruta para comunicar el archipiélago filipino con Acapulco, que sirvió hasta principios del siglo XIX. Seis meses tardaba en llegar un navío cargado con 560 toneladas de mercancía. Por este comercio las casas privilegiadas de la Nueva España se llenaron de objetos de lujo asiático: Cristos y Guadalupes con los ojos delatoramente rasgados, biombos chinescos, alfombras de seda chinas o persas, cojines de terciopelo y damasco mandarín, porcelanas, muebles incrustados, como tocadores y mesas para jugar al truco, sedas y tapices orientales. A lomo de mula llegaban del puerto a la ciudad para tocar el interior de las mansiones mexicanas.

Los biombos, llamados biobos o biogos, chinos o japoneses, fueron un elemento indispensable del lujo doméstico novohispano: dorados, cubiertos de raso o de manta de hilo, con realces de oro, decorados (las cuatro partes del mundo, fábula de Príamo y Tisbe, encuentro de Cortés con Moctezuma, los cinco sentidos, jarras, montería, flores y animales son algunos motivos que constan inventarios de la época). En las alacenas novohispanas, que solían tener puertas de alambre, se almacenaban las vajillas de porcelana china, junto a los trastos de alfarería local. En los escaparates, o gabinetes, de ébano y marfil, los más lujosos, por fuerza había alguna pieza que había llegado del Oriente, como flores talladas en piedras preciosas, leones *tasetse* (de Fou Kien), junto a un reloj y un autómata occidentales. Las pinturas, de artistas locales, y la platería eran elementos complementarios de la ostentación novohispana. Las sedas chinas fueron siempre el material favorito para cielos, cortinas y mangas de cama. dF

CONSTRUCCIONES
ESPACIOS PÚBLICOS
CINES ABANDONADOS
UNIDADES
HABITACIONALES
ÁRBOLES EMBLEMÁTICOS

Archivo General de la Nación. Fondo Hermanos Mayo.

CONSTRUCCIONES Y ESPACIOS PÚBLICOS FAVORITOS

ALBERCA OLÍMPICA FRANCISCO MÁRQUEZ

Río Churubusco esq. División del Norte, General Anaya. Fue sede de los deportes acuáticos de los Olímpicos de 1968. Ese mismo año Felipe el *Tibio* Muñoz ganó aquí la única medalla de oro que México ha alcanzado en natación. Recientemente fue restaurada en su totalidad. Cuenta con una fosa de clavados de 5.20 metros y una torre de clavados con dos plataformas de 6.5 y 10 metros. También alberga el gimnasio Juan de la Barrera.

BASÍLICA DE GUADALUPE

Plaza de las Américas 1, Villa de Guadalupe. El nueve de diciembre de 1631 la Virgen de Guadalupe le pidió a Juan Diego, un nativo de Cuautitlán, la construcción de un templo en este lugar. Como prueba plasmó milagrosamente su imagen en el manto que se venera al interior de este santuario. Junto al templo de Pedro de Arrieta, de 1709, se construyó en 1976 una nueva basílica, del arquitecto Pedro Ramírez Vázquez, con su característico domo verde de bronce. Este colosal edificio apenas está en proporción de un culto que cada año atrae a millones de peregrinos.

CASA PRUNES

Chihuahua 78, Roma. Para cumplir el sueño de habitar una ciudad moderna, en la colonia Roma se levantaron edificios como éste, de la compañía Prunes, en 1916. El estilo art nouveau, restaurado completamente en 2004, se limita a la decoración de la fachada. Los interiores se remodelaron según el gusto contemporáneo.

CENTRO CORPORATIVO CALAKMUL

Vasco de Quiroga 3000, Santa Fe. Popularmente conocido como "la lavadora" este colosal conjunto fue concebido en 1994 por Agustín Hernández Navarro, famoso por su arquitectura emocional, como uno de

Basílica de Guadalupe

“ Visitamos la Catedral de Nuestra Señora de Guadalupe [...] Pasamos por suburbios pobres, en ruinas y sucios, y con tal promiscuidad de olores que sólo me atrevería a desafiar con agua de colonia. Después de salir de la ciudad el camino no es muy atractivo, aunque en gran parte consiste en una ancha y recta calzada con arbolado en ambos lados. ”

Madame Calderón de la Barca en *La vida en México* (1839)

“ Han emprendido su peregrinación desde los pueblos más lejanos; han recorrido con devoción la vieja Calzada de los Misterios hasta llegar al atrio en que los danzantes, como hace siglos en honor de Tonantzin, bailan, gritan, musitan rezos en honor a la Virgen de Guadalupe. ”

Salvador Novo en *Imagen de una ciudad* (1967)

“ Si algún día se olvida a la Virgen de Guadalupe en México, estará en peligro de desaparecer la nacionalidad mexicana. ”

Ignacio Manuel Altamirano

En marzo de 2009, cuando se encontraba frente al manto con la imagen de la Virgen de Guadalupe, la secretaria de Estado Hillary Clinton preguntó quién la había pintado.

El 12 de diciembre de 2009 llegaron cinco millones de peregrinos a conmemorar la cuarta aparición de la Virgen de Guadalupe.

Casa Prunes

Edificio Basurto

los primeros edificios inteligentes del DF, incluyendo planes para el ahorro de agua y electricidad.

DEPORTIVO XOCHIMILCO

Av. Francisco Goitia esq. 16 de Septiembre, Xochimilco. Fue una sede olímpica en el sur de la ciudad. Inaugurado en 1964, tiene una de las explanadas más grandes del DF, así como canchas de todo tipo, desde pelota vasca hasta futbol y voleibol playero. Antiguamente fue parte de la Hacienda Olmedo, sitio por donde pasaron en 1847 los ejércitos de los invasores estadounidenses al mando del general Worth. En 2001 albergó al subcomandante Marcos y a los delegados del Ejército Zapatista de Liberación Nacional (EZLN) durante su visita a la capital mexicana.

EDIFICIO ART NOUVEAU

Guanajuato esq. Mérida, Roma. Con sus curvas el art nouveau evoca formas vegetales y femeninas, como en este edificio de los años veinte catalogado por el INBA. Abandonado luego de los terremotos de 1985, y posteriormente adecuado, ahora aloja una de las vecindades más bonitas de la ciudad. Ha sufrido pocas remodelaciones. Sus balcones de seis tamaños distintos se repiten libremente por todo el edificio.

“Odiaba la colonia Roma porque empezaban a desertarla las buenas familias y en aquellos años la habitaban árabes y judíos y gente del sur: campechanos, chiapanecos, tabasqueños, yucatecos.”

José Emilio Pacheco en *Las batallas en el desierto* (1981)

Edificio Balmori

EDIFICIO BALMORI

Orizaba 101, esq. Álvaro Obregón, Roma. Estuvo a punto de ser demolido a finales de los años ochenta a causa de su mal estado. La colonia Roma habría perdido parte de una de sus esquinas más emblemáticas. Por suerte, artistas y escritores organizados por Aldo Flores emprendieron una cadena humana para proteger el edificio, y finalmente en los años noventa se recuperó el esplendor que lució durante su inauguración en 1922, con su bello patio interior, la fuente y los amplios balcones. Es obra del arquitecto Ignacio Capetillo y Servín, el mismo que construyó el Teatro de la Ciudad; a un costado también hizo el elegante Cine Balmori, que funcionó de 1930 hasta los años cincuenta, y en el que se proyectaron películas tan memorables como *La novia de Frankenstein*. Muy lejanos están los días en que la Roma era una colonia de cines: Vanguardias, Royal, Gloria, Morelia y Estadio; todos desaparecidos.

EDIFICIO BASURTO

Av. México 187, Condesa. Terminado en 1945, conquistando una altura que sólo permitía el concreto. El lujo asociado a la zona quedó materializado en el edificio más alto del DF en aquel año, y con María Félix en una escena de *La diosa arrodillada*. La extraordinaria mezcla de art déco y funcionalismo son obra del arquitecto Francisco Serrano. Todo defeño debería conocer su *lobby*.

Edificio Banco Mexicano

Edificio Ermita

Edificio Niza

EDIFICIO COSMOS

Vizcaínas esq. Eje Central, Centro.
Pocos edificios sobre el Eje tienen el porte y dignidad del Cosmos, construido en los años cuarenta. A pesar de estar desocupado desde hace años, de manera enigmática, sigue en perfecto estado. La puerta es un trabajo de herrería *streamline*, casi constructivista, oculta entre puestos de comida y pollerías.

EDIFICIO BANCO MEXICANO

Motolinía esq. 5 de Mayo, Centro. Este edificio art déco, inaugurado en 1926, fue residencia de la familia Escandón. Actualmente, dividido en departamentos, ostenta en sus interiores el mármol negro y los detalles dorados originales.

EDIFICIO ERMITA

Revolución esq. Av. Jalisco, Tacubaya.
Por el rumbo de la Ermita del Calvario se edificaron los ocho pisos de altura, que alguien apodó "el hachazo de concreto", y que ensayó combinar un teatro para 3,000 personas, departamentos y locales comerciales. Ahí vivió Manuel Altolaguirre, y por su elevador subió más de una vez Cernuda.

EDIFICIO LAFAYETTE

Culiacán esq. Citlaltépetl, Condesa.
Pedro Ríos Seco construyó en 1935 este edificio art déco, que aún conserva su nombre en tipos metálicos. Vio incendiarse la planta baja (en los años ochenta), un piano de cola entrar y salir del segundo piso, un crimen de nota roja y mejores años. Perdió la calefacción, el elevador y la escalinata de mármol. Ha sido escenario de filmaciones.

EDIFICIO NIZA

Amsterdam 73, esq. Parras, Condesa.
Este edificio de 1934 es uno de los primeros ejemplos del movimiento moderno en nuestra ciudad: ausencia de decoración en las fachadas, grandes ventanas y economía de líneas. Fue proyectado por dos de los arquitectos más importantes de su época: José Creixell y Enrique de la Mora; este último participó en la construcción de la Facultad de Filosofía y Letras de la UNAM.

EDIFICIO RAMÓN

Circuito Interior esq. Xólotl, Anáhuac.
De estilo neocolonial (la moda entre 1915 y 1931), parece al mismo tiempo una fortaleza y una vecindad. El letrero en la esquina se lee con claridad desde el Circuito Interior. Este edificio de los años treinta tiene el gran sabor y optimismo de esa época, aunque ahora soporte mantas de publicidad inmensas.

Edificio Vizcaya

Edificio Río de Janeiro

EDIFICIO RÍO DE JANEIRO

Plaza Río de Janeiro 56, Roma. Gran clásico de la colonia, y de la ciudad en general. Muchos lo conocen como "la casa de las brujas" por la peculiar forma del tejado. Fue construido por el arquitecto R. A. Pigeon, en 1908, con ladrillo aparente. En los años treinta fue remodelado por Francisco J. Serrano, quien le añadió un toque art déco a la entrada y al patio interior.

EDIFICIO VIZCAYA

Bucareli 128, Centro. Por las escaleras de este edificio, construido en 1922 a imagen de la Escuela de Bellas Artes de París, vagaban los gatos de Pita Amor con un cascabel al cuello. Entre los departamentos se abre un patio sombreado y fresco. Vivieron aquí el actor Ricardo Montalbán y el dramaturgo Luis G. Basurto. Restaura algo del aire señorial que hubo en Bucareli ("hoy un arrabal", según Rafael Tovar y de Teresa).

«En el paseo llamado de Bucareli cada tarde se pueden ver dos largas filas de carruajes llenos de señoras, multitud de caballeros montando a caballo entre el espacio que dejan los coches, soldados, de trecho en trecho, que cuidan el orden y una muchedumbre de gente del pueblo y de léperos, mezclados con algunos caballeros que se pasean a pie.»

Madame Calderón de la Barca
en *La vida en México* (1839)

«Hemos tenido ocasión de quejarnos, a solicitud de muchos concurrentes a este Paseo de Bucareli, del fango que poco ha se hacía so pretexto del riego: antes sobraba agua, y ahora falta: en la tarde de ayer era tal el polvo que levantaban los coches, que tuvieron que desertar más que de prisa muchas bellas que allí habían ido a respirar el dulce ambiente de la tarde, por justísimo temor a las anginas que actualmente reinan en la capital.»

Revista *El Daguerrotipo*
(26 de abril de 1851)

EDIFICIOS CONDESA

Mazatlán, Juan de la Barrera, entre Veracruz y Agustín Melgar, Condesa. Los 170 departamentos en estos edificios fueron construidos entre 1911 y 1925. Aquí han vivido muchos de los artistas más importantes de México. En ellos se desarrollan novelas como *La obediencia nocturna* de Juan Vicente Melo e *Instinto de Inez* de Carlos Fuentes.

ESTADIO OLÍMPICO UNIVERSITARIO

Insurgentes Sur s/n, Ciudad Universitaria. En este estadio construido entre 1952 y 1954 se realizó la inauguración de los Juegos Olímpicos de 1968. Construido

Estadio Olímpico Universitario

casi en su totalidad con roca volcánica de la zona, el estadio tiene en su interior murales de Diego Rivera; el más notorio es el que se encuentra sobre la puerta de entrada titulado *La Universidad, la familia mexicana, la paz y la juventud deportista*.

FRONTÓN MÉXICO

Plaza de la República s/n, Tabacalera. Una de las grandes obras del art déco mexicano. Se construyó en 1929 sobre un terreno de 3,300 metros cuadrados. Durante años fue un importante sitio de reunión: en los altos del Frontón nació el PAN en 1939; ahí también acudieron más de 2,000 personas a un banquete de despedida para Pablo Neruda, presidido por el general Lázaro Cárdenas, cuando en 1943 el poeta abandonó el país. El enorme y decorado edificio fue proyectado por la colonia española, pero luego de un periodo de decadencia fue adquirido por el empresario Moisés Cosío. El Frontón México es una de las grandes presencias de la Plaza de la República, cercano al Monumento a la Revolución y al edificio de la CTM. Luego de 15 años de permanecer cerrado, el Frontón México fue remodelado para su reinauguración con motivo de las fiestas del Bicentenario.

IGLESIA DE LA MEDALLA MILAGROSA

Ixcateopan esq. Matías Romero, Narvarte. Planeada por Félix Candela en colaboración con Mathias Goeritz entre 1945 y 1955. Por fuera: la torre que fácilmente podría ser una estructura industrial y la estrellita encantadora de la punta, la nave y el concreto que parece ser cartulina doblada, sostenida por palillos. Por dentro: las columnas, las tres naves y lámparas, incluso en los confesionarios. La forma peculiar de este edificio se debe a los estudios sobre los paraboides hiperbólicos que realizó durante muchos años el arquitecto Candela y que le permitió experimentar con las posibilidades de los techos en sus construcciones, como en el Palacio de los Deportes.

MONUMENTO A LA RAZA

Insurgentes Norte esq. Vallejo, Vallejo. Todos lo ubicamos, pero ¿cuántos hemos caminado junto a él? Esta pirámide fue terminada en 1940 por el ingeniero Francisco Borbolla, y simboliza la fundación de Tenochtitlán y su defensa de los españoles. El águila de bronce en su cúspide pertenecía originalmente a la punta del Palacio Legislativo (hoy Monumento a la Revolución) que al final del porfiriato quedó inconcluso. Su construcción fue ordenada por Lázaro Cárdenas. No está mal cruzar Insurgentes para ver los relieves que hizo Jesús F. Contreras inspirándose en las pirámides de Xochicalco.

“La ridícula pirámide de concreto, caricatura de nuestros monumentos prehispánicos, forma parte del turismo *kitsch* de la ciudad.”
Carlos Obregón Santacilia

MUSEO DE GEOLOGÍA

Jaime Torres Bodet 176, Santa María la Ribera. En el corazón de la colonia se

Palacio de Bellas Artes

CUATRO ÁRBOLES EMBLEMÁTICOS

ÁRBOL DE LA NOCHE TRISTE

México-Tacuba esq. Mar Blanco, Popotla. Después de un debate entre historiadores durante el porfiriato, se llegó a la conclusión de que éste es el ahuehuete en el que supuestamente lloró Hernán Cortés la noche del 30 de junio de 1520 después de la victoria de los guerreros aztecas. Hoy sólo quedan sus restos a causa de un incendio ocurrido en 1980.

ÁRBOL DE LA VIDA

Hidalgo 289, Del Carmen Coyoacán. Un árbol que no es árbol, sino barro. Es colorido y proviene de Metepec, Estado de México. Se encuentra a la entrada del Museo Nacional de Culturas Populares y es un icono de Coyoacán.

EL BAOBAB

Boulevard Manuel Ávila Camacho 184, Lomas de Chapultepec. Es un árbol que sobresale desde el noveno piso de un edificio sobre el Periférico. Hace 16 años al arquitecto Víctor de la Lama se le ocurrió colocarlo en sus oficinas, y ahora es una referencia en el norponiente de la ciudad. El baobab recibe meticulosos cuidados para que no se extienda demasiado y destruya el macetón de dos metros de diámetro que lo soporta, que por cierto cuenta con un mecanismo de autorriego. Sus ramas llegan ya al piso 14.

LA PALMA DE NIZA

Paseo de la Reforma esq. Niza, Juárez. ¿Qué sucederá cuando muera esta palmera? ¿Construirán una de bronce en su honor? La glorieta pertenece al trazo original del Paseo de la Reforma, emprendido en 1864, y es la única sin prócer al centro.

edificó el Instituto Geológico Nacional. Se concluyó en 1906, y su construcción estuvo a cargo del arquitecto Carlos Herrera López. Es un pequeño palacio frente al quiosco morisco de la alameda que a partir de 1929 pasó a formar parte del patrimonio de la Universidad Nacional. Se convirtió en museo cuando el Instituto se trasladó a Ciudad Universitaria en 1956. Destaca el friso decorado con fósiles, minerales y cráneos de dinosaurios, así como la escalinata art nouveau al interior.

PALACIO DE BELLAS ARTES

Av. Juárez esq. Eje Central, Centro. Obra cumbre del porfiriato proyectada por el italiano Adamo Boari. Cuando planeó el Teatro Nacional en 1907 quería competir con la belleza de la Ópera de París. Sobre los restos del antiguo convento de Santa Isabel se edificó con mármol traído de Carrara y Durango. La Revolución interrumpió las obras en 1913, hasta que en1934 cuando el arquitecto Federico Mariscal terminó el edificio con motivos art déco característicos de la época. Los

Parque Lincoln

cuatro pegasos, hoy frente al edificio, son obra del catalán Agustín Querol, y fueron concebidos para rematar las esquinas de la cúpula. Leonardo Bistolfi esculpió algunas de las figuras de la fachada del edificio. El Teatro abrió con la representación de una obra de Juan Ruiz de Alarcón. Además, al interior hay murales de Rivera, Orozco, Siqueiros y Tamayo.

“Pasamos frente a la gran Ópera de México, en construcción, cuya mole orgullosa y demasiado pesada se hunde en el suelo a medida que se levanta, de manera que, como un teatro inglés, su gallinero quedará muy pronto al nivel de la calle.”
Paul Morand en *Viaje a México* (1940)

PARQUE LINCOLN

Julio Verne esq. Emilio Castelar, Polanco. Se encuentra en el corazón de la colonia. Este parque es el hermano menor del Parque México en la Condesa, planeados ambos por los urbanistas De la Lama y Basurto en 1920. Aún ostenta adornos y señalizaciones art déco. Sus jardines son tupidos, frescos y sombreados. En él hay estatuas de Abraham Lincoln y Martin Luther King. Y a sus alrededores casas de estilo californiano, tal como lo estipulaban las condiciones de los contratos de construcción de los años veinte. Hay una enorme jaula para pájaros, un teatro al aire libre y una torre con su reloj, además de los famosos espejos de agua.

“¡Oh, Polanco! ¿Quién se llevó su tranquilidad, su prestigio de zona residencial? ¿Quién la desmaquilló para pintarrajearla con letreros de todos colores y sabores? Ahora colonia de zonas comerciales, boutiques, oficinas burocráticas, taquerías, supermercados, clínicas unisex, cineclubes, hoteles, creperías y vulcanizadoras. Antes, no hace mucho tiempo, colonia de filósofos, poetas y escritores. Horacio y Homero nos llevaban de la mano hasta el parque bajo un cielo recién salido de la lavandería.”
Guadalupe Loaeza en *Las reinas de Polanco* (1988)

CUATRO CINES QUE EXTRAÑAMOS

COSMOS

México-Tacuba esq. Circuito Interior, Anáhuac. Se quemó antes de ser inaugurado, en 1946. Pero se arregló y dos años después logró recibir a 2,600 vecinos el día de su apertura, casi todos de las colonias Anáhuac, Tlaxpana, San Cosme y Santa Julia. La construcción es de Carlos Vergara. Frente a las puertas ocurrió la famosa represión estudiantil de junio de 1971.

LATINO

Paseo de la Reforma 296, Juárez. Su edificación inició en 1942, pero se inauguró hasta 1960. Tuvo capacidad para 2,500 espectadores, y un vestíbulo elegante. Perdura la marquesina, con grandes letras de acrílico rojo. Aquí se planea la construcción de un rascacielos que estaría listo antes de 2012.

ÓPERA

Serapio Rendón esq. Ribera de San Cosme, San Rafael. Desde 1949 sobresale entre los edificios de la colonia. Fue proyectado por Félix Nuncio y decorado por el español Manuel Fontanals. El periódico *Excélsior* publicó el día de su inauguración: “Candilería de bronce y cristal, muros de espejo y muebles de exquisita distinción [...] Un cuento de hadas convertido en realidad, construido con gran lujo para orgullo del pueblo mexicano”.

TERESA

Eje Central, entre Vizcaínas y Delicias, Centro. Abrió en 1942 con 3,105 butacas rojas, nueve representaciones de musas y tres de gracias como un cine “para señoritas”. Luego como cine porno ostentó el prestigio dudoso de ser la sala más antigua, grande y lujosa del mundo dedicada a ese género. A finales de 2010 el futuro de esta construcción emblemática del Centro era incierta.

“Eran tan grandes que podías perderte en ellos, incluso era de lo más normal ir a vivir al cine. Yo perdí mi virginidad en una de esas salas. Y es que la gente iba a hacer todo lo que quería.”
Jorge Ayala Blanco

Plaza de la Solidaridad

EL LUGAR MÁS LEGENDARIO

PLAZA DE LA SOLIDARIDAD (HOTEL REGIS). Juárez entre Balderas y Dr. Mora, Centro. La desaparición del Hotel Regis, inaugurado en 1914, despejó un terreno que ahora funciona como parque. El hotel, con sus 367 habitaciones, teatro, baño turco y bares fue uno de los centros de la vida política y cultural de la ciudad de México. Ahí Agustín Lara estrenó "Piensa en mí", y en sus habitaciones durmieron Clark Gable, María Félix, Sergei Einsenstein, García Lorca y D. H. Lawrence (que lo detestó). El hotel también albergó las pinturas de Nahui Ollin, vio ante sus puertas parte de la represión de movimientos estudiantiles y escuchó conspirar a los generales en 1929. En los años treinta el servicio de masaje costaba un peso e incluía azufre, sal y alcohol. Las calderas, transtornadas por el terremoto del 19 de septiembre, incendiaron el inmueble en 1985.

« La ciudad está cubierta de polvo, que raspa la garganta, sale de cientos de edificios; asfixia el polvo, lo cubre todo. Aterrados los madrugadores tratan de abrirse paso en medio de esa neblina café, terrosa. De pronto una voz: 'Está ardiendo el Regis'. Alguien ha prendido a todo volumen un radio de transistores en un coche estacionado. »

Elena Poniatowska en *Nada, nadie. Las voces del temblor* (1988)

« A lo largo del día el Regis estuvo ardiendo. Su fuego pasó al edificio contiguo, el de la tienda Salinas y Rocha, y a continuación la lumbre atacó a una construcción más, pegada al almacén citado: el Archivo de la Secretaría de Marina, en Doctor Mora y Colón. »

Nikito Nipongo en *Perlas* (2001)

CUATRO PLAZAS POR REDESCUBRIR

PLAZA CÁDIZ
Valencia entre Cádiz y Santander, San José Insurgentes. Una fuente desconcertante por su altura y estilo, semejante a la de Plaza Popocatépetl, en la colonia Condesa.

PLAZA DEL ESTUDIANTE
Peña s/n, Centro Histórico. Lugar casi olvidado, cerca del metro Tepito. Ha sido remodelado recientemente, luego de haber sido lugar de comercio ambulante e indigencia. Aquí está la Casa del Estudiante, en donde se hospedaron en distintas épocas Tina Modotti, Julio Antonio Mella, el *Che* Guevara y Fidel Castro.

PLAZA POPOCATÉPETL
Av. México esq. Popocatépetl, Condesa. Fresca y silenciosa, en el circuito del Hipódromo que Basurto y De la Lama fraccionaron en 1924. En torno al pabellón art déco, un café, el hermoso Edificio Lux y la sombra de árboles centenarios. Apareció como una espiga de la primera versión de ciudad moderna del siglo XX.

PLAZA WASHINGTON
Londres esq. Dinamarca, Juárez. Fue llamada originalmente Plaza Dinamarca y solía tener un monumento a George Washington. Queda muy poco de la arquitectura porfiriana que distinguió a esta colonia. En la plaza vivió el antropólogo Manuel Gamio; hoy la habitan miembros de la comunidad gitana.

Torre Latinoamericana

RELOJ SOLAR

Estación 10 de la Ruta de la Amistad. Periférico Sur esq. Insurgentes. Mathias Goeritz se encargó de ornamentar la ciudad de México con esculturas abstractas para los Olímpicos de 1968. En 2001, los colores cálidos de cada uno de los conos del *Reloj Solar* de Grzegorz Kowalski se restauró según su aspecto original.

TORRE ARCOS BOSQUES

Paseo de los Tamarindos 400, Bosques de las Lomas. "El pantalón" es obra de Teodoro González de León, Francisco Serrano y Carlos Tejeda. Por sus piernas corren 24 elevadores a cinco metros por segundo. Todo un emblema del progreso del pujante poniente de la ciudad.

TORRE LATINOAMERICANA

Eje Central esq. Madero, Centro. Modernidad en la técnica, en la voluntad de altura, en el estilo. Sueño de una década que parecía proyectar a México hacia el progreso de manera duradera y veloz. Apareció en el paisaje de la ciudad en 1956, con sus 180 metros de altura y facetas de vidrio para convertirse en uno de los símbolos arquitectónicos de la ciudad. Todavía hoy ofrece la mejor vista del DF desde su mirador. Llama la atención la referencia a su construcción en la película *Dos mundos y un amor* (1954) de Alfredo Crevenna, con Pedro Armendáriz e Irasema Dilián.

« La Torre Latinoamericana es una estalagmita sobre el teclado de la ciudad. »

Juan Bañuelos en *Una torre*

TORRES DE SATÉLITE

Periférico esq. Boulevard de las Misiones. Desde 1958 estas cinco torres (originalmente serían más) se yerguen a la entrada de Ciudad Satélite. Fueron planeadas por dos arquitectos religiosos: Luis Barragán y Mathias Goeritz. Según este último representan "una oración plástica, una serie de prismas que se levantan al cielo como una plegaria". La imagen se fijó en la imaginación de Barragán cuando visitó San Gimignano, en Italia; así nació una escena de torres ciegas, dominantes y tutelares. Cuando regresó a México le propuso la idea a Goeritz y juntos decidieron realizarla. Las recientes obras del Viaducto Bicentenario afectaron la solidez estructural de dos de ellas, por lo que algunos vecinos pidieron su demolición.

CINCO ESTACIONES DEL METRO CON HISTORIA

Metro Bellas Artes

BELLAS ARTES

Ostenta la entrada diseñada por Héctor Guimard para el metro de París. Por dentro tiene réplicas de piezas arqueológicas mayas y murales alusivos a Francia que Rodolfo Morales pintó en 1998.

ETIOPÍA

En 1935, únicamente México denunció la invasión de Etiopía por la Italia fascista; por eso, cuando el emperador Haile Selassie I visitó el DF en 1954, se develó una placa conmemorativa que la construcción de la estación de metro forzó a retirar en 1980. Labrado en ladrillo, la repetición del motivo en los muros, una cabeza de león, la distingue del resto.

INSURGENTES

Ubicada en uno de los espacios públicos más concurridos de la capital mexicana esta estación cuenta con un mural de Rafael Cauduro, que representa la cotidianeidad de los metros londinense y parisino, y otro de Marco Zamudio. Fue inaugurada el cuatro de septiembre de 1969. Su símbolo representa la Campana de Dolores, con la que Hidalgo llamó a la rebelión el 16 de septiembre de 1810. Aquí se filmaron escenas de la película *Total Recall* (1990) con Arnold Schwarzenegger. Afuera en la plaza se yergue un monumento al "sereno", nombre con el que se le conocía a los policías durante la época colonial.

PATRIOTISMO

Un escudo nacional gigantesco frente a una bandera, ambos de concreto vaciado, adornan los muros altísimos de los andenes. Aquí fueron asesinados cuatro transexuales en 2006.

PINO SUÁREZ

En el centro de la estación la pirámide de Ehécatl, que apareció durante su construcción, indica el extremo sur de la ciudad azteca. Cada año un aproximado de 54 millones de personas pasan frente al vestigio.

Torres de Satélite

Centro Urbano Presidente Miguel Alemán

Archivo General de la Nación, Fondo Hermanos Mayo.

UNIDADES HABITACIONALES CON HISTORIA

CENTRO URBANO PRESIDENTE MIGUEL ALEMÁN

Av. Coyoacán esq. Félix Cuevas, Del Valle. Fue edificado en 1949 por Mario Pani. Los 1,080 departamentos de la unidad fueron planeados siguiendo las ideas de Le Corbusier. Además de locales comerciales, guardería e instalaciones deportivas existen en su interior obras de José Clemente Orozco y Carlos Mérida. Fue el primer multifamiliar de América Latina.

COMPLEJO HABITACIONAL NONOALCO-TLATELOLCO

Entre Paseo de la Reforma, Eje 2 Norte, Ricardo Flores Magón e Insurgentes. Obra cumbre de Mario Pani, en 1964. Originalmente 144 edificios diseñados para albergar a 70 mil personas. Fue un ejemplo del nuevo urbanismo que convirtió depósitos de ferrocarril en habitaciones populares. A causa de los terremotos de 1985 se derrumbó el edificio Nuevo León, y posteriormente el resto de la unidad fue remodelada.

UNIDAD INDEPENDENCIA

Av. San Bernabé entre San Jerónimo y Presa, Progreso Tizapán. Arrancó en 1960 como un proyecto de vivienda revolucionario, con supermercado, clínica, escuela y zoológico. Venida a menos hay quien la apoda Humildad Independencia.

UNIDAD JUÁREZ

Orizaba entre Huatabampo y Antonio M. Anza, Roma. Ahora casi extintos estos edificios habitacionales ostentaban murales de Carlos Mérida (incluso la calle Orizaba pasaba por debajo de uno). El terremoto de 1985 la dañó severamente. Otra pérdida de la obra de Mario Pani. Hace muchos años, cuando era sólo un parque, solía pasear por él el poeta Ramón López Velarde con su novia.

VILLA OLÍMPICA

Insurgentes Sur 3493, Tlalpan. Los 29 edificios que la constituyen sirvieron para albergar a las delegaciones de deportistas que participaron en los Juegos Olímpicos de 1968. Posteriormente se convirtió en unidad habitacional, la cual se distinguió por ser el lugar en que vivió buena parte del exilio chileno y argentino durante la década de los años setenta. Todavía existe la alberca que utilizaron los atletas para entrenar. dF

EL DF QUE EXTRAÑAMOS

Once defeños célebres —nacidos aquí o adoptados con cariño y méritos— contestan una misma pregunta: ¿qué recuerdas con más cariño de la ciudad de México que ya no existe?

Madero esquina Bolívar

ARIEL ROSALES

EDITOR

Yo conozco muy bien el primer cuadro de la ciudad porque trabajaba ahí en las vacaciones, cuando era estudiante del Colegio México. Antes, las vacaciones eran en diciembre y enero. En Madero y Bolívar, una señora tenía una papelería especializada para contadores —ese edificio se conserva igualito— donde yo trabajaba. Durante cinco años, desde sexto de primaria, trabajé como mensajero en esa papelería, que estaba en el pasaje donde está el famoso Salón Corona, que une un cachito de Bolívar con Madero; creo que se llama Rioja. Curiosamente yo nunca fui al Salón Corona —de niño obviamente porque no me dejaban entrar, pero tampoco de joven ni de estudiante—; nunca fui cantinero. En esa época iba al Sidralí. Era una cosa increíble. El nombre provenía de una marca de sidral, que competía con Mundet: un "sidralito" pequeño, un poquito más grande que la Coca-Cola chica, con un casco muy llamativo. El Sidralí estaba en la esquina de Palma y Madero, ahora hay una joyería ahí. Y era un lugar puesto por la refresquera, pero ofrecían medias noches. Te podías sentar tantito, era como una tortería, chiquita, pero muy bien puesta. Un lugar maravilloso. Era una embotelladora familiar que estuvo ahí durante muchísimos años: cuarenta, cincuenta años. Y otro lugar: en Tacuba, entre Brasil y Palma, la Juguetería Paquín. Era una maravilla; creo que sigue, pero no sé. Hacían los soldados de pasta. Era un lugar como mágico.

EDUARDO CASAR

ESCRITOR

Me piden que escriba algo sobre mi lugar favorito de la ciudad de México, en la que he vivido toda mi vida. Reflexiono, me reflexiono, reflexiono las rodillas que me han llevado, engranándose y desengranándose por diversos rumbos, y caigo en cuenta de que no tengo un lugar favorito, un rinconcito que haya dejado abandonado y al que vuelva para lamerme las heridas. Ya más reflexionado me viene la certeza de que el lugar que más me gusta es donde estoy viviendo, no donde estoy viviendo ahora —aunque también—, sino donde he vivido cada vez que he vivido. Pasé mis primeros cuatro años en los altos de una casa de la Calzada de Tlalpan, exactamente a la altura del metro Ermita, donde hoy está un hotel Holiday Inn que antes se llamó Cibeles. Me acuerdo de mí asomándome al balcón y jugando con mis hermanos a adivinar a los cuántos coches ya vendría el de mi tío, cuando nos acompañaba de vacaciones a Acapulco. O sea que circulaban tan pocos coches que unos niños de cuatro años podían contarlos. Recuerdo la precaución minuciosa con que cruzábamos el amplio camellón que dividía la avenida para que no se nos fuera a atorar un pie en las vías del tranvía a Xochimilco.

Luego nos mudamos a la colonia Sinatel, famosa porque los taxistas no la conocían; su nombre viene de Sindicato Nacional de Telefonistas. La calle era Sur 73. Yo quería que la casa tuviera escaleras, mis hermanos que tuviera patio, y tenía escaleras y patio. Los zopilotes sobrevolaban el patio, y yo me acostaba a hacerme el muerto, con una espada en la mano, esperando para matar al zopilote que bajara a comerse mi cadáver. Muchos años después, cuando me puse literario, y ávido, y objeto de una sed tremenda, me fui a vivir al cuarto de la azotea, al que regresé al menos en dos ocasiones. Ahí se fue formando lentamente mi propia biblioteca. Luego viví en la colonia El Retoño, unos meses. Y luego en la Escuadrón 201. Aprovechaba el mercado de la 200, que me quedaba cerca. Fui conociendo las tiendas, las grietas del pavimento, el expendio de petróleo que quedaba enfrente de mi casa. En esas banquetas aprendió a caminar mi hija. Luego me trasladé a la colonia Unidad Modelo, donde me volví —me volvieron— plomero y carpintero bajo la dirección de un sabio maestro. Luego fui a darme a Colinas del Sur, junto a la barranca. Sentía que había llegado muy lejos: la ciudad quedaba abajo y en el fondo de la barranca pasaba un riachuelo. A esta colonia, a estas colinas, regresé en otra ocasión, sin coche y sin teléfono, pero siempre muy atento. Me llevé mi vida a otras muchas partes, pero ya no voy a contarlas —aunque fueron Torres de Mixcoac, la calle de Sonora y Pablo Ucello, cerca de la Plaza México—, sino a situarme en el presente.

Actualmente vivo en la Condesa. Cuando me preguntan por qué, les respondo que porque en la Marquesa hacía mucho frío. Como en las otras colonias, lo mejor que tiene ésta es caminarla. Lo mejor de los libros es leerlos. Caminar una ciudad es irla leyendo, encontrarse con personajes conocidos y desconocidos. Verse en los demás, asombrarse con un acuario que aparece en una esquina, con las tortugas que sacan a asolear enfrente de un salón de belleza. Leer es leerse a uno. Cuando viajo lo que más me sorprende es que viva gente en lugares remotos, que alguien se enamore en Riga, Madurai o Villaflores, y que viva ahí, que despierte y bostece y salga por el pan, y se enferme y se duerma. Y regresar a mi lugar, ver la calle, la vista, el escritorio, mis plumas o la camisa que me gusta tanto me da tal sensación de fortaleza, belleza y coherencia.

ELENA PONIATOWSKA

ESCRITORA

Me acuerdo de San Juan de Letrán, antes de que fuera Lázaro Cárdenas. Ahí había un cine que quise muchísimo. Se llamaba Cinelandia. Yo estudiaba taquimecanografía en San Juan de Letrán. Y a veces, en vez de ir a la taquimecanografía, iba a sentarme yo solita al Cinelandia. Tenía como 18, 19 años. Hasta que ya no pude ir porque se me vinieron a sentar ahí unos cuates. Las güeras tenían muchísimo pegue. En esa época tenían más pegue. Yo creo que no había tintes de pelo. Aquella ciudad era preciosa, muy accesible, muy cálida. Era chiquita, chaparrita. Era color de tezontle, así como achocolatada. No había ninguno de esos horribles edificios de departamentos que hay ahora. Cada quien tenía su casa en los años cuarenta, cuando yo llegué a México —mi hermana Kitzia y yo llegamos en 1943— y no sabía ni jota de español. No entendía nada de lo que decían.

Eran muy bonitos los personajes populares: el camotero, el cilindrero. El camotero tenía como una pequeña locomotora que hacía un sonido como de huérfano. Como un lamento. A mí me daba miedo. Y pasaba casi todos los días. Y todos los días pasaban los aboneros. Vendía vestidos, suéteres y delantales. Llevaban sus vestidos de popelina y sus suéteres de cocolitos muy bonitos. Vendían de puerta en puerta sus cosas. Eso era padrísimo: sus estilos. Como abonero nada más le dabas 20 pesos, 10 pesos o cinco pesos. Luego regresaba la semana siguiente y le dabas otros cinco. Yo tomaba mucho el tranvía Mariscal Sucre y el Colonia del Valle-Coyoacán. El Mariscral Sucre era verde y el Colonia del Valle-Coyoacán era rojo. Eso cuando vivimos en La Morena, aunque antes vivimos en Guadiana, y antes en Berlín 6 al lado de Nemesio García Naranjo: un viejito que escribía en el *Siempre!* y que llevaba siempre una boina vasca. Mi hermana y yo oíamos el radio acostadas cada una en su cama. Si nos portábamos mal, nos castigaban, y no podíamos oír al *Monje Loco*. Oía a la *Vitola* y al *Monje Loco*. *Vitola* cantaba el "Chiribiribín". Me fascinaba oírla cantar en el radio. Era genial. El *Monje Loco* pasaba como a las siete, ocho de la noche, antes de dormir. Y en el radio de entonces sonaba esa canción: "Estaban los tomatitos muy contentitos cuando vino el verdugo a hacerlos jugo".

Viví en la calle de Guadiana. Patinaba muy mal. Lo recuerdo porque había una actriz que vivía en la misma calle, y cada vez que salía, yo la perseguía en patines. Se llamaba Raquel Rojas, y a mí me llamaba muchísimo la atención. Ella bajaba de su departamento; tenía el pelo rojo. La perseguía en mis patines porque se me hacía muy guapa. Era muy buena gente. Me acuerdo que una vez estábamos en una reunión en casa de Buñuel —que hacía unos martinis muy ricos, y tenía los ingredientes en un refrigerador con candado para que no le fueran a robar su ginebra—, y yo les conté de qué manera me fascinaba Raquel Rojas, y entonces la esposa de Luis Alcoriza, a la que me habían presentado como Janet Alcoriza, me dijo: "Yo era Raquel Rojas". Haz de cuenta que se me había aparecido la Virgen de Guadalupe. Como actriz se llamaba Raquel Rojas, pero su nombre era Janet. Buñuel vivía por la calle de Félix Cuevas, en la colonia Del Valle. Era una cerrada Y Jean, su hijo, salía mucho a pasear a los perros. Buñuel iba él mismo a la puerta y te abría.

Mi mamá me contó que ella vio al hombre mosca subir por una de las torres de la Catedral Metropolitana, desde la Casa de los Azulejos, que era de los Iturbe —mi mamá era Iturbe—. Hay una banca en el Paseo de la Reforma, cerca de la calle de Berlín, donde yo vivía. Me acuerdo mucho de esa banca, porque había una nana, una muchacha que nos acompañaba a mi hermana y a mí, y una vez en esa banca le dio un ataque de epilepsia. Nosotros éramos demasiado grandes como para nanas, teníamos: 10 y 11 años. Me acuerdo de esa banca.

GUADALUPE LOAEZA

ESCRITORA

Cortesía

Tengo muchos lugares entrañables de la ciudad de México, pero viendo hacia atrás de pronto me vi caminando de la mano con mi mamá por avenida Juárez y Madero, por los cincuenta. Mi mamá tenía una especie de itinerario que hacía tres veces a la semana. Consistía, unas veces, en ir a misa en San Francisco e invariablemente desayunar en el Sanborns de la Casa de los Azulejos. Ahí había dos mesas, que siempre estaban llenas con gente que se reunía prácticamente diario: la mesa de las comulgantas y la mesa de las comunistas.

A la mesa de las comulgantas iba la esposa de Velasco Quiñón —un huesero muy importante que operó varias veces a Frida Kahlo—, Lupita de la Arena, Carmen Velasco Cimbrón. Eran las comulgantas; iban todos los días a San Francisco, y comulgaban, y después desayunaban sus fresas con crema, sus huevos a la mexicana, sus molletes, y se quedaban platicando, muertas de la risa, y hablando de cosas de la sociedad: las últimas bodas, quién se divorció, quién va a ser el próximo presidente, las últimas movidas del tapado, de los secretarios. Temas muy de sobremesa. Hablaban más que nada de la gente, de la columna de Barrios Gómez, tal vez, que era en ese momento muy leído. También de la columna de Carlos de Negri. No necesariamente eran mujeres cultas. No habían votado, no estaban informadas; eran mujeres que no tenían oficio ni beneficio.

Después mi mamá se cambiaba de mesa, ya cuando las comulgantas se iban a atender tareas de su casa. En la mesa de las comunistas estaban Esther Chapa, Amalia Caballero —la primera embajadora de México—, Trixi, Rosario Sansores. Eran mujeres periodistas, letradas, disidentes, militantes. Ahí mi mamá se quedaba mucho tiempo platicando, siempre viendo a la gente que entraba; conocía a todo México, y Sanborns era el lugar de encuentro. Veía, por ejemplo, entrar al licenciado Miguel Alemán; a Gómez Morín, que tenía su despacho muy cerquita; a García López, que figuraba para rector de la Universidad. Llegaban Joaquín Pérez, los hermanos Caso, Martínez Báez, escritores como Andrés Henestrosa, Agustín Yáñez, de vez en cuando Octavio Paz, Luis Spota. Sus amigas comulgantas le decían: "Ay, Lola, ¡pero qué atrevida eres! ¿Por qué le preguntaste eso al ministro? ¡Qué bárbara!".

Yo no me quedaba en ninguna de las dos mesas, sino que me distraía. Iba a comprar chocolates, a ver revistas estadounidenses, tarjetas postales, billetes, y me quedaba horas. Algunas veces mi mamá olvidaba que yo andaba por ahí. Y se iba a Casa Vogue, que era una casa de moda muy prestigiada. O a Casa Armand, de un francés muy bien parecido que estaba detrás de una hermana mía mi —mamá quería a fuerzas que se casara ¡con el señor de la Casa Armand!—. O al Monte de Piedad, donde aprovechaba ofertas fantásticas: collares de perlas, charolas y cubiertos de plata; ahí tenía a sus vendedores especiales, y podía quedarse mucho tiempo a ver qué lote había de cucharas, tenedores, cuchillos, charolas. Iba por ejemplo con Paco de la Granja, un anticuario muy importante y simpático que conocía todos los chismes de la ciudad. Entrar en su tienda en la calle de Bolívar era fascinante. Mi mamá platicaba muchísimo con Porrúa, que le vendía libros antiguos. "Luego te lo pago" o "te doy 20 pesos". "Sí, Lola, llévatelo". Le tenían mucha confianza. La quería mucho todo el mundo, porque era muy simpática, muy platicadora. Y de repente decía: "¡Qué barbaridad, ¿dónde la dejé? No, pues se quedó en Sanborns". Yo iba siempre con la encargada de las meseras, que se llamaba Pera, que me decía: "No te preocupes, ahorita viene por ti tu mamá".

Vivíamos en la calle de Nazas. En aquella época, se iba mucho al Centro. Mi mamá no manejaba, naturalmente. Mi papá se llevaba el coche. Íbamos al Centro a pie o en pesero. Mi mamá no tomaba tranvías. Era cosa de caminar todo Reforma. Llegabas muy rápidamente. Alameda, Santa María, San Cosme, toda esa zona era muy familiar para mi mamá, porque vivió muchos años en Santa María, donde conoció a mi papá. Yo iba con ella cuando me dejaba el camión de la escuela o cuando estaba castigada. Para mí acompañarla al Centro era todo un espectáculo; el Sanborns era un espectáculo, ir a esas tiendas, las telas. Íbamos a El Palacio de Hierro, a la joyería La Perla —de los Diener, donde trabajó el papá de Frida Kahlo—, y se quedaba hablando con Lupita de la Arena, una de las comulgantas que trabajaba ahí. "Te traje unas perlas para que las ensartes." Tener un collar de perlas era casi una obligación. "Pero no me vayas a cobrar caro, si no le hablo ahorita al señor Diener." "¡Ay, Lola!, pero qué cosas dices, cómo se te ocurre." Todo era muy simpático, muy cotidiano, muy familiar, muy cálido. Así íbamos parando, como la visita de las siete casas: Casa Vogue, Casa Armand, Joyería Kent, La Perla y Paco de la Granja. Yo me sentía de vacaciones. Era un recorrido padrísimo porque veías todo. Era otro México. Todo el mundo se conocía.

La Alameda estaba muy cuidada. Mi mamá se encontraba a Teodoro Amerlink, que era dueño de la Torre Latinoamericana. Pasábamos por la galería de Alberto Misrachi, muy inteligente, de bigote, muy de los cincuenta, con el que también se quedaba horas hablando; llegué a ver colgada la pintura de la mujer de los alcatraces, de Rivera. Me acuerdo porque me llamaba la atención. Mi mamá compraba ahí unas tarjetas postales de popotillo, muy bonitas, que le mandaba a sus amigas francesas. Imagínate: frente a Bellas Artes nos tomábamos una foto. A mí me daba mucho gusto porque iba a posar. Eran fotógrafos anónimos, te daban un papelito y regresabas a recogerla. De esas fotografías llegué a reunir muchas. Ya las perdí.

Para la una de la tarde ya teníamos hambre. Terminábamos en la Casa del Pavo, en la calle de Dolores. Mi mamá se comía como seis taquitos de pavo con guacamole líquido. Comía muchos. Decía que ella curaba sus penas con la comida. Yo le decía a mi mamá: "Yo no quiero ir a la Casa del Pavo". No se me hacía elegante comer tacos con guacamole líquido. "Yo quiero comprarme mi medianoche, mi sidralito." A mí me gustaba un lugar que se llamaba el Sidralí, que vendía sidrales y mediasnoches. Todo era miniatura. A las mediasnoches les ponían unas salchichitas. Era muy padre. En la chocolatería Lady Baltimore me compraba un chocolate turrón. Eso sí, llegábamos tardísimo a la casa. Mi papá llegaba con muchísima hambre, y no había nada. La muchacha no había hecho nada, pero mi mamá era muy creativa. Ponía los jitomates en la licuadora, luego hacía el arroz, hacía una carne, unas salsas de pepita o de almendra o de cacahuate, que eran una delicia, y la sopa: todo en 20 minutos, y nos sentábamos a la mesa a las tres.

JOSÉ LUIS PAREDES, *PACHO*

MÚSICO

Como rockero los lugares más importantes para mí fueron el Tutti Fruti, un bar punk de principios de los años ochenta que estaba en Lindavista, arriba del Apache Catorce; La Última Carcajada de la Cumbancha (LUCC), desde luego; otro lugar importante fue el club de jazz El Arcano, que estaba en Coyoacán; La Rockola, anterior a Rockotitlán, y el Bar Nueve. No soy una persona demasiado nostálgica, pero sí celebraría la década de los ochenta, ese sentimiento generacional de estar construyendo espacios para la música, el arte; espacios que eran multidisciplinarios. como el Nueve o el LUCC —hacían *performance*, presentaciones de revistas, de libros—; lugares como La Panadería, donde se cruzaban disciplinas que ahora ya conquistaron su espacio y su derecho a existir. Da gusto recordar esa época en la que los lugares vinculaban intereses muy diversos, donde casi todos los que teníamos curiosidad por lo nuevo, por lo propositivo, por la novedad o la disidencia estética o cultural coincidíamos: teatro, danza, rock, *performance*, inauguraciones. Esta posibilidad de escenarios multidisciplinarios ya no existe: los circuitos ya no se tocan. Es un cambio que apela a la geografía y personalidad de la ciudad, y a una cuestión generacional. Creo que ése fue el sello de los ochenta y los noventa. También la dignificación de los espacios fue parte de los ochenta; gente de las propias comunidades abría espacios para los artistas; eso fue La Rockola, El Arcano, El Hijo del Cuervo —que se vinculó al rock: ahí empezó Botellita—. El hoyo fonqui no era regenteado por gente interesada en el rock, sino por gente corrupta asociada con las autoridades, que por esa razón podía acceder a un galerón en algún barrio bajo y hacer toquines sin condiciones para el público ni para los artistas. Para nada tenían un aura alternativa para los músicos, aunque en ellos se refugió el rock en una época.

La gente de La Rockola y El Arcano no eran mercenarios corruptos, sino gente de la comunidad que hacían las cosas para que funcionaran bien, para que el

El Nueve alrededor de 1986

público lo pasara bien, para que el artista sonara bien; hasta el Nueve, que era un lugar ridículamente pequeño, o el Tutti Fruti, que estaba en el ático de un restaurante con techo a dos aguas, también muy pequeño. Pero el espacio se acondicionaba para que la gente la pasara bien. Esto se potencia en 1985, en los conciertos te encontrabas a Alfonso Cuarón, Claudia Ramírez, Daniel Giménez Cacho, por mencionar algunos nombres de gente que destacó en su ramo: era un público joven que venía de distintos sectores, pero que confluía en los conciertos de rock o en el teatro. Habría que añadir Santa María la Ribera, donde el Chopo tenía un papel importante, y el tianguis del Chopo en su momento, donde gente que tenía inclinaciones artísticas y culturales contaba con éste para vincularse. En el tianguis, yo compraba música cuando no me alcanzaba para ir a las tiendas de discos. Llegué a ir al Disco Ser, que estaba junto al LUCC, antes de que el LUCC existiera, desde luego. Yo viví en el Edificio Ermita desde los 16 años. Es un lugar con gratas memorias. En mi departamento grabó su primer largometraje Alfonso Cuarón, que se llama *Cuarteto para el fin de los tiempos*. Con Maldita Vecindad grabamos videos. Yo viví ahí casi hasta los noventa.

JOSÉ AGUSTÍN
ESCRITOR

En la ciudad de México siempre tuve predilección por el Parque Hundido, a donde me iba de pinta con frecuencia durante mis años de estudiante en la primaria y la secundaria.

Parque Hundido

JULIO MAYO
FOTOPERIODISTA

Ochenta y tantos años de reportero. Rincón por rincón conozco el país. Viví la ciudad al día. Soy muy cafetómano, me encanta el café, he recorrido todo el Distrito buscando los lugares donde sirven el mejor café. Soy cliente de hace treinta o cuarenta años de El Gran Premio. Éramos clientes del teatro que estaba en Antonio Caso don Antonio Brillas y Carmelita González; y en El Gran Premio nos sentábamos y luego nos jugábamos por medio de números y papelitos a quién le tocaba pagar. Yo tengo 93 años, no puedo presumir de tomarme los cuatro o cinco cafés exprés que bebía diario. Para engañarme, tomo capuchinos. Mandé comprar unos vasos cortos para engañarme a mí mismo. El Gran Premio sirve el café Mayo, que es exprés y lleva leche evaporada. Cuando me sirven café, pido sin canela. Yo me escapé del café La Habana porque no puedo tomar un café donde hay una salsa, un salero, un señor junto comiéndose unas enchiladas. Quiero que sepa a café, que tenga humo, que tenga una cosa de acogimiento, de intimidad.

MARCELINO PERELLÓ
ACADÉMICO Y PERIODISTA

Yo vivía en San Jerónimo 40, en el centro de la ciudad, frente a lo que ahora es el Claustro de Sor Juana. Exactamente enfrente de la casa había unos jardincitos, como hoy, que yo conocía como "el pastito", y le pedía a mi mamá que me dejara salir a jugar "al pastito". Hablábamos catalán en la casa, y yo no sabía castellano, pero "pastito" fue una de las primeras palabras que aprendí. "*Mama, puc anar* a jugar al pastito?" Enfrente vivían unos ropavejeros, y al lado estaba uno de los clubes de baile más célebres de la ciudad, el Smyrna, con sus luces de neón y el gran movimiento en las noches, y para mí era fascinante ver a la gente, a las mujeres con vestidos brillantes, los hombres elegantes. Una mala noche, el Smyrna ardió. No quedó nada; desapareció. Yo ya estaba durmiendo. Y en aquella época dormía como un niño, y todo el alboroto que los bomberos debieron haber hecho no me despertó. Y en la mañana cuando vi los charcos de agua y todas las paredes ennegrecidas, pregunté, y me dijeron que se había incendiado. Me puse a llorar como una Magdalena, desesperado, no porque se hubiera quemado el Smyrna, sino porque no me habían despertado para verlo. Pero en aquel llanto estaba también, sin duda, la desolación por la pérdida de mi Smyrna. Aquella calle y el pastito perdieron entonces una buena parte de su encanto. Nunca volvieron a ser los mismos.

Mi papá era un hombre muy adusto, casi hosco. En los hombres secos, los gestos de afecto valen diez veces lo que en un hombre más extrovertido y meloso. Algunos domingos, mi papá me decía: "¿Quieres ir a pasear?", y yo invariablemente decía: "Órale, papá". Me decía: "¿A dónde quieres ir, al aeropuerto o al zoológico?", y yo invariablemente decía: "Al aeropuerto". Entonces me llevaba al antiguo aeropuerto de Balbuena. Más que los aviones, que me gustaban —eran a hélice, estamos hablando de 1950—, me gustaba un sofá circular que rodeaba una columna, en el centro de la sala de espera. Ese sofá circular era para mí el *summum* de la modernidad, de la sofisticación, y en cuanto

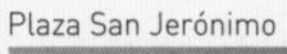
Plaza San Jerónimo

entrábamos a la gran sala de espera, que seguramente era sólo una, me soltaba de la mano de mi papá e iba a sentarme al sofá circular. Me encantaba sentir la tapicería aterciopelada en los muslos —yo llevaba pantalón corto—. Me quedaba un rato ahí, mientras mi papá, fumaba su puro —en aquel tiempo se podía fumar en cualquier lado—, esperaba. Los pies no me llegaban al suelo y entonces los columpiaba mientras me sentía parte del futuro. Había una terraza para mirar los aviones, pero a mí me gustaba una jaulita por la que se veía subir un elevador lleno de pollos fritos con papas, guisados, estofados, copas de vino.

Mi papá había muerto ya, y con el dinero que dejó acabamos comprando una librería lujosa y muy grande en plena avenida Juárez, junto al Hotel del Prado, que se llamó Poblet. Me sentía como Howard Hughes: era un potentado. Y el hecho de que viniera un cliente, preguntara por un libro y yo supiera dónde estaba —y si teníamos dos ediciones yo sabía ofrecerle primero la cara, y ya si rezongaba, le decía: "Pues hay una edición más barata", pero sólo si rezongaba—, me daba una sensación de bienestar y de orgullo de mí mismo. En ese ambiente de lujo que era avenida Juárez con comercios como Misrachi o Nieto Regalos, un día llegó la alarma de que venía una. Yo nunca había visto una manifestación de a de veras. Todos los comercios empezaron a cerrar sus cortinas porque venía la manifestación, pero yo me quedé en la banqueta esperando, ilusionado y curioso, a que llegara. Mi mamá me insistía: "¡Pasa para adentro!". "Ahí voy mamá." Y poco a poco fui oyendo ese rumor que crecía, que venía desde el Caballito, desde Reforma: una especie de rugido, una especie de dinosaurio gigantesco que se avecinaba. Era la manifestación en solidaridad con Cuba por la invasión a Bahía Cochinos, en el 61. Sentir ese rugido me erizó la piel. Y de repente los vi, aparecieron de golpe, dieron la vuelta sobre avenida Juárez, y vinieron hacia mí. Yo vi a millones de personas gritando, repartiendo volantes, no ensuciando la calle (en aquel tiempo hasta las manifestaciones eran mucho más cívicas, no ensuciaban, no había *spray*), pero sí repartían volantes y gritaban, sobre todo gritaban, enarbolaban pancartas y banderas, y vi en el centro de esa multitud abigarrada al general Lázaro Cárdenas, que presidía la manifestación. No pude ver mucho más porque mi mamá mandó a uno de los empleados a que me metiera por la fuerza, pero bastó ese momento, esa vibración, ese rugido, ese entusiasmo para que mi futuro estuviera sellado. La brusca e insólita presencia de la Revolución en la avenida más *chic* de la ciudad.

PEDRO FRIEDEBERG

ARTISTA

Había tranvías que circulaban por la avenida Baja California. Entre las vías crecían flores silvestres, como girasoles. Otro tranvía iba por avenida Revolución, que terminaba en la colonia Mixcoac. No había calles sólo casas que estaban cerca del tranvía. En Mixcoac estaba el asilo La Castañeda, el asilo de locos, como dicen. Pasaba el tranvía entre puras casas y milpas; llegaba hasta San Ángel, donde había una feria con unos caballitos, pero muy pobres, un carrusel, una rueda de la fortuna, una cosa llamada "el látigo" y unos carritos de madera. Había unos helados que daban tifoidea fulminante. En media hora te daba, o eso decía mi tía, que era la que me llevaba. Había muchos alemanes en San Ángel en aquella época. Ahí había una sola tienda, que no recuerdo cómo se llamaba, y había un salón de té, el Koko. Por Altavista pasaba un coche cada 10 minutos, y no había Periférico, sino una barranca con basura. Existían muchas ferias en la ciudad. Había otra en la Plaza de la República con una pista de patinaje para patines de ruedas, frente al monumento, que tocaba mucho todo el tiempo la canción "Barrilito" mientras la gente patinaba; era 1941. La avenida Insurgentes Norte no existía. Por el Monumento a la Madre terminaba Insurgentes, y la calle se estrechaba y cambiaba de nombre a Ramón Guzmán. Llegaba hasta la estación de Buenavista, donde había mucha gente humilde esperando el "tren pulquero", que transportaba pulque y apestaba. Habían muchas pulquerías en la ciudad, cada dos calles había una, a donde podía ir uno al baño.

Era una ciudad de un millón de habitantes, que era muy agradable. Los taxis para ir desde San Ángel hasta la Casa de los Azulejos cobraban uno cincuenta o dos pesos, que era carísimo. Las Lomas nomás era el Paseo de la Reforma. No había Paseo de las Palmas. Claro que no había Tecamachalco. La última casa estaba en la esquina de Sierra Paracaima. Después ya no había nada, más que la carretera a Toluca, que era de dos carriles, uno de ida y uno de venida. También podía uno tomar el tranvía por el lado de Constituyentes para ir al Desierto de los Leones. Había un tranvía los sábados y los domingos. Se tomaba en el cambio de Dolores, le decían, donde vendían flores para llevar a los muertos al panteón. También había un tranvía negro que llevaba a los funerales y subía por todo Constituyentes, que se llamaba la avenida Madereros y era una subida muy inclinada. Y a veces los tranvías se resbalaban para atrás, ahí por donde están los Pinos, que no sé por qué se llamaba El Chorrito. Lo más bonito: podía uno entrar de cualquier lado con su bicicleta, con su caballo al bosque.

Lo único que ha mejorado son los mercados porque antes no había supermercados; sólo había mercados comunes y corrientes, pero estaban llenos de ratas, tenían unas como tarimas que se juntaba mucho con lodo, como cochambre debajo, eran muy mugrosos. Y el Museo del Chopo, que era precioso. Era un Museo de Historia Natural con un dinosaurio en medio. A la entrada había unos acuarios a los que no les habían cambiado el agua desde 1915; entonces era como una gelatina verde, y los pescados trataban de nadar en eso. Adentro había como unas vitrinas con un niño de dos cabezas, un perro de seis patas, cosas por el estilo, y una tarántula que habían encontrado en Iguala y que medía 40 centímetros de diámetro. Eso sí era un museo. No una cosa toda artificial sin ningún chiste.

Paulina Lavista / Cortesía Trilce Editores

Edificio Río de Janeiro

VICENTE QUIRARTE
ESCRITOR

Nací en el centro de la ciudad de México, en una vieja casona anclada en el siglo XVIII, vecina del antiguo convento de San Lorenzo y la cantina La Faena, construcciones que aún persisten con el mismo uso que tuvieron hace ya más de medio siglo. Entre la realidad y el deseo, la ciudad era inmensa y al mismo tiempo íntima. Nada teníamos y nada nos faltaba. La calle era territorio inagotable, cuyos viejos edificios eran nuestro presente vivo. El mundo real, ese que más amábamos, era en blanco y negro: matinés de programa triple en cines de nombres tan hiperbólicos como sus vastas naves, donde nació nuestra inextinguible sed por el horror que purifica: el que nace del otro lado de la pantalla y ante el cual por fortuna siempre podemos cerrar los ojos.

Fui romano a partir de 1970, el año del Mundial en México y del estreno de la línea del metro que transformaba el tiempo y el espacio entre el norte y el sur. Nos mudamos a la colonia Roma a una vieja casa de principios del siglo XX que papá se encargó de remodelar. Llegamos con forzada alegría. Lejos de todo pensábamos que el centro, el nuestro, era el único lugar para vivir, y a él regresábamos con cualquier pretexto. Poco a poco, la casa y el barrio nos fueron haciendo suyos hasta que comprendimos que la Roma era el único lugar para vivir. Y para morir. En la funeraria El Ángel de la calle de Tonalá hemos concentrado el dolor tribal de las sucesivas partidas. Los sismos de 1985 nos encontraron en nuestra colonia, una de las más castigadas por la incesante Tierra. Yo continuaba siendo romano, pero vivía por mi cuenta en la célebre Casa de las Brujas de la Plaza Río de Janeiro, la cual tuve que abandonar con otros damnificados. La casa familiar se sostuvo, como heroica trinchera en medio de la devastación. Ahora que escribo estas líneas, el último día de septiembre de 2010, estamos a punto de abandonar la Roma. Nuevamente remodelada tras la muerte de nuestros padres la casa está a punto de emprender nuevas navegaciones, guiadas por otras manos. Nos hemos llevado casi todo. Lo último serán los cuarenta años de vida transcurridos en ella.

Durante veinte años fui vecino de Tlalpan. De vuelta de una estancia como profesor en Estados Unidos, en un estado tan plano que los terremotos eran imposibles, busqué para vivir un lugar asentado en piedra. El sur, que era un territorio explorado en mis diarias expediciones a Ciudad Universitaria, se convirtió en espacio donde todo lo que necesitaba hacer estaba a la mano. Con todo, durante nueve años fui profesor en la Universidad Autónoma Metropolitana Azcapotzalco. Hay edades para diferentes locuras. Llegar a clase de siete significaba salir de casa a las cinco y media de la mañana, con las estrellas aún en el cielo y cuando aún no acababan de poner las calles. Esas expediciones se transformaron en nuevos viajes de iniciación, en prolongadas jornadas de lectura en el transporte colectivo, que ahora resultan imposibles. Y en actos súbitos de rebeldía. A veces, en lugar de llegar a la Universidad, me bajaba del metro en la estación Hidalgo y justificaba mi falta de sentido a mis deberes diciéndome que ejercía la vagancia como una de las bellas artes al recorrer las calles de mi más temprana y definitiva educación sentimental.

Supongo que moriré sureño. Tlapan, San Jerónimo, avenida Toluca, Cuicuilco y finalmente Tlacopac San Ángel han sido espacios de los ritos de paso de mis últimos 25 años. La ciudad de México es un lugar imposible para vivir, pero es el único lugar para vivir. Degradada, envilecida, sucia por dentro y por fuera, sedienta y al mismo tiempo víctima de inundaciones, nos sitia y nos derrota cotidianamente. Nos desafía. Secretos y estrategias para seguir amándola hay muchos. El principal, acaso, sea la fe en la irrupción de lo maravilloso en lo cotidiano: en la renovada ceremonia que significa escuchar a los pájaros que inauguran el día a pesar de nuestro aire envenenado; en la invencible y cíclica infancia a la salida de la escuela; en la multitud hosca y desconfiada que hacinada en el metro responde a nuestro estornudo con un "salud" espontáneo y colectivo; en la cantina de mesa de formaica que espera al bebedor solitario para enfrentarlo a su implacable espejo; en nuestro derecho a caminar por calles cuyos nombres nos recuerdan las voces y los pasos de guerreros, poetas, musas y otros héroes que antes de nosotros las hicieron suyas y nunca dejan de acompañarnos.

Armando Herrera

YOLANDA MONTES, *TONGOLELE*

BAILARINA Y ACTRIZ

Cuando yo vine a México tenía quince años, y apenas había empezado a bailar. Bailaba entonces un número tahitiano y uno cubano. Me tocó la suerte de que tuve éxito, primero en el teatro, y de ahí para el cine. Entonces México era bellísimo. Cuando vine no había tanta población como ahora, y era muy tranquilo caminar en la calle; uno salía en la tarde: había mujeres por Reforma con abrigos de pieles en la tarde. Era lo más natural. Para entonces era muy elegante. Me encantaba la calle, la avenida Reforma. Era donde estaban todos los restaurantes, el del Hotel Reforma, que era muy famoso, el Capri. Yo no tenía tiempo porque era estrella de teatro y hacía cine casi simultáneamente, así que en realidad no tenía tiempo como para ir a cenar en un lugar elegante o algo así, porque literalmente estuve trabajando diario, durante tres años consecutivos. Y cuando terminé, fue para salir a viajar. El dueño del Hotel Reforma era muy amigo, y es ahí donde más cenaba yo. dF

MUSEOS · GALERÍAS
ARTE · HISTORIA
CIENCIA · CULTURA POPULAR
CENTROS CULTURALES

buick.mx

ARTE

ANTIGUO COLEGIO DE SAN ILDEFONSO

Justo Sierra 16, Centro; 5702 2991; sanildefonso.org.mx; martes de 10 a 19:30 horas, miércoles a domingo de 10 a 17:30. El arte mexicano se paseó por los mejores museos del mundo con la exposición "México: esplendores de 30 siglos", y esa vuelta empezó en 1992 en el recién inaugurado Museo de San Ildefonso. La historia del edificio se remonta a 1588, año de su fundación como colegio jesuita; después fue cuartel (dos veces), escuela de jurisprudencia, de medicina y sede de la Escuela Nacional Preparatoria. Los murales de David Alfaro Siqueiros, José Clemente Orozco, Diego Rivera y Ramón Alva de la Canal, que Vasconcelos comisionó en los años veinte, hicieron respingar con disgusto a Kate, la heroína de *La serpiente emplumada* de D. H. Lawrence. Por su parte Salvador Novo vive el "descubrimiento, en la preparatoria de San Ildefonso, de la ciudad, la literatura y el cine". Sitio de conferencias, talleres y exposiciones temporales imprescindibles. Las visitas guiadas son gratuitas, y hay talleres y proyecciones de cine.

CASA LUIS BARRAGÁN

Gral. Francisco Ramírez 14, Ampliación Daniel Garza; 5515 4908; casaluisbarragan.org; lunes a viernes de 10 a 14 y de 16 a 18 horas, sábados de 10 a 13, previa cita. En 1947, Luis Barragán iniciaba el diseño de Jardines del Pedregal, y eligió el lugar donde construiría la casa y el estudio, para pasar el resto de su vida en el rumbo de Tacubaya. La visita de este recinto es un aprendizaje de arquitectura mexicana, con todo lo vanguardistas que fueron sus propuestas, como el uso de piedra volcánica para interiores, que era impensable en aquella época. En 2004, la UNESCO la declaró Patrimonio Mundial. Suele hospedar exposiciones temporales. Es necesario reservar para una visita guiada, que vale mucho la pena.

MUSEO ARCHIVO DE LA FOTOGRAFÍA

República de Guatemala 34, Centro; martes a domingo de 10 a 18 horas. Está al interior de la Casa de las Ajaracas, inmueble cuya construcción data del siglo XVI y se finca en una de las zonas más importantes del Templo Mayor azteca. Su acervo cuenta más de dos millones de imágenes relacionadas con las labores de los gobiernos locales para dotar de infraestructura y servicios públicos a la capital. Las exposiciones siempre son temporales y súper interesantes. Entrada libre.

Antiguo Colegio de San Ildefonso

MUSEO CASA DE LA BOLA

Parque Lira 136, Tacubaya; 5515 5582; casadelabola.blogspot.com; domingos de 11 a 17 horas. La colección de arte y antigüedades del viajero don Antonio Haghenbeck y de la Lama se encuentra en esta casa del siglo XVII, que el magnate compró en los años cuarenta. Su gusto por la arquitectura y decoración es realmente admirable. Los muebles, pinturas, esculturas de los siglos XVI y XVII, sus tapices europeos y el jardín inspiran a todos. Es un museo interesantísimo en varios niveles.

MUSEO CASA DE LA PRIMERA IMPRENTA DE AMÉRICA

Moneda 10, esq. Lic. Primo Verdad, Centro, 5522 1535; lunes a viernes de 9 a 18 horas. Imaginar que la primera imprenta del continente llegó a esta casa en 1539 es asombroso. Ahora hay una placa en la fachada que lo recuerda, y adentro un centro educativo a cargo de la Universidad Autónoma Metropolitana, algunas piezas arqueológicas encontradas *in situ*, la librería Juan Pablos (en honor al tipógrafo Giovanni Paoli) y un bonito Museo del Libro.

MUSEO CASA DEL RISCO Y CENTRO CULTURAL ISIDRO FABELA

Plaza San Jacinto 15, San Ángel; 5616 2711; isidrofabela.com; martes a domingo de 10 a 17 horas. Isidro Fabela donó la Casa del Risco y el edificio anexo para convertirlos en un museo. Ambos

Museo Casa del Risco

son ejemplo del barroco mexicano del siglo XVII en San Ángel; resguardan la biblioteca, hemeroteca, los archivos históricos y la colección de arte del diplomático e historiador mexicano. Se organizan exposiciones temporales y conferencias, siempre con la presencia de la fuente barroca de la casa que como imán atrae la atención de los visitantes.

MUSEO CASA ESTUDIO DIEGO RIVERA Y FRIDA KAHLO

Diego Rivera 2, esq. Altavista, San Ángel Inn; 5550 1518; estudiodiegorivera.bellasartes.gob.mx; martes a domingo 10 a 18 horas. Juan O'Gorman, amigo de Diego y seguidor de la escuela holandesa de arquitectura basada en el funcionalismo, diseñó estas dos casas conectadas por un puente. Una de ellas era el estudio donde Diego Rivera pintó la mayor parte de su obra. Frida Kahlo vivió aquí pocos años para después mudarse a Coyoacán. Como museo abrió sus puertas en 1986. Además de mostrar obra y objetos de ambos artistas se organizan exposiciones temporales y hay un lindo altar para cada Día de Muertos.

Museo de Arte Carrillo Gil

MUSEO DE ARTE CARRILLO GIL

Revolución 1608, esq. Altavista, San Ángel; 5550 6260; museodeartecarrillogil.com; martes a domingo de 10 a 18 horas. Su inauguración ocurrió en 1974, y tras una remodelación en los ochenta se ha convertido en un espacio dedicado al arte moderno y contemporáneo y de creadores jóvenes. Además de la colección de arte donada por el doctor yucateco Álvar Carrillo Gil, fundador del museo, destaca el Estudio Abierto, donde se organizan conferencias y talleres de artistas emergentes, así como club de cine, actividades para niños y más.

MUSEO DE ARTE MODERNO

Paseo de la Reforma esq. Gandhi, Bosque de Chapultepec; 5553 6233; martes a domingo de 10 a 17:30 horas. Inaugurado en 1964, este museo expone obras de arte contemporáneo en un espacio arquitectónico que en su momento fue novedoso y propositivo. Su colección permanente incluye a los grandes pintores de México: Siqueiros, Rivera, Orozco, Tamayo, Jorge González Camarena, Vicente Rojo, Leonora Carrington, José Luis Cuevas, Juan Soriano, Manuel Álvarez Bravo y muchos más; en sus jardines —que son parte del bosque de Chapultepec— se exponen esculturas y desde 2001 se puede apreciar la obra de Remedios Varo. Cuenta Juan García Ponce: "En 1965 se inauguró el Museo de Arte Moderno con un concurso patrocinado por la Esso. Fernando García Ponce ganó el primero premio y Lilia Carrillo el segundo. Benito Messeguer esperaba obtener uno de los premios. Durante la inauguración levantó su airada voz para protestar por el hecho de que hubiese ganado el hermano de uno de los jurados. El evento terminó con un zafarrancho a golpes que se inició cuando la mujer de Benito Messeguer me tiró un vaso de whisky a la cara".

MUSEO DE ARTE TRIDIMENSIONAL / MUSEO DE ARTE REGIONAL

Ex Hacienda del Rosario esq. Calzada de las Armas, Prados del Rosario, Azcapotzalco; 5318 5334; martes a domingo de 10 a 18 horas. La delegación Azcapotzalco tiene un carácter propio que la vuelve muy visitable. Y estos dos museos, uno al lado del otro y al interior del Parque Tezozómoc, son un buen pretexto para hacerlo. El de Arte Tridimensional fue creado en 2002 en lo que fue un cuartel de policía; expone obras escultóricas, instalaciones y piezas arte-objeto, y es sede de la Bienal de Arte Tridimensional. El Museo de Arte Regional celebra de ocho a 10 exposiciones bidimensionales al año y tiene un auditorio donde cada semana hay funciones de arte.

MUSEO DE LA BASÍLICA DE GUADALUPE

Plaza de las Américas 1, Villa de Guadalupe; 5577 6022 exts. 137, 206; mubagua.org.mx; martes a domingo de 10 a 18 horas. La Virgen de Guadalupe no sólo ha generado un culto nacional, sino también la producción de obras de arte que se han ido resguardando en este museo desde 1941. Actualmente la colección incluye obras de arte sacro que van más allá de la Guadalupe, pero que también permiten entender su papel como símbolo religioso y social. Cuenta con biblioteca y archivo, así como visitas guiadas para las cuales es necesario reservar.

MUSEO DE LA SHCP (ANTIGUO PALACIO DEL ARZOBISPADO)

Moneda 4, Centro; 3688 1241; apartados. hacienda.gob.mx/cultura; martes a domingo de 10 a 17:30 horas. Es un edificio del centro de la ciudad, del siglo XVI, que fue casa y oficina eclesiástica hasta 1859 cuando se nacionalizó por las Leyes de Reforma. Fue declarado Monumento Nacional en 1931 y convertido en el Museo de la Secretaría de Hacienda en 1994. Aquí se exhibe la obra de artistas que pagan con ésta sus impuestos. Hay una gran colección de pintores mexicanos clásicos y una colección histórica con objetos y filatelia de la Secretaría. La SHCP también tiene un centro cultural (Avenida Hidalgo 81, Centro), donde se imparten talleres, y una galería (Guatemala 8, Centro) dedicada a la obra de creadores jóvenes.

Museo de la SHCP

MUSEO DE SITIO POLYFORUM CULTURAL SIQUEIROS

Insurgentes 701, esq. Filadelfia, Nápoles; 5536 4520; polyforumsiqueiros.com; lunes a domingo de 10 a 19 horas. La cúpula del Polyforum está tapizada por el impresionante mural de David Alfaro Siqueiros *La marcha de la Humanidad*, que trata "no sólo del problema de la humanidad, sino de la esperanza del camino de la salvación misma", según el propio pintor. En total 4,600 metros cuadrados de pintura mural. Y desde el exterior se aprecian los paneles con la obra del artista, lo mismo que la barda que separa el predio de la avenida Insurgentes. Adentro hay un teatro para 2,000 personas y varias galerías; en una de ellas se puede conocer por medio de fotografías cómo se hizo el mural, en otras hay exposiciones y un foro para obras de teatro y otros espectáculos.

MUSEO DEL PALACIO DE BELLAS ARTES / MUSEO NACIONAL DE ARQUITECTURA

Av. Juárez esq. Eje Central, Centro; 5512 2593; bellasartes.gob.mx; martes a domingo de 10 a 17:30 horas. Además de los murales de David Alfaro Siqueiros, José Clemente Orozco, Rufino Tamayo y Diego Rivera, que siempre pueden visitarse, destacan en este palacio las exposiciones temporales del Museo de Bellas Artes, que suelen ser de una enorme calidad y generan muchísimo interés. La visita del palacio mismo, diseñado en 1904 por el arquitecto Adamo Boari y concluido en 1934, es ya de por sí toda una gran experiencia. En el tercer nivel del edificio está el Museo Nacional de Arquitectura, dedicado a difundir la arquitectura actual de México y la importancia de preservar nuestro legado arquitectónico.

MUSEO DIEGO RIVERA (ANAHUACALLI)

Museo 150, San Pablo Tepetlapa; 5617 4310; museoanahuacalli.org.mx; martes a domingo de 10:30 a 17 horas. Desde que uno entra al patio central de este museo se siente la fuerza de las construcciones que lo rodean, similares a pirámides, en las que se mezclan el estilo art déco con la arquitectura prehispánica, la idea del museo y de mausoleo (de las civilizaciones extintas, pero también de Rivera, que nunca lo vio terminado ni fue enterrado aquí). Construido a partir de roca volcánica según un diseño del pintor mexicano, quien fue asesorado por el arqueólogo Alfonso Caso. Fue finalizado por Juan O'Gorman sobre un terreno de Frida y brevemente habitado por la pareja. Ostentosamente mandó poner a la entrada: "Devuelvo al pueblo lo que de la herencia de sus ancestros pude rescatar". Adentro el asombro sólo aumenta al admirar las 50 mil piezas precolombinas que Diego reunió a lo largo de su vida, organizadas para su exhibición por Carlos Pellicer. En este recinto se organizan también exposiciones temporales, talleres y actividades culturales. Cada año en el Día de Muertos hay una ofrenda exuberante en honor a Diego.

MUSEO DOLORES OLMEDO PATIÑO

Av. México 5843, La Noria; 5555 0891; museodoloresolmedo.org.mx; martes a domingo de 10 a 18 horas. Además de tener la colección más grande de obras de Frida Kahlo y Diego Rivera, es encantador visitar el casco de la antigua hacienda La Noria. Rodeado de jardines, su interior está repleto de objetos personales de la dueña, heredera de los derechos de la obra de Rivera. Dolores Olmedo vivió en su hacienda desde la década de los sesenta y reunió aquí sus colecciones, que incluyen también piezas

Museo Dolores Olmedo Patiño

Museo Frida Kahlo

prehispánicas y objetos de arte. Todo lo legó al pueblo de México, lo mismo que su casa convertida en museo desde 1994. Por los jardines deambulan pavorreales y desde sus criaderos miran desconfiados e hirsutos sus perros mexicanos.

MUSEO EXPERIMENTAL EL ECO

Sullivan 43, San Rafael; 5535 5186; eleco.unam.mx; martes a domingo de 11 a 18 horas. Tras funcionar durante un año, de 1952 a 1953, según el diseño del escultor Mathias Goeritz, el espacio cerró para reabrir en 2005 de acuerdo con su plan original: arquitectura escultórica emocional. Según el artista: "En esa construcción trabajé más como albañil que como arquitecto corrigiendo constantemente las ideas primitivas, componiendo *in situ*, indicando sobre la marcha la posición de cada muro. En efecto entendí el edificio como una inmensa escultura". Durante el abandono funcionó momentáneamente como cabaret y más tarde como domicilio del Foro Isabelino de Héctor Azar. Con su restauración se agregó un anexo, a cargo del arquitecto Fernando Romero.

MUSEO FRANZ MAYER

Av. Hidalgo 45, Guerrero; 5518 2266; franzmayer.org.mx; martes a domingo de 10 a 17 horas. Ubicado en la Plaza de la Santa Veracruz este museo está desde 1986 en un encantador edificio del siglo XVII para exhibir la colección de Franz Mayer, amante de las orquídeas. Dedicado a las artes decorativas, el museo organiza exhibiciones temporales de diseño contemporáneo, fotografía, muebles, diseño textil y mucho más. En su claustro hay una biblioteca excepcional, en la que destacan las 800 ediciones de *El Quijote* y una colección muy valiosa de libros antiguos y de viajeros. A un lado, en el templo de la Santa Veracruz, están los restos de Manuel Tolsá, quien materializó el sueño ilustrado de una ciudad neoclásica en tiempos de la Nueva España borbónica.

MUSEO FRIDA KAHLO (LA CASA AZUL)

Londres 247, Del Carmen Coyoacán; 5554 5999; museofridakahlo.org.mx; martes a domingo de 10 a 18 horas. La famosísima Caza Azul, donde transcurrió la mayor parte de la vida de la pintora, es uno de los museos más visitados de la ciudad. Además de sus cuadros y dibujos resulta muy atractivo y revelador ver, por ejemplo, su cama con un espejo en la parte superior, la cocina llena de jarritos, el estudio, sus diarios, la gran colección de milagros y el jardín donde hacía sus autorretratos con monos y pericos.

«Cuando André Breton visita la ciudad de México en compañía de su esposa frecuenta a los Rivera y a los Trotsky. Es difícil imaginarse reunidos en la Casa Azul de Coyoacán al papa del surrealismo, al fundador de la IV Internacional, al jefe del muralismo mexicano y a la hechizante Frida Kahlo.»

Serge Gruzinski en *La ciudad de México* (2004)

MUSEO JOSÉ LUIS CUEVAS

Academia 13, Centro; 5522 0156; museojoseluiscuevas.com.mx; martes a domingo de 10 a 18 horas. Ubicado a espaldas del Palacio Nacional, una de las zonas más antiguas de la ciudad, este museo ocupa un edificio del siglo XVI que fue el convento de Santa Inés y luego una vecindad. Tras años de deliberación se eligió que sería un museo en honor al pintor José Luis Cuevas, tendría el tamaño suficiente para albergar su colección de arte latinoamericano y debía estar en el centro de la ciudad, donde el pintor nació. Desde 1992, cuando se inauguró, la sorpresa al entrar ha sido

SEIS MUSEOS QUE NO SON MUSEOS

CENTRO CULTURAL DE LA PRESENCIA JUDÍA EN EL CENTRO HISTÓRICO

Justo Sierra 71, Centro. Es la segunda sinagoga más antigua de México. Ya no funciona para servicios religiosos. Vale la pena conocer su decoración al estilo de Europa del Este, de donde provienen sus fundadores. Busca promover el legado de la comunidad judía en el Centro Histórico. Puede visitarse sacando una cita con la responsable del proyecto y experta de la antigua judería mexicana, Mónica Unikel: templojustosierra@gmail.com

COLECCIÓN RUTH D. LECHUGA DE ARTE POPULAR

Esta gran colección de arte popular mexicano que reunió la doctora vienesa a lo largo de más de 50 años fue donada tras su muerte al Museo Franz Mayer (Av. Hidalgo 45, Guerrero; 5518 2266; franzmayer.org.mx; martes a domingo de 10 a 17 horas) y está en busca de un museo para exhibirse. Antes solía visitarse en su departamento de la Condesa, ahora se pueden programar citas en el museo para visitarla. Los objetos son incontables y únicos: piezas de arte, máscaras, muertes, búhos, piezas de cerámica, miniaturas, muebles, huipiles. Para visitar la colección es necesario hacer cita.

ISLA DE LAS MUÑECAS

En los canales de Xochimilco. Sólo se puede llegar por trajinera, desde los embarcaderos de Cuemanco o Xochimilco. Pregúntale al conductor en cuánto tiempo te lleva a la Isla de las Muñecas. El tiempo cambia según el embarcadero, pero nunca es menor a cinco horas. No es ni isla ni museo; al visitarlo te quedas con una sensación de estar en una instalación contemporánea, aunque tampoco lo sea. La historia que cuenta Anastasio, sobrino de Julián Santana (ya fallecido), es que éste vivía y trabajaba la tierra en esa chinampa. De noche lo asustaba el fantasma de una turista que se había ahogado frente a su cabaña, justo donde él se ahogó años después. Para espantar al fantasma empezó a colgar muñecas que encontraba tiradas o en basureros y poco a poco la gente empezó a llevarle más.

MUSEO DE MUJERES ARTISTAS MEXICANAS

museodemujeres.com. Conocido como el Muma éste es un museo virtual, sin espacio físico. Se trata de un proyecto de Lucero González para hacer una memoria de las mujeres mexicanas dedicadas a las artes visuales y destacar el papel que han tenido en la representación plástica. En su galería virtual hay una lista de 155 creadoras, periodistas y feministas como Lorena Wolffer, Magali Lara, Helen Escobedo, Angélica Abelleyra y Marisa Belausteguigoitia. El proyecto está financiado por organismos internacionales y se actualiza constantemente.

REJAS DE CHAPULTEPEC

Sobre el Paseo de la Reforma. Un espacio privilegiado por su extensión y hermosura. Se conoce como la Galería al Aire Libre de las Rejas de Chapultepec y desde hace años exhibe fotografías de gran formato sobre todos los temas fotografiables de México y el mundo. Dicen que la lista de espera para exponer es larga.

ROTONDA DE LAS PERSONAS ILUSTRES

En el Panteón de Dolores (Av. Constituyentes esq. Panteón Civil). Los hombres y mujeres que yacen en este panteón son verdaderamente ilustres y los monumentos de sus tumbas pueden ser muy llamativos, como la de Manuel Gómez Morín, que es una esfera de cemento; la de Juventino Rosas, con un violín; la de Diego Rivera, con un pequeño mural de mosaico; o las de Rosario Castellanos, Nabor Carillo, Tina Modotti, Carlos Pellicer, Octavio Paz, Dolores del Río y muchos más que hacen de este paseo tranquilo un recordatorio de la cultura nacional.

la presencia de *La Giganta*, la enorme escultura de Cuevas de cinco metros de alto. Cuevas dice en sus memorias: "Había pasado la noche acompañado de *La Giganta* en una ciudad desolada. Era una figura muy realista, casi académica. Por eso durante muchos días dibujé a una modelo que se le parece. No fue fácil encontrarla. La descubrí una noche en Chapultepec y la abordé para hablarle de mis intenciones".

MUSEO MURAL DIEGO RIVERA

Colón esq. Balderas, Centro; 5512 0754; museomuraldiegorivera.org; martes a domingo de 10 a 18 horas. Éste es un museo pensado para una obra con historia propia: el mural de Diego Rivera llamado *Sueño de una tarde dominical en la Alameda Central*, para el Hotel del Prado, desaparecido en 1985. Construido en lo que fuera el estacionamiento del hotel Regis, el museo cuenta con un espacio para exposiciones temporales y talleres, además de la sala dedicada al magnífico mural.

MUSEO NACIONAL DE ARTE (MUNAL) / MUSEO DEL TELÉGRAFO

Tacuba 8, Centro; 5130 3400; munal.com.mx; martes a domingo de 10:30 a 17:30 horas. Este edificio de Silvio Contri de 1904 fue el Palacio de Comunicaciones durante el porfiriato a partir de 1911, y se hizo famoso por la grandiosa construcción modernista y también por la escultura ecuestre de Carlos IV que actualmente adorna la plaza. En 1982 se instaló en este gran edificio el Museo Nacional de Arte, donde se exhibe tanto una colección permanente con obras desde el XVI hasta el XX, incluidos paisajes de José María Velasco y valiosas obras de arte sacro, como exposiciones temporales de gran interés. En la planta baja se instaló el Museo del Telégrafo, con una historia del que fuera el medio de comunicación más inmediato durante gran parte del siglo XX.

MUSEO NACIONAL DE LA ACUARELA

Salvador Novo 88, Santa Catarina; 5554 1801; martes a domingo de 10 a 18 horas. Este museo se sitúa en una grande y hermosa casa de Coyoacán y desde

1985 alberga a la Sociedad Mexicana de Acuarelistas (acuarela-mexico.com). Su gran colección se exhibe en el área de exposición permanente, donde también hay historia de la acuarela. En la casona se organizan exposiciones temporales, clases y otras actividades.

MUSEO NACIONAL DE LA ESTAMPA

Av. Hidalgo 39, Centro; 5521 2244; museonacionaldelaestampa.bellasartes.gob.mx; martes a domingo de 10 a 18 horas. Se ubica desde 1986, a un lado del Franz Mayer, en la Plaza de la Santa Veracruz y tiene la colección más grande de un arte de gran tradición en el país, con ejemplos del siglo XVI y hasta la nueva estampa digital. Se organizan exposiciones trimestrales de la colección del museo, con grabados y similares de artistas como José Guadalupe Posada, Julio Ruelas, Leopoldo Méndez, Antoni Tàpies, Jan Hendrix, entre otros.

MUSEO NACIONAL DE SAN CARLOS

Puente de Alvarado 50, Tabacalera; 5566 8085; mnsancarlos.com; miércoles a lunes de 10 a 18 horas. Un auténtico museo de arte clásico instalado en una magnífica casa señorial decimonónica construida por Manuel Tolsá. Además de haber sido residencia, hospedó a la Tabacalera Nacional y a la Lotería Nacional, para convertirse, en 1968, en museo con una colección de arte europeo del XIV al XX, además de piezas de escultura mexicana. Sobre San Carlos se funda la genealogía de los museos de la ciudad de México, cuando José de Gálvez propone a las autoridades crear una escuela de grabado, que se pone bajo la dirección de Jerónimo Antonio Gil, según el proyecto de 1779, y comienza el acopio de una colección de esculturas, "80 dibujos de cabezas, manos y pies; otros de antiguos bajorrelieves; ocho modelos de bajorrelieves, 12 cabezas y bustos de yeso; seis estatuas pequeñas y la colección completa de monedas de azufre de Grecia y Roma". Tras la expulsión de los jesuitas en 1782 se propone llevar a San Carlos las pinturas de conventos suprimidos, y colocarlos ordenadamente, de modo que sirvieran a la utilidad y recreo del público. En 1791 Tolsá trae de Europa una colección de estatuas de yeso que acaba por consolidar

Museo Tamayo Arte Contemporáneo

Museo Soumaya

la primera galería de arte de la ciudad y del país. Humboldt visitó la institución y se refirió a ella: "El gobierno le ha cedido una casa espaciosa, en la cual se halla una colección de yesos más bella y completa que ninguna de las de Alemania. Se admira uno al ver que el Apolo del Belveder, el grupo de Lacoonte y otras estatuas aún más colosales han pasado por caminos de montaña, y se sorprende al encontrar estas grandes obras de la antigüedad reunidas bajo la zona tórrida".

MUSEO SOUMAYA Y MUSEO SOUMAYA PLAZA CARSO

Altamirano 46, Tizapán San Ángel; 5616 3731; lunes a jueves y domingos de 10:30 a 18:30 horas, viernes y sábados hasta las 20:30. Miguel de Cervantes Saavedra 369, Ampliación Granada; soumaya.com.mx. A partir de 2011 al Museo Soumaya de Plaza Loreto, que resguarda la colección de la Fundación Carlos Slim, se agrega una gran sede en una zona que parece perfilarse como un nuevo corredor cultural. En ambos se organizan actividades educativas y de difusión, y exhibiciones con su magnífica colección, que tiene el mayor número de esculturas de Rodin fuera de su país de origen, además de arte europeo de los siglos XVI al XX, una colección de retrato mexicano y arte contemporáneo.

MUSEO TAMAYO ARTE CONTEMPORÁNEO

Paseo de la Reforma esq. Gandhi, Bosque de Chapultepec; 5286 6529; museotamayo.org; martes a domingo de 10 a 18 horas. Su apertura en un lugar privilegiado de Chapultepec data de 1981. Su objetivo: exhibir la gran colección del pintor oaxaqueño Rufino Tamayo. Por su arquitectura, a cargo de Teodoro González de León y Abraham Zabludovsky, ha sido merecedor de varios reconocimientos. Su reciente ampliación permite mostrar la obra del pintor oaxaqueño, la colección permanente, exposiciones temporales de arte contemporáneo y mejorar las zonas para talleres, conferencias, la biblioteca y un centro de estudio.

MUSEO UNIVERSITARIO DE ARTE CONTEMPORÁNEO (MUAC)

Centro Cultural Universitario. Insurgentes Sur 3000, 5622 6972; muac.unam.mx; miércoles, viernes y domingos de 10 a 18 horas, jueves y sábados de 12 a 20. La inserción de este recinto en el espacio del Centro Cultural Universitario ha generado controversia. Su diseño estuvo a cargo del arquitecto Teodoro González, quien tuvo en mente que aquí se expondría arte de vanguardia, además de ser una propuesta

Museo Universitario del Chopo

que integra el paisaje volcánico y del exterior a las salas y espacios del museo. Esto es muy evidente en la cafetería y restaurante del lugar, Nube 7, que no hay que dejar de visitar. Además de la amplia colección de arte el museo organiza exposiciones de artistas invitados y cuenta con un auditorio para propuestas sonoras y dancísticas alternativas.

MUSEO UNIVERSITARIO DE CIENCIAS Y ARTES (MUCA ROMA)

Tonalá 51, Roma; 5511 0925; martes a domingo de 10 a 18 horas. Este museo de la UNAM organiza exposiciones de artistas contemporáneos, muchos de ellos emergentes. Su espacio, habilitado en una antigua casa, se presta para la experimentación, además de que aquí se organizan talleres, conferencias y tiene un centro de documentación muy visitado por investigadores y críticos de arte.

MUSEO UNIVERSITARIO DEL CHOPO

Enrique González Martínez 10, Santa María La Ribera; 5546 5484; chopo.unam.mx; martes a domingo de 10 a 19 horas. El edificio se distingue desde lo lejos por su estructura, que es parte indisoluble del paisaje de Santa María la Ribera desde 1905. Se inauguró en 1913 como Museo de Historia Natural. En marzo de 2010 fue reinaugurado tras la remodelación a cargo del arquitecto Enrique Norten, quien construyó un nuevo edificio dentro del anterior, más adecuado para el arte contemporáneo por su iluminación, con un escenario para danza, teatro y espacios para talleres.

A finales del XIX, en la expedición arqueológica más grande de su tiempo, se encontró en Utah, Estados Unidos, la osamenta prácticamente completa de un *Diplodocus carnegiei*, que se instaló en el Museo Carnegie del empresario Andrew Carnegie, admirador de Darwin. Emocionado por el hallazgo mandó hacer 10 copias en yeso y las donó alrededor del mundo, como la que se instaló en la galería del Museo de Historia Natural del DF —actualmente sede del Museo Universitario del Chopo—, que llegó a fines de los años veinte gracias al empeño de Alfonso Luis Herrera. Porfirio Díaz mandó crear el Museo de Historia Natural en 1906, a iniciativa de Justo Sierra, para aliviar al viejo y congestionado Museo Nacional de la calle de Moneda de la cuantiosa colección de 63,945 piezas, pero al final lo inauguró Victoriano Huerta en 1913. Su apertura demoró a causa de las fiestas del Centenario. En 1910 se le permitió a la delegación japonesa emplear el inmueble recién ensamblado en Santa María La Ribera para montar su exhibición de arte industrial. El Museo del Chopo decayó lamentablemente. En 1964, sus destartaladas colecciones y la osamenta del dinosaurio fueron a dar al edificio de Historia Natural y Cultura Ambiental (ver página 191) en la segunda sección del Bosque de Chapultepec, que es un viaje a las fantasías arquitectónicas ***space age*** de la Guerra Fría. A decir de Eduardo Vázquez Martín, director de este museo: "No se tomó en cuenta la talla del ejemplar, y desde entonces doña Carnegiei —es hembra— habita las bóvedas cabizbaja, con la cola enroscada, en una posición anatómicamente absurda".

PALACIO DE CULTURA BANAMEX (ANTIGUO PALACIO DE ITURBIDE)

Madero 17, Centro; lunes a domingo de 10 a 19 horas. Este palacio portentoso es una de las joyas arquitectónicas de la ciudad de México. Fue mandado hacer por la familia Moncada-Jaral del Berrio en 1779 al arquitecto Francisco de Guerrero y Torres. En uno de los balcones que dan a la calle, Agustín de Iturbide se asomó para ser proclamado

Pinacoteca del Templo de la Profesa

emperador. Al terminar la fantasía fugaz del primer Imperio mexicano el edificio funcionó brevemente como hotel de lujo, pasó por el abandono y la degradación hasta que en 1966 lo adquirió Banamex y emprendió su restauración, finalizada en 1972. Ahora es sede de la fundación de Fomento Cultural Banamex. Siempre hay aquí una buena exposición, en la que suele combinarse su colección con obras provenientes de otros sitios.

PINACOTECA DEL TEMPLO DE LA PROFESA

Isabel la Católica 21, Centro; 5512 7862; sábados de 12 a 14 horas. El templo de La Profesa, cuyo nombre oficial es Templo de la Congregación del Oratorio de San Felipe Neri —y que fuera centro de conspiración absolutista en 1820— tiene una de las colecciones más valiosas y grandes de obras de arte sacro en México. El templo del siglo XVIII está muy bien conservado, aunque en el incendio de 1914 se destruyeron los frescos de la cúpula, de Clavé. El retablo principal es de Manuel Tolsá. En sus cuatro salas se exhiben muchas de las obras de la colección de 453 pinturas de caballete. Muchas de éstas datan del siglo XVII, cuando todavía era monasterio; sobrevivientes de la Guerra de Reforma, del anticlericalismo de varios gobiernos y de un incendio. Sólo abren dos horas a la semana porque, según el guía, no tienen para pagar más luz eléctrica.

“ Pero es en La Profesa donde se encuentran las mejores pinturas [...] ¡precisamente en donde no puedo entrar! Los corredores están llenos de lienzos, la mayor parte de Cabrera. [Mi marido] Calderón se hace lenguas de un cuadro de exquisita ejecución que está en la sacristía de la capilla, un Guido original, según se dice; representa a Cristo atado a la columna y azotado [...] Pero la mayor parte de estas pinturas permanecen en un estado tal de abandono y a punto de echarse a perder que da pena verlas. ”

Madame Calderón de la Barca en *La vida en México* (1840)

SALA DE ARTE PÚBLICO SIQUEIROS

Tres Picos 29, Polanco; 5203 5888; saps-latallera.org; martes a domingo de 10 a 18 horas. En esta casa vivió y tuvo su taller el pintor David Alfaro Siqueiros. Actualmente es un museo que se dedica a resguardar e investigar su obra, y a promover el arte contemporáneo y experimental. Tras varios meses de restauración, de la casa y los murales del pintor (inacabados) que ahí se encuentran, inició a partir de agosto de 2010 una nueva época con un rostro diferente y espacios para residencias y actividades de pintores contemporáneos.

HISTORIA

MUSEO CASA DE CARRANZA

Río Lerma 35, esq. Río Amazonas, Cuauhtémoc; 5535 2920; martes a sábado de 9 a 18 horas, domingos de 9 a 17. En los sótanos de esta casa de estilo francés de 1908, Felipe Ángeles instaló su cuartel en 1913, y en 1919 don Venustiano vivió sus últimos meses de vida. Aquí lo velaron el 24 de mayo de 1920, y entonces comenzó la extraña costumbre de velar en este mismo domicilio a los constituyentes del 17 que iban muriendo. Además de la recreación del museo de sitio, salas y comedor de la casa, el espacio incluye objetos personales de Carranza, una historia de la Revolución Mexicana y de la constitución, ademas de retratos de Dr. Atl y de Raúl Anguiano.

MUSEO CASA LEÓN TROTSKY

Río Churubusco 410, Del Carmen, Coyoacán; 5658 8732; museocasadeleontrotsky.blogspot.com; martes a domingo de 10 a 17 horas. En 1937, Lázaro Cárdenas concedió asilo a León Trotsky, deportado de la Unión Soviética en 1929. En el jardín hay un mausoleo con las cenizas del revolucionario ruso, asesinado aquí en 1949, y una estela diseñada por Juan O'Gorman. El interior evoca la vida cotidiana en México de uno de los líderes de la revolución bolchevique, así como una biblioteca. Además de una sala para exposiciones temporales, tiene un auditorio y es sede del Instituto del Derecho al Asilo.

MUSEO DE SITIO TECPAN

Paseo de la Reforma 630, Unidad Habitacional Tlatelolco; 5782 2240 y 5782 7290; de lunes a viernes de 9 a 17 horas. Hernán Cortés mandó construir este edificio para que sirviera de recinto al gobierno de la República de Indios de Santiago Tlatelolco. Su arquitectura, pues, data del decenio de 1520. Durante el periodo virreinal fue edificio de gobierno, que mezclaba las antiguas funciones de regulación comercial indígena con las de un ayuntamiento hispánico ("la relación entre aztecas y españoles no es únicamente una relación de oposición: el poder español sustituye al poder azteca y así lo continúa", publica Octavio Paz en *Posdata* en 1970). En una de las estructuras se instaló *Cuauhtémoc contra el mito* de Siqueiros en 1963. Esta visita es el complemento perfecto a la Plaza de las Tres Culturas, con la zona arqueológica de Tlatelolco y el ex Convento de la Santa Cruz, donde se exhibe la Caja de Agua, recientemente excavada, que abastecía de agua a los tlatelolcas.

Museo Casa León Trotsky

MUSEO DEL CARMEN

Revolución s/n, esq. Monasterio, San Ángel; 5616 2816; museodeelcarmen.org; martes a domingo de 10 a 17 horas. Muchos llegan atraídos por las momias, macabras y boquiabiertas, que amueblan con su dudoso y disecado atractivo el convento establecido en 1613 para el colegio de la orden carmelita. Tiene también una pinacoteca con obras de importancia de los siglos XVII y XVIII; un jardín encantador; un foro donde suele haber presentaciones teatrales, de música y danza, y conferencias; un espacio para talleres y actividades educativas; y una biblioteca cuyo olvido es su mayor privilegio. Desde su fundación, los carmelitas cultivaron huertos florales, y San Ángel se convirtió en uno de los paseos dominicales favoritos para los pobladores de la antigua ciudad de México.

MUSEO DEL TEMPLO MAYOR

Seminario 8, Centro; 5542 0606; templomayor.inah.gob.mx; martes a domingo de 9 a 17 horas. Los hallazgos de la zona del Templo Mayor a un costado de la Catedral Metropolitana no cesan, y el lugar para admirarlos es este museo de sitio con sus excavaciones aledañas. En 1987 se abrió al público este recinto, concebido por los arquitectos Pedro Ramírez Vázquez y Jorge Ramírez Campuzano, que se caracteriza por la ausencia de luz y ventilación. La pieza más recientemente encontrada —en las inmediaciones de la Casa de las Ajaracas— es Tlaltecuhtli, diosa de la Tierra. Además de los restos de los templos de Huitzilopochtli y Tláloc, aquí se admiran el impresionante monolito de Coyolxauhqui, un Chac Mool y la historia de la antigua Tenochtitlan.

El Templo Mayor, dedicado a Tláloc y Huitzilopochtli, fue terminado en 1487. Más de 30 años después Bernal Díaz del Castillo relata: "En esa ocasión Ahuízotl hizo sacrificar 20,000 guerreros originarios de Xiuhcoac, Cuetlaxtlan y Tzapotlan [...] Todo hedía a carnicería". Desde este punto se fundó el proyecto imperial azteca y también el colonial hispánico.

MUSEO HISTÓRICO JUDÍO Y DEL HOLOCAUSTO TUVIE MAIZEL

Acapulco 70, Condesa; 5211 6908; museojudiomexico.com.mx; lunes a jueves de 10 a 13:15 horas y de 16 a 17:15, viernes y domingos de 10 a 13:15. Abrió sus puertas en 1979, y tras una remodelación volvió a abrirlas en 1999. Desde entonces este museo ha sido constante en su labor de documentación y remembranza por medio de una colección permanente de fotografías, testimonios, objetos e información histórica sobre el terrible Holocausto, ligado aquí al relato de la creación del Estado de Israel. Dedica también un espacio a la participación de México en la Segunda Guerra Mundial.

MUSEO MANUEL TOLSÁ (PALACIO DE MINERÍA)

Tacuba 7, Centro; 5623 2982; palaciomineria.unam.mx; miércoles a domingo de 10 a 19 horas. A los niños les llaman mucho la atención los meteoritos ubicados en la entrada de este palacio diseñado por quien da nombre al museo: el arquitecto Manuel Tolsá. Para los jóvenes las visitas a la Feria del Libro que aquí se organiza cada año es un gran atractivo; y para todos lo es el edificio, con su escalinata central, los salones y su magnífica biblioteca donde se organizan conciertos, celebraciones y visitas para admirar los más de 180 mil volúmenes.

Mandado construir en 1797 y terminado en 1813 como recinto del Seminario de Minas y luego Escuela de Ingenieros de la Universidad, este palacio es admirado por muchísimos lugareños y visitantes que pasan a diario por la plaza Manuel Tolsá. Dice Serge Gruzinski en *La ciudad de México* (2004) que "fue el primer establecimiento del mundo consagrado a la ciencia de las minas en respuesta al progreso prodigioso de la industria minera en México".

MUSEO MEMORIA Y TOLERANCIA

Plaza Juárez (frente al Hemiciclo a Juárez), Centro; 5130 5555; memoriaytolerancia.org. Ver de cerca y subirse a un vagón de tren de los que condujeron a millones de personas a los campos de concentración durante la Segunda Guerra Mundial es una de las experiencias que pueden vivirse en este espacio. El vagón fue donado por el gobierno de Polonia y en él se proyectan imágenes de la época. La colección de este museo consta de 800 objetos provenientes de genocidios del siglo xx, como los de Ruanda, Bosnia y Armenia, entre otros. En el recinto la interactividad se impone y los visitantes pueden comprender de qué manera una palabra, un juego o una imagen pueden implicar mucho más de lo que parece. La arquitectura estuvo a cargo de Arditti Arquitectos en colaboración con Ideurban.

MUSEO NACIONAL DE ANTROPOLOGÍA

Paseo de la Reforma s/n, esq. Gandhi, Bosque de Chapultepec; 5553 6253; mna.inah.gob.mx; martes a domingo de 9 a 19 horas. Permitamos que Octavio Paz comparta su punto de vista sobre este museo esencial construido por Pedro Ramírez Vázquez en 1964: "Entrar en el Museo de Antropología es penetrar en una arquitectura hecha de la materia solemne del mito. Hay un inmenso patio rectangular y en el patio hay un gran parasol de piedra por el que escurren el agua y la luz con un rumor de calendarios rotos, cántaros de siglos y años que se derraman sobre la piedra gris y verde. El parasol está sostenido por una alta columna que sería prodigiosa si no estuviese recubierta por relieves con los motivos de la retórica oficial [...] Allí la antropología se ha puesto al servicio de una idea de la historia de México [...] Toda la diversidad y la complejidad de dos mil años de historia mesoamericana presentada como prólogo al acto final, la apoteosis-apocalipsis de México-Tenochtitlan". El texto es de *Postdata* (1970).

"Al salir vimos el Calendario Azteca, piedra redonda cubierta de jeroglíficos, que todavía se conserva y está empotrada en uno de los lados exteriores de la Catedral", escribe Madame Calderón de la Barca en *La vida en México* (1840). Y así refiere su primera visita a la Catedral Metropolitana. Esta piedra la descubrieron los conquistadores en 1521 y, además de derrumbarla por ser un símbolo de las deidades "falsas" en las que creían los habitantes originales de lo que hoy es territorio mexicano, por órdenes de la iglesia fue enterrada

Museo Nacional de Antropología

durante más de dos siglos. En 1790 apareció durante una excavación y se colocó a un lado de la Catedral Metropolitana, cerca de donde la habían encontrado. Ahí fue objeto de todo tipo de agresiones, pues la gente solía aventarle frutas y suciedades. En 1885 llegó el primer rescate: las autoridades la limpiaron y trasladaron al Museo Nacional. Cuando en los años sesenta se decidió construir el Museo Nacional de Antropología e Historia se sabía desde el principio que la pieza central sería la Piedra del Sol o Calendario Azteca. Los arquitectos Pedro Ramírez Vázquez, Ricardo de Robina, Jorge Campuzano, Rafael Mijares y Antonio Caso proyectaron el magnífico museo tomando como punto de partida el lugar especial de esta grandiosa pieza. Sobreviviente de siglos, representativa de una época y de una cultura que había desaparecido, rescatada más de una vez, restaurada, ellos la colocaron en un pedestal donde sería admirada por millones de personas.

MUSEO NACIONAL DE HISTORIA (CASTILLO DE CHAPULTEPEC)

Primera Sección del Bosque de Chapultepec; mnh.inah.gob.mx; martes a domingo de 9 a 17 horas. En un día claro, desde las terrazas del castillo se domina un paisaje de la ciudad antecedido por el verde del bosque. En sus interiores todo es encantador: la construcción misma, la decoración, la excelente restauración reciente. En el ala principal del castillo está el recorrido histórico permanente: desde los aztecas hasta el porfiriato. En la planta alta, las exposiciones temporales. En el alcázar se admiran los salones y habitaciones de los distintos habitantes del castillo construido en 1785, además de los episodios que aquí se libraron, como el de los Niños Héroes. Abrió como museo en 1940.

MUSEO NACIONAL DE LA REVOLUCIÓN

Plaza de la República, Tabacalera; 5566 1902; martes a domingo de 9 a 17 horas.

Museo Nacional de la Revolución

Con la idea de dedicar un espacio a la Revolución Mexicana se inauguró este museo en 1986, y en noviembre de 2010 se remodeló para la celebración de su primer centenario. En las salas, que se ubican en el sótano del Monumento a la Revolución, se exhiben fotos, videos, banderas, armas, documentos, mobiliario y obras de arte. Como muchos saben, la extraña estructura designada de manera arbitraria para señalar el tótem de la Revolución es tan sólo una parte de un edificio que la Revolución impidió terminar: el Palacio Legislativo que don Porfirio mandó construir para su Congreso sin autoridad ("Había cierta dificultad en ser diputado o senador, pero conseguida la plaza todo era fácil. Las leyes llegaban hechecitas. Sólo había que ponerse de pie y decir sí o simplemente hacer como cuando se cabecea de sueño", dice Luis González). El águila que debía rematar esa cúpula ahora parece aletear en la punta de la pirámide del Monumento a la Raza. La remodelación de 2010 fue en realidad una reconceptualización. Para subir al mirador se construyó un elevador externo que en sí mismo llama la atención; también hay una rampa de acceso al sótano, donde se encuentran las salas. La iluminación y la curaduría, ambas muy mejoradas, corrieron a cargo de Museográfica, una de las empresas con más trayectoria en el diseño de museos en México.

MUSEO NACIONAL DE LAS CULTURAS

Moneda 13, Centro; 5542 0165; martes a domingo de 10 a 18 horas. Kimonos antiguos, armaduras, porcelana y piezas prehispánicas y de la época colonial son algunos de los 12 mil objetos que resguarda el primer museo de América en una de las calles más importantes del hemisferio occidental. Se ufana de que su acervo se ha formado a partir de donaciones. Todo esto se encuentra en una antigua casa de arquitectura barroca con un mural de Rufino Tamayo en la entrada. Fue restaurado en 2010 por el gobierno federal.

Este edificio fue la Casa de Moneda que el virreinato de la Nueva España estableció en 1659. Entonces se hizo necesario adiestrar grabadores, oficio subsidiario de la acuñación. Así nace, a pocos pasos, la Academia de San Carlos. Más tarde, el recinto de la Casa de Moneda se convirtió en la sede del Museo Nacional que decretó Guadalupe Victoria en 1825, a instancias de Lucas Alamán. Como Museo Nacional de las Culturas, inaugurado por Maximiliano en 1865, su pieza clave fue la Coatlicue. En 1906 don Porfirio mandó al Chopo la colección de historia natural.

Museo de Historia Natural y Cultura Ambiental

Y de aquí en 1940, brotó una ramificación del Museo Nacional de Historia. El amigo que Salvador Novo guía apresuradamente por su ciudad en *Nueva grandeza mexicana* (1946) "habría de abrir la boca frente al reproducido y famoso Calendario Azteca; frente a la discutida piedra de los Sacrificios; frente a la dramaticidad sublime y feroz de la Coatlicue; frente a la gracia del Xochipille".

MUSEO NACIONAL DE LAS INTERVENCIONES

20 de Agosto esq. General Anaya, San Diego Churubusco; 5604 0699; martes a domingo de 9 a 18 horas. Se ubica en el ex Convento de Nuestra Señora de los Ángeles. Fue establecido por franciscanos en el siglo XVI donde antes estuvo un templo dedicado a Huitzilopochtli. Pasó a la orden dieguina, y creció por obras pías. En 1847 fue escenario de la resistencia durante la guerra con Estados Unidos, y aquí combatió también el Batallón de San Patricio —por esa razón la excelente banda de gaitas mexicana que tiene ese nombre ensaya aquí—. También aquí se estableció un club campestre de golf, en 1900. El ex convento es hermosísimo, vale la pena visitar las habitaciones de los frailes del siglo XIX y la colección de arte sacro.

ZONA ARQUEOLÓGICA DE CUICUILCO

Insurgentes Sur esq. Periférico, Isidro Fabela; 5606 9758; lunes a domingo de 9 a 17 horas. Sobresalen de este sitio los restos de un templo circular que en su momento dominó la región, acaso el primer asentamiento humano en el Valle de México. Además hay otros siete edificios religiosos y habitacionales, previos a la erupción del volcán Xitle en el año 400 a.C., que terminó con éste y otros sitios circundantes. Pero su extraordinaria piedra volcánica es la que adorna hoy el sur de la ciudad, y otros rumbos. ¡Gracias al Xitle tenemos el tezontle!

CIENCIA

MUSEO ANTIGUO PALACIO DE LA MEDICINA

República de Brasil 33, Centro; 5529 7542; palaciomedicina.unam.mx; lunes a domingo de 9 a 18 horas. Esta construcción del siglo XVIII del barroco mexicano fue tribunal y cárcel de la Inquisición, después Colegio Militar y cárcel, y eventualmente Facultad de Medicina de la UNAM. Su ubicación frente a la Plaza de Santo Domingo hace que su visita sea muy agradable. Muestra la historia de la medicina en México en sus salas, desde una botica antigua hasta un cuerpo humano con todos los órganos expuestos. Al fondo hay una exposición permanente sobre instrumentos de tortura.

MUSEO DE GEOLOGÍA

Jaime Torres Bodet 176, Santa María La Ribera; 5547 3900; geologia.unam.mx; martes a domingo de 10 a 17 horas. La extensa colección de rocas, meteoritos, minerales, fósiles (algunos de dinosaurios) y hasta el esqueleto de un mamut de este museo de la UNAM son suficiente motivo para visitarlo; pero a esto hay que añadir el interés por el museo mismo, construido durante el porfiriato. La decoración interior, el mobiliario y las vitrinas donde se expone la colección hablan de otro tiempo: fue el primer edificio que se construyó para fines específicamente museísticos, entre 1900 y 1906. El vitral emplomado de la nave central, antes de los terremotos

Universum (Museo de las Ciencias)

de 1985, era un vitral que reproducía el Sistema Solar y que debería restaurarse. Es el último museo de la ciudad en el que perdura el espíritu dieciochesco del "gabinete", continuador de aquel Gabinete de Prodigios Naturales que fundó la tradición del museo en México. En la fachada hay crustáceos, peces, pterodáctilos, y otros fósiles en bajo relieve. Cuenta con 10 cuadros de José María Velasco sobre la evolución geológica de la Tierra, y varias sorpresas más. Su ubicación frente a la Alameda de Santa María la Ribera, con su quiosco morisco, le da un sabor aún más especial a la visita de este recinto, donde también se imparten cursos.

El Gabinete de Prodigios Naturales fue instalado en Plateros (hoy Madero) por José Longinos Martínez, quien formó parte de una comisión de naturalistas que Carlos III había mandado para estudiar y coleccionar plantas, animales y minerales de la Nueva España. Este gabinete, ubicado en el número 89 de la calle, fue el primer espacio público dedicado a exhibir una colección en México. Esto en el siglo XVIII. Mostraba 17 osamentas de elefantes, microscopios, cámaras oscuras, barómetros. Sólo hacía falta "vestir con decencia" para tener derecho a entrar a contemplar el "libro abierto de la naturaleza". Había 24 estantes, biblioteca, animales disecados (aves, pescados, insectos), herbario y minerales (oro, plata, cobre, hierro, sales, piedras preciosas, cuarzos, estalactitas). Longinos estaba ahí a menudo para explicar su colección. Por 1802 la colección se movió al Conservatorio de Antigüedades y Gabinete de Historia Natural, en San Ildefonso, y luego a la Universidad.

MUSEO DE HISTORIA NATURAL Y CULTURA AMBIENTAL

Segunda Sección del Bosque de Chapultepec; 5515 2222; sma.df.gob.mx/mhn; martes a domingo de 10 a 17 horas. El carácter educativo de este museo está respaldado por una serie de organizaciones ambientales e instituciones que han hecho de este recinto una visita obligada para las escuelas, pero no está de más para los adultos. Además de sus explicaciones evolutivas y de las colecciones de insectos contiene tesoros documentales y bibliográficos, como las láminas en que Fray Bernardino de Sahagún retrató la vida vegetal y animal de la Nueva España. Para muchos es una vuelta a la infancia.

MUSEO DE LA LUZ

San Ildefonso 43, Centro; 5702 3183; luz.unam.mx; lunes a viernes de 9 a 16 horas, sábados y domingos de 10 a 17. La luz y, por ende la vista, son los temas que se abordan desde la perspectiva de la física, la química, la biología y otras ciencias en este museo. Recién mudado a un nuevo recinto, después de 15 años en el antiguo templo de San Pedro y San Pablo, presenta exposiciones temporales acompañadas de conferencias de físicos, astrónomos y geólogos, cursos para adultos y niños y un cineclub con excelente programación.

MUSEO INTERACTIVO DE ECONOMÍA

Tacuba 17, Centro; 5130 4600; mide.org.mx; martes a domingo de 9 a 18 horas. Desde afuera llaman mucho la atención los artículos de su tienda, como esa mascada de billetes estampados que, por más extraño que suene, se ve bien. Se ubica en un antiguo convento de la orden betlemita y, en estos tiempos en los que el dinero lo rige casi todo, la visita a este recinto es un buen lugar para la reflexión sobre estos temas.

MUSEO TECNOLÓGICO DE LA COMISIÓN FEDERAL DE ELECTRICIDAD

Av. Grande del Bosque 1, Segunda Sección del Bosque de Chapultepec; 5516 0964; cfe.gob.mx; sábado a jueves de 9 a 16:30 horas, viernes de 9:30 a 16:30. Inaugurado en 1970 éste fue el primer museo de ciencias que se creó con un sentido didáctico en México. Es además el primero interactivo de América Latina. Tienen talleres y cursos dinámicos para los niños.

UNIVERSUM (MUSEO DE LAS CIENCIAS)

Insurgentes Sur 3000, Ciudad Universitaria, 5622 7260; universum.unam.mx; lunes a viernes de 9 a 18 horas, sábados, domingos y días festivos de 10 a 18. Enclavado en el Centro Cultural Universitario, este museo es un sitio diseñado para difundir y promover la ciencia entre los niños y jóvenes. Desde su inauguración en 1992, Universum ha recibido la visita de más de nueve millones de personas. Cuenta con más de 10 salas, entre las que recomendamos Universo, Conciencia de Nuestra Ciudad, Cosechando el Sol y Espacio Infantil. El museo ofrece visitas guiadas gratuitas, sin embargo tienes que reservarlas ¡con un mes de anticipación!

CULTURA POPULAR

MUSEO DE ARTE POPULAR

Revillagigedo 11, Centro; 5510 2201; map.df.gob.mx; martes a domingo de 10 a 18 horas, jueves de 10 a 21. La renovación de este impresionante edificio art déco, que funcionó como sede de la Estación Central de Policía y Bomberos, llamó la atención desde que empezó la obra. Y fue motivo de alegría cuando se inauguró en 2006 para exhibir los objetos de arte que hacen artesanos mexicanos en la ciudad y el campo. Además de ingeniosas exposiciones temporales, hay talleres y actividades culturales para niños y grandes.

MUSEO DE LA CARICATURA

Donceles 99, Centro; 5704 0459; lunes a viernes de 10 a 18 horas, sábados y domingos de 10 a 17. Un lugar para entender mucho más de lo que te puedes imaginar: el sentido del humor de un pueblo a lo largo de su historia dice más, y más rápido, de la idiosincrasia que un tratado sociológico. Imágenes para reír y entender de qué reían los mexicanos desde los inicios del México independiente hasta nuestros días. Y de paso admira el edificio del siglo XVII en el que está instalado el museo y donde se filmó *El castillo de la pureza* (1972) de Arturo Ripstein.

MUSEO DE LA CHARRERÍA

Isabel la Católica 108, esq. Izazaga, Centro; 5709 4793; lunes a viernes de 11 a 17 horas. De una tradición que surgió de la necesidad de atender las haciendas se hizo un museo con objetos del México rural. Hay trajes típicos, monturas, chaparreras, anqueras, espuelas, riendas, vaquerillos y arreos de la época colonial y de nuestros tiempos, incluido, por ejemplo, un revólver de Francisco Villa y la cabeza del caballo con el que Zapata entró a la capital. Es también un pretexto para conocer otro gran inmueble del Centro Histórico: el convento de Montserrat, de 1580.

Museo de Arte Popular

MUSEO DEL ESTANQUILLO COLECCIÓN CARLOS MONSIVÁIS

Isabel la Católica 26, esq. Madero, Centro; 5521 3052; museodelestanquillo.com; miércoles a lunes de 10 a 18 horas. Curiosidades de todo tipo: objetos, arte popular, fotografías y más; todo con un sentido claramente histórico y urbano. La colección se compone de lo que el escritor y periodista Carlos Monsiváis reunió a lo largo de su vida: más de 12 mil piezas que se organizan en exposiciones temáticas y sirven como crónicas de la ciudad y la cultura mexicana. Este museo ocupa el edificio de cuatro pisos de 1890 de la famosa joyería La Esmeralda Hauser-Zivy, corresponsal de una en París. Un reportero de la época escribió en el *Almanaque Bouret* (1897): "Entre las riquísimas joyas que se muestran en esta casa, nada es comparable a la belleza de sus collares de perlas [...] A ese palacio de mármol y de pedrerías acuden las más bellas y elegantes damas, así como las notabilidades de las finanzas y la política en México".

MUSEO DEL JUGUETE ANTIGUO MÉXICO

Dr. Olvera 15, Doctores; 5588 2100; museodeljugueteantiguomexico.blogspot.com; lunes a viernes de 9 a 17 horas, sábados de 9 a 13, domingos de 10 a 16. Este alucinante museo alberga una asombrosa colección privada de juguetes antiguos. Cuenta con tres salas de exhibición y una planta alta. Tienen más de 30 mil piezas. Algunas datan de 1800, mientras que las más recientes son de la década de los setenta. También exhibe la famosa figura que muchos reconocen del desaparecido Salón Colonia: una enorme máscara de lámina de cuatro metros de altura, dentro de la cual tocaba Tencha, la pianista de la Danzonera de Acerina. No hay que perderse a Rur-Robot, un personaje construido con un transformador de luz de los años cuarenta que se mueve y lanza humo, fuego y un rayo láser. La tienda es buenísima.

MUSEO DEL TEQUILA Y EL MEZCAL

Plaza Garibaldi, Centro. El proyecto costó 15 millones de pesos, y varias críticas por la destrucción de los emblemáticos arcos de la plaza. Lo cierto es que este museo trae consigo una estupenda intención:

Museo del Juguete Antiguo México

rescatar los valores de identidad de ambas bebidas mexicanas. Esto en un área de 1,220 metros cuadrados, dos pisos y un vidrio traslúcido que desde antes de la inauguración ya lucía sucio y deficiente.

MUSEO NACIONAL DE LAS CULTURAS POPULARES

Hidalgo 289, Del Carmen Coyoacán; 4155 0920; culturaspopulareseindigenas.gob.mx; martes a jueves de 10 a 18 horas, viernes a domingo de 10 a 20. Antropología, etnología y arte popular es la especialización de este museo que ocupa una enorme y linda casa abierta al público a media cuadra del centro de Coyoacán. El museo data de 1982 y ha destacado por su museografía, que acerca los temas y los objetos a la vida cotidiana del público e incluye espacios interactivos por medio de propuestas antropológicas de fondo.

OTROS

CASA MUSEO BENITA GALEANA

Cerrada de Zutano 11, esq. Monosabio, Portales; 5609 1687; lunes a viernes de 9 a 15 horas y de 16 a 18. Un sitio del que se sienten orgullososo los vecinos de la Portales, y no en vano. Dedicado a la luchadora social y la destacada miembro del Partido Comunista Mexicano. Se exhiben óleos, acuarelas, grabados y fotografías, así como objetos cotidianos de Benita. La biblioteca cuenta con más de 500 ejemplares sobre socialismo, movimientos sociales y género, y una fototeca con mil imágenes.

EX CONVENTO DE SAN JERÓNIMO / MUSEO DE LA INDUMENTARIA MEXICANA LUIS MÁRQUEZ ROMAY

Izazaga 92, Centro; 5130 3300; ucsj.edu.mx; lunes a viernes de 10 a 17 horas. En este edificio de 1585 vivió recluida la escritora Sor Juana Inés de la Cruz entre 1688 y 1695. Cuenta con un imponente Centro de Documentación, así como con exposiciones temporales de arte contemporáneo, conciertos y conferencias. Además alberga el Museo de la Indumentaria Mexicana Luis Márquez Romay, que tiene a su cargo aproximadamente cuatro mil prendas de la colección que Márquez Romay, fotógrafo y hombre de la cultura en México, inició en 1922 y donó al claustro en 1977. Se trata de trajes típicos de México confeccionados a la manera tradicional que él mismo buscó en lugares recónditos del país. El acervo se ha incrementado por donaciones de particulares.

MUSEO BRITÁNICO AMERICANO

Artículo 123 núm. 134, Centro; museobritanicoamericanoenmexico.blogspot.com; martes a domingo de 10 a 18 horas. Tras la restauración de la antigua Christ Church, afectada por el sismo de 1985, se abrieron las puertas de este hermoso edificio para albergar un museo. Su propósito es preservar la historia de la comunidad de habla inglesa en México, sobre todo a partir del siglo XIX. Tienen una sección para la promoción del arte contemporáneo emergente y organizan actividades paralelas como pláticas, conferencias, ciclos de cine y representaciones teatrales.

MUSEO CAPILLA ALFONSINA

Benjamín Hill 122, Condesa; 5515 2225; lunes, jueves y viernes de 10 a 15 horas. Este museo se ubica en la casa donde vivió el escritor, diplomático y humanista mexicano Alfonso Reyes. En 1939, Manuel Toussaint puso la primera piedra del edificio, y Enrique Díez-Canedo, escritor español, la apodó así. Si bien la biblioteca ocupa el espacio más grande de la casa y es impresionante por la cantidad y calidad de sus volúmenes, la colección de soldaditos de plomo, de cromos y grabados que retratan al mundo prehispánico fascinan a los visitantes. El centro es administrado por Alicia, nieta del escritor, que organiza conferencias, presentaciones y talleres literarios.

MUSEO DE CERA

Londres 6, Juárez; 5546 7670; museodecera.com.mx; lunes a domingo de 11 a 19 horas. Este asombroso museo exhibe figuras de personajes importantes para la historia y la cultura popular de México y el mundo. La casa fue construida por el arquitecto Antonio Rivas Mercado entre 1900 y 1904. Hasta 1979 el Cenidim (Centro Nacional de Investigación, Documentación e Información Musical del INBA) tuvo su sede aquí. A partir de entonces se inauguró el Museo de Cera, franquicia del Royal London Wax Museum. José Luis Cuevas escribió: "No dudo al afirmar que se trata de uno de los mejores museos del mundo en su género". El ingeniero Mario Rabner, su propietario, puede sentirse orgulloso, sobre todo porque ni siquiera el incendio de 1992 pudo terminar con la creciente fama del museo.

Museo de la Ciudad de México

MUSEO DE LA CIUDAD DE MÉXICO

Pino Suárez 30, Centro; 5542 0083; martes a domingo de 10 a 18 horas. Uno de los museos más dinámicos de la ciudad, en el antiguo Palacio de los Condes de Calimaya, que mucho tiempo funcionó como vecindad. En su restauración algunas de las habitaciones se recrearon y se le prestó especial atención al estudio del pintor campechano Joaquín Clausell (no hay que perdérselo). La cartelera del museo es novedosa y atractiva, que incluye muestras de historia, cultura popular y arte contemporáneo. La puerta principal es una pieza en sí misma que vale la pena detenerse a contemplar. Son muy recomendables las visitas guiadas y los talleres.

“Una vez [mi padre] me pidió que fuera a ver a un licenciado Clausell para llevarle un mensaje [...] Llegué a un espléndido palacio virreinal que ahora es el Museo de la Ciudad de México [...] Cuando entré a aquel patio con una sirena en una fuente pregunté por el licenciado Clausell a un mozo somnoliento que me dijo: 'El señor está arriba'. Subí las escaleras y hasta el final de las escaleras, en el último piso, estaba un hombre mayor, que me recibió en pantunflas. Me saludó con gran cortesía y le di la esquela enviada por mi padre. La leyó detenidamente y me dijo: 'Bueno, dile a tu papá que le voy a hablar por teléfono para que no tenga que escribirme, esto ya no se usa, no es necesario'.”

Octavio Paz en "Centro Histórico de la ciudad de México" (*Artes de México*, 1993)

MUSEO DE LA POLICÍA PREVENTIVA DE LA CIUDAD DE MÉXICO

Victoria 82, esq Revillagigedo, Centro; 5521 0426; lunes a domingo de 10 a 18 horas. En una ciudad como ésta no podía faltar el Centro Cultural Policial de la Secretaría de Seguridad Pública. Ubicado en el llamativo edificio que albergaba la Antigua Estación de Policía, hay en el recinto una historia de la policía y muestras temporales que giran en torno a la labor de esta organización citadina y a otros temas que no tienen nada que ver (¿o quizá sí?) como vampiros y asesinos seriales.

MUSEO DE RIPLEY

Londres 4, Juárez; 5546 3784; museodecera.com.mx; lunes a domingos de 11 a 19 horas. Desde su inauguración en 1992 ha sorprendido a niños y adultos con una colección de objetos maravillosos. Tiene 14 salas de exhibición que fueron adaptadas para alojar los extraños artículos que Robert L. Ripley reunió a lo largo de su vida.

Cuando Robert LeRoy Ripley (1890-1949) vino a México en los años treinta visitó las pulgas vestidas: 13 parejas de insectos que durante años estuvieron expuestas en el Museo Nacional de Historia Natural, y las incluyó en su columna. Se calcula que diariamente esta columna tenía alrededor de 80 millones de lectores.

MUSEO DE SITIO DE LA SECRETARÍA DE EDUCACIÓN PÚBLICA

Argentina 28, Centro; lunes a viernes de 8 a 20 horas. Como en tantos lugares del Centro Histórico, cualquier restauración provoca descubrimientos asombrosos y esto ocurrió también en el edifico de la Secretaría de Educación Pública, construido en 1730 y restaurado en 1989. Desde 1991, además de los murales de Diego Rivera y el inconcluso *Patricios y patricidas* de David Alfaro Siqueiros, así como obras de Raúl Anguiano y Luis Nishizawa, puedes apreciar las piezas arqueológicas prehispánicas y de la época colonial que se exhiben en sus salas.

MUSEO DEL AUTOMÓVIL

División del Norte 3572, San Pablo Tepetlapa; 5617 0411; museodelautomovil.com.mx; martes a domingo de 10 a 18 horas. Más de 100 automóviles clásicos y antiguos en perfecto estado, a pocos pasos de la estación de tren ligero Nezahualpilli. Fue inaugurado en febrero de 1991 y desde entonces exhibe vehículos de entre 1904 y 1970, entre los que destacan un Packard Dietrich Phaeton Super 8 (1936) y un Franklin (1919). Es un museo muy interesante.

MUSEO DEL CALZADO

Bolívar 27, 1er piso, Centro; lunes a sábado de 10 a 18 horas. La vocación zapatera de la emblemática tienda El Borceguí (ver página 123) se aprecia en el mobiliario de su tienda más antigua, y por supuesto en su museo, donde se exhiben más de dos mil piezas. Su colección incluye zapatos de personajes famosos, calzado proveniente de todo el mundo y de distintas épocas, además de una colección de zapatos miniaturas.

MUSEO DEL ESCRITOR

museodelescritor.org.mx. Primeras ediciones y libros autografiados, fotografías, objetos relacionados con el oficio de escribir, grabaciones, recortes periodísticos, cartas, obra plástica y muchos objetos más que documentan el trabajo y la trascendencia de los escritores mexicanos. El museo, que data de 2009, está a cargo de la fundación del escritor mexicano René Avilés Fabila, que ofrece también cursos de redacción, poesía y literatura.

MUSEO DEL OBJETO DEL OBJETO

Colima 145, Roma; 5533 9637; elmodo.mx. Inaugurado en octubre de 2010 este museo es el primer espacio dedicado, por un lado a coleccionar, conservar, exhibir y difundir diversas expresiones del diseño gráfico e industrial, y por otro al fenómeno de la comunicación, con énfasis en las nuevas tecnologías. El Modo resguarda un acervo de más de 30,000 objetos de 1810 a la fecha, enfocados principalmente a mostrar maravillosos ejemplos del diseño del empaque, el envase, la publicidad y las artes gráficas. Un anuncio de cerveza de 1890, empaques producidos en el Japón ocupado, frascos de refrescos que ya no existen, polveras de los años veinte, envases de lámina para chicles y prensas planas de hace 100 años son algunos de los ejemplos de lo que se exhibe en este museo que también busca generar proyectos de investigación, educativos y de difusión teniendo como ancla su colección.

MUSEO DEL RETRATO HABLADO

Universidad 1330, Del Carmen Coyoacán; 5659 6015. Este museo está a cargo del criminólogo Sergio Jaubert, quien ha atesorado una colección de dos millones de dibujos y materiales de clasificación de la fisionomía humana. El dueño se ufana de haber inventado la técnica del retrato hablado hace 60 años, entre otras iniciativas originales, además de dedicarse a dar conferencias, impartir talleres y participar en programas de radio. Para recorrer este espacio (que según Jaubert posiblemente cambie de nombre) es indispensable hacer una cita.

El Museo de Historia Natural inaugurado en 1913 vio sus mejores tiempos a principios de los cincuenta cuando la colonia Santa María La Ribera experimentaba un auge modernizador propio de la época. En 1954 —año de la foto— todavía era posible admirar el esqueleto del *Diplodocus carnegiei*.

MUSEO PANTEÓN DE SAN FERNANDO

Plaza San Fernando 17, Guerrero; 5518 4736; martes a domingo de 9 a 15 horas. Dicen que se puede conocer la historia del primer siglo del México independiente en este panteón, por lo menos de los ilustres que aquí yacen, empezando por Benito Juárez. Es un cementerio célebre convertido en museo por el interés de sus muertos, por la arquitectura fúnebre decimonónica que puede observarse y porque se encuentra en una zona céntrica de la ciudad. Ignacio Manuel Altamirano cuenta: "En San Fernando está el cementerio elegante, de moda, a donde todo el mundo quiere sepultar a sus deudos, como si fuera ser menos enterrarse en otra parte [...] En San Fernando se hallan sepultados los personajes más notables en la política y en la fortuna: la desposada herida de muerte al pie del altar, y llorada tanto tiempo y con tanta fidelidad por Lafragua; Comonfort, Mejía, Lerdo, Ocampo, Miramón". Hay muchas más tumbas que visitar, pero lo mejor es que lo hagas con visitas guiadas, a las 14 horas entre semana y los fines de semana a las 12 y 15 horas. Atención con la tumba falsa de Isadora Duncan, que según se dice puso ahí un ex presidente mexicano enamorado de la bailarina estadounidense.

MUSEO POSTAL

Tacuba 1, esq. Eje Central, Centro; 5510 2999; martes a viernes de 8 a 20 horas, sábados y domingos de 8 a 15:30. Inaugurado por don Porfirio en 1907 cuando depositó dos postales con vistas de Palacio Nacional en sus buzones. El Palacio de Correos es uno de los edificios más bellos de la ciudad de México, con estructuras de hierro trabajadas con delicadeza en el interior, elevadores originales en funcionamiento, y dragones y gárgolas que adornan la cantera blanca de Pachuca que lo viste por fuera. El diseño estuvo a cargo del italiano Adamo Boari, cuya propuesta ecléctica dio un resultado extraordinario, único. En su tercer piso está el Museo Postal, con objetos de un mundo que pareciera extinguirse, transformado por la velocidad digital, aunque todavía desde sus ventanillas se despachan timbres para enviar tarjetas postales o cartas escritas a mano, cuya entrega demorará mucho más que un clic.

PALACIO NACIONAL DE MÉXICO

Zócalo, Centro. Este edificio es historia pura, por su ubicación, lugar donde Moctezuma tenía su casa, después Hernán Cortés, los virreyes, y luego varios presidentes de nuestra edad republicana. Durante años fue sede de los poderes federales, y todavía hoy hay oficinas de la presidencia, salas donde se organizan recepciones gubernamentales y el balcón donde cada septiembre se da el famoso "grito" de Independencia. Cuenta con salas de exhibición, un Museo y archivo de Juárez, que murió en este mismo lugar. También el otoño pasado, se inauguró la Nueva Galería Nacional, con vigencia hasta julio de 2011. En el corredor del primer piso están los extraordinarios murales de Diego Rivera, una representación sinóptica del tiempo mexicano como no hay otra. Además de sus patios y fuentes se pueden visitar los jardines botánicos y la biblioteca. Una parada obligatoria en el Centro Histórico.

PAPALOTE MUSEO DEL NIÑO

Constituyentes 268, Segunda Sección del Bosque de Chapultepec; 5237 1773; papalote.mx; lunes, martes, miércoles y viernes de 9 a 18 horas, jueves de 9 a 23, sábados y domingos de 10 a 19. Abrió sus puertas en 1993 y desde entonces es uno de los museos infantiles con mayor prestigio del mundo (y también uno de los más grandes: 24 mil metros cuadrados). Sus actividades interactivas ofrecen la posibilidad de aprender de manera divertida. Todo esto en pleno Bosque de Chapultepec.

Papalote Museo del Niño

Gracias al maestro Moisés González Navarro sabemos que a fines del porfiriato "Chapultepec se convirtió (...) en el lugar de reunión más concurrido, principalmente en las tardes, gracias a sus prados cuidados con esmero, estanques de agua cristalina, glorietas, colección zoológica y botes de vela y de remo, y su invernadero que se concluyó con el siglo".

GALERÍAS DE ARTE

AGUAFUERTE GALERÍA

Guanajuato 118, Roma; 2454 9638; aguafuertegaleria.com.mx; lunes a viernes de 10 a 20 horas, sábados de 10 a 14. Talleres de vidrio, grabado, dibujo y hasta saxofón se encuentran en este espacio que también organiza exposiciones mensuales. Está abierto para quien quiera exponer su obra.

ALDABA ARTE

Av. México 27, Condesa; 5211 7728; aldabaarte.com. Funciona como galería, laboratorio experimental y editorial, con un enfoque en la colección de César Cervantes. Tiene también un programa de residencias para artistas nacionales y extranjeros con varios invitados como el estadounidense Shabd Simon-Alexander y la peruana Sandra Gamarra, entre otros.

ALTERNA Y CORRIENTE

Edison 137, primer piso, San Rafael; alternaycorriente.com. En un salón de principios del siglo pasado está el espacio gestionado por Miguel Cordera, Alejandro Almanza, Aníbal Catalán, Helena Fernández-Cavada, Lucía Díaz y José Luis Cortés para presentar proyectos individuales de artistas emergentes.

ARTE TAL CUAL

Colima 326, Roma; 5514 9616; artetalcual.com. Una de las galerías más jóvenes, pero también entusiasta por apoyar a artistas jóvenes. Representan a Andrés Arenas, Arturo Soto, Gustavo Abascal y Jeimy Martínez.

Aguafuerte Galería

ARRÓNIZ ARTE CONTEMPORÁNEO

Plaza Río de Janeiro 53, esq. Durango, Roma; 5511 7965; arroniz-arte.com. Es una de las galerías con más tiempo de haberse instalado en la colonia Roma, y su interés actual es el arte contemporáneo. Entre los artistas que promueve están Daniel Alcalá, Mark Alor Powell, Marcela Armas, Omar Barquet, entre otros.

AXIS MUNDI GALERÍA

Blv. Manuel Ávila Camacho 37, octavo piso, Lomas de Chapultepec; 5281 1246; axismundigaleria.com.mx; lunes a viernes de 10 a 18 horas. Representan a varios artistas. Entre los exclusivos están Paloma Caramasana y Francisco Paz Cervantes. Los invitados: Carmen Parra, Víctor Manuel Hernández Castillo, Flor Minor y otros. Su acervo tiene obra de pintores mexicanos que han trascendido y ofrece servicios de asesoría en artes y eventos culturales a particulares y empresas.

CASA DE LA NIÑA YHARED (1814)

Buenavista 36, Coyoacán; 5658 0678; yhared.com. Esta galería se especializa en el *performance*, y es el espacio de la performancera Niña Yhared (1814). Tiene también obra plástica, como son dibujos, pintura y fotografía digital. Su lista de artistas es larga, además de mantener una convocatoria abierta para jóvenes que deseen presentarse.

CASINO METROPOLITANO

Tacuba 15, Centro; 2630 3989; casinometropolitano-arte.com. Un espacio amplio en un edificio hermoso, donde estuvo el primer centro cultural de la comunidad judía en la primera mitad del siglo xx, en la plaza Manuel Tolsá. Dirigido por artistas, las exposiciones de arte de vanguardia incluyen la participación y presencia de los artistas en contacto directo con los visitantes. También se usa para fiestas y eventos culturales, y como sede de la Feria del Libro de Ocasión.

CAVEMEN DID IT FIRST

Jesús María 60, Centro; 5491 1563; cdif.com.mx; lunes a domingo de 11 a 18 horas;. La aparición de esta galería en 2008 es un indicador del proceso de comercialización y profesionalización del *graffiti* en México. Busca promover a los grafiteros mexicanos y tiene una variada colección. Muy recomendable.

CENTRAL ART PROJECT

General León 48, San Miguel Chapultepec. Joseph Zaga y Omar Torres, arquitecto y fotógrafo respectivamente, abrieron en 2010 este espacio en una zona con cada vez más galerías. El foro de 150 metros cuadrados y doble altura da cabida a varias piezas de gran tamaño. Su objetivo es promover a artistas de vanguardia. Cuenta además con Pillbox, que se dedica a la edición de libros de arte.

EDS GALERÍA

Atlixco 32, Condesa; 5256 2316; edsgaleria.com. Lo que promueven y exhiben en este espacio cultural es el arte conceptual e interdisciplinario: fotografía, video, instalaciones, pintura. Entre los artistas de la casa están Emilio Chapela, Damián Ontiveros Ramírez, Sandra Valenzuela, entre otros.

FUNDACIÓN / COLECCIÓN JUMEX

Vía Morelos 272 km 19.5, Santa María Tulpetlac Ecatepec; 5775 8188; lacoleccionjumex.org; lunes a viernes de 10 a 17 horas. La colección de arte contemporáneo de Eugenio López Alonso es la más grande de América Latina, con piezas de Gabriel Orozco, Sol LeWitt, Carlos Amorales, Francis Alÿs y muchos más. Se exhibe en una gran sala en la que los espacios se reinventan, al lado de la fábrica de jugos en Ecatepec. Aquí mismo hay un gran centro de documentación donde se organizan cursos y talleres para difundir el arte contemporáneo, otorgar becas y hacer investigaciones. Para 2012, la fundación abrirá otra sede en la Plaza Carso, el nuevo gran centro urbano de la colonia Irrigación, que estará al lado del Museo Soumaya (también nuevo) y torres de departamentos, entre otras sorpresas. El nuevo recinto fue diseñado por el reconocido arquitecto inglés David Chipperfield (1953) y contará con un espacio para exhibiciones de entre 3,500 y 4,500 metros cuadrados distribuidos en cuatro plantas.

GAGA ARTE CONTEMPORÁNEO

Durango 204, Roma; 5525 1435; houseofgaga.com, martes a sábados 12 a 18 horas (con cita). Con propuestas novedosas esta galería expone arte contemporáneo y promueve artistas nacionales como Guillermo Santamarina y Diego Berruecos, y de otros países como Alex Hubbard.

GALERÍA ALBERTO MISRACHI

Campos Elíseos 215, Polanco; 5281 7456; misrachi.com.mx. Tienen muchos años de experiencia como galeristas. Entre sus artistas están Pedro Coronel, Diego Rivera, Rufino Tamayo, Daniel Heiblum y por supuesto valores nuevos, pero siempre en una línea más bien tradicional. La Central de Publicaciones Misrachi abrió en 1933, en el edificio de La Nacional (Juárez 4, Centro). Alberto Misrachi exhibía cuadros que los artistas dejaban a consignación en su local. La librería cerró en 1992, estrangulada por las obras públicas de la línea ocho del metro. Sucursales: Hotel Nikko: Campos Elíseos 204, 1er piso, Polanco; 5280 3866. Centro Comercial Fun & Fashion: Blv. Magnocentro 26, Interlomas; 5247 7862.

“Ahora visitaríamos algunas galerías de pintura. Además de los frescos que otro día admiraríamos, el monstruoso Diego Rivera se ha dado tiempo para pintar cuadros de caballete, que nutrieron y fundaron la primera galería moderna de pintura a la venta en la Central de Publicaciones Misrachi, en el piso bajo del primer rascacielos de la ciudad, frente a Bellas Artes.”

Salvado Novo en *Nueva Grandeza mexicana* (1946)

GALERÍA DE ARTE DEL AEROPUERTO

Aeropuerto Internacional Benito Juárez, T1 y T2; 2482 2424; aicm.com.mx. Quien va de viaje, llega o va a dejar a sus seres queridos al aeropuerto, o simplemente por gusto, puede ver las exposiciones que se organizan en este espacio, al cual se accede sin costo. Todas las exposiciones son temporales y de gran variedad: desde los objetos de valor confiscados por su ilegalidad a viajeros que pretendían sacarlos o introducirlos al país, que forman una verdadera colección de objetos exóticos, hasta obras de artistas plásticos pasando por imágenes que refieren algún tema como la infancia o la nutrición.

GALERÍA DE ARTE MEXICANO

Gobernador Rafael Rebollar 43, San Miguel Chapultepec; 5272 5529; galeriadeartemexicano.com; lunes a viernes de 10 a 19 horas (con cita). Inés Amor fundó esta galería en esta misma ubicación en 1935. Siempre ha estado a la vanguardia por sus colecciones de renombre y exposiciones que han hecho historia. “Diego [Rivera] siempre me animó mucho. Realmente tuvo una visión extraordinaria porque fue un sitio delicioso y tranquilo hasta hace tres años”, dice la propia Amor. “El primer gran evento llevado a cabo en la nueva galería fue la exposición del surrealismo, inaugurada el 17 de enero de 1940, que trajo infinidad de visitantes.” En alguna época, dice, “yo sostenía la galería redactando la página de sociales de *Excélsior*”.

EL LUGAR MÁS LEGENDARIO. La Galería de Arte Mexicano fue la primera galería del país y de la ciudad dedicada a comercializar arte nacional. Y atendió a un mercado que el éxito de la escuela mexicana había cultivado en México y Estados Unidos. Además llevó exhibiciones de arte mexicano a Chicago y Nueva York. Al respecto de la exposición surrealista de 1940, Inés Amor comenta: “Wolfgang Paalen llegó a México después de haber hecho un recorrido por Alaska buscando arte esquimal primitivo [...] Venía con el interés de llevar a cabo aquí la Exposición Internacional del Surrealismo, que recientemente se había celebrado con tanto éxito en Londres. André Breton le mandó acá todo el material necesario. Paalen, como un gesto de cortesía hacia México, hizo incluir a aquellos pintores mexicanos que a su criterio eran surrealistas; no tuvo ninguna dificultad en escoger a Frida, a Agustín Lazo y otros”. *El libro Una mujer en el arte mexicano: memorias de Inés Amor* (2005) es un documento imprescindible para la vida cultural de la ciudad.

Galería Ethra

GALERÍA ENRIQUE GUERRERO

Horacio 1549, Polanco; 5280 5183; galeriaenriqueguerrero.com; lunes a viernes de 10:30 a 14:30 horas y de 17 a 19, sábados de 11 a 14 (con cita). Su interés actual es la promoción de los artistas emergentes, que combina con la promoción de los grandes como Remedios Varo, José Clemente Orozco y Francisco Zúñiga, y artistas ya reconocidos como Nobuyoshi Araki y Robert Mapplethorpe, así como jóvenes como Héctor Falcón o Adela Goldbard.

GALERÍA ETHRA

Londres 54, Juárez; 5514 2710; galeriaethra.com; lunes a viernes de 9:30 a 18:30 (con cita). Su intención es mostrar a los artistas contemporáneos independientemente de la moda, esta galería de la Zona Rosa promueve a artistas como Víctor Guadalaja, Nicola Lorusso, Pablo Castillo, Alejandro Santiago y María José de la Macorra, entre varios más, quienes utilizan materiales diversos para su proceso creativo. Y su colección incluye gráfica de artistas de renombre, como Leonora Carrington, Juan Soriano y Francisco Castro Leñero.

GALERÍA HILARIO GALGUERA

Francisco Pimentel 3, San Rafael; 5546 6703; galeriahilariogalguera.com; lunes a viernes de 10 a 17:30 horas, sábados de 10 a 17 (con cita). Artistas mexicanos y extranjeros de renombre son los que se exponen en esta galería, que ha promovido a autores como Damien Hirst, con varias exposiciones, además el mexicano Benjamín Torres y otros. Además de participar en ferias internacionales la galería tiene una sede en Leipzig, Alemania.

GALERÍA JOSÉ MARÍA VELASCO

Peralvillo 55, Morelos; 5772 0542; galeriavelasco.bellasartes.gob.mx; martes a domingo de 9 a 17 horas. Fue creada hace medio siglo en Tepito. Desde entonces ha sido un centro para dar a conocer el arte contemporáneo de este antiguo barrio. También hay cursos, conferencias y talleres.

GALERÍA JUAN MARTÍN

Dickens 33, esq. Ibsen, Polanco; 5280 0277; galeriajuanmartin.com. Fundada en 1961, representó el espíritu de su época, pues promovía al grupo de La Ruptura, integrado por nueve artistas: Arnaldo Coen, Lilia Carrillo, Manuel Felguérez, Fernando García Ponce, Alberto Gironella, Francisco Corzas, Vicente Rojo, Gabriel Ramírez y Roger von Gunten. Posteriormente incluyó a Francisco Toledo y en la década de los setenta abre su espectro a la fotografía con artistas como Manuel y Lola Álvarez Bravo, Graciela Iturbide, Gilberto Chen, Marco Antonio Cruz, y también a la escultura. Es sucesora de la Souza y la Proteo, que abrieron las primeras grietas en la hegemonía monolítica de la Escuela Mexicana en los años cincuenta. Tanto su cartera antigua como la nueva la mantienen entre las galerías más exitosas.

GALERÍA LÓPEZ QUIROGA

Aristóteles 169, esq. Horacio, Polanco; 5280 1710; lopezquiroga.com; lunes a viernes de 10 a 19 horas, sábados de 10 a 14. Más allá de ubicarse en un espacio muy agradable lo importante de esta respetable galería es su cartera de artistas: entre los fotógrafos Manuel y Lola Álvarez Bravo, Hermanos Mayo, Rodrigo Moya, Héctor García y más, y entre los creadores plásticos Vicente Rojo, Rufino Tamayo, Gunther Gerzso y otros. La colección de dibujo-poesía es muy recomendable.

GALERÍA LUIS ADELANTADO MÉXICO

Laguna de Términos 260, Anáhuac; 5545 6645; luisadelantadomexico.com; lunes a sábado de 10 a 14 y 15 a 19 horas. Su espacio de 1,500 metros cuadrados da para mucho y tiene subdivisiones que permiten jugar con distintos tipos de expresiones artísticas, como un área de 10 metros de altura, naves de 500 y 300 metros cuadrados, escaparates acristalados y por supuesto bodegas; todo en una ubicación excelente cuyo auge viene en camino. Entre los muchos que promueve están Sophie Calle, Aggtelek, Fokert de Jong, Priscilla Monge y Darío Villalba.

GALERÍA MÉXICO 86

Av. México esq. Parras, Condesa. El fotógrafo David Leah captó mucho de lo que trajo consigo el Mundial del 86 de México y su portafolio fotográfico lo muestra en esta galería que está en uno de los edificios más lindos que flanquean el Parque México.

GALERÍA NINA MENOCAL

Zacatecas 93, Roma; 5564 7209; ninamenocal.com; lunes a viernes de 10 a 18 horas, sábados de 11 a 14 (con cita). Desde 1990 Nina Menocal apoya en esta casona de la calle de Zacatecas el arte contemporáneo de México y Latinoamérica, especialmente a varios artistas cubanos. Tiene a Carlos Aguirre y Marianna Dellekamp, pero también promueve a los jóvenes, además de coorganizar Hot Art, feria en Basel, Suiza.

GALERÍA OMR

Plaza Río de Janeiro 54, Roma; 5511 1179; galeriaomr.com; lunes a viernes de 10 a 15 horas y de 16 a 19, sábados de 10 a 14. Ubicada frente al Edificio Río de Janeiro, el más famoso de la encantadora plaza homónima, tiene obra de Alberto Gironella, Laureana Toledo, Félix Curto, Gabriel de la Mora y muchos más, y desde su inauguración en 1983 promueve el arte contemporáneo, además de participar con sus artistas en ferias internacionales como ARCO (España), Art Basel (Suiza, Miami) y Zona Maco. Es preciso hacer cita.

GALERÍA ÓSCAR ROMÁN

Julio Verne 14, Polanco; 5280 0436; galeriaoscarroman.com.mx. Ubicada a media cuadra de Reforma en una casa típica de la zona, donde se promueve a artistas mexicanos jóvenes, aunque también de otros países, además de tener en su colección piezas de la época colonial, sobre todo esculturas y exvotos.

GALERÍA BAR PARADA 54

Molière 54, Polanco; parada54.com; jueves a sábado de 13 a 2 horas. Tomarte una copa y comer algo rico, escuchar música *indie* y admirar (y hasta comprar) la obra de artistas independientes es lo que encuentras en este bar galería ubicado en este tramo de Molière, una de las calles más interesantes de Polanco. Éste es el nuevo concepto de Parada 54, que entre los artistas emergentes que expone incluye a Luis Ricaurte, Wendell McShine, Sam Flores y Alejandro Roballo, además de ser la galería un lugar novedoso por su diseño, muebles y arquitectura.

GALERÍA PECANINS

Durango 186, Roma; 5514 0621 y 5207 5661. Junto con la galería Juan Martín, ésta fue una de las más activas en difundir el arte abstracto (y ahora el contemporáneo), en especial de artistas mexicanos, latinoamericanos y catalanes. Fue fundada y estuvo siempre a cargo de las hermanas Pecanins, quienes promovieron en sus inicios a artistas como José Luis Cuevas, Vicente Rojo, Gabriel Macotela y trajeron, por ejemplo, a Joan Miró. Próximamente cambiará su domicilio a la Condesa.

GARASH GALERÍA

Álvaro Obregón 49, Roma; 5207 9858; garashgaleria.com, lunes a viernes de 10 a 18 horas. Con artistas como Ana Roldán, Amaranta Sánchez, Xavier Rodríguez, el proyecto Domestic Fine

Galería Luis Adelantado México

kurimanzutto

Arts, entre otros, esta galería promueve expresiones novedosas y de vanguardia como instalación, fotografía y *collage*, en un espacio acogedor.

GINOCCHIO GALERÍA

Arquímedes 175, Polanco; 5254 8813; ginocchiogaleria.com; lunes a viernes de 10 a 19:30 horas, sábados de 10 a 15. Antes de 2008 se le conocía como Praxis, pero el hombre que está detrás es el mismo: Alfredo Ginocchio, quien siempre ha tenido interés en las nuevas expresiones artísticas y en la promoción cultural mediante la participación en ferias internacionales de arte. El 21 de septiembre de 2010 la galería presentó la inauguración del *Mural del Aniversario del Bicentenario de la Independencia de México y Centenario de la Revolución Mexicana* de Santiago Carbonell en el tercer piso del edificio de la Suprema Corte de Justicia de la Nación.

GURÚ

Colima 143, esq. Córdoba, Roma; 5533 7140; gurugalleryshop.com; martes a viernes de 12 a 20 horas, sábados de 12 a 19, domingos de 13 a 18. Tienda y galería especializada en arte pop contemporáneo, *low-brow*, pop surrealista, tiki, *retro* y todo lo que tenga que ver con la cultura urbana, el diseño y el humor. Organiza exposiciones y venta de obra, y en su tienda se encuentran objetos variados como libros, ropa para bebé, artículos de diseñadores nacionales y foráneos; la mayoría de ellos de edición limitada.

HECARO

Antonio Caso 19; 5566 1854; galeriahecaro.com.mx; lunes a viernes de 10 a 14 horas y en la tarde sólo con cita. Alfonso Durán, Zaúl Peña y Jorge Emilio Espinosa Torre figuran en la lista actual de artistas (estos suelen cambiar) de este gran espacio ubicado en un primer piso, caracterizado por su muy buena iluminación.

KBK ARTE CONTEMPORÁNEO

Privada Miguel de Cervantes Saavedra 42, Ampliación Granada; 5203 2965; kbkart.com; lunes a viernes de 10:30 a 19:30 horas, sábado de 11 a 14 (con cita). Esta galería que se deja ver cada vez más en exposiciones internacionales se ubica en una de las arterias con mayor interés artístico en el DF de estos años. A cargo de Ubaldo Kramer y su equipo, entre los artistas están *Taka* Fernández, Moris, Mateo López, Patrick Hamilton y Hernán Cedola.

KIN

Paseo del Río 89, Chimalistac; 5661 5556; galeriakin.com.mx; lunes a viernes de 10 a 14 horas y de 16 a 19, sábados de 11 a 16. Cuando empezó en 1974, siempre al sur de la ciudad, se dedicaba a tapices, pero pronto se extendió a la pintura y escultura contemporáneas con obra de Gabriel Orozco, Betsabeé Romero, Oscar Bächtold y Hiroyuki Okumura, entre muchos más. A cargo de María Llobet de Maldonado, es necesario hacer cita para visitarla.

KURIMANZUTTO

Gob. Rafael Rebollar 94, San Miguel Chapultepec; 5256 2408; kurimanzutto.com, miércoles a sábado de 11 a 18 horas. Hay nombres que en el mundo del arte empiezan a sonar sin que nada los detenga, y el de kurimanzutto es uno de ellos, considerada una de las más influyentes en el mundo, a cargo de Mónica Manzutto y José Kuri. Su materia es el arte contemporáneo, con mexicanos como Abraham Cruzvillegas, Damián Ortega, Eduardo Abaroa, Dr. Lakra, Carlos Amorales, y extranjeros como Jimmie Durham, Jennifer Allora, Guillermo Calzadilla, Rirkrit Travanija y Apichatpong Weerasethakul, entre varios más.

LA REFACCIONARIA ARTE Y DISEÑO CONTEMPORÁNEO

Bucareli 128 (Edificio Vizcaya), Centro; larefaccionariagaleria.com; lunes a viernes 10 a 14 horas y 16 a 18, sábados de 10 a 14. Diseño, arquitectura y objeto funcional son los criterios que rigen este espacio dedicado al arte contemporáneo emergente que se ubica en el famosísimo Edificio Vizcaya. El curador es Edgardo Ganado Kim y entre los artistas que promueve están Betsabeé Romero, Alma Sandoval, Jan Hendrix y Richard Moszka. Para visitarla hay que hacer cita.

LABOR

Colima 55, Roma; 5208 5579; labor.org.mx; miércoles y viernes de 11 a 19 horas; jueves de 12 a 21, sábados 11 a 16 horas. Su espacio es amplio y busca romper con la visión arquetípica de galería comercial. Tiene obras de artistas con un sustento conceptual sólido como Erick Beltrán, Irene Kopelman, Teresa Margolles, Pedro Reyes y otros, y a la vez promueve la formación de colecciones. Con cita.

LE LABORATOIRE

Vicente Suárez 67-2, Condesa; 5256 4360; lelaboratoire.com.mx. Tomás Casademunt, Mario Núñez, Boris Viskin y Jorge Yázpik son algunos de sus artistas. Además de apoyar proyectos artísticos da asesorías sobre artes plásticas. Trabaja, por ejemplo, con la Embajada de Francia.

MYTO

Gobernador Diez de Bonilla 24, San Miguel Chapultepec; 5282 2131; mytogallery.com; lunes a viernes de 10 a 14:30 horas y 16 a 19. Además de exhibir es un espacio para el desarrollo de proyectos de arte. Hay que sacar cita para conocer la obra de Raúl Cordero, Cecilia Ramírez-Corzo, Nathalie Regard y más.

PETRA

General José María Tornel 28, San Miguel Chapultepec. Pequeño ex local comercial en una planta baja que conecta hacia la calle a través de una cortina metálica. Creado por la curadora Montserrat Albores en 2007 para promover propuestas artísticas y curatoriales muy específicas, así como eventos de cine y *performance*.

PROYECTOS MONCLOVA

Gral. León 31, San Miguel Chapultepec; 4754 3546; proyectosmonclova.com; martes a viernes de 11 a 16 horas, sábados de 12 a 16. Uno de sus fines es atraer a los interesados en crear nuevas colecciones. Así, el espacio organiza exposiciones y promueve a Mario García Torres, Eduardo Sarabia, Napoleón Habeica, José León Cerrillo y más.

SALÓN DE LA PLÁSTICA MEXICANA

Colima 196, Roma; 5525 7274; salondelaplasticamexicana.bellasartes.gob.mx; lunes a viernes de 10 a 18 horas, sábados y domingos de 10 a 14. Desde 1949, bajo el cobijo del Instituto Nacional de Bellas Artes y a instancias de Fernando Gamboa —uno de los promotores indiscutibles del arte nacional— "se constituyó en forma similar a una cooperativa. Los artistas miembros deciden en asamblea las acciones que deban tomarse, eligen al director del salón y votan el ingreso de nuevos miembros". Se volvió pronto uno de los últimos enclaves de la Escuela Mexicana. Entre sus fundadores estuvieron

Studio 51

Diego Rivera, el michoacano Alfredo Zalce y David Alfaro Siqueiros. Aún son miembros activos algunos como Fernando Castro Pacheco y Luis Nishizawa.

STUDIO 51

Regina 51, Centro; 5709 3938; studio51showroom.com. Este espacio cultural se ubica en una de las zonas en auge del Centro: el Corredor Cultural Regina. Tienen obras de Viktor Martínez, Jehtro y Ana Bayulety.

TROLEBÚS GALERÍA

Guadalajara esq. Veracruz, Condesa. En su momento fue una idea genial, a cargo de la artista plástica y curadora Ariadna Ramonetti: convertir un trolebús en galería de arte e incluso considerarla una pieza en sí misma. Esto en 2006. Entre ese año y 2009 hubo 25 exposiciones, todas coordinadas por Ariadna y al principio con María Fernanda Sales, así como con Mauricio Limón, Fabián Ugalde, Emilio Chapela y Ariel Orozco, con el apoyo del hotel Condesa DF. Hoy no se sabe quién es responsable del trolebús, pues Ariadna lo devolvió en 2009.

Vice Gallery

VÉRTIGO GALERÍA

Colima 23, Roma; 5207 3590; vertigogaleria.com; lunes a sábado de 12 a 20 horas, domingos de 11 a 15. El diseño gráfico como arte es lo que promueve esta galería que además de espacio expositivo es uno de los ejes de la Roma en materia de diseño.

VICE GALLERY

Mérida 109, Roma: viceland.com/mx. A partir de su inauguración en julio de 2010 este espacio se ha sumado al corredor cultural de la colonia con obra de Richard Kern, Terry Richardson y Ryan McGinley.

YAUTEPEC

Melchor Ocampo 154, San Rafael; 5256 5533; yau.com.mx; martes a sábado de 14 a 18 horas. Esta galería reubicada el año pasado en la colonia San Rafael en un espacio grande y bien iluminado, donde se ha propuesto promover a los artistas mexicanos emergentes de todo el país. La dirigen Daniela Elbahara y Brett Schultz, y representan a artistas como Joaquín Segura, Marion Sosa, Ximena Labra, Rubén Gutiérrez, Artemio y Gretel Joffroy.

CENTROS CULTURALES

ARTERIA
sabel la Católica 12, Centro; 5130 6170. nstitución española que depende de a Fundación Autor. Aquí dan talleres y cursos sobre música, artes escénicas y rtes audiovisuales. En esta casa del siglo xvii tienen un recinto escénico con aforo para casi 700 personas, aulas, oficinas, estudios de audio y video, espacios de exhibición y una tienda.

ATRIO ESPACIO CULTURAL
Orizaba 127, Roma; 5264 1421; atrio. com.mx; lunes a domingo de 11 a 23 horas. Estuvo cerrado un tiempo, pero este espacio cultural independiente volvió a abrir con nuevos bríos. Tiene videoclub, librería, y ofrece talleres de literatura, conferencias y cursos varios. En la planta baja está el agradable restaurante Travazares.

BORDER
Zacatecas 43, Roma; 5584 7557; border. com.mx; lunes a viernes de 11 a 21 horas, sábados de 11 a 17. Este centro busca dotar a los artistas de medios para producir obra y difundirla, además de apoyar en la formación e investigación del *graffiti* y las artes multimedia.

CASA DE FRANCIA
Havre 15, Juárez, 5511 3151; ambafrance-mx.org; lunes a sábado de 10 a 20 horas (cerrado martes y domingos). Como una "vitrina de la actualidad francesa" funciona esta casa que también se interesa por el intercambio entre Francia y México, con el apoyo de la Embajada de Francia. Además de promover proyectos de creadores mexicanos en distintos ámbitos del arte cuenta con una impresionante mediateca. Organizan exposiciones, conciertos y otras actividades.

CASA DEL LAGO JUAN JOSÉ ARREOLA
Primera Sección del Bosque de Chapultepec; 5211 6093 ext. 228; casadellago.unam.mx; miércoles a domingo de 10 a 17 horas. A un lado del lago de Chapultepec, al pie del Castillo,

se inaugura en 1908. Un periódico de la época la describe así: "Es de mampostería y no se omitió gasto ninguno para hacerla duradera y sólida. Sus dimensiones no son exageradas; pero a pesar de esto, todos sus detalles son completos. El mobiliario muy elegante, llegó ya, es de factura americana. Los salones están bien decorados. Hay biblioteca, comedor, salón de fumadores, cuarto de dibujo, departamentos para damas". Fue domicilio de Adolfo de la Huerta, y a partir de 1929 la Dirección de Estudios Biológicos de la Universidad. En 1958, cuando la institución se mudó a Ciudad Universitaria, el sitio se entregó a Juan José Arreola para que animara actividades culturales. Desde entonces se ha dedicado a la cultura, con talleres, lecturas y posibilidad de jugar ajedrez o visitar las galerías donde siempre hay alguna exposición de arte contemporáneo.

CASA LAMM
Álvaro Obregón 99, Roma; 5525 3938; casalamm.com.mx; lunes a sábado de 10 a 19 horas, domingos de 10 a 18. En una extraordinaria casa de la Roma este centro tiene una galería de arte contemporáneo; salones para organizar presentaciones, homenajes o lecturas; cuenta con un restaurante, una librería muy bien surtida y una escuela con licenciaturas, maestrías, doctorados, diplomados y cursos sobre

CASA REFUGIO HANKILI ÁFRICA
República de Cuba 41, Centro; 5510 9464; lunes a viernes de 10 a 18 horas. Desde el verano de 2010 este espacio funciona como residencia de creadores africanos gracias al apoyo de organismos como Doen Holanda o la Fundación Príncipe Claus. Aquí puede escucharse música tradicional africana de otros siglos o constatar cómo suena el *ngoni* con un huéhuetl.

CASA TALAVERA
Talavera 20, esq. República del Salvador, Centro; 5542 9963; casatalavera.uacm. edu.mx; lunes a viernes de 11 a 19 horas. A cargo de la Universidad Autónoma de la Ciudad de México, este centro organiza exposiciones, además de tener biblioteca, ludoteca, talleres y cineclub, y atractivas convocatorias. Destacan las piezas arqueológicas que exhiben.

CASA VECINA
Primer Callejón de Mesones 7, esq. Regina, Centro; 5709 7553; casavecina.com; lunes a sábado de 10 a 19 horas; martes a viernes de 10:30 a 19, sábados de 10:30 a 17. Es un laboratorio de arte contemporáneo y un centro cultura con actividades que incluyen residencias, intervenciones, exposiciones, conciertos y talleres. Le hablan al público en general y

Centro Cultural del Bosque

Donceles 66

CENTRAL DEL PUEBLO

Nicaragua 15, Centro; 5772 2938; centraldelpueblo.org. Como un espacio para que la gente realice sus ideas; así se ha insertado este centro cultural que ofrece becas para la educación y la producción artística en artes escénicas, gráficas y visuales. Reúne a jóvenes de la zona que participan en talleres de pintura, dibujo, capoeira, zancos, percusiones y son jarocho. Atención con los murales de Antonio Pujol.

CENTRO CULTURAL DE ESPAÑA

Guatemala 18, Centro; 5521 1925; ccemx.org; martes y miércoles de 10 a 20 horas, miércoles a sábado de 10 a 23, domingos de 10 a 16. Desde su arranque en 2002, las exposiciones han trascendido por las propuestas conceptuales que suponen, a cargo de la Agencia Española de Cooperación Internacional para el Desarrollo. También destacan los cursos y talleres, la sala de lectura, la tienda y desde luego la terraza donde se come y se fiestea bien. En los últimos meses se han esforzado por ampliar su espacio hasta Donceles, inaugurar un foro para 600 personas y mostrar, mediante un pequeño museo de sitio, el Calmecac recientemente descubierto en la parte más baja de esta casa del siglo XVI con fachada del XVIII.

CENTRO CULTURAL DEL BOSQUE

Paseo de la Reforma, atrás del Auditorio; 5283 4600, ext. 4408; ccb.bellasartes.gob.mx; lunes a viernes de 9 a 19 horas. Éste es uno de los centros culturales más antiguos de México, y depende de Bellas Artes. En sus siete teatros promueve de manera especial el teatro y la danza, aunque también se organizan talleres de cine, literatura y poesía, desde lo más experimental pasando por lo clásico y sin hacer a un lado el teatro infantil, además de música y danza. Cuenta con una librería Educal y una cafetería.

CENTRO CULTURAL DEL MÉXICO CONTEMPORÁNEO

Leandro Valle 20, Centro; ccmc.org.mx. Su página web ofrece una biblioteca virtual con interesantes artículos científicos, obras en formato sonoro, entrevistas, hemeroteca, fototeca y una valiosa videoteca. Por lo demás, su edificio luce vacío e inactivo la mayor parte del tiempo, a excepción del cineclub que exhibe películas con regularidad.

CENTRO CULTURAL ESTACIÓN INDIANILLA

Claudio Bernard 111, Doctores; 5761 9058; estacionindianilla.com.mx; lunes a sábado de 10 a 18 horas. La muestra permanente de 100 juguetes arte objeto, conocido como Museo Frida, es encantadora. En el espacio se organizan exposiciones de pintura, fotografía y video; pasarelas; conciertos; festivales y más. Indianilla fue un conjunto de talleres y depósito de tranvías de 1898 a mediados de los años cincuenta.

CENTRO CULTURAL JOSÉ MARTÍ

Dr. Mora 1, Centro; 5521 2115 y 5518 1496; lunes a viernes de 9 a 18 horas, sábados de 9 a 14. Presentan espectáculos de títeres, se organizan talleres para niños durante las vacaciones, como el de Periodista y de Ajedrez; pero también hay varias actividades para adultos, incluidas exposiciones, conciertos y conferencias. Destacan el curso de Periodismo y Rock, y el de Náhuatl.

CENTRO CULTURAL LOS TALLERES

Francisco Sosa 29, Del Carmen Coyoacán; 5658 7288. Llevan años educando a niños, jóvenes y adultos en la danza, las artes plásticas y el cine, entre otras manifestaciones culturales, en este hermoso espacio ubicado en una de las calles más encantadoras del DF.

CENTRO CULTURAL OLLIN YOLIZTLI

Periférico 5141, Isidro Fabela; 5606 3901, ext. 106. Es la casa de la Orquesta Filarmónica de la Ciudad de México, pero de él también dependen la Escuela de Iniciación a la Música y la Danza, la Escuela de Música, Vida y Movimiento; la Escuela de Danza Contemporánea; la Escuela de Rock, y la Escuela de Danza de la Ciudad de México. En sus dos galerías se exhiben las nuevas tendencias de la plástica nacional.

CENTRO CULTURAL UNIVERSITARIO TLATELOLCO

Ricardo Flores Magón 1, Tlatelolco; 5597 4061; tlatelolco.unam.mx; martes a domingo de 10 a 18 horas. El Memorial del Movimiento del 68 y la Colección Blaistein son dos imanes que atraen a los visitantes a este centro a cargo de la UNAM en lo que fue el edificio de la Secretaría de Relaciones Exteriores. Sus instalaciones permiten organizar seminarios, conferencias, talleres. También hay que prestarle atención a la Sociedad del Cine Tlatelolco, en el mismo edificio.

CENTRO CULTURAL Y SOCIAL VERACRUZANO

Miguel Ángel de Quevedo 687, Cuadrante de San Francisco Coyoacán; 5554 1633; centroveracruzano.com.mx. Si te gustan el son jarocho y huasteco, la comida veracruzana y la cultura de Veracruz, no hay que perderse este centro. Dentro hay un nuevo espacio: la Casona de Veracruz, de cultura popular.

CENTRO DE ARTE Y CULTURA CIRCO VOLADOR

Calzada de la Viga 146, Jamaica; 5740 9012; circovolador.org. Con la idea de dotar a los jóvenes de la zona de un espacio para desarrollar su gusto por la cultura se creó este espacio que organiza clases de circo, talleres de literatura y de música, trabajo comunitario y más.

CENTRO DE LA IMAGEN

Plaza de la Ciudadela 2, Centro; 1450 3705; centrodelaimagen.conaculta.gob.mx; martes a domingo de 11 a 18 horas. Entre 1793 y 1807, gracias al virrey Revillagigedo, se construyó en el potrero de Atlampa una fábrica de tabaco "capaz de emplear a siete mil hombres y mujeres para la fabricación de puros y de cigarros". Gruzinski continúa: "El establecimiento se convirtió en el prototipo de la arquitectura industrial de la ciudad de México [...] Formas sobrias y funcionales, líneas horizontales y notablemente equilibradas". Parte de este edificio actualmente se dedica a la fotografía y el video. La remodelación estuvo a cargo de Isaac Broid, con la finalidad de que las piezas fotográficas tuvieran la luz y la disposición que necesitaban. El Centro promueve también actividades editoriales, centro de documentación, concursos y talleres. Esto además de la Bienal y Fotoseptiembre.

CENTRO VLADY

Goya 63, Insurgentes Mixcoac; 5611 7678; centrovlady.org. Tras la muerte del artista Vladimir Victorovich Kibalchich en 2005, su esposa y sobrino deciden donar mucha de la información disponible a la Universidad Autónoma de la Ciudad de México, que crea este centro. Su acervo incluye 318 cuadernos, grabados, litografías, linóleos, óleos, dibujos, acuarelas y aguadas.

DONCELES 66

Donceles 66, Centro; 9150 1400; donceles66.com.mx. Su interés es la literatura. Promueve presentaciones, lecturas, festivales, círculos de lectura, exposiciones y charlas con escritores.

EL FARO DE ORIENTE

Calz. Ignacio Zaragoza s/n, Iztapalapa; 5738 7442; martes a domingo de 11 a 19 horas. En 11 años este centro ha atraído a los jóvenes de la zona hacia el arte. Además de organizar actividades en sus instalaciones que cuentan con galería, ludoteca, biblioteca y cineclub, se dan cursos de dibujo, animación, escultura y más. También hacen conciertos. Fue diseñado por Alberto Kalach.

EX TERESA ARTE ACTUAL

Lic. Verdad 8, Centro; 5522 2721; exteresa.bellasartes.gob.mx; lunes a domingo de 10 a 18 horas. En los noventa fue un lugar novedoso por dedicarse al *performance* y el arte sonoro. Está al interior de un templo del siglo XVII. En él se organiza la Muestra Internacional del Performance y cuenta con un Centro de Documentación de Artes muy valioso.

FONOTECA NACIONAL

Francisco Sosa 383, Santa Catarina Coyoacán; 4155 0950; fonotecanacional.gob.mx; lunes a viernes de 9 a 19 horas, sábados de 9 a 18. Hace casi 30 años la UNESCO reconoció el valor patrimonial del sonido. Hoy se calcula que la herencia sonora y audiovisual del mundo consta de aproximadamente 200 millones de horas; 40% se encuentra en Europa, Estados Unidos y Australia. La Fonoteca Nacional es pionera en este sentido en América Latina. La Fonoteca se ubica en la Casa Alvarado, del siglo XVIII, donde murió Octavio Paz.

INSTITUTO CULTURAL HELÉNICO

Av. Revolución 1500, Guadalupe Inn; 5662 4226; helenico.edu.mx. Es uno de los más longevos, pues desde 1973 fomenta la cultura mediante diplomados y cursos. Tiene dos teatros.

INSTITUTO CULTURAL MÉXICO ISRAEL

República del Salvador 41, Centro; 5709 8853; mexico-israel.org; lunes a viernes de 10 a 17 horas. Existe desde 1947. Su objetivo es promover la cultura judía, para lo cual cuenta con una interesante colección. También hay una biblioteca.

LABORATORIO ARTE ALAMEDA

Dr. Mora 7, Centro; 5510 2793; artealameda.bellasartes.gob.mx; martes a domingo de 9 a 17 horas. Con la tecnología como medio al servicio del arte, pero también como un objetivo en sí misma, este centro propicia la creación y exposición de proyectos transdisciplinarios. Está en el ex convento de San Diego, del siglo XVI. Expone video, arte sonoro y videoinstalación.

SOMA

Calle 13 núm. 25, San Pedro de los Pinos; 5277 4947; somamexico.org. Espacio para el arte contemporáneo que busca establecerse como contrapunto entre escuelas, museos y galerías. Hay clases, residencias y una cafetería bonita.

UNA VISITA A LA RESIDENCIA OFICIAL DE LOS PINOS

Por Diana Goldberg

Conocer los espacios desde donde se han tomado decisiones cruciales y que han marcado el destino del país resulta atractivo para muchos, tanto así que para visitar la Residencia Oficial de Los Pinos hay que planearlo por lo menos con dos meses de anticipación. dF

La visita es guiada por expertas en la zona, un miembro del Estado Mayor Presidencial y una enfermera. De las siete construcciones (o cabañas), seis son oficinas y una es la residencia del presidente y su familia. Por supuesto que éstas se ven sólo desde afuera, y si el presidente está en su oficina uno tiene la ocasión de verlo trabajando frente a su escritorio.

Los jardines de Los Pinos están muy cuidados y hay que recorrerlos para conocer las esculturas de todos los presidentes que aquí han vivido: desde don Lázaro Cárdenas del Río hasta Felipe Calderón Hinojosa.

La visita concluye en la Galería del Estado Mayor Presidencial, donde uno se entera de cómo este cuerpo oficial cuida al presidente; hay armas, uniformes, fotografías y mucha historia.

Para programar esta visita se necesita desde una persona hasta 60. Hay que llamar a la Coordinación de Visitas Guiadas para conocer las fechas disponibles, pero ten en mente que los horarios de visita son limitados: de lunes a viernes de 9:30 a 11:30 horas y los jueves sólo por la tarde. Es necesario llamar entre las 9 y las 19 horas para conocer los detalles logísticos: 5093 5300, extensiones 1230, 1232, 1233 y 1428.

LIBRERÍAS
BIBLIOTECAS
CURSOS Y TALLERES

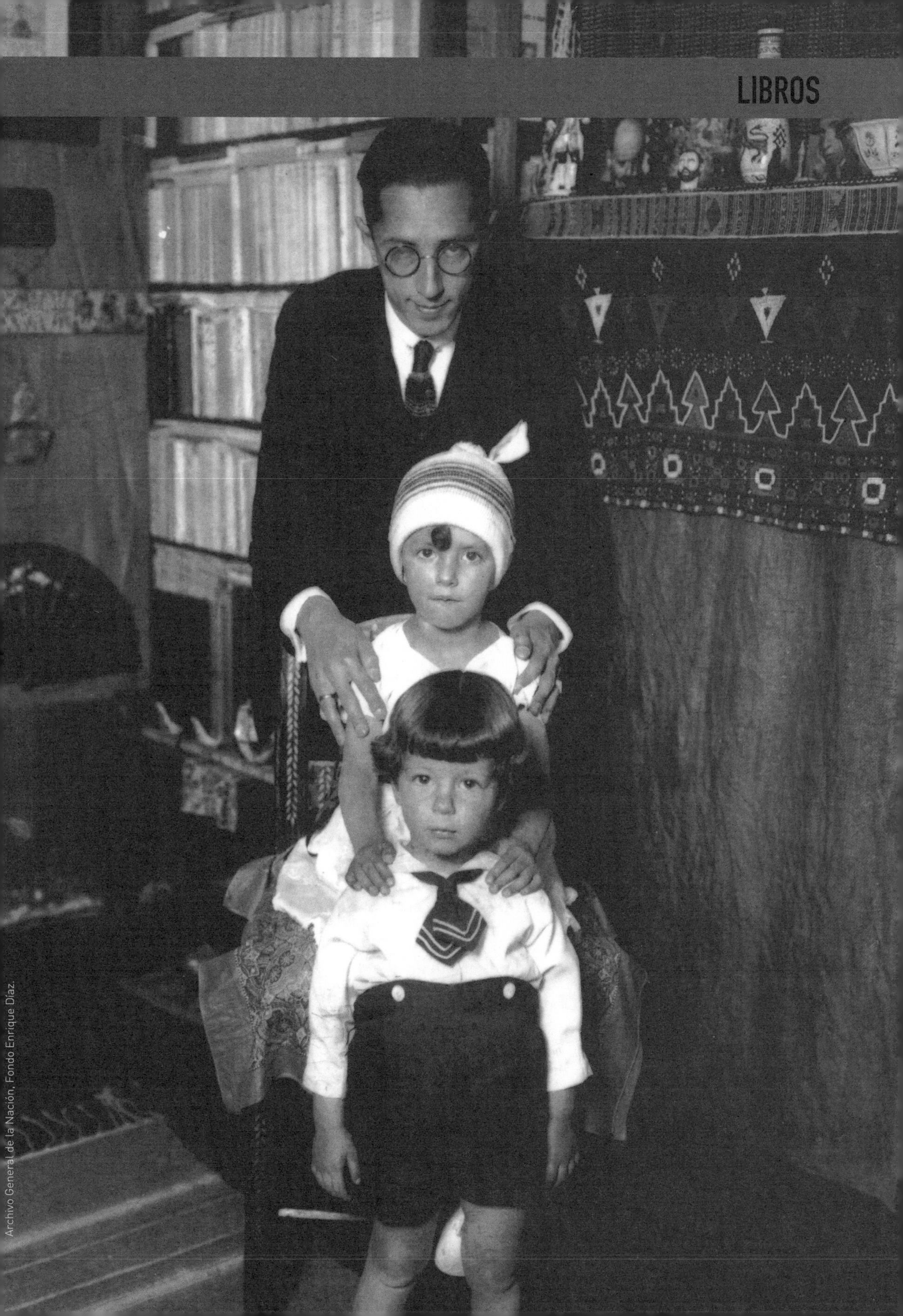

Archivo General de la Nación, Fondo Enrique Díaz.

Cafebrería El Péndulo

GRANDES LIBRERÍAS

CAFEBRERÍA EL PÉNDULO

pendulo.com; horario según sucursal. Abre sus puertas por primera vez en la Condesa en 1992, con libros y café. Hoy también tienen películas, música y comida rica. Sus distintas "cafebrerías" atraen a clientes que buscan libros de importación, novedades, *coffee table books* y cine de autor. Los precios no son los más amigables de la ciudad, pero se disfruta un ambiente cómodo y los libreros suelen ser personas realmente expertas. La sucursal de Polanco es especialmente linda. Tiendas: Nuevo León 115, Condesa; 5286 9493. Centro Comercial Perisur: Periférico Sur 4690, Ampliación Pedregal de San Ángel; 5606 1866. Alejandro Dumas 81, Polanco; 5280 4111. Centro Santa Fe: Vasco de Quiroga 3800, Santa Fe; 5259 7604. Hamburgo 126, Juárez; 5208 2327. Álvaro Obregón 85, Roma.

CASA DEL LIBRO

casadelibro.com.mx; horario según sucursal. La librería indicada para buscar todo tipo de libros: escolares, manuales, enciclopedias, diccionarios, literatura, etcétera. El español republicano Julio Sanz Sáinz la fundó en 1972. Varias generaciones han conseguido aquí libros especializados y ediciones económicas de clásicos universales, además de novedades de todas las casas editoriales hispanoamericanas. Tiendas: Barranca del Muerto 40, Florida; 5662 5218. Av. Azcapotzalco 708, Azcapotzalco; 5352 9291. Centro Comercial Gran Sur: Periférico 5550, Ajusco Coyoacán; 5528 6177. Av. Ticomán 480, Lindavista; 5586 5083. Hegel 307, Polanco; 5255 3713. Canal de Miramontes 2739, Jardines de Coyoacán; 5677 0614.

“Pensado el edificio [de Casa del Libro de Av. Universidad y Río Churubusco] hasta el último detalle: en varios niveles, con café para descansar, charlar, escuchar conferencias si a mano viene, se abría la librería más grande, en espacio, del mundo, al decir de sus muy corteses dueños.”

Salvador Novo en *La vida en México en el periodo presidencial de Luis Echeverría* (2000) refiriéndose a la primera tienda, actualmente cerrada.

EL SÓTANO

elsotano.com; horario según sucursal. Un clásico para los lectores en la ciudad de México. La gente que trabaja aquí sabe de lo que habla. Tienen casi 70 años de experiencia, desde que la abrieron los hermanos Manuel y Gerardo López Gallo en el sótano de un edificio (Juárez 64, Centro), que los terremotos de 1985 destruyeron. Un año después reabrió sobre Miguel Ángel de Quevedo, en Coyoacán, donde se encuentra hasta la fecha. Ofrecen desde literatura hasta libros especializados. Buenas secciones de música y cine. Pero lo mejor son los descuentos. No te pierdas El Sótano de los Niños (Miguel Ángel de Quevedo 217, Romero de Terreros; 5339 1310), con un gran catálogo de libros infantiles. Tiendas: Miguel Ángel de Quevedo 209, Romero de Terreros; 5339 1300. Allende 38, Del Carmen Coyoacán; 5659 9672. Juárez 20, Centro; 5510 2596. Sócrates 156, esq. Homero, Polanco; 5557 1244. Acoxpa 559, Prados Coapa; 5603 5754.

GANDHI

2625 0606; gandhi.com.mx; horario según sucursal. Normalmente éste es el primer lugar en el que piensa un defeño cuando quiere comprar un libro. Por algo será. Adolfo Castañón lo explica en *Los mitos del editor y otros ensayos* (1993): "Lo que empezó como una pequeña librería para los dandis radicales, los *radical chic* de hace 25 años, se ha transformado en un grupo con sucursales dentro y fuera de la capital. Es arriesgado enunciar la 'fórmula Gandhi', pero acaso sea de alguna utilidad saber que allí se puede tomar café, comprar discos importados, ver exposiciones, asistir a actos literarios, adquirir libros nuevos recién publicados en España, comprar saldos y surtirse de novedades nacionales y libros de texto". Atención con la sección de películas, donde suelen encontrarse gangas. Tiendas: Miguel Ángel de Quevedo 121, Chimalistac; . Felipe Carrillo Puerto 6, Coyoacán. Av. Juárez 4, Centro. Madero 32, Centro. Terminal 2 del Aeropuerto Internacional de la ciudad de México. Av de las Palmas 840,

Gandhi

Lomas de Chapultepec. Universidad Iberoamericana: Av. Prolongación Paseo de la Reforma 880, Lomas de Santa Fe. Acoxpa 430, Ex Hacienda Coapa.

LIBRERÍAS DE CRISTAL

libreriasdecristal.com.mx; horario según sucursal. Cuando Giménez Siles la abrió en 1940 a un lado del Palacio de Bellas Artes se llamaba Librería de Cristal de la Pérgola, en alusión al Palacio de Cristal que hay en el Parque del Retiro en Madrid, donde su fundador organizó una Feria Internacional del Libro antes de la Guerra Civil y el exilio. Durante sus primeros años tuvo bocinas que tocaban música hacia el exterior, y había exposiciones y conferencias como aquella inaugural de Alfonso Reyes, que el *New York Times* calificó como la más extraordinaria del mundo. Cerraba en la madrugada. En 1952 abrió su primera sucursal en la colonia Cuauhtémoc, y la matriz cerró sus puertas en 1973. Tiendas: 5 de Mayo 10, Centro; 5521 9697. Niza 23, Juárez; 5525 3223. Eje Central Lázaro Cárdenas 5, Centro; 5512 3232. Calzada del Hueso 503, Coapa; 5678 5019.

LIBRERÍAS DEL FONDO DE CULTURA ECONÓMICA

5227 4672; fondodeculturaeconomica.com; horario según sucursal. Como empresa editorial y posteriormente también de librerías, el Fondo de Cultural Económica, institución casi octogenaria, sigue fiel a la misión que le atribuyó su fundador Daniel Cosío Villegas: traducir y difundir libros útiles para la vida intelectual del mundo hispano. La librería "Rosario Castellanos", en el Centro Cultural Bella Época, es una de las librerías mexicanas más grandes y bonitas. En los años setenta hubo una en el edificio del PRI. Tiendas: "Alfonso Reyes": Carretera Picacho Ajusco 227, Bosques del Pedregal; 5227 4681. "Daniel Cosío Villegas": Av. Universidad 985, Del Valle; 5524 8933. "Octavio Paz": Miguel Ángel de Quevedo 115, Chimalistac; 5480 1801. "Rosario Castellanos": Tamaulipas 202, Condesa; 5276 7110. "Juan José Arreola": Eje Central Lázaro Cárdenas 24, Centro; 5518 3225. "Víctor L. Urquidi": Camino al Ajusco 20, Pedregal de Santa Teresa; 5449 3000, ext. 1001. "Salvador Elizondo": Terminal 1 del Aeropuerto Internacional de la ciudad de México, sala D; 2599 0911. "Alí Chumacero": Terminal 2 del Aeropuerto Internacional de la ciudad de México; 2598 3441. Instituto Politécnico Nacional: Av. IPN s/n, Lindavista; 5119 1192.

LIBRERÍAS EDUCAL

5354 4000; educal.com.mx. Éstas son las librerías del Consejo Nacional para la Cultura y las Artes. Las encuentras en los principales museos y centros culturales del DF y otras ciudades. Distribuyen las publicaciones que se producen en las diferentes instituciones culturales del país. Aquí además encontrarás artesanías, joyería, música y ropa típica regional. Tiendas: conócelas en su página web.

LIBRERÍAS PORRÚA

5804 3535; porrua.com. Abrió su casa matriz en 1900, en la misma ubicación en que ahora se encuentra: República de Argentina y Justo Sierra, a un lado de las ruinas del Templo Mayor. A diferencia del Fondo de Cultura Económica, pasó de librería a casa editorial (en 1904). El eminente erudito y coleccionista

Mumedi

Felipe Teixidor empezó en 1950 la colección "Sepan Cuántos…", gracias a la cual tantos jóvenes leyeron por primera vez a Homero, y tal vez a Tolstoi, en páginas a dos columnas (este formato acaba de cambiar, por cierto). Actualmente venden una gran variedad de libros también de otras editoriales. Durante la remodelación del edificio de Porrúa, en 2005, se desenterró una hermosa piedra azteca de basalto labrada con forma de biznaga que ahora se exhibe en el vestíbulo del lugar. Adosada a uno de los muros formó parte de la casa de Luis de Castilla y Osorio en el siglo XVI. Tiendas: conócelas en su página web.

"[En los años treinta] había una pequeña tertulia frente a la librería Porrúa. En ella estaban Andrés Henestrosa, Alejandro Gómez Arias y algunos más jóvenes como mis amigos y yo. Y por ahí pasaba mucha gente: Diego Rivera, Orozco y muchos otros pintores. Pasaban Villaurrutia y Novo, que trabajaban muy cerca, en la Secretaría de Educación Pública, y Efrén Hernández, que trabajaba con ellos."

Octavio Paz en "Centro Histórico de la ciudad de México" (*Artes de México*, 1993)

CENTRO

EL CALLEJÓN DE LOS MILAGROS

Donceles esq. República de Brasil, Centro; lunes a sábado de 10 a 19 horas. Una de las más interesantes del rumbo, y eso se nota desde que uno se topa con el aparador en la calle. Tienen libros y revistas en inglés y francés, viejos y en perfecto estado. Desde luego los precios no son bajos.

EL MERCADER DE LIBROS

Donceles 75, Centro; 5510 2080; lunes a sábado de 10 a 19:45 horas, domingos de 11 a 18. Grande y bonita, como para tomarse fotos adentro. Hay de todo. Muy buenos los libros sobre la ciudad.

EL TOMO SUELTO

Donceles 42, Centro; 5518 3622; lunes a sábado de 10 a 20 horas, domingos de 11 a 18. Una de las librerías de viejo más solicitadas de la ciudad. Su catálogo considera libros muy buscados, pero también de colección, y los que están agotados en las grandes librerías. La desorganización de libros que se acumulan por montañas invita a acercarse sin expectativas. Sucursal: Miguel Ángel de Quevedo 673, Coyoacán; 5484 8353.

LIBRERÍA MADERO

Madero 12, Centro; 5510 2068; libreriafimadero.com; lunes a viernes de 10 a 18:30 horas, sábados de 10 a 14. Una excelente opción para encontrar ediciones muy selectas sobre historia, arqueología, antropología y arte. La fundó en 1951 el español Tomás Espresate, un apasionado de los libros antiguos. Ubicada casi enfrente del templo de San Francisco, esta librería es un clásico para los buscadores de tesoros. Dan ganas de comprarse algún título valioso y caminar hasta la terraza del cercano Salón Luz (ver página 19) para disfrutarlo.

MÉJICO VIEJO

Pasaje Iturbide, local 11. Bolívar casi esq. Madero, Centro; 5510 0884. Hermosa, limpia y muy bien surtida, especialmente en historia, arte y filosofía. En la vitrina muestran libros raros y antiguos, así como enciclopedias especializadas.

MUMEDI

Madero 74, Centro; 5510 8609; mumedi.org; martes a domingo de 8 a 21 horas, lunes de 11:30 a 21. El Museo Mexicano del Diseño tiene una librería pequeña, pero muy bien surtida, que se especializa en libros y otras publicaciones de diseño provenientes de varios países. También hay artículos de joyería y otras curiosidades de diseñadores mexicanos.

UN PASEO POR LOS LIBROS

Pasaje Zócalo-Pino Suárez, Centro; 5522 3731; unpaseoporloslibros.com; lunes a viernes de 10 a 20 horas, sabádos hasta las 18. No es propiamente una librería, y al mismo tiempo se le considera la más grande del mundo. Inaugurado en 1997, este pasaje está compuesto por 42 locales que ofrecen libros, algunos de editoriales menos reconocidas que otras. Es el lugar perfecto para encontrar regalos simpáticos (un manual de inglés para mojados, esas enciclopedias setenteras sobre sexualidad que tanto morbo le producen a los pubertos, libros sobre hechizos de la Santa Muerte, *best-sellers* viejos, etcétera), pero también encuentras publicaciones del Fondo de Cultura Económica, Conaculta y muchas más.

andhi.
libros·música·video·café
No pares de leer.

Conejo Blanco

ROMA Y CONDESA

ÁTICO / A TRAVÉS DEL ESPEJO

Álvaro Obregón 118, Roma; 5584 7627 y 5264 0246; lunes a sábado de 10 a 20 horas, domingos de 11 a 18:30. Dos librerías de viejo que funcionan de manera complementaria, a pesar de no pertenecer a los mismos dueños (aunque están casados). Si un título no aparece en una, el dependiente consulta el inventario de la otra. Siempre sales con un par de libros que no estabas buscando, pero que por fortuna encuentras.

CONEJO BLANCO

Amsterdam 67, Condesa; 5286 7430; conejoblanco.com.mx; lunes a sábado de 9 a 23 horas, domingos de 9 a 22. Es una galería de libros. Pone a la venta un catálogo súper escogido ya sea de ediciones bellas, importadas o demasiado especializadas. Ocupa una casa hermosísima en Amsterdam, con cafetería en el piso de abajo. Adicionalmente exhibe arte plástico y aloja círculos de lectura. Un estupendo lugar. Las de San Ángel y Polanco destacan por la misma galanura. Sucursales: Museo de Arte Carillo Gil: Av. Revolución 1608, San Ángel; 5616 5767. Common People: Emilio Castelar 149, esq. La Fontaine, Polanco; 5281 0800.

IN TLILLI IN TLAPALLI

Orizaba 13, Roma; 5514 2490; lunes a viernes de 10 a 20 horas, sábados de 9 a 17. Tienen más de 20 años de ofrecer pilas de libros viejos, usados, descontinuados. Los empleados conocen el oficio y la improbable ubicación de la mayoría de sus ejemplares. Los domingos está cerrada, pero una selección de libros puede encontrarse en el camellón justo frente a Casa Lamm.

LA PALABRETA

Córdoba esq. Álvaro Obregón, Roma; lunes a viernes de 10 a 15 horas y de 17 a 20:30, sábados de 10 a 16. "¡Pare de sufrir!... Lea poesía." Así dice el letrero en la entrada que te invita a conocer una librería dedicada exclusivamente a la poesía. Aquí encuentras muy buenos libros y rico café. Además tienen presentaciones de libros y debates. Este es un estupendo lugar para iniciarse en la poesía y contactar a conocedores.

LA TORRE DE LULIO

Nuevo León 125, Condesa; 5211 9367; lunes a domingo de 11 a 21 horas. Ésta es una de las librerías de viejo dignas de ser noveladas. Fundada por un librero de corazón, está llena de prestigiadas plumas y primeras ediciones de libros que el dueño ofrece como verdaderas reliquias. La Torre de Lulio tiene una sección sobre el exilio español. Suelen aparecer ediciones dedicadas por el autor —a algún otro autor, como a menudo es el caso— entre los 30,000 títulos que hay sobre los estantes de su local ¡y los 150,000 de la bodega!

PEGASO

Casa Lamm. Álvaro Obregón 99, Roma; 5208 0171; casalamm.com.mx; lunes a sábado de 11 a 20 horas, domingos de 10 a 19. Librería especializada en arte, ediciones importadas y *coffee table books*. La sala de lectura es un lujo para repasar un libro concienzudamente. Está en el primer piso y el sótano de Casa Lamm, que funciona como centro cultural desde los años treinta.

> “212 de la calle Orizaba [muy cerca de Casa Lamm], en la colonia Roma: detrás de los tranquilos muros de esa residencia burguesa, Jack Kerouac pasó dos años con sus amigos *junkies*.”
>
> Serge Gruzinski en *La ciudad de México* (2004)

YUG

Puebla 326, Roma; 5553 3872; yug.com.mx; lunes a sábado de 10 a 20 horas, domingos de 11 a 18 horas. El sitio perfecto para encontrar libros sobre religiones, espiritualidad y temas que por algún motivo se consideran afines: yoga, medicina alternativa, *feng shui*, masonería, vegetarianismo... Sucursales: Felipe Carrillo Puerto 48, Coyoacán; 5658 0400. Heriberto Frías 501, Del Valle; 5639 0105. Gante 6, Centro; 5510 9364.

Assouline

Librería Polanco

PONIENTE

ASSOULINE

Newton 35, Polanco; 5281 0568; assouline.com; lunes a viernes de 10:30 a 19:30 horas, sábados de 10:30 a 14:30. Un refinado catálogo sobre moda, arte y diseño, entre otros temas. Distribuye y representa a la editorial francesa, la cual produce libros y publicaciones de lujo. Además se dedican a formar ediciones a la medida.

LA CIUDAD DE LAS IDEAS

Alejandro Dumas 77, Polanco; 5280 5645; librería.ciudaddelasideas.com; lunes a domingo de 10 a 22 horas. Es un proyecto de la asociación civil Poder Cívico. Aquí encuentras el catálogo de Grupo Santillana, además de los títulos de los participantes del congreso que realiza anualmente esta AC en la ciudad de Puebla.

LIBRERÍA POLANCO

Virgilio 7, Polanco; 5280 9456; lunes a viernes de 9:30 a 19 horas, sábados de 10 a 18. Es un lugar consentido entre los polanqueños. Y no por nada. Este local es célebre por su catálogo de importaciones y notable por la colección de revistas y periódicos internacionales.

UN LUGAR DE LA MANCHA

Prado Norte 205, Lomas de Chapultepec; 5202 8048; lamancha.com.mx; lunes a viernes de 8 a 22 horas, sábados y domingos de 9 a 22. Además de libros venden discos y regalos. También hay un restaurante, un foro dedicado a actividades culturales y literarias y una sección de artículos para niños. Es un sitio muy agradable. Sucursal: Esopo 11, Polanco; 5280 4826. Paseo de los Tamarindos 90, Arcos Bosques; 5520 3885.

SUR

EL JUGLAR

Manuel M. Ponce 233, Guadalupe Inn; 5680 4113; lunes a viernes de 9 a 22 horas, sábados y domingos de 10 a 22. Esta librería abrió sus puertas hace casi 40 años. Es centro de reunión de actores de teatro y narradores orales. Era uno de los sitios favoritos de Juan Rulfo, que solía sentarse solitario en la terraza. "Me acuerdo de que él estaba ahí tomando un café, y había gente, pero ninguno en la mesa contigua a la suya. Estaba Rulfo en una mesa y luego otra mesa vacía. Como que todos lo veían a distancia. Imponía mucho", relata Daniel Sada.

EL PARNASO DE COYOACÁN

Carrillo Puerto 2, Jardín Centenario, Coyoacán; 5658 3195; lunes a viernes de 9 a 22 horas, sábados y domingos de 9 a 23. Una de las librerías más conocidas del DF, desde 1980. Una década después comenzó a publicar la revista *El Librero* con reseñas y comentarios críticos. La cafetería anexa mira a la plaza, más apacible desde hace un par de años.

CINCO LIBRERÍAS ESPECIALIZADAS

SEXUALIDAD
EL ARMARIO ABIERTO
Agustín Melgar 25, Condesa; 5286 0895; elarmarioabierto.com; lunes a sábado de 11 a 21 horas. Libros sobre sexualidad, sexología, género y más.

CÓMICS
FASTÁSTICO
Félix Cuevas 835, Del Valle; 5605 9748; comicastle.com; lunes a sábado de 10 a 20:30 horas, domingos de 11 a 17. Comenzó como un pequeño local de Pericoapa hasta convertirse en la tienda más completa para los amantes del cómic y las novelas gráficas. Tienen una sucursal en Calzada del Hueso 921.

LEYES
LIBRERÍA DEL ABOGADO
Donceles 101, Centro; 5789 0523; libreriasdelabogado.com; lunes a sábado de 9:15 a 19:30 horas. Aquí están todos los libros de derecho que se te ocurran: civil, penal, familiar, mercantil, fiscal, administrativo, notarial, pericial, constitucional... Tiene una sucursal en Dr. Vértiz esq. Claudio Bernal, Doctores.

JUDAÍSMO
LIBRERÍA JERUSALEM
Ejército Nacional 700, Polanco; 5203 0909; lunes a jueves de 10 a 20 horas, viernes de 10 a 17. Biblias, libros de rezo, *mezuzot*, películas, cursos de hebreo, *kipot* y más. Tiene una sucursal en el Pasaje Iturbide (Bolívar 23, Centro).

CATOLICISMO
LIBRERÍA SAN IGNACIO
Donceles 105, Centro; 5702 1818; buenaprensa.com; lunes a viernes de 10 a 18 horas, sábados de 10 a 15. La editorial Obra Nacional de la Buena Prensa apareció en 1935 como parte de la reacción católica al extremismo ideológico de los gobiernos revolucionarios, y se volvió gigantesca cuando el Vaticano los autorizó distribuir en exclusiva los libros litúrgicos de América Latina. Consulta las sucursales en su página web.

Nalanda Libros

LA TORRE DE VIEJO
Miguel Ángel de Quevedo 97, Chimalistac; 5661 1266; lunes a sábado de 10 a 20:45 horas, domingos de 11 a 20. La librería de Gerardo de la Concha cuenta con más de 22,000 títulos y un catálogo de ediciones que comienza en el siglo XVI. Es el sitio indicado si se busca un libro como *Ejercicios espirituales* del padre Antonio de Molina, publicado en Madrid en 1673 y prohibido por el Santo Oficio.

LIBRERÍA CENTRAL DE LA UNAM
Insurgentes Sur 3000, Ciudad Universitaria; 5622 0271; libros.unam.mx; lunes a viernes de 9 a 20 horas. Aquí se reúnen los libros editados por todos los institutos de investigaciones, coordinaciones, centros y facultades de la universidad. Si cuentas con credencial de la UNAM (ya sea de estudiante, profesor o ex alumno) te dan buenos descuentos. Está ubicada a un lado del edificio de Rectoría.

NALANDA LIBROS
Centenario 16, Del Carmen Coyoacán; 5554 7522; lunes a sábado de 10 a 20 horas, domingos de 10 a 19. Es de los dueños de Gandhi. Venden libros sobre las religiones del mundo, aunque nada de Teología, y al final parece más una tienda de productos y lecturas *new age*. Muy bien surtida, eso sí.

BIBLIOTECAS

BIBLIOTECA CENTRAL DE LA UNAM
Insurgentes Sur 3000, Ciudad Universitaria; 5622 1603; bc.unam.mx; lunes a domingo de 8:30 a 21:30 horas. Esta impresionante biblioteca abrió sus puertas en 1956 en uno de los edificios emblemáticos del modernismo arquitectónico mexicano. Está cubierto por un mural de Juan O'Gorman basado en motivos prehispánicos. Es sin duda el edificio que mejor representa las instalaciones de la UNAM. Cuenta con más de medio millón de títulos, fáciles de consultar para cualquiera. Obtener fotocopias supone padecer una burocracia sin igual, además de que los estudiantes no se caracterizan por obedecer disciplinadamente a la obligación de guardar silencio; con todo es una biblioteca esencial.

BIBLIOTECA DE EDITORIAL JUS
Donceles 66, Centro; donceles66.com.mx; 9150 1468; lunes a viernes de 9 a 18 horas, sábados de 9 a 14. Se encuentra al interior de un bello edificio que en otro tiempo funcionó para albergar la Academia Mexicana de la Lengua. Hoy es un centro cultural llamado Donceles 66, dentro del cual está la interesante biblioteca que Editorial Jus pone a disposición de todos. La librería, aunque no muy organizada ni surtida, también merece una visita.

BIBLIOTECA DE MÉXICO
Plaza de la Ciudadela 4, Centro; 4155 0830, ext. 3866; conaculta.gob.mx/bibliotecamexico; lunes a domingo de 8:30 a 19 horas. Casi obligatoria para muchísimos estudiantes de secundaria, pero en realidad está abierta a todo el mundo. Es hermosa y la experiencia de consulta en el patio central resulta agradable. Los más de 250,000 libros están bien clasificados y los empleados te atienden con gusto. También hay una hemeroteca con cerca de 1,000 títulos. Fue fundada en 1946 por José Vasconcelos, quien la dirigió hasta su muerte. Este edificio del siglo XVIII sirvió como prisión de José María Morelos.

BIBLIOTECA MANUEL GÓMEZ MORÍN
Río Hondo 1, Progreso Tizapán; 5628 4000, ext. 1440; ccmgm.itam.mx; lunes a viernes de 8:30 a 21:30 horas, sábados de 9 a 18. Ubicada en el Centro Cultural Manuel Gómez Morín del ITAM, tiene

cerca de 12,000 libros sobre derecho, economía, filosofía y ciencias sociales en general. Fue abierta al público en 1984.

BIBLIOTECA MIGUEL LERDO DE TEJADA
República del Salvador 49, Centro; 3688 1245; martes a domingo de 10 a 17 horas. Cuesta trabajo adivinar que pasando la fachada barroca —no terminada— de una antigua iglesia existe una biblioteca pública con un impresionante decorado interior. El valor de su acervo es incalculable: entre sus fondos están las bibliotecas de Genaro Estrada y de Arturo Arnáiz y Freg. Tiene una hemeroteca portentosa que pone muchas menos restricciones que la difícil Hemeroteca Nacional.

Biblioteca Miguel Lerdo de Tejada

Cortesía Biblioteca Miguel Lerdo de Tejada

EL LUGAR MÁS LEGENDARIO. La Biblioteca Miguel Lerdo de Tejada se ubica en el Antiguo Oratorio de San Felipe Neri, donde también estuvo el mítico Teatro Arbeu; es decir, en plena zona de agustinos durante la época colonial. Desde 1928 la biblioteca es custodiada por la Secretaría de Hacienda y Crédito Público. Su sala de lectura y el espacio reservado para investigación exhiben murales de Vlady Kibálchich, realizados entre 1974 y 1982.

BIBLIOTECA NACIONAL DE MEXICO
Centro Cultural Universitario, Ciudad Universitaria; 5622 6820; biblional.bibliog.unam.mx/bibn; lunes a viernes de 9 a 20 horas. Se fundó en 1867 en el Templo de San Agustín (Isabel la Católica esq. Uruguay, Centro). Forma parte de la Universidad desde 1929 y fue trasladada a Ciudad Universitaria en 1979. La Biblioteca Nacional cuenta con una colección formidable, la cual rebasa holgadamente el millón de ejemplares. Tiene fonoteca, mapoteca y materiales de lectura para ciegos.

BIBLIOTECA VASCONCELOS
Eje 1 Norte S/N, esq. Aldama, Buenavista; 9157 2800; bibliotecavasconcelos.gob.mx; lunes a domingo de 8:30 a 19:30 horas. Un emblema del foxismo. No es la más grande del país, como se pensó originalmente, pero alberga un respetable acervo de medio millón de ejemplares. Es famosa la obra de Gabriel Orozco *Mátrix móvil*, un esqueleto de ballena que cuelga sobre el primer nivel del edificio.

CENTRO DE LECTURA CONDESA
Nuevo León 91, Condesa; 5553 5268; literatura.bellasartes.gob.mx; martes a viernes de 12 a 21 horas, sábados de 11 a 18. Biblioteca algo deshabitada y ostentosa. Funciona como refugio en ocasiones de los amantes de la literatura y otras veces de los usuarios del Starbucks de Tamaulipas que ya no alcanzaron mesa. Su red inalámbrica y la profusión de enchufes eléctricos suelen tener más éxito que los libros de Victoriano Salado Álvarez. Para ingresar a este centro debes inscribirte como socio ($250 por cuatro meses) o visitante ($20), así que no olvides llevar una identificación oficial.

CURSOS Y TALLERES

AMATI
Presa de la Angostura 40, Irrigación; 5580 2517; amati.com.mx; lunes a viernes de 7 a 19 horas, sábados de 8 a 14. Aquí imparten cursos de historia del arte, redacción y guión cinematográfico, grafología y literatura masculina para mujeres. Además ofrecen servicios editoriales como edición, diseño y traducción de textos.

CAFEBRERÍA EL PÉNDULO (POLANCO)
Alejandro Dumas 81, Polanco; 5280 4111; pendulo.com; lunes a domingo de 8 a 23 horas. Aquí ofrecen cursos y talleres literarios impartidos por destacados escritores mexicanos, por ejemplo el famoso taller de creación literaria de Óscar de la Borbolla, así como el de escritura de telenovela de Amparo Montalva. Los precios no son necesariamente populares, pero los horarios muy convenientes.

CASA DEL POETA RAMÓN LÓPEZ VELARDE
Álvaro Obregón 73, Roma; 5207 9336; martes a viernes de 10 a 18 horas, sábados de 10 a 15. En esta casa vivió sus últimos tres años de vida el poeta zacatecano. Ahora cuenta con un pequeño museo en su honor y se imparten talleres y cursos de poesía

"Me gustó la ciudad de México desde la primera vez que la visité. En 1949 era un lugar barato para vivir (...) Los barrios bajos no tenían nada que envidiar a los de Asia en cuanto a suciedad y pobreza (...) Algunos emprendedores (...) hacían fogatas en las esquinas de las calles y cocinaban unos revoltijos horribles, apestosos, indescriptibles, que ofrecían a los transeúntes (...) Como figuras de autoridad los policías mexicanos estaban a la misma altura que los conductores de tranvía."

William Burroughs en *Queer* (1985)

LIBROS EN OTROS IDIOMAS

INGLÉS

BOOKS, BOOKS, BOOKS

Monte Ararat 220, Lomas Barrilaco; 5540 4778; libroslibrosmexico.com; lunes a sábado de 10 a 19 horas. Es la librería especializada en textos en inglés más completa del DF. Hay todo tipo de temas: *best-sellers*, literatura, arte y hasta de cocina, además de revistas. No tiene mucho que envidiarle a la American Bookstore (Bolívar 23, Centro).

FRANCÉS

LA BOUQUINERIE

Desierto de los Leones 40, San Ángel; 5616 6066; libreriafrancesa.com; lunes a domingo de 10 a 20 horas. Una delicia para francófonos y estudiantes. Tienen un surtido amplio: cocina, infantiles, cómics y mucho más. También hay artículos de papelería como algunas libretas hermosas a precios que no lo son tanto. Tiene dos sucursales, una en Sócrates 156, Polanco; 5395 2564. Y en Havre 15, Juárez; 5514 0838.

ALEMÁN

LIBRERÍA ALEMANA

Eje Central Lázaro Cárdenas 61, 3er piso, Doctores; 5533 1002; libreriaalemana.com.mx; lunes, miércoles y viernes de 12 a 18 horas, martes, jueves y sábado de 12 a 15. Abrió sus puertas en 2004. Se trata de una pequeña librería dedicada a la difusión de la literatura alemana y la venta de libros de texto.

ITALIANO

MORGANA

Colima 143, Roma; 5207 5843; libreria-morgana.com; lunes a sábado de 10 a 19 horas. En esta librería encuentras desde los clásicos de la literatura hasta novedades editoriales. Tienen además revistas, discos y películas. Y si no tienen el libro que buscas te lo traen desde Italia.

(pregunta por el de José Vicente Anaya). Además ponen a disposición de cualquier lector las bibliotecas personales de Salvador Novo y Efraín Huerta.

CASA LAMM

Álvaro Obregón 99, Roma; 5525 3938; casalamm.com.mx. Aquí puedes tomar desde cursos y talleres hasta licenciaturas, maestrías y doctorados; siempre desde una perspectiva académica formal. Destacan la licenciatura en Historia del Arte, el taller Dibujando con el Hemisferio Derecho y el doctorado en Creación Literaria Área Novela.

CENTRO NACIONAL DE INFORMACIÓN Y PROMOCIÓN A LA LITERATURA

República de Brasil 37, Centro; 5526 0219, ext. 106, información para los talleres 5553 5268 y 69; literaturainba.com; martes a viernes de 11 a 21 horas, sábados de 11 a 18. El departamento de Fomento a la Lectura del INBA ofrece cursos para experimentar el ejercicio de la lectura y aprender distintas formas de expresión. En ellos estarás guiado por escritores de renombre. Los costos son accesibles y como si esto fuera poco hay atractivos descuentos tanto para estudiantes como para maestros.

ESCUELA DE ESCRITORES DE LA SOGEM

Eleuterio Méndez 11, esq. Héroes del 47, Churubusco Coyoacán; 5688 2316; sogem.org.mx. Además del famoso diplomado en Creación Literaria con duración de dos años en esta escuela se imparten varios cursos y talleres relacionados con la literatura.

Archivo General de la Nación, Fondo Enrique

Las diversas comunidades extranjeras en nuestra ciudad se han distinguido por su capacidad de organización, en un ambiente de libertad que pocos países ofrecieron durante el siglo XX. En esta imagen de los años veinte observamos la primera librería con volúmenes en inglés: la American Bookstore de la calle Bolívar, en el Centro Histórico. **dF**

TIENDAS DE DISCOS
INSTRUMENTOS
BLOGS DEFEÑOS
ESCUELAS DE MÚSICA
FESTIVALES
MÚSICA EN VIVO

Archivo General de la Nación. Fondo Hermanos Mayo.

TIENDAS DE DISCOS

DISCOS AMAPOLA

Londres 209, Juárez. Es una tienda de reciente apertura que trae a México material musical impreso en vinil, tanto nuevo como de colección. La mayoría de los discos son importaciones. También venden ropa.

DISCOS AQUARIUS

Coahuila 168, Roma; 5574 1764; lunes a sábado de 11 a 18:30 horas. Desde fuera el local parece una tiendita cualquiera, pero el surtido de CD, LP y DVD en el interior es apabullante. Da la impresión de que tienen todo lo que que pudieras querer (y lo que no, lo consiguen). Un lugar para melómanos con preferencia por el rock.

DISCOS CHOWELL

Mesones 12, Centro; 2000 8459; lunes a sábado de 11 a 19 horas. Un santuario del vinil en el DF. Su misión es salvarlo, y su estrategia es ofrecer un exquisito y extenso catálogo, versiones originales y remixes de clásicos de high energy, techno, jazz y pop, así como novedades. Además reparan y venden tornamesas. Uno de los mejores sitios para coleccionistas, DJ y nostálgicos.

DISCOS SONORÁMICO

República del Salvador 40, Centro; 5510 9591; musicasonoramico.com; lunes a domingo de 10:30 a 19 horas. Ellos lo saben: tu vida necesita música. Y si lo que necesitas es música tropical, de sonidero o para bailar, entonces te interesará conocer sus propuestas de Colombia, España, República Dominicana, Puerto Rico y cualquier país que produzca salsa, cumbia y géneros afines.

DISCOTECA

Centro Cultural Border. Zacatecas 43, esquina con Mérida, Roma; 5212 0234; discotecaonline.net. Ahora operan desde y en conjunto con Border. Acá saben que CD y vinilos pueden ser entendidos como artículos de culto. También cuentan con libros, revistas, películas y documentales "indispensables para enriquecer nuestro sentido cultural de la música". Como siempre, hay actividades de impulso a la escena electrónica e independiente: talleres, conciertos, fiestas y publicaciones en línea.

Discos Amapola

Discoteca

Discos Chowell

DISCOTECA ELY

Golfo de Bengala 5, cruzando Golfo de México (donde la calle cambia de nombre a Lago Guija), Tacuba; lunes a domingo 9:30 a 19 horas. Un pequeño gran sitio para los seguidores de la música norteña, grupera, texana y de banda. El local es sumamente pintoresco y entrañable. Su colección de música es nutrida, ¡y además todavía venden casetes!

MUSIC ROOM

Masaryk 360, Polanco; 5281 2128; domingo a viernes de 11 a 15:30 y de 16:30 a 20 horas. Dentro del Pasaje Polanco, en el local 34, se ubica este elegante lugar que se ha dedicado a resguardar lo más selecto del jazz internacional y nacional, así como un buen repertorio de música académica que podría sorprender incluso al más enterado. Los clientes, por lo que puede verse, son asiduos, y se entiende porque la atención es esmerada.

RETROACTIVO

Jalapa 125, Roma; 5564 2565; retroactivorecords.com; lunes a viernes de 11 a 21 horas, sábados de 10 a 16. Más de 35,000 títulos en discos de vinil. Música clásica, jazz, rock and roll, pop en español, infantil, tradicional mexicana, *soundtracks*, navideña y mucho más. Los discos están siempre en buen estado y los precios son justos. Es una tienda muy impresionante, y además se han dedicado a maquilar discos, desde Zoé hasta Los Temerarios.

Archivo General de la Nación, Fondo Enrique Díaz.

Entrar en una "biblioteca musical" a mediados del siglo XX constituía una experiencia bien distinta a lo que vivimos hoy en una tienda de discos. La elegancia del local, el trato especializado y los servicios (suscripciones, pagos diferidos, encargos) hacían sentir al cliente como en una especie de club social.

REVOLUTION RECORDS

Insurgentes 395, Condesa; 5574 2485; lunes a viernes de 12:30 a 20 horas, sábados de 12:30 a 18. Acetatos de varias décadas y géneros, especialmente para coleccionistas. También hay DVD, CD y libros. Atención con la gigantesca colección de los Beatles. El local es chico y se esconde un poco detrás de un puesto de revistas; ubícalo frente a la estación Campeche del metrobús.

SALA MARGOLÍN

Córdoba 100, Roma; 5514 1568; lunes a viernes de 10 a 19 horas, sábados de 10 a 15. En tiempos en los que se vendían discos como pan caliente esta tienda era el sueño de todo melómano: tenían de todo, siempre, y de las mejores casas disqueras. Ahora la situación es más difícil, pero Margolín sobrevive. Aún hay un amplio repertorio de jazz, ópera, música barroca, medieval, etcétera. Además hay libros especializados y partituras.

TOWER RECORDS

Calzada Desierto de los Leones 52 (Pabellón Altavista), San Ángel; 5616 5270; towerrecords.com.mx; domingo a jueves de 11 a 21 horas, viernes a sábado de 11 a 22. Además de su extraña supervivencia, lo más interesante de esta tienda es la sección de libros de grandes editoriales de arte y música. También destaca su selección de cine en DVD. En cuanto a la música, conservan una variedad extensa en pop y algunas importaciones interesantes. La sección de música clásica y jazz ya no es lo que era, pero sigue estando bien. Sucursal: Mundo E; 5366 9523.

Tower Records Pabellón Altavista

Centro Musical Argil

INSTRUMENTOS MUSICALES

BAZAR DEL MÚSICO DE TAXQUEÑA

Cerro del Músico, a un lado del Gran Fórum, en torno al SUTM y atrás de Soriana; bazardelmusico.webs.com; martes de 9 a 17 horas. Este tianguis es una aventura que vale la pena. Un tren con cerca de 60 puestos que venden, compran e intercambian instrumentos, accesorios y en realidad de todo. Conviene tener claro de antemano lo que se está buscando y revisar bien la mercancía. Algunos dan precios especiales para persignarse con la primera venta del día, así que vale la pena llegar como a las nueve horas. Por cierto, siempre hay que regatear; en serio, siempre. Recuerda: sólo se pone los martes.

CASA C. RAMÍREZ

Av. Cuauhtémoc 662, Narvarte; 5639 8806; lunes a viernes de 10 a 18 horas, sábados de 10 a 2. Con más de 40 años de experiencia, la tienda parece una imagen de postal antigua. Venden, reparan y alquilan instrumentos: trompetas, violines, pianos, bajos, etcétera. También fabrican guitarras. Sorprende su colección de instrumentos antiguos y exóticos (laúdes y mandolinas, cítaras de la India, medias lunas chinas y balalaikas rusas). Buena atención y precios variados.

CENTRO MUSICAL ARGIL

Minnesota 18, Nápoles; musargil90@gmail.com; lunes a viernes de 9 a 18 horas y sólo previa cita sábados o domingos. Un lugar para profesionales. El año pasado cumplieron 20 años y hay que decir que se respira historia en cada rincón, amén de pasión y oficio. Extraordinario surtido en accesorios. Tienen muy buenos cables (también los hacen a la medida y con la calidad que pidas) y finas cuerdas para guitarra y bajo. Si no encuentras lo que buscabas te lo consiguen. Los músicos la recomiendan y el servicio es excelente.

CENTRO MUSICAL MODERNO

Av. Universidad 845, Del Valle; 5688 4435; socorro.lopez@musicamoderna.com.mx; lunes a viernes de 10 a 18 horas y sábados de 10 a 14. Forma parte de musicamoderna.com.mx, meca de la renta de equipo desde hace 30 años. Ofrecen servicios de venta y renta de equipo profesional de audio e iluminación, además, claro, de instrumentos musicales. Lo más probable es que tengan cualquier producto que necesites, pero no será muy barato.

LA CASA DEL ALEBRIGE MUSIC STORE

Mérida 109 A, esq. Álvaro Obregón, Roma; 5207 5769; lunes a viernes de 12 a 22:30 horas, sábados de 11 a 20, domingos de 12 a 17:30. Destaca por ser la única en la colonia. Es un local pequeño y no hay una abundante variedad, pero funciona tanto para comprar pianos, teclados, baterías, guitarras (y una respetable selección de cuerdas de guitarra), como de salón de clases. Si no tienen lo que buscabas, lo consiguen. El servicio es cálido y sumamente amable, aunque los precios son un poco más altos que en el Centro.

MUSIC CLUB

Bolívar 86, Centro; 5709 6005; lunes a viernes de 10 a 19 horas, sábados de 10 a 17. Una de las favoritas de los músicos. ¿Por qué? Por la cantidad de opciones de calidad en equipo de audio, iluminación, equipo para DJ, *software* e instrumentos; por los precios razonables; por la atención profesional; y por sus constantes promociones, talleres, clínicas especializadas y eventos. Sucursales: Av. Universidad 2079, Copilco; 56588764. Av. De las Dalias 85, esq. Miramontes, Coapa; 56799699. Cerro del Músico 22, Campestre Churubusco, Tasqueña; 5544 5991.

REPERTORIO WAGNER

Bolívar 41, Centro; 5512 1084; repertoriowagner.com.mx; lunes a sábado de 10 a 19 horas, domingos de 11 a 16. No es en vano eso de "repertorio" en el nombre: tienen uno grande y envidiable. Además de los instrumentos, como baterías, pianos acústicos y eléctricos, alientos y más, Repertorio Wagner es inigualable en su oferta de música impresa. Hay un piso entero dedicado a ella, con varios métodos y libros de texto. Uno encuentra cosas muy, muy interesantes.

VEERKAMP

Mesones 21, esq. Bolívar; 5709 4032; casaveerkamp.com; lunes a viernes de 10 a 18:45 horas, sábados de 10 a 18, domingos de 11 a 16. Fundada en 1908 es la tienda de instrumentos más reconocida y prestigiosa de la calle Bolívar. También puede llegar a ser la más cara, pero la calidad es siempre alta y confiable. Tienen una buena selección de partituras y métodos. Son los principales distribuidores de Hohner, así que las mejores melódicas, armónicas y acordeones están aquí. Sucursales: Durango 269, Roma; 5207 8908. Av. Montevideo 363, Lindavista; 5726 3211.

Fritz, o Federico, Veerkamp llegó a México en 1908 como representante de la casa Hohner, y decidió instalar una tienda; sus años más difíciles no vinieron con la Revolución, sino con la Segunda Guerra Mundial, cuando el gobierno mexicano asumió la administración de su empresa por ser un negocio alemán. En 2008 abrió un espacio en la sucursal de Mesones para mostrar fotografías e instrumentos musicales de su archivo.

YAMAHA

Insurgentes 1208, Del Valle; 5804 0600; yamaha.com.mx; lunes a viernes de 11 a 20 horas. Para un músico una tienda Yamaha es como entrar en una dulcería para un niño. Sus pianos suenan muy bien (y son espectaculares para grabaciones), tienen excelentes instrumentos de aliento (flautas, saxofones, trompetas, trombones y tubas), y también venden buenas guitarras, bajos, baterías y equipo de audio de primera. Sucursales: Casa matriz: Rojo Gómez 1149, Guadalupe del Moral; 5804 0600. Academia: Calzada Tenorios 36, Ex Hacienda Coapa; 5684 4011.

EL LUGAR MÁS LEGENDARIO. Se fundó en 1851 (el año de la epidemia de cólera) en 16 de Septiembre, que entonces se llamaba Coliseo Viejo, en los tiempos en que Antonio López de Santa Anna esperaba en Manga de Clavo su último salto a la escena pública, en 1853; antes de que Richard Wagner usurpara toda referencia musical, debió su nombre a los fundadores, Wagner y Levien. Fue la primera de su tipo en México. Por 16,287 pesos, pagaderos en 30 abonos, vendió a la Escuela Nacional de Música en 1929, el año de su fundación, los instrumentos que necesitaba para iniciar labores, entre ellos un Steinway, ocho pianos verticales y tres armonios a buen precio. Como nota curiosa, en 1959 pagó una multa de 500 pesos porque en su edición del Himno Nacional se declaraba que la casa tenía derechos sobre la obra.

CALENDARIO DE FESTIVALES

EUROJAZZ

cenart.gob.mx. Todos los fines de semana de marzo a las 18 horas, desde hace 14 años, el Festival de Jazz de la Unión Europea obsequia un tremendo agasajo a los amantes de este género. Se vuelve una ventana para conocer selectísimas propuestas de vanguardia del viejo continente. Se acondiciona un escenario en las áreas verdes del Centro Nacional de las Artes y multitudes de melómanos acuden religiosamente para escuchar, sorprenderse y encontrar la inspiración. Uno de los mejores festivales de la ciudad, sin duda. Entrada libre a todos los conciertos.

FESTIVAL DE JAZZ DE LA ESCUELA SUPERIOR DE MÚSICA

cenart.gob.mx. Surgió en 1982 con la finalidad de conceder un espacio de expresión a los alumnos, ex alumnos e invitados especiales de la Escuela Superior de Música. Durante seis días, en sesiones ininterrumpidas de 10 horas diarias, se llevan a cabo conciertos a cargo de solistas y ensambles de jazz. Se realizan uno o dos festivales al año, generalmente durante el verano, como homenaje a algún jazzista internacional en el auditorio Angélica Morales de la Escuela Superior de Música de Coyoacán. Este evento, organizado por Conaculta y el Instituto Nacional de Bellas Artes, es ya una tradición en el circuito de festivales de jazz de la ciudad de México. La entrada es gratuita.

FESTIVAL DIEGO RIVERA

festivaldiegorivera.org. Se ha celebrado ya siete veces en el Museo Anahuacalli alrededor del 8 de diciembre. En un fin de semana conjuga presentaciones de más de 15 artistas o bandas prominentes de la escena independiente local e internacional con la Feria de las Disqueras Independientes. El costo de la entrada es muy accesible.

FESTIVAL INTERNACIONAL DE CABARET

elvicio.com.mx. Cada julio tiene lugar en El Vicio el único festival de cabaret de habla hispana en el mundo. Busca ofrecer un espacio a las nuevas propuestas, tanto locales como internacionales, al lado de los máximos representantes de este género provenientes de distintas latitudes. En este espacio íntimo, cálido y entrañable se logra reunir humor, reflexión, música y una postura crítica ante los temas que afectan a la sociedad.

FESTIVAL INTERNACIONAL MÚSICA Y ESCENA

musicayescena.org. Se creó en 1998 para brindarle un espacio a un tipo de repertorio poco conocido en México. En la música escénica se busca borrar las fronteras entre las disciplinas artísticas; así se unen música, movimiento, palabra, luz, nuevas tecnologías, artes plásticas, teatro, danza y más. Encontramos expresiones como la ópera de cámara y el teatro musical, y también manifestaciones más modernas, algunas de ellas tan experimentales que aún no tienen una definición propia. Coproducen la UNAM y Conaculta a mediados de la primavera.

INDIE-O FEST

indieofest.com. Este festival arrancó en 2005 y año con año se esfuerza por volverse una plataforma para las bandas de rock pop en el mundillo independiente. Suele programarse a mediados de abril. Han pisado sus escenarios agrupaciones como The National, Broken Social Scene y Bengala. Desde su primera edición, llevada a cabo en el Hard Rock Live, el festival ha ido mejorando y adquiriendo credibilidad.

MUTEK

imecamusic.com/mutek. El festival de música electrónica más importante de nuestro país lleva casi 10 años celebrándose durante la primavera, y los artistas invitados son cada vez más interesantes. En 2009 y 2010 tuvieron una importante participación en el Festival Internacional Cervantino, por lo que no descartamos que se convierta en una tradición. Ojalá.

OLLIN KAN

festivalollinkan.com. Durante seis años se llevó a cabo en Tlalpan, bajo el paraguas de la delegación. Tras dificultades entre organizadores y autoridades locales, el director del festival buscó otro hogar. Y así, desde 2010 hicieron maletas y se mudaron a Iztapalapa. Solía durar cuatro semanas, pero ahora sólo dos durante la primavera, en las que en deportivos, teatros, planteles universitarios y hasta el reclusorio ayudan a obsequiar música nacional e internacional. Entrada libre a todos los eventos.

RADAR

festival.org.mx. Espacio de exploración sonora dentro del Festival de México, antes Festival de Primavera y luego Festival de México en el Centro Histórico, que sigue celebrándose en marzo. A una década de haber comenzado la búsqueda de manifestaciones musicales innovadoras y propositivas en el mundo, Radar continúa con la vocación de mostrar lo más relevante en los ámbitos de la música experimental contemporánea y el arte sonoro.

VIVE LATINO

vivelatino.com.mx. El Festival Iberoamericano de Cultura Musical Vive Latino es el gran festival de rock de la ciudad. Se celebra anualmente en el Foro Sol, es organizado por Ocesa y a lo largo de su historia ha sido patrocinado por diferentes marcas. Suele durar dos días, durante un fin de semana, en abril o mayo. Para algunos jóvenes, seguidores asiduos del festival, el Vive Latino es más que un maratón musical de muchas horas y decibeles: es una tradición y un encuentro cultural.

ESCUELAS DE MÚSICA

ACADEMIA DE MÚSICA FERMATTA

Av. San Jerónimo 162, San Ángel; 5616 0393; fermatta.edu.mx. Avalada por la SEP. Estuvo afiliada a Berklee, de Boston, pero se rompió el lazo. Hay licenciaturas en Ejecución, Composición, Ingeniería y Producción Musical; y buenos estudios de grabación. Un lugar para conocer gente y hacer contactos. En este terreno se encontraba la casa de Juan O'Gorman, que fue demolida en la década de los años setenta.

Centro de Estudios Musicales México

CENTRO DE ESTUDIOS MUSICALES MÉXICO

Avenida México 171B, Condesa; 5564 8668; cemmac.com; lunes a viernes de 12 a 14 y de 16 a 20 horas, sábados de 10 a 17. Con una ubicación privilegiada frente al Parque México, es una escuela perfecta para llevar a los hijos a su clase semanal y aprovechar esa hora para tomar un cafecito rodeado de árboles. Dan clases de piano, guitarra, bajo, batería, canto, flauta, violín, solfeo y sensibilización musical para los más pequeños.

Los colores verde y amarillo de la fachada, así como el rótulo que da a la calle, se adecuaron a la norma del INBA para el patrimonio artístico.

CENTRO DE INVESTIGACIÓN Y ESTUDIOS DE LA MÚSICA

Jalapa 5, San Jerónimo Aculco; 2457 3485; ciem.edu.mx. Enfoque pedagógico y disciplina. Refugio de quienes buscan clavarse en la composición. El CIEM nace accidentalmente en la Casa del Lago durante los años setenta (cuando unos cursos de música antigua, piano y composición que se impartían ahí se cancelaron). No es barato, pero lo vale. Avalado por el Trinity College de Londres, Inglaterra.

Escuela de Música Tiempo

DESARROLLO INTEGRAL MUSICAL

Jardín 14, Atlántida-Coyoacán; 5544 6120; escueladim.com. El DIM ofrece programas amigables en el ámbito de la música popular contemporánea. La planta docente reúne a algunos de los artistas más sobresalientes en el país, como Iraida Noriega, Enrique Nery y Aarón Cruz. La escuela organiza conciertos y clínicas con eminencias del panorama internacional. Horarios flexibles, colegiaturas accesibles, otorgan becas y se vale negociar si hay más talento o ganas que dinero.

ESCUELA DE MÚSICA TIEMPO

Ángel Urraza (Eje 6 Sur) 414, Del Valle; 5559 6915; tiempomusica.com; lunes a viernes de 9 a 21 horas, sábados de 10 a 15. ¿No tienes tiempo para estudiar una carrera? ¿Ya tienes conocimientos y sólo quieres perfeccionarte? Ésta es una buena opción para ti. Una escuela formada por los mejores maestros del DF de batería, bajo, guitarra, piano, saxofón, voz, ingeniería en audio, etcétera. Precios razonables. Cuartos de ensayo disponibles y estudio de grabación.

ESCUELA NACIONAL DE MÚSICA

Xicoténcatl 126, Del Carmen, Coyoacán; 5688 3308; enmusica.unam.mx. Desde 1929 la UNAM encomienda a la ENM "la responsabilidad de formar en niveles de excelencia a profesionales de la música". Hay licenciaturas de cuatro años en Canto, Piano, Instrumentista, Composición, Etnomusicología y Educación Musical (más tres años de curso propedéutico). No hay que pagar colegiatura, pero sí prepararse bien para pasar los exámenes de admisión.

Cuando se le concedió autonomía a la Universidad Nacional, en julio de 1929, el Conservatorio Nacional de Música, que dirigía Carlos Chávez, decidió separarse de la Universidad e incorporarse al Estado por medio de la Secretaría de Educación Pública, porque según él "todo intento que cuenta en México con el apoyo del gobierno, tiene asegurado el éxito". Algunos profesores y estudiantes disidentes promovieron la creación de una Facultad de Música, en el edificio de Mascarones, al lado de la Facultad de Filosofía y Letras, incorporada a la Universidad

Autónoma, que luego se llamó Escuela Nacional de Música, pues de acuerdo con ellos formar parte de la Universidad mejoraba "el ambiente moral y cultural" de la Escuela y la ponía "a salvo de gobiernos dictatoriales y deficientes". Con la Escuela también se creó la Orquesta Sinfónica de la UNAM, que puede escucharse todos los viernes y domingos en la Sala Nezahualcóyotl.

ESCUELA SUPERIOR DE MÚSICA

Centro Nacional de las Artes, Calzada de Tlalpan y Río Churubusco, Country Club; 4155 0000, ext. 1606 y 1610; cenart.gob.mx. Creada en 1936 por decreto presidencial y por iniciativa de alumnos y maestros del Conservatorio como una alternativa. Imparte una formación profesional pública desde las perspectivas más clásicas y académicas. En 1980 se abrió la especialidad en Jazz. No es fácil. Ellos mismos te advierten: los aspirantes deben ser conscientes del compromiso que adquieren. Sede de la Escuela de Jazz: Fernández Leal 31, Del Carmen, Coyoacán; 5658 1096.

Nació en 1936 como un proyecto cardenista para formar músicos de extracción obrera. El germen fue un departamento nocturno del Conservatorio que Julián Carrillo formó en 1922, más tarde Escuela Popular Nocturna de Música, en 1935, y Nocturna de Música para Trabajadores y Empleados, en 1936. Exigía acreditar a sus alumnos pertenecer a un gremio proletario. Ubicada en República de Cuba 92, cambió de nombre en 1969; y en 1980 se mudó a Coyoacán. Aunque hace mucho dejó de ser exclusivamente obrera, tal vez su vocación popular explica que ahí se pueda aprender jazz. En 1998 se mudó al Cenart.

DOS REPARADORES DE PIANOS INFALIBLES

ABC PIANOS

Parque Lira 75A, San Miguel Chapultepec; abc_de_pianos@yahoo.com.mx. Afinación garantizada, restauración, barniz, transporte y servicio foráneo. Verdaderos amantes de su trabajo y de los pianos. Pregunta por el afinador Gabriel Hernández.

CASA GARRIDO

Habana 142, esq. Montiel, Tepeyac Insurgentes; tienda: 5750 0283, taller: 5767 8142; casagarrido.com.mx; lunes a sábado de 10 a 19 horas. La casa especializada en restauración y compraventa de pianos más antigua de México. Una empresa familiar que lleva más de 100 años trabajando. Francisco Garrido sigue dando atención personal y conoce a prácticamente todos los técnicos, pues en México es él quien les vende las refacciones y el material original para trabajar. Dan servicio a Bellas Artes, Televisa, estudios de grabación, etcétera. Invitan a la clientela a que vayan a ver cómo se arregla su piano. ¡Suena muy tentador!

ESTUDIO ALLAIRE

Miguel Ocaranza 127, Merced Gómez; 5593 5216; estudioallaire.com; lunes a viernes de 9 a 21 horas. Especialistas en la enseñanza del canto. Liderados por Ericka Bañuelos (ex alumna de Montserrat Caballé, egresada del Cardenal Miranda en Musicología, Dirección Coral y de Orquesta), dan clases particulares, intensivos y talleres. Tienen su propio coro. Los precios son altos, pero vale la pena acercarse a la técnica vocal con un sistema tan meticuloso.

MUSYCOM

musycom.com. Escuela en línea al alcance de todos. Increíble, pero cierto. Hay cursos descargables, aplicaciones alucinantes (practicadores que vuelven el teclado de tu compu un piano, por ejemplo), juegos para entrenar el oído y pagando una suscripción baratísima servicio de interacción con los maestros. Sitio creado por músicos consagrados y grandes pedagogos como Eugenio Toussaint.

YAMAHA

Insurgentes Sur 1208, Del Valle; 5804 0600; academiasyamaha.com.mx. La Academia de Música Yamaha es el lugar en el que muchos niños empiezan, usualmente con el piano eléctrico o el órgano. Hay programas de estudio muy estructurados y realizan conciertos de piezas originales, competencias de bandas y festivales. Sedes: Calz. Tenorios 36 L-6, Ex Hacienda de Coapa; 5684 4011. Enrique Sada Muguerza 38, Altos, Cd. Satélite, Naucalpan, Estado de México; 5804 0677. Francisco Morazán 832, Villa de Aragón; 5796 1619. Nicolas Bravo 3, Barrio La Asunción, Tlahuac; 5842 1086.

MÚSICA EN VIVO

AMAPOLA CABARET & BALLROOM

Insurgentes Sur 953, Nápoles; 5523 3936; amapolacabaret.com. El cabaret clásico de los años cincuenta reinventado. Las dimensiones del lugar reciben cómodamente a más de 450 personas. El sonido, muy bien. Hay terraza para fumar, varios espacios vistosos y dos escenarios. Resulta ideal para presentaciones de discos y fiestas privadas.

AUDITORIO BLAS GALINDO

Avenida Río Churubusco 79, esq. Calzada de Tlalpan, Country Club; 4155 0000, ext. 1035. En esta sala construida por Teodoro González de León, de muros inclinados y acabados en cemento blanco martelinado, caben 693 personas y se oye muy, muy bien. Mientras reparaban el

Amapola Cabaret & Ballroom

El Imperial

Bulldog Café

Palacio de Bellas Artes, el año pasado, la Sinfónica Nacional se presentaba aquí. Para consultar la cartelera: cenart.gob.mx/html/cartele/musica.html.

AUDITORIO NACIONAL

Paseo de la Reforma 50, Chapultepec; 9138 1350; auditorio.com.mx. Ubicado justo enfrente de la zona hotelera de Polanco, y al lado del Campo Marte. Fue construido por Pedro Ramírez Vázquez y remodelado entre 1989 y 1991 por Teodoro González de León y Abraham Zabludovsky. El "coloso de Reforma" es la principal sala de espectáculos de la ciudad. Caben casi 10,000 personas y en todos los asientos se escucha y se ve bien. Ha sido escenario no sólo de los principales eventos musicales de la ciudad, sino también de actos políticos, como la ceremonia de toma de posesión de Luis Echeverría.

BLACK HORSE

Mexicali 85, Condesa; 5211 8740; caballonegro.com; martes a domingo de 18 a 3 horas. Esta suerte de taberna defeña es un buen foro para DJ y para música en vivo. Hay un escenario austero, pero cumplidor. Es un lugar que usualmente abre sus puertas al jazz, pero no se asusta si el pop, el funk o el rock buscan entrar. Una atmósfera roja y etílica le pone tintes oníricos. Es común que lo visiten extranjeros.

BULLDOG CAFÉ

Rubens 6, esq. Revolución, Mixcoac; 5611 8818; bulldogcafe.com; viernes y sábados de 22 a 3 horas. La entrada solía ser cara y el sitio estar siempre lleno, pero han tenido que incorporar promociones y descuentos porque la competencia se puso dura. Recientemente hay demasiado tributo y pocas bandas originales. Igual es un foro clásico del rock en vivo en el DF.

CLUB ATLÁNTICO

Uruguay 84, piso 3, esq. con 5 de Febrero, Centro; 5512 9494; atlantico.mx; viernes a sábado de 13 a 3 horas, lunes a miércoles de 13 a 22. A un par de cuadras del Zócalo renace, con fuerza y frescura, el Atlántico, como un espacio cultural y de entretenimiento. Mantiene su esencia de billar y se agradece el predominio del color blanco que lo vuelve muy original.

CLUB SOCIAL FRAY BERNARDINO

Yucatán 141, Roma; myspace.com/clubsocialfraybernardino. Aquí encuentras lo mejor del rock indie y electro, así como eventos de arte, teatro y moda. Para mayores de edad, aunque organizan tardeadas. Es un bodegón, caben 500 personas. El escenario luce bien, se llena y tiene onda, pero el sonido es un verdadero reto.

CLUB SOCIAL RHODESIA

Durango 181, Roma, 5533 8208; clubsocialrhodesia.tv; miércoles a sábados de 22:30 a 3 horas. Por fortuna alguien tomó el agonizante Malva y lo transformó en este lugar que, como un fénix vuela de nuevo y reúne a los DJ de vanguardia. Excelente escenario para *afters*, inauguraciones y noches épicas de baile imparable.

EL BATACLÁN

Popocatépetl 25, Condesa; 5511 7390; labodega.com.mx; lunes a jueves de 14 a 1 horas, viernes y sábados de 14 a 3. Al fondo del caserón que alberga La Bodega sorprende este bello forito medio *kitsch* que emula el estilo de teatro parisino, con un escenario acogedor y un sonido decoroso. Caben 100 personas sentadas y se cena muy rico, lástima que los precios sean tan elevados y que el consumo mínimo (sumado al cóver) lo vuelva prohibitivo para los más jóvenes.

El BREVE ESPACIO

Arequipa 734, Lindavista; 5781 9356; elbreveespacio.com.mx; martes a sábado a partir de las 19 horas. ¡Sal del clóset y admite que te gusta la trova! Eso te dicen en este sitio, de nombre tan emblemático, que lleva más de 10 años erigiéndose como el templo defeño de la trova. Cuenta con una sucursal en la Roma, donde hay música en vivo todo el tiempo; más de 50 números a la semana. Sucursal: Álvaro Obregón 275-10, Roma, Cuauhtémoc; 5533 5197.

EL CONVITE

Ajusco 79-bis, Portales Sur; 5601 2260; elconvite.com.mx. Escenario casi teatral con un restaurante y café donde comes, cenas y bebes muy bien. Se goza la intimidad de un recinto pequeño y genuino. Hay buen sonido y cuentan ya con un público cautivo que, principalmente, va a escuchar propuestas nuevas de jazz.

EL IMPERIAL

Álvaro Obregón 293, esq. Oaxaca, Roma; 5525 1115; myspace.com/elimperialclub; martes a sábado 20 a 3 horas. Uno de los mejores y más bonitos locales de música en vivo del DF. Su especialidad es el rock. Sigue muy de moda. Suena bien y se ve bien. Los precios son elevados y se llena tan rápido que es fácil quedarse afuera si no se llega temprano.

FAT CROW JAZZ CLUB

Antara Polanco. Ejército Nacional 843, int. B, esq. con Molière, Polanco. Hermoso y exclusivo, destaca por su ambiente íntimo. Caben 110 personas cómodamente sentadas, y hay un escenario pequeño que presenta tanto obras de cabaret y burlesque como conciertos de jazz, hip hop y pop. Realmente se disfruta estar aquí.

FORO CULTURAL CASA HILVANA

Colima 378, Roma; 5514 2844; myspace.com/casahilvana. Una casa vuelta foro cultural implica un escenario casi improvisado en lo que quizás habría sido la sala de estar. Hay exposiciones y mucho movimiento. Los tragos son accesibles. La actitud es buena, sin embargo, el sonido suele presentar dificultades.

FORO DEL TEJEDOR

Hamburgo 126, Zona Rosa, Juárez; 5208 2327; myspace.com/forodeltejedor; jueves a sábado de 20:30 horas en adelante. La cafebrería del Péndulo lleva años poniendo su espacio al servicio de diversas propuestas musicales; cuenta con dos formatos de foro: uno para 80 personas y otro para 250. El Foro del Tejedor ha sido un apoyo innegable para el movimiento de la trova y la canción nueva.

Club Social Rhodesia

GENDARMERÍA DON QUINTÍN

Masaryk 407, Plaza Zentro, Polanco; 5280 6797; bysofa.com; miércoles de 21 a 4 horas. No es una sala de conciertos, sino un antro. Lo que importa es la fiesta, la bebida y el freseo; pero funciona bien para conciertos, e igual presentan a una o dos bandas interesantes y les hacen mucha promoción, así que esas noches rockeras prometen. Recomendamos las fiestas After Office Gran Tribu que sólo tienen lugar en esta sucursal.

LUNARIO

Paseo de la Reforma 50, Bosque de Chapultepec; 9138 1350, ext. 1213; lunario.com.mx. En este gran recinto ubicado a un costado del Auditorio Nacional caben de 1,500 a 5,000 personas. Ofrece una cartelera acaso más interesante que la de su hermano mayor. Se come muy rico y caro, casi siempre suena a pedir de boca.

MAMA RUMBA

Plaza Loreto. Altamirano 43, San Ángel; 5550 2959; mamarumba.com.mx; jueves a sábado de 21 a 3 horas. Clásico para bailar son cubano en una pista que a veces resulta insuficiente; con todo, es un lugar sumamente cómodo. Aquí todo el mundo viene a bailar, así que nada de quedarse sentado (pero si decides hacerlo pide el plátano macho verde). Sucursal: Querétaro esq. Medellín, Roma.

MULTIFORO ALICIA

Av. Cuauhtémoc 91-A, Roma; 5511 2100; myspace.com/foroalicia. Trece años de tradición. Un foro de resistencia y protesta. Un foro abierto y vivo. Vacío deslumbran sus murales de *graffiti*. Lleno es una cajita de zapatos en la que el calor se encierra. A veces hay fallas de sonido, pero es un lugar en el que las bandas van a rockear en serio. Sus carteles son los mejores.

El libro *Alicia en el espejo y otras historias* de Maite López narra la historia de este sitio mitológico.

MUSEO UNIVERSITARIO DEL CHOPO

Dr. Enrique González Martínez 10, Sta. María la Ribera; 5535 2186, ext. 110 y 160; chopo.unam.mx. Nace con el siglo XX, la gran ciudad moderna y las ferias mundiales. Sus piezas se importan de Alemania. Tras distintos usos, años de abandono y una renovación hoy el MUCH promueve nuevamente el arte contemporáneo y experimental. Su Foro del Dinosaurio Juan José Gurrola, con un escenario de primera y cómodos asientos para 216 personas, ofrece una ecléctica cartelera musical. Los precios no son súper baratos, pero hay descuento para estudiantes con credencial vigente.

OLLIN YOLIZTLI

Periférico Sur 5141, Isidro Fabela; 5606 8191, ext. 213. La Sala Ollin Yoliztli es donde el centro cultural del mismo nombre muestra el avance de sus numerosos talleres y grupos, como la Banda Sinfónica de la Ciudad de México, el Coro de la Ciudad de México, el Cuarteto Latinoamericano y la Orquesta Filarmónica de la Ciudad de México. Visita el sitio cultura.df.gob.mx para estar al tanto de la cartelera.

PALACIO DE BELLAS ARTES

Avenida Juárez y Eje Central, Centro Histórico; 5512 2593; osn.bellasartes.gob.mx. He aquí el escenario más relevante de México, de lujo, con un aforo para 1,800 personas y un escenario de 24 metros de largo. Destaca el colosal y deslumbrante telón de cristal encargado a Tiffany que muestra una vista bellísima de los volcanes. María Callas cantó aquí en 1950. Lola Beltrán, Pavarotti y otros grandes se han presentado en ese escenario también. El Palacio presenta habitualmente las temporadas de la Orquesta Sinfónica Nacional. La sala estuvo en remodelación durante el año 2010, ahora hay que disfrutarla.

PASAGÜERO

Motolinía 33, Centro; 5512 6624; pasaguero.com; martes a sábado de 22 a 3 horas. Quizá sus días de gloria pasaron, pero aún cuenta con uno de los espacios más respetables de la escena nocturna. Se presta para distintos eventos, desde pasarelas, exposiciones y fiestas, hasta conciertos con artistas y DJ reconocidos a nivel nacional e internacional. El público está de pie. Suena regular. Los precios varían.

PATA NEGRA

Tamaulipas 30, esq. con Juan Escutia, Condesa; 5211 5563; patanegra.com.

Museo Universitario del Chopo

TRES FOROS CON HISTORIA

AMAPOLA

Insurgentes Sur 953, Nápoles; 5523 3936; amapolacabaret.com. Situado en la famosa glorieta de Holbein, en la colonia Nápoles, donde antes estuviera el Casino Royal (en el que se presentaron Celia Cruz y Pérez Prado). El también llamado Terraza Casino desapareció en un incendió a principios de los años ochenta y poco después se transformó en Rockotitlán. Fue el primer lugar en México donde tocó Maná (cuando se llamaban Sombrero Verde), y aquí también tocó Charly García. El Amapola ahora parece volver a sus orígenes, de la mano de Felipe Fernández del Paso. ¿Será que las paredes del lugar debajo de todo ese lustroso papel tapiz extrañarán un poco del rock de antaño?

EL SAPO CANCIONERO

Carlos Arellano 8; 5572 3557; sapocancionero.com. Parece un restaurante de carretera. Se encuentra a un costado de Plaza Satélite, o sea que casi lo es. El Sapo ha estado aquí desde 1974. Como buena peña, se ha dedicado a la trova. En este lugar comenzaron a tocar los Mexicanto y después Fernando Delgadillo.

EL VICIO

Madrid 13, Del Carmen; 5659 1139; elvicio.com.mx. El local ubicado en la colonia Del Carmen de Coyoacán fue concebido por el poeta Salvador Novo en 1954 como un foro para la expresión artística. En 1990 la cantautora, actriz y activista Liliana Felipe fundó aquí con la directora, actriz y activista Jesusa Rodríguez el teatro-bar El Hábito y el teatro de La Capilla, espacios para expresiones contraculturales. El Hábito sigue siendo uno de los principales escenarios del cabaret en México. En 2005, la compañía de Las Reinas Chulas tomó las riendas del lugar y lo mantienen vivito y coleando.

mx; lunes a domingo de 13:30 a 2 horas. Un clásico de la Condesa. Se agradece la política de entrada gratuita siempre. Abajo la gente va a beber y tapear con los amigos, mientras se toca música exótica. Arriba el salón se va llenando, entrada la noche, para bailar salsa los jueves y escuchar propuestas de rock local e internacional los martes.

PLÁSTIKO BAR

Monterrey 172, esq. Yucatán, Roma; 5564 2448; myspace.com/plastikobar; jueves a sábado de 21 a 3 horas. Es un foro chico con un escenario cuadradito. Uno de los lugares a los que puedes ir a ver a las bandas que están empezando. No esperes mucho del audio. Si quieres presentarte en el Plástiko debes cubrir dos requisitos: tocar música original y tener un demo. Con eso.

RUTA 61

Baja California 281, entre Nuevo León y Culiacán, Condesa; 5211 7602; ruta61.com.mx; miércoles a sábado 20 a 2 horas. El blues es un mundo y en el DF se concentra en este entrañable sitio. Leyendas del género, como Betsy Pecanins, se presentan aquí con frecuencia. Pero ojo con los miércoles, que son de *jam session* (no olvides llevarte la armónica).

SALA NEZAHUALCÓYOTL

Insurgentes Sur 3000, Ciudad Universitaria; 5622 7125; musicaunam.net. En 1976, inspirado por el Concertgebouw de Amsterdam y la sede de la Filarmónica de Berlín, Eduardo Mata (director de la OFUNAM que impulsó la construcción de esta sala diseñada en especial para la música sinfónica) tenía una idea muy clara de cómo debía ser su recinto: acogedor, con el público rodeando el escenario de manera que hubiera una relación más íntima entre músicos y asistentes. Posiblemente tiene el mejor sonido de todas las salas de conciertos del país.

SALÓN TENAMPA

Plaza Garibaldi 12; 5526 6176; salontenampa.com; lunes a domingo de 13 a 3 horas. Desde 1925, uno de los salones más tradicionales de México. Y

Teatro Nextel

el mejor sitio para escuchar mariachis en vivo. Abre toda la semana, pero se recomienda más ir el fin de semana porque hay mejor ambiente.

Aquí venía José Alfredo Jiménez a tomar con Chavela Vargas.

TEATRO DE LA CIUDAD ESPERANZA IRIS

Donceles 36, entre Allende y República de Chile, Centro; 5130 5740 ext. 2000; promocionydifusion@cultura.df.gob.mx; cultura.df.gob.mx. Fue construido por la cantante Esperanza Iris en 1918 en el terreno que anteriormente ocupaba el Teatro Xicoténcatl. Pasa a manos de las autoridades capitalinas en 1976 y se nombra Teatro de la Ciudad. Festivales culturales y conciertos de artistas de talla internacional suelen acudir a él para engalanar sus presentaciones. Hoy se le ha restituido el nombre de la dueña original.

TEATRO NEXTEL

Parque Interlomas. Jesús del Monte 34, Interlomas, Huixquilucan, Estado de México; 5247 4745. A este recinto le caben 700 personas cómodamente sentadas, razón por la cual resulta extraordinario para presentaciones musicales y otros eventos más bien íntimos, como por ejemplo el concierto de Miguel Bosé que tuvo lugar durante la inauguración.

Terraza del Centro Cultural España

Tokyo Pop Club

Zinco Jazz Club

TERRAZA DEL CENTRO CULTURAL DE ESPAÑA

Guatemala 18, Centro; 5510 4077; ccemx.org; miércoles a sábado de 22 a 2 horas. Entrada libre. La terraza del CCE tiene indudablemente un público cautivo y curioso. Los miércoles de tapas y jazz reúnen a los exponentes más vigentes del género sincopado. Los jueves efervescentes son el turno de los rockeros y la música emergente.

TERRAZA DEL HOSTAL CATEDRAL

Guatemala 4, Centro; 5518 1726; hostelcatedral.com; lunes a sábado de 18 a 2 horas. Este pequeño sitio tiene una vista envidiable al Zócalo. Cuentan con un modesto sistema de audio que basta para que un grupo sencillo suene bien. No siempre hay conciertos, pero siempre hay turistas. El trato es amable y la entrada varía según el acto en vivo.

TOKYO POP CLUB

Álvaro Obregón 296, Roma; myspace.com/tokyopopbar; martes a sábado de 18 a 3 horas. Solía llenarse rápido, ponerse muy encerrado y sonar mal. Afortunadamente han invertido en ampliaciones y remodelaciones acertadas, han comprado un buen equipo de sonido y, poco a poco, se está volviendo un foro mucho mejor. El costo de la entrada depende de las bandas, pero no es caro.

VOILÀ ACOUSTIQUE

Antara Polanco. Ejército Nacional 843 int. B, esq. con Molière, Polanco; 5281 2798; jueves a sábado de 21:30 a 2 horas. La sala de conciertos más bonita del DF tiene un audio y un sistema de luces que asombra a todo el mundo. Además de ofrecer espectáculos muy buenos cuenta con un amplio menú internacional de comida y vinos. Caben 350 personas sentadas o 700 de pie.

ZINCO JAZZ CLUB

Motolinía 20, esq. 5 de Mayo, Centro; 5512 3369; zincojazz.com; miércoles a sábado de 21 a 3 horas. Más de cinco años de experiencia, una locación privilegiada y un muy buen gusto en la ambientación, la comida, los vinos y la música. Se entiende por qué sigue siendo favorito de los amantes del jazz. Suena bien y se disfruta mucho. Visita obligada en el Centro Histórico.

BLOGS DEFEÑOS DE MÚSICA

NOISELAB.TV
Podcasts de primera. Algo así como un programa de TV desde la Condesa para el mundo, con entrevistas a artistas internacionales de distintas disciplinas y mucha música.

PFAS.MX
Blog con reseña y crítica musical, además de videos exclusivos sobre artistas que visitan la ciudad de México.

8106.TV
Trendy. Hipster. Cool. La élite de la escena musical defeña es quien alimenta este vistoso y disfrutable blog. Buenos contenidos.

TONO.TV
Este blog no contiene música en el sentido esctricto, pero es de Toni François, una de las fotógrafas más ubicuas de los escenarios capitalinos. Contiene, pues, música en imágenes.

SICARIO.TV
Viniendo de uno de los colectivos más movidos y posicionados del mundo *hipster* no decepciona. Regalan *mixtapes* y boletos para sus eventos.

MATINEEASHELL.COM
Es un blog vistoso y con un diseño limpio y agradable. Buen contenido, internacional y local. Hecho por jóvenes que saben lo que quieren escuchar.

EVERYTHINGLIVE.BLOGSPOT.COM
El título del blog lo dice todo. Es un blog que observa un poco de lo más sobresaliente en materia de conciertos en la ciudad de México.

DISCOSTORMENTO.COM
No sólo publican lo referente a sus artistas, también suben videos que les interesan o inspiran. Anuncian eventos de cine y cultura, festivales y conciertos.

IBERO909.FM/BLOGS
Los colaboradores de esta estación de radio escriben y comparten música. Muy recomendable el de Mercado Negro.

MEHACERUIDO.COM
Más de dos años de trabajo constante y un par de premios lo coronan como uno de los mejores blogs musicales del DF. Ofrece horas y horas de esparcimiento.

DISQUERAS INDEPENDIENTES

ARTS & CRAFTS MÉXICO

arts-crafts.com.mx. Este sello canadiense de catálogo muy cuidado llegó a México coordinado por algunos miembros de la banda Chikita Violenta, quienes han trabajado con Dave Newfeld, uno de los productores más importantes de Broken Social Scene. De la escena mexicana han firmado a Los Odio, Bam Bam y Movus.

DIABLITO RECORDS

diablitorecords.com. Su misión es conservar el espíritu independiente en el que el factor humano es lo más importante, donde las cosas se siguen haciendo en equipo y toman un tiempo de maduración. Trabajan con bandas como Tanke y Candy. Han sacado discos y compilados, y se apoyan en una distribución a gran escala.

DISCOS CORASÓN

corason.com. Se dedican a buscar, producir y promover música tradicional de calidad, de México, Cuba y el mundo. Han ganado importantes premios internacionales incluyendo varios Grammys. Han apoyado a músicos como Juan Reynoso, La Negra Graciana y Los Camperos del Valle.

DISCOS TORMENTO

discostormento.com. Desde 2007 buscan dar un espacio a proyectos honestos y divertidos. Sus artistas suelen ser un tanto irreverentes y electrónicos. Llama la atención el trabajo visual. En el catálogo destaca la dulzura de Songs for Eleonor y la locura de Afrodita.

ELEFANT RECORDS MÉXICO

myspace.com/elefantmx. "El sello más pop de la galaxia" llega a México después de 21 años de impulsar el indie-pop en España. Cuna de actos de culto como Family, La Casa Azul, Cola Jet Set y La Bien Querida emprenden fiestas, lanzamientos, conciertos y más en nuestro país.

FONARTE LATINO

fonartelatino.com. Desde 1983 operan con el propósito de concentrarse en los productores alternativos. Del folclor hasta el rock en español, pasando por la trova y hasta el hip hop. Su catálogo es verdaderamente ecléctico e inmenso: Liliana Felipe, Monocordio, Fratta, Regina Orozco, La Barranca, Liber Terán y muchos, muchos más.

IGUANA RECORDS

myspace.com/iguanarecords. Más de ocho años en el medio. Se encargan de maquilar y hacer distribución a nivel nacional. Ofrecen el servicio a cualquier banda que los quiera contratar. Trabajan con proyectos como Atto & The Majestics, Maligno, Elli Noise y A Letter For. También cuentan con servicios de *booking* y *management.*

INTOLERANCIA

myspace.com/discosintolerancia. Trece años de experiencia en el campo de la producción y distribución. Hay cosas excelentes en su catálogo, como Paté de Fuá. La buena onda de Gerry Rosado es legendaria y real.

MADAME RECORDS

twitter.com/madamerecords. Mafer Olvera (de los libros Sonidos Urbanos) dirige una disquera que apoya de manera creativa a los músicos, manteniéndolos vigentes gracias a la posibilidad de grabar, tocar y lanzar temas nuevos continuamente. Entre su elenco encontramos a Los Románticos de Zacatecas, Shenan y Joe Volume.

MUN

blog.mun.com.mx. Este sello funciona, como se estila ahora, campechaneando entre oficina de *management, booking* y disquera independiente. Lograron un exitazo con el disco *Bestia* de Hello Seahorse! Y dicen seguir en la búsqueda de nuevos sonidos que nutran su catálogo. También trabajan con Le Barón y Payro.

OMBLIGO RECORDS

ombligofm.com. Un incipiente *netlabel* peruanomexicano que se dedica a producir, grabar y lanzar de manera digital a sus artistas. Se apoyan en internet para mostrar sus videos, transmitir podcasts y convocar a las futuras presentaciones.

TERRÍCOLAS IMBÉCILES

terricolasimbeciles.com. Primero fue oficina de *management*, durante 20 años. Detrás de las cortinas mueve los hilos Juan de Dios Balbi y se desarrolla como productor Emmanuel del Real, *Meme*. ¿A qué banda le desagradaría imaginarse en el mismo camino que Café Tacvba? Tienen a Austin TV, la Maldita Vecindad, Furland y los Liquits, entre otros.

UMOR REX

umor-rex.org. *Netlabel* mexicano con más de 40 discos internacionales exclusivos. Su popularidad sigue en aumento: un promedio de 20,000 visitas únicas al mes, muchas de ellas desde otros países. Vale la pena escuchar su catálogo que va del IDM al folk, y sobre todo aprovechar las descargas gratuitas que funcionan con respaldo de Creative Commons.

VALE VERGAS DISCOS

myspace.com/valevergasdiscos. Txema Novelo, descontento con la escena local, crea una disquera nueva, elige a los artistas que se le antojan y se dispone a grabarlos, editarlos en acetato, regalar la música en MP3 y ponerlos a tocar. Novelo se apoya en un colectivo de artistas y ha creado visuales y videos memorables.

MÚSICA PARA CONSEGUIR ESTE 2011

Archivo General de la Nación, Fondo Hermanos Mayo.

ANDREA BALENCY TRÍO

andreabalency.com. La voz pura y expresiva de Andrea Balency llegó desde Francia para encontrar con un contrabajo y una finísima batería el complemento perfecto. Una delicia.

DAVID AGUILAR

myspace.com/eldavidaguilar. No sabemos si esto es trova, pero sí que sus composiciones, letras y voz son como un respiro de aire fresco: inteligentes, espontáneas y únicas.

IRAIDA NORIEGA

myspace.com/iraidanorieg. La mejor cantante de jazz de México. Sus improvisaciones vocales en vivo son perfectas, flamígeras, lúdicas e inigualables.

JUAN PABLO VILLA

myspace.com/juanpablovilla. Un loco luminoso. Tal vez el mejor cantante que hay en México. Su búsqueda se aleja de lo comercial. Un gran improvisador, experimentador y explorador de la voz.

LA FUERZA AÉREA

myspace.com/fuerzaerea. Dicen ser simplemente dos personas con ganas de hacer música sin pretensiones. Verlos sin sorprenderse y sin ponerse a bailar entre sus ritmos oscuros, imposible.

LA SERENÍSIMA

myspace.com/laserenisima. Trae bajo el brazo un folclor muy particular, de un tiempo que todavía no llega. Explora la poética del dolor y la melancolía.

LEIKA MOCHÁN

myspace.com/leikamochan. Esta joven de larga cabellera rubia es de Cuernavaca, pero igual la incluimos en la lista. Inició cantando música africana y son. Ahora usa los *loops* para construir con un gran carisma y sentido del humor sus kaleidojismos.

PATÉ DE FUÁ

patedefua.com. Consentidos del público. Grandes vendedores de discos, aun en estos tiempos. El virtuosismo y buen gusto en los arreglos hacen que verlos en vivo sea una experiencia sublime y divertida.

SHO TRÍO

myspace.com/shotrio. La voz de Sandra Cuevas es como el abrazo favorito. Dúctil y aterciopelada, flotando sobre letras sentidas y sinceras. Acompañada por Hernan Hecht y Juan José López se vuelve como una cascada de dulzura.

TROPIKAL FOREVER

myspace.com/tropikalforever. Para vender sus discos tendrían que pagar muchas regalías por derechos de autor, pero en el terreno de la fiesta hacen lo que quieren y te dan las canciones que ya te sabes como nunca las habías oído.

VICENTE GAYO

myspace.com/vicentegayo. La actitud, la energía, la intensidad son las correctas. Su rock en vivo es frenético e interactivo. Visualmente son geniales y su *show* se siente peligroso. Se entregan con todo, como los grandes.

ZGROOVNIK

twitter.com/danzlotnik. Proyecto del genial saxofonista Dan Zlotnik en el que se da rienda suelta como compositor y director (de una banda de virtuosos) para beneplácito de los afortunados que logran cacharlos en alguna de sus esporádicas presentaciones. Explosivo.

TU DISCO EN CINCO PASOS

Por Juan Manuel Torreblanca

1 Para empezar necesitas un estudio para grabar la música, y para hecerlo es bueno contar con un productor que te oriente y un ingeniero que haga sonar bien las cosas. Toma nota.

ENRIQUE ESPINOSA GONZÁLEZ

sus4.mx. Este hombre tiene un estudio de producción de audio y música especializado en medios de comunicación llamado SUS4, formado por músicos y técnicos respaldados por una excelente plataforma tecnológica. SUS4 abre sus puertas a la producción de bandas de la escena indie nacional.

TURRA MEDINA

turramedina.com y myspace.com/estudioazulmusic. Productor, arreglista e ingeniero chileno radicado en el DF. Baterista y bombero. Una especie de McGyver del pop. Ha producido a Andrea Balency y a Pedropiedra entre otros. Es copropietario del acogedor Estudio Azul ubicado en la Narvarte.

ANDRÉS TORRES

vinylstudios.com. Guitarrista, compositor, arreglista y productor boliviano radicado en el DF. Copropietario de estudio. Sabe cómo funciona la industria y le interesan los nuevos talentos.

2 Ya que tienes grabado y mezclado tu disco hay que masterizarlo. Aquí un estudio que lo hace bien.

NO POR SUERTE MASTERING MÉXICO

noporsuerte.com. La experiencia de Alejandro Giacomán le dará ese sonido profesional, poderoso y brillante a tu disco. No le pide mucho a los grandes estudios de materización del mundo.

3 Si ya tienes tu máster, estás listo para maquilar y empezar a vender ¡y recuperar tu inversión! El mejor estudio para maquilar en el DF es sin duda el siguiente.

PAAX

paax.com.mx. Ofrecen un trato cordial y profesional, son puntuales, el precio es razonable y la calidad es de primera.

4 Pero no sólo de música se hace un disco. ¿Y la portada? ¿Y el arte?

CRIMEWAVES DISEÑO

crimewaves.com.mx. Dorian López es un diseñador hidrocálido que desde el DF mira el mundo con un gusto muy particular. Es un excelente fotógrafo y tipógrafo. Diseñó la edición especial de *Hu Hu Hu* de Natalia Lafourcade.

DNKS

dnks.org. Estudio de diseño que ha trabajado con sellos discográficos nacionales e internacionales, además de proyectos editoriales.

VENA2

vena2.com. Luis Díaz es un ilustrador, fotógrafo y diseñador que trabaja mucho y con mucha gente. Hace de todo, y en cuanto a arte de discos se encargó del *Kimono en llamas* de los Liquits.

WE ARE DESIGNERS POOL

wearedesignerspool.com. Colectivo de diseñadores especializado en proyectos de cine y música. Versátiles y profesionales.

5 ¡Listo! Ahora sólo falta una distribuidora y probablemente un manager, un *booker* (que consiga las tocadas) y un abogado especializado en derechos de autor (Edgar Burciaga: 04455 2880 4403, 3330 6506; edgar.burciaga@gmail.com, o Toño Rebollar: antonio.rebollar@rebollarfriz.com).

LA PLAZA DE LOS COMPOSITORES: MÚSICA ENTRE EL RUIDO

Por JMT

El rumor de los autos, el silbido de los frenos y de cuando en cuando el frenesí de los cláxones. Eso es lo que rodea las efigies de 16 compositores petrificados y casi invisibles en un pequeño parque triangular donde Patriotismo se convierte en Circuito Interior, y Alfonso Reyes busca salir a Constituyentes. ¿A quién se le habrá ocurrido ponerlas aquí? ¿Cuántas veces habré pasado por aquí sin detenerme a mirar estos bustos metálicos? Sus gestos, llenos de expresión, invita a reflexionar: ¿de dónde viene la música?, ¿a dónde se va la inspiración de un compositor cuando él ya no está?, ¿estarán sonando sus canciones en algún lugar en este momento? También dan ganas de llevar un cuaderno para apuntar los títulos de los temas que mencionan las placas, y así luego poder buscarlos y escucharlos en casa: "Cielo rojo", "Vereda tropical", "Usted", "Bésame mucho", "Mucho corazón" y muchas más de Consuelito Velázquez, Luis Demetrio, Cri Cri (cuyo busto fue robado hace tres años)… ¿Quién falta en la hilera? Agustín Lara, sin duda. Y ¿quién de los compositores vivos llegará a estar ahí dentro de años, decenios? ¿Manzanero, Juan Gabriel, Julieta Venegas, Memo Méndez..? Subo al puente peatonal y los dejo en su ruidoso silencio musical. Sin darme cuenta me voy tarareando.

Archivo General de la Nación, Fondo Hermanos Mayo.

PARA CANTAR LA CIUDAD DE MÉXICO

Por Diego Flores Magón y Pável Granados

Los cronistas literarios del Distrito Federal abundan hasta conformar con sus textos una "ciudad de papel", según Gonzalo Celorio. Los musicales, en cambio, escasean; por suerte, Chava Flores cantó abundantemente el nacimiento de la ciudad que heredamos, la del regente Uruchurtu, con sus gladiolas y reformas urbanas. En "No es justu", "las avenidas ya se ven pavimentadas; las angostitas fueron ensanchadas". En "Vino la Reforma", Chava Flores canta la ampliación de Reforma más allá del "Caballito", a partir de 1958, en que un vecino de Peralvillo dice suspicaz: "dizque ya somos vecinos de Las de las Lomas". La ciudad que Chava Flores evoca es la del proletariado de la primera ciudad moderna, que a pesar de los ejes viales sigue siendo pueblerina y popular ("Los quince años de Espergencia" y "Mi linda vecindad"). La clave de su humor está en la superposición de la ciudad del progreso y su población parroquial y proletaria. El contraste que hay entre "El metro", grandote, rapidote, segurote, y "el camión de mi compadre Jilemón que va al panteón". Canta una etapa de la ciudad de México que se extiende entre el progreso optimista y triunfal que Salvador Novo celebra en su *Nueva grandeza mexicana*, de 1946 (en que la explosión demográfica todavía es un signo promisorio, otra cara positiva del progreso), y 1968, cuando se cancela cualquier ilusión relacionada con la modernidad de la ciudad de México. En la ciudad de Chava Flores, los signos adversos se anticipan sin bajar la nota de parodia (en "México Distrito Federal", "un hormiguero no tiene tanto animal"), y se comienza a añorar una ciudad entrañable y pueblerina que parece encaminarse a su extensión: en "La esquina de mi barrio", "cuando México era más chirris", había una fonda que se llamaba "La ilusión del Porvenir".

Podría pensarse en Felipe Bermejo como un antecesor de Chava Flores, en una ciudad que todavía no busca ser moderna del modo grandilocuente y autoritario del alemanismo, pero que es también la ciudad de los pelados y de los burócratas, de los apretujones y las inflaciones, y que retrata con una misma inspiración satírica en canciones como "Los camiones" ("a las horas en que salen los empleados, es un triunfo encaramarse en un camión") y "Míster dólar vacilando" ("al turista que viene con dólar, hasta la mano le quieren besar"), de principios de los años cuarenta.

Los campos de un Xochimilco idealizado, difuminado, irreconocible, traslucen en la canción "Xochimilco" de un Agustín Lara que nunca cantó a la ciudad. No obstante, Carlos Monsiváis considera que "Noche de ronda", de 1936, es un himno que celebra de manera indirecta la vida nocturna de la ciudad de México (o la mortificación que sigue a sus excesos). Cuando *Tin Tan* parodió "Madrid", de Agustín Lara, estuvo más cerca del modo satírico que domina el cancionero defeño, exaltando a la "Merced", "la cuna del frijol y del café". En los años cincuenta, el bolero "Quinto patio", de Luis Alcarás, que hizo famoso Emilio Tuero, canta un amor que la clase hace imposible, materializada por la vecindad: "nada me importa que desprecie la humildad de mi cariño, el dinero no es la vida, es tan sólo vanidad".

Si la idea del salón domina la vida nocturna y musical de la ciudad de México

Archivo General de la Nación, Fondo Hermanos Mayo.

durante la década de los cuarenta, "Luces de Nueva York" es la canción que encarna esa mística que la Sonora Santanera hizo célebre, y que a pesar del título, y de la época, algo tardía, expresa el arquetipo de ese ámbito cultural y espiritual mexicano. En la misma escala orquestal, los danzones clásicos de la ciudad evocan una era, "Salón México" (himno del legendario salón que estuvo entre las décadas de 1920 y 1960 en Pensador Mexicano 60) y "Nereidas". "El Ruletero" de Pérez Prado es una extraña glorificación orquestal de ese oficio inveterado (menos extraña tal vez que "Las rejas de Chapultepec" del Tío Herminio, que no canta al bosque, sino a las rejas que lo rodean, y que son verdes, son verdes). Para glorificar a la ciudad de México después de los años sesenta, se necesitaba una buena parte de idealización, y otra todavía más grande de negación. Tal vez por eso, el himno de Guadalupe Trigo, "Mi ciudad", acabó como música de promoción turística. Más bien hace pensar en la Arcadia de Virgilio que en la megalópolis apocalíptica de finales de siglo. Los Tepetatles, que dirigía Alfonso Arau, cantaron, con letra de Carlos Monsiváis, a la Zona Rosa que Vicente Leñero describe como "un perfume barato en un envase elegante". Todo este repertorio fue dedicado a una ciudad que se acabó con los terremotos de 1985.

El rock, especialmente a partir de los años ochenta, se aparta completamente de la idealización y se encamina, por el contrario, a la denuncia, en parte gracias a la llegada del punk a México (una de las bandas primigenias se llama Masacre 68). Desde la balada sentimental de Rockdrigo (que trágicamente fundió su destino a la década de los años ochenta, cuando lo mató el terremoto de 1985), "Metro Balderas", hasta, digamos, "San Juanico" de El Tri ("una explosión de gas hizo cimbrar el orden en la ciudad"). En esa vena están "Asalto chido" y "Él no lo mató" de El Haragán y Compañía. Es en este repertorio que hace falta buscar la imagen de la ciudad del último tercio del siglo pasado, en que se hicieron patentes, incluso principales, los rasgos patológicos que engendró la degradación del "milagro mexicano", y que era imposible silenciar; que, no obstante, representaciones dominantes como las telenovelas, que ubicaban sus ficciones en la ciudad, silenciaba o presentaba según una versión aceptable, inofensiva, ingenuamente imaginada, como en "María Mercedes". La canción trascendió a la telenovela y se incorporó al repertorio popular. El alma satírica aprende, en los ochenta, a cantar a la catástrofe ("¿Dónde te agarró el temblor?", de *Chico Che*). Jaime López construye una idea de la ciudad por medio de su lenguaje ("Chilanga banda", que Café Tacvba hizo célebre años después). En esta tradición se inscribe "Un gran circo", de Maldita Vecindad y los Hijos del Quinto Patio. Quién sabe por cuánto tiempo perdure el recuerdo de que el Coyoacán que aborreció a Ibargüengoitia, "el San Ángel de los pobres", encontró un dudoso rapsoda en Coyoacan Joe, la increíble parodia involuntaria de YouTube, que llevaba por lo menos un millón de reproducciones en línea. La parodia calculada, *artsy* debe buscarse en Afrodita, Instituto Mexicano del Sonido, Sonido Changorama, María Daniela y su Sonido Lasser, que hacen, a su modo, de la ciudad, música.

Como ejemplos arcaicos del cancionero de la ciudad se podrían escuchar "La pasadita" (sólo existe una grabación contemporánea, de Tehua), una canción de los años cuarenta del siglo antepasado que habla de la ciudad en tiempos de la guerra con Estados Unidos, y "Las bicicletas", una melodía que evocaba los paseos de bicicletas por el Paseo de la Reforma, cuando se pusieron de moda en la ciudad porfiriana, por 1896, después, por supuesto, de París. dF

CIUDAD DE VANGUARDIA

Ciudad
de
México
Capital en Movimiento

La ciudad en la que vivimos se ha renovado tantas veces que resulta complicado encontrarle una autenticidad distinguible. Esto, por supuesto, es un grandísimo golpe de suerte. Pocas ciudades pueden jactarse de contar con un *skyline* social e histórico tan formidable. En el caso del DF, éste se nutre del barroco novohispano, los aromas de la gastronomía azteca, los avances tecnológicos del siglo xx, los conventos casi medievales, las fachadas neoclásicas, el legado de migraciones, el afrancesamiento decimonónico y varios etcéteras. Revisemos en este 2011 a la ciudad que es germen de nuestra identidad y piedra angular para que ciudadanos y gobernantes sigamos forjando un futuro sólido como el defeño tezontle.

UNA CAPITAL DE SIETE SIGLOS

POR JORGE PEDRO URIBE LLAMAS

ORGANIZACIÓN DE LAS NACIONES UNIDAS
PARA LA EDUCACIÓN,
LA CIENCIA Y LA CULTURA

CONVENCIÓN SOBRE
LA PROTECCIÓN DEL PATRIMONIO
MUNDIAL,
CULTURAL Y NATURAL

El Comité del Patrimonio Mundial
ha inscrito

el Centro histórico de México y Xochimilco

en la lista del patrimonio mundial

La inscripción en esta lista confirma el valor
excepcional y universal
de un sitio cultural o natural que debe ser protegido
para el beneficio de la humanidad

FECHA DE LA INSCRIPCIÓN
11 de diciembre de 1987

DIRECTOR GENERAL
DE LA UNESCO

Relata el cronista Fernando Alvarado Tezozómoc, nieto de Moctezuma II: "Es necesario que sepáis, mis amados hermanos mayores, mis amados hermanos menores, que en los tiempos antiguos hubo muchísima más cantidad de gente de la que hoy existe, según nos refieren y muestran, pues no había parte alguna donde no hubiese gente, pues sea cual sea la parte que pueda mencionarse allí había gente". Parece que el valle de Anáhuac ha sido siempre populoso: cuando Tenoch divisó el águila devorándose a la serpiente en el siglo XIV ya había gente viviendo en las orillas de los dos lagos y en los islotes. La pregunta surge sin dificultad: ¿cómo ha sido posible la convivencia de tantas personas, encerradas además entre cerros y amenazadas por terremotos, erupciones volcánicas e inundaciones? Ponerse de acuerdo no ha resultado fácil en un entorno como el nuestro, y sin embargo la ciudad de México —ya sea como capital del imperio azteca, ciudad española o Distrito Federal— ha sido ejemplo de constantes negociaciones sociales que han desembocado en una urbe funcional en medio de un oleaje histórico único. Esta ciudad vieja, amados hermanos mayores, amados hermanos menores, es el Centro Histórico de la ciudad de México, y hasta de los Estados Unidos Mexicanos. Es el Centro Histórico de tanta gente.

Habitamos una ciudad múltiple. Esto no es atípico de las grandes capitales a partir del siglo XX; sólo que la nuestra nació así. Los aztecas tuvieron que negociar con los tepanecas, luego vino el Imperio ¿y qué decir de la conquista y la larga sucesión de eventos a continuación? Hemos vivido en tierras variopintas incluso en términos geográficos: agua, tierra, cenizas. La que fue capital del hemisferio Occidental del mundo durante no pocos siglos continúa negociando rumbo y aspecto en el marco de un constante mestizaje urbano. De este modo a partir del actual periodo del Gobierno del Distrito Federal se han rescatado edificios, recuperado espacios públicos, creado organizaciones gubernamentales y civiles, pintado fachadas y encontrado maneras de convivir y decidir. No es desatinado en este contexto establecer una comparación con el segundo conde de Revillagigedo, Juan Vicente de Güemes, quien en el siglo XVIII introdujo desagües en las calles, además de empedrarlas e iluminarlas todas; asimismo estableció el servicio de recolección de basura e hizo numerar las casas, entre muchas otras mejorías. Durante el gobierno de aquel virrey la capital novohispana fue llamada por un periodista inglés que la visitó "la ciudad de los palacios". Desde entonces algunos palacios se han ido, per

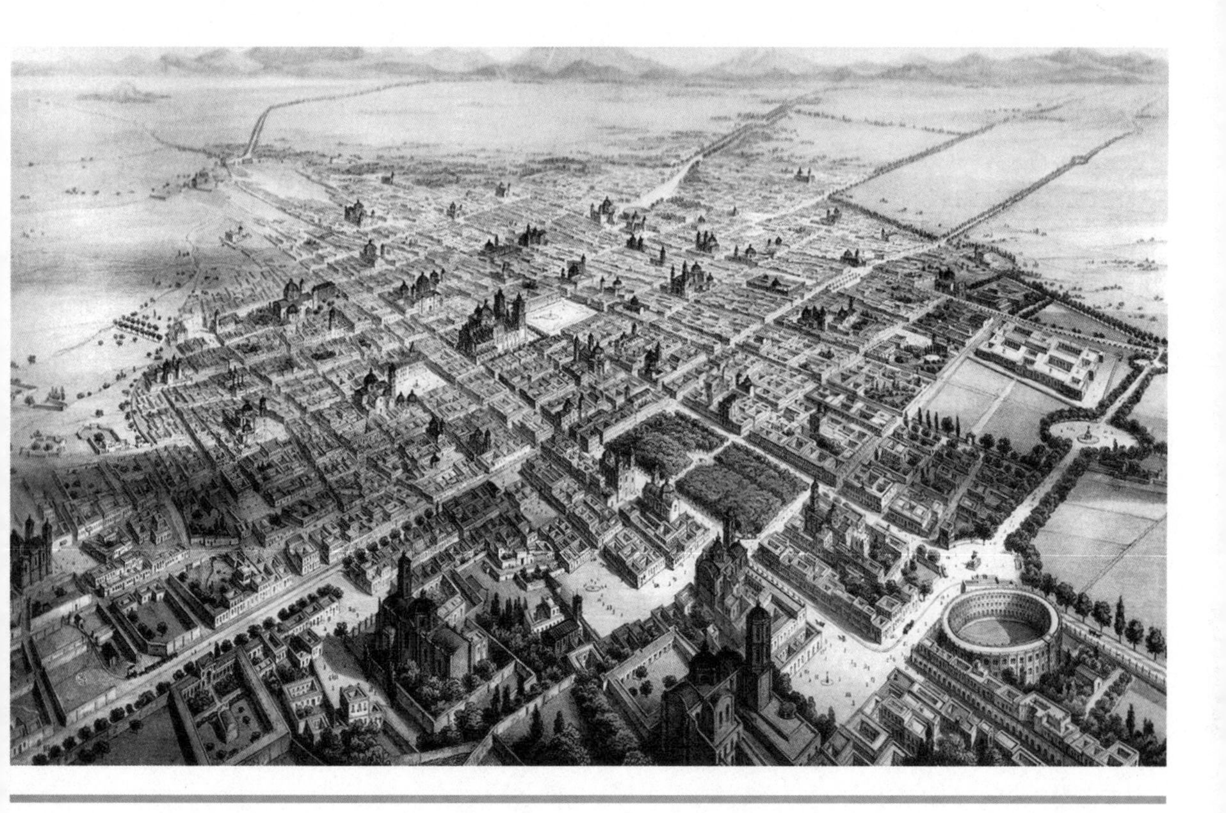

DURANTE EL GOBIERNO DEL VIRREY JUAN VICENTE DE GÜEMES LA CAPITAL NOVOHISPANA FUE LLAMADA POR UN PERIODISTA INGLÉS "LA CIUDAD DE LOS PALACIOS". DESDE ENTONCES ALGUNOS PALACIOS SE HAN IDO, PERO OTROS HAN LLEGADO.

otros han llegado. Continuamente en el DF varias ciudades permanecen, se sustituyen o desaparecen; todo en el mismo espacio urbano. El Centro Histórico es el resultado vivo de esta negociación gracias a la cual todos los días despertamos en una nueva ciudad vieja; una ciudad en movimiento.

Gracias a su valor único excepcional, y a través de una rigurosa evaluación, en 1987 el Centro Histórico de la ciudad de México recibió el título de "Patrimonio de la Humanidad", igual que Xochimilco. La Organización de las Naciones Unidas para la Educación, la Ciencia y la Cultura, UNESCO, se funda en 1946 para promover la identificación, protección y preservación del patrimonio cultural y natural de todo el mundo considerado especialmente valioso para la humanidad. Trece años más tarde se crea la Convención del Patrimonio Mundial cuando la construcción de una presa en Egipto amenazó con desaparecer los monumentos de Nubia. Desde entonces un comité integrado por representantes de 21 Estados le otorgan el título "Patrimonio de la Humanidad" a aquellos bienes culturales que representen el genio creativo, manifiesten un intercambio considerable de valores humanos y aporten un testimonio único de una tradición. El año pasado Guadalupe Gómez Collada, directora de la revista *Ritos y retos del Centro Histórico*, le entregó al jefe de gobierno del Distrito Federal, Marcelo Ebrard Casaubon, el acta que había permanecido extraviada durante años. Con este suceso queda constancia, en el descanso de la escalera principal del Antiguo Palacio del Ayuntamiento, de las responsabilidades que tiene la ciudad en ambos sitios.

LO NUEVO EN EL CENTRO HISTÓRICO

ANTIGUO PALACIO DEL AYUNTAMIENTO

Plaza de la Constitución 2, entre 20 de Noviembre y 5 de Febrero. La restauración del Salón de Cabildos, con su espléndido mural de Félix Parra, y la hermosa terraza verde han logrado dignificar aún más este edificio tan importante para la historia de la capital mexicana. Esto gracias a la Secretaría de Cultura del GDF.

CALLE SAN ILDEFONSO

Entre República de Argentina y El Carmen. La peatonalización de esta calle trasera del antiguo Colegio de San Ildefonso implicó una serie de mejoras a cargo del Fideicomiso Centro Histórico. No hay que perderse las actividades —y la comida— de Casa Tlaxcala.

CALLE MADERO

Entre Eje Central y Monte de Piedad. Inaugurada en octubre de 2010 esta calle resignificada llega a recibir a miles de personas por minuto, que disfrutan de un paseo por la calle más identificada del Centro. Sus macetones y bancas son una delicia para el paseante.

MUSEO MEMORIA Y TOLERANCIA

Plaza Juárez, frente al Hemiciclo a Juárez. Su misión es enseñar y difundir en la sociedad mexicana la importancia de la tolerancia y la diversidad tomando como punto de partida la memoria histórica y los genocidios contra grupos étnicos, raciales, religiosos o nacionales.

PLAZA DE LA CONCEPCIÓN CUEPOPAN

República de Perú y Belisario Domínguez, casi esq. Eje Central. El Fideicomiso Centro Histórico recuperó recientemente la hermosa plaza de "Las Conchitas", muy cerca de la Plaza Garibaldi. Ahora luce limpia, segura y con un nuevo piso. Quienes llevan muchos años sin venir por aquí no la van a reconocer, o mejor dicho reconocerán su esplendor original. La pequeña capilla fue mandada construir por Hernán Cortés. Vale la pena ir a la calle Mariana Rodríguez del Toro de Lazarín, a pocos pasos, que quedó preciosa y es peatonal.

PLAZA DE LA REPÚBLICA

De la República, esq. Arriaga. La Autoridad del Espacio Público realizó dos grandes acciones en esta plaza, que no está en el Centro, pero casi: la restauración del Museo de la Revolución, que tenía 70 años de abandono, con su mirador desde la cúpula; y la rehabilitación de los casi 50,000 metros cuadrados de la plaza. Además se creó desde la iniciativa privada un estacionamiento subterráneo para 700 vehículos.

PLAZA GARIBALDI

Eje Central entre Allende y República de Honduras. La obra ancla es el nuevo Museo del Tequila y el Mezcal, pero también están la Casa del Mariachi en la calle de Amargura, la remodelación del Mercado de San Camilito, el nuevo Jardín del Agave y el Paseo de las Estrellas de la Canción. Es la misma plaza, pero mucho más segura y bonita gracias a las labores por parte de la Autoridad del Espacio Público.

PLAZA JUAN JOSÉ BAZ

Talavera esq. Mesones. El Fideicomiso Centro Histórico remodeló el año pasado la famosa "Plaza de la Aguilita", en el barrio de La Merced. Los vecinos la usan, la zona está mejor iluminada y es más segura, y en sus bancas es posible conocer la evolución del Escudo Nacional.

SINAGOGA HISTÓRICA DE JUSTO SIERRA

Justo Sierra 71. Por primera vez se abre al público como lugar turístico un templo judío, y además uno de los más hermosos del país. A través de visitas guiadas es posible adentrarse en la arquitectura, decoración y operación de este recinto tan importante frente a la remodelada Plaza de Loreto. Para concertar una cita hay que escribir un mensaje a Mónica Unikel: guidtour@prodigy.net.mx.

CALLE MADERO

PLAZA GARIBALDI

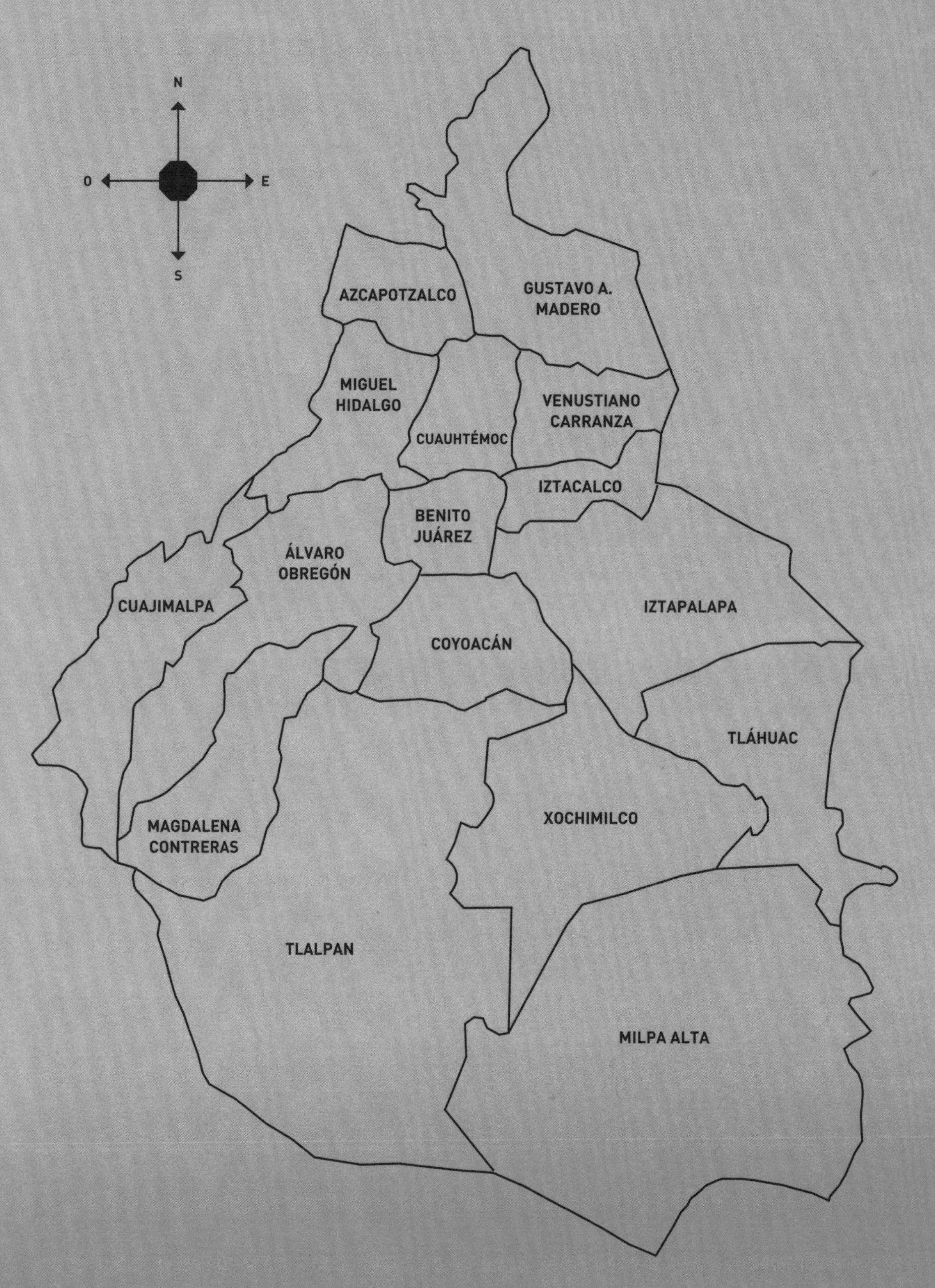
N
O
E
S
AZCAPOTZALCO
GUSTAVO A. MADERO
MIGUEL HIDALGO
CUAUHTÉMOC
VENUSTIANO CARRANZA
IZTACALCO
BENITO JUÁREZ
ÁLVARO OBREGÓN
CUAJIMALPA
IZTAPALAPA
COYOACÁN
TLÁHUAC
XOCHIMILCO
MAGDALENA CONTRERAS
TLALPAN
MILPA ALTA

16 DELEGACIONES POR (RE) DESCUBRIR

Lo que las guías turísticas sugieren visitar —y que deberíamos visitar— no es suficiente para disfrutar cabalmente la hermosura de la capital mexicana. A continuación, sugerencias de lugares no tan conocidos de las 16 delegaciones defeñas. Te proponemos explorarlas todas.

ÁLVARO OBREGÓN

CASA DEL OBISPO DE MADRID

Juárez 1, San Ángel. Inmueble que data del siglo XVII y que hospedó a grandes personalidades como don Antonio López de Santa Ana y el poeta José Zorrilla.

PARROQUIA SAN SEBASTIÁN CHIMALISTAC

Plaza Federico Gamboa 11, Chimalistac. Fue construida en el XVI por carmelitas. San Sebastián fue considerado en la época colonial un protector contra epidemias y plagas.

AZCAPOTZALCO

MUSEO PRÍNCIPE TLALTECATZIN

Libertad 35, El Recreo. Este museo arqueológico alberga poco más de 900 piezas recolectadas en la delegación: desde huesos de animales prehistóricos y puntas de flecha hasta reliquias olmecas, toltecas, mayas y aztecas.

PARQUE TEZOZÓMOC

Hacienda de Sotelo s/n, Prados del Rosario. Es el principal parque del Norte de la ciudad. Cuenta con canchas deportivas, gimnasio al aire libre, pista de patinaje, juegos infantiles, ciclopista, un lago que se semeja al de Texcoco, etcétera.

BENITO JUÁREZ

BASAMENTO ARQUEOLÓGICO DE SAN PEDRO DE LOS PINOS

Blvd. Adolfo López Mateos esq. Av. San Antonio, San Pedro de los Pinos. Zona arqueológica dedicada a Mixcoatl, una de las principales deidades mexicas. El basamento fue descubierto en 1916.

PARROQUIA DE SANTO DOMINGO DE GUZMÁN

Plaza Jáuregui. Cánova 2, Insurgentes Mixcoac. Fundada en 1528 aún conserva su portal de tres arcos, la capilla de Nuestra Señora del Rosario o del Rayo e imágenes de tamaño natural de la Dolorosa, un Cristo y un San Juan. Muy cerca está la Casa de la Cultura Juan Rulfo.

COYOACÁN

PARQUE ECOLÓGICO HUAYAMILPAS

Rey Nezahualcóyotl esq. Yaquis, Ajusco Huayamilpas. Está dividido en tres áreas: deportiva, parque y cultural. Es un espacio ideal para el esparcimiento y el conocimiento de las especies vegetales en peligro de extinción. También tienen una pista para correr. Los fines de semana se llena de familias —sin aglomeraciones— que respiran aire puro sin tener que salir de la ciudad.

CUAJIMALPA

PARQUE NACIONAL DESIERTO DE LOS LEONES

Carretera México-Toluca, La Venta. Es Parque Nacional desde el 27 de noviembre de 1917. Aquí está el Convento del Desierto de los Leones, de los carmelitas descalzos.

CUAUHTÉMOC

PLAZA DE LAS TRES CULTURAS

Eje Central esq. Ricardo Flores Magón, Nonoalco. Delimitada por edificios representativos de tres etapas históricas de México: prehispánica, virreinal y del México contemporáneo; de ahí su nombre.

GUSTAVO A. MADERO

MUSEO DE CERA

Calzada de los Misterios 880 esq. Fray Juan de Zumárraga, Villa de Guadalupe. Abren desde las 10 de la mañana y hasta las ocho de la noche. Es barato y muy lindo.

MUSEO DEL PLANETARIO LUIS ENRIQUE ERRO

Av. Wilfrido Massieu s/n, Zacatenco. Hacen proyecciones todos los días, previa cita a los teléfonos 5586 2858 y 5729 6000, ext. 54687 y 54688.

ZOOLÓGICO DE SAN JUAN DE ARAGÓN

Av. Loreto Fabela s/n, San Juan de Aragón. Sus 36 hectáreas lo convierten en el zoológico más grande de la ciudad de México. Entre los animales que exhiben hay jirafas, leones, chimpancés, elefantes, tigres de bengala, etcétera.

IZTACALCO

PARROQUIA DE SAN MATÍAS

Calzada de la Viga s/n, esq. Av. Santiago, Barrio de la Asunción. Ubicada en el corazón del pueblo de Iztacalco, fue fundada por los frailes franciscanos en 1550. El inmueble —iglesia y ex convento— es considerado Monumento Colonial desde 1933 de acuerdo con el INAH. Su portada muestra un hermoso estilo barroco estípite.

PARQUE ESCUELA URBANO ECOLÓGICO

Calz. Ignacio Zaragoza s/n, esq. Oriente 259, Agrícola Oriental. Cuenta con áreas verdes en las que se ofrecen actividades orientadas a la educación ambiental y la promoción de una cultura ecológica.

IZTAPALAPA

MUSEO CABEZA DE JUÁREZ

Av. Guelatao s/n, esq. Calzada Ermita Zaragoza, Agua Prieta. Monumento cuya obra pictórica estaría a cargo de Siqueiros, pero la muerte lo impidió. Luis Arenal concretó uno de los anhelos del muralismo: crear una obra plástica integral en la que colaboraran arquitectos, ingenieros, escultores, pintores y obreros. Hay además una colección de banderas americanas.

MAGDALENA CONTRERAS

PARQUE ECO-ARQUEOLÓGICO CERRO MAZATEPETL

Cerro del Judío o de Las Tres Cruces, ejido San Bernabé Ocotepec. Es un área que brinda la oportunidad para admirar

la naturaleza y tener contacto con ella. El área presenta dos grandes grupos de rocas, ambos originados por la actividad volcánica tan característica de la sierra circundante del Valle de México.

PARQUE ECOLÓGICO EJIDAL SAN NICOLÁS TOTOLAPAN

Carretera Picacho-Ajusco km 11.5, San Nicolás Totolapan. Es un parque que cuenta con más de 1,700 hectáreas arboladas. Es un bosque natural en el que predominan el pino y el oyamel.

MIGUEL HIDALGO

MUSEO CASA DE LA BOLA

Parque Lira 136, Observatorio. La colección de arte y antigüedades del viajero don Antonio Haghenbeck y de la Lama se encuentra en esta casa del siglo XVII que el magnate compró en Tacubaya durante los años cuarenta. Los muebles, pinturas, esculturas de los siglos XVI y XVII, sus tapices europeos y el jardín encantan a los visitantes. Es poco conocida, pero vale mucho la pena recorrerla para conocer más sobre interiorismo histórico.

MILPA ALTA

MUSEO CUARTEL ZAPATISTA Y CASA DE CULTURA

Calle Fabián Flores s/n, San Pablo Oztotepec. Exposición permanente que revisa la vida del general Emiliano Zapata.

MUSEO REGIONAL ALTEPEPIALCALLI

Av. Yucatán s/n, esq. Michoacán, Villa Milpa Alta. Dan talleres de náhuatl, pintura en tela y más.

TLÁHUAC

LOS HUMEDALES DE TLÁHUAC

Entre Tláhuac y Chalco. Reserva ecológica con aves que migran de Estados Unidos y Canadá. Hay varias especies de zorrillo, ardilla, víbora y murciélago.

TLALPAN

ZONA ARQUEOLÓGICA DE CUICUILCO

Insurgentes Sur s/n, esq. Periférico, Isidro Fabela. Sobresalen de este sitio los restos de un templo circular que en su momento dominó la región, acaso el primer asentamiento humano en el Valle de México. Además hay otros siete edificios religiosos y habitacionales, previos a la erupción del volcán Xitle en el 400 a.C., que terminó con éste y otros sitios circundantes.

VENUSTIANO CARRANZA

COLONIA PEÑÓN DE LOS BAÑOS

Aquí se celebra cada cinco de mayo una representación de la batalla en la que el general Ignacio Zaragoza venció a las tropas francesas en Puebla.

XOCHIMILCO

PARROQUIA Y EX CONVENTO DE SAN BERNARDINO DE SIENA

Av. 16 de Septiembre s/n, Barrio de Santa Crucita. Ésta es una hermosa iglesia del siglo XVI que cuenta con un altar magnífico. Se encuentra en el Centro de la delegación.

Con información de **sectur.gob.mx**

TODO SOBRE ECOBICI

De un tiempo para acá hemos visto que en las colonias Roma Norte, Hipódromo Condesa, Condesa, Juárez y Cuauhtémoc hay cada vez más personas en bicicletas lindas, de gran manufactura y un simpático logotipo verde. Son las bicis del Sistema de Transporte Individual, mejor conocidas como **ECOBICI**. Muchos se han informado para tener acceso a ellas, mientras que otros lo han dejado para otro día. Ya no hay excusa; a continuación te contamos todo lo que necesitas saber.

QUÉ ES

ECOBICI es el nuevo sistema de transporte urbano individual que puedes utilizar como complemento a la red de transporte público de la ciudad de México. Con él podrás desplazarte de manera cómoda, divertida y ecológica en trayectos cortos.

CÓMO SE USA

Sólo hay que tomar una bicicleta de cualquier cicloestación y posteriormente dejarla en la más cercana a tu destino. Para esto necesitas tener una tarjeta ECOBICI. En 2010 se han instalado 86 cicloestaciones con 1,114 bicicletas. Estas cifras están por aumentar, además de que se agregarán colonias nuevas.

CÓMO HACERTE USUARIO

Puedes hacerlo en ecobici.gob.mx: llenas un formulario, pagas con tu tarjeta y en menos de 10 días hábiles recibes un kit de bienvenida que incluye tu tarjeta ECOBICI. También puedes ir a Nuevo León 78, Condesa; José Rosas Moreno 152, San Rafael; Paseo de la Reforma esq. Río Guadalquivir, Cuauhtémoc. En menos de 20 minutos tendrás tu tarjeta de usuario. No olvides llevar tu credencial IFE —o pasaporte si eres extranjero— y una tarjeta de crédito o débito. Necesitas ser mayor de 16 años. El horario de atención es de 9 a 18 horas de lunes a viernes, sábados de 10 a 14.

CUÁNTO CUESTA

Trayectos ilimitados de 30 minutos durante un año: $300

Del minuto 31 al minuto 60: $10

Del minuto 61 en adelante por cada hora o fracción: $35

Reposición de la tarjeta ECOBICI por robo o extravío: $50.

Por bicicleta no devuelta en 24 hora: $5,000.

PREGUNTAS FRECUENTE

¿CUÁNTO TIEMPO PUEDO USAR L ECOBICI DE MANERA CONTINUA?

El sistema está diseñado para trayectos cortos, por lo que el tiempo máximo de uso recomendado por trayecto es de dos horas; si excedes este tiempo tendrás un amonestación y un cargo por cada hora o fracción adicional. Al acumular tres amonestaciones el sistema te dará de ba de manera definitiva.

¿CUÁNTAS VECES AL DÍA PUEDO UTILIZAR EL SISTEMA ECOBICI?

Al pagar la tarifa anual tienes derecho a realizar trayectos gratuitos de 30 minut los 365 días del año, las veces que lo requieras al día.

¿QUÉ PASA SI DEVUELVO LA BICICLETA DESPUÉS DE DOS HORAS?

ECOBICI está diseñado para trayectos cortos, por lo que te otorga los primeros 30 minutos gratis. A partir del minuto 31 se genera un cargo, y en caso de exceder dos horas de uso continuo el sistema genera una penalización. Al acumular tres penalizaciones se cancela definitivamente tu tarjeta ECOBICI.

¿QUÉ PUEDO HACER SI PIERDO LA TARJETA?

En caso de pérdida o robo de la tarjeta ECOBICI comunícate con nosotros a través de los diferentes medios que ponemos a tu disposición: vía web en la sección de contacto, vía telefónica al 5005 2424 o personalmente en nuestros Centro de Atención a Clientes para reportar la baja y evitar un uso incorrecto. Puedes pedir un duplicado a través de los mismos sistemas. El costo del mismo es de $50. Este proceso es irreversible: en caso de recuperar la antigua tarjeta ésta no será válida.

RECUERDA QUE DEBES USAR CASCO

Si tienes un accidente debes llamar al 5005 2424 para que puedan atenderte.

MÁS INFORMACIÓN EN
ECOBICI.DF.GOB.MX
TWITTER.COM/ECOBICI
ECOBICI
ECOBICI
0223

CORREDOR CULTURAL
ROMA-CONDESA

QUÉ ES

A mediados de los años noventa una serie de galerías de arte contemporáneo de la colonia Roma se reunieron con el fin de realizar un proyecto conjunto que, además de incrementar su poder de convocatoria, lograra la recuperación de los espacios públicos y las redes de convivencia de la zona. En los últimos años las colonias Roma y Condesa se han convertido en importantes centros de producción artística. Con el fin de volver a poner estos territorios en la mente de los habitantes de la ciudad de México, se ha buscado revivir este corredor para difundir valiosos proyectos que giren en torno al arte contemporáneo y el diseño. Así, galerías y tiendas sobre todo en las calles Colima y Álvaro Obregón abren sus puertas para recibir a los interesados, los restaurantes ofrecen descuentos y la zona se vuelve un espacio de intensa actividad social.

QUÉ SE GANA

→ Recuperar espacios públicos y dinámicas culturales y de arte y diseño. La idea es que no todo el mundo entre en el mismo lugar al mismo tiempo: uno puede empezar por el final o por la mitad, y toparse a gente distinta en cada espacio o en la propia calle. No hay un orden sugerido, sino el que cada quien escoja. Cada quien a su ritmo, y los transportes están girando, recogiendo y bajando gente.

→ Apoyar iniciativas responsables a favor del medio ambiente dentro del corredor. Reciclaje de aceite en los restaurantes, el uso de bicicletas en lugar de automotores, el apoyo a proyectos artísticos o de diseño sustentables y más.

→ Incentivar la producción artística y de diseño entre los creadores de la ciudad de México. Esto a través de dar a conocer proyectos, conectar personas interesadas en los mismos asuntos, etcétera.

Álvaro Óbregon, Roma.

Vértigo Galería

Hotel Condesa DF

Lemur

Colima, Roma

Más información en **ccromacondesa.com**

CENTRO DE VISITANTES DE LA CIUDAD DE MÉXICO

El edificio Rule (Eje Central 6, a un lado de la Torre Latinoamericana), que se yergue en un solar que formó parte del ex Convento de San Francisco, es una inusitada mezcla de vestigios arquitectónicos, entre los cuales sobresalen los restos de la antigua Capilla del Santo Cristo de Burgos y la primera fachada prefabricada del siglo xx. Hoy este edifico recuperado por el Jefe de Gobierno del Distrito Federal, el World Monuments Fund, la Secretaría de Turismo del GDF, la Fundación del Centro Histórico y el Fideicomiso Centro Histórico con un proyecto de Alfonso Govela alberga un moderno centro multimedia de información gratuito para turistas, vecinos y cualquier ciudadano; una tienda-librería, módulo de visitas guiadas, venta de entradas a eventos, un café-bar, un restaurante; un espacio dedicado a Gabriel García Márquez; y más. Es, además, la ventana digital para descubrir la ciudad de México en Internet y en los nuevos medios. Lo anterior gracias al World Monuments Fund, la Fundación Cultural de la Ciudad de México y American Express.

EL CENTRO DE VISITANTES DE LA CIUDAD DE MÉXICO ES:

→ La puerta de entrada a la ciudad de México.
→ Una nueva oportunidad tecnológica que permite promover la ciudad a personas de todo el mundo.
→ Una red semántica de sitios web que integra información valiosa, pero dispersa y desagregada.
→ Un nuevo centro multimedia para exponer la imagen de la ciudad de México.

EL VISITANTE O CIUDADANO PUEDE:

→ Definir sus preferencias para navegar y recibir una atención personalizada.
→ Ser guiado y obtener recomendaciones conforme a sus gustos.
→ Planear su viaje antes y durante su visita.
→ Compartir y recomendar sus itinerarios y hallazgos personales.
→ Anotar sus experiencias durante los recorridos.
→ Evaluar los sitios, eventos, productos y servicios visitados.

GUARDERÍAS · CAMPAMENTOS
CLASES Y TALLERES
PARQUES TEMÁTICOS
CENTROS DE DIVERSIÓN

Tarjeta
Clásica
Banamex
Banamex
Banamex
VISA
Puntos
Premia

Centro Educativo Infantil Siglo XXI

GUARDERÍAS

CANADIAN KINDER HOUSE

Allende 201, Clavería; 5342 2542; lunes a viernes de 8 a 18 horas. Con un sistema educativo constructivista esta guardería ofrece estimulación temprana, laboratorio de inglés y educación física, así como talleres de computación, karate, música y construcción de valores. Este centro cuenta también con actividades de fin de semana para propiciar la sana convivencia entre padres e hijos. Asiste a su Escuela para Padres; en ella los expertos te brindan asesoría en todo aquello que te inquiete respecto a tu pequeño hijo. Es fácil llegar: entra a la calle Allende por Heliópolis, o por Nilo. Edades: entre seis meses y siete años.

CASA DE LOS NIÑOS MONTESSORI MERCEDES BENET

Ejército Nacional 1137, Irrigación; 5557 3143; montessorimbenet.com; lunes a viernes de 8 a 18 horas. Fue fundada en 1974. En todos los niveles los niños reciben clases de inglés y música. Asimismo el personal de esta institución imparte programas de matemáticas, lenguaje y ciencias, así como ejercicios sensoriales, club de tareas y actividades que resultan útiles en la vida práctica (cucharear, verter agua, limpiar su mesa). Aprovecha su Escuela para Padres y las asesorías pedagógicas y psicológicas. Elvira Alicia Medrano te ofrece toda la información que necesites. Edades: entre tres y seis años.

CENDI BUTTERFLY

Silvestre Revueltas 15, Guadalupe Inn; 5651 5354; cendibutterfly.com.mx; lunes a viernes de 7 a 19:45 horas. Cuenta con más de 23 años de experiencia. Desde maternal y preescolar tu pequeño recibirá un programa de educación bilingüe para que hable inglés como si fuera su lengua materna. Además los niños reciben clases de computación, educación física y música. Este Cendi tiene cuatro horarios de comida: desayuno, comida, merienda y cena. Los maestros te dan un informe diario de las actividades de tu hijo y puedes solicitar juntas, asesorías médicas y psicológicas. Edades: entre 45 días y seis años.

CENTRO AZCAPOTZALCO DE DESARROLLO INTEGRAL

Av. Azcapotzalco 486, Nextengo; 5353 8425; lunes a viernes de 7 a 19 horas. Ubicado en una de las calles más elegantes del porfiriato, no muy lejos de la mansión de José Limantour. Además de ofrecer estimulación temprana, inglés, educación física, talleres de tareas, música y danza, este centro educativo cuenta con servicio médico permanente, departamento psicopedagógico y Escuela para Padres. Su personal es altamente calificado y las instalaciones coloridas y muy limpias. Puedes estar tranquilo: su sistema de seguridad es muy estricto. Aprovecha sus múltiples descuentos en inscripciones. Edades: desde los seis meses y hasta sexto de primaria.

CENTRO EDUCATIVO INFANTIL SIGLO XXI

Ometusco 43, Condesa; 5286 7722; ceisigloxxi.com; lunes a viernes de 7 a 18 horas. Fue fundado en 1974 por las psicólogas Martha Elena García y Guadalupe López. Ofrece un sistema de estimulación temprana, así como programas preacadémicos y académicos. Su personal está compuesto por educadoras, puericultores, asistentes educativos, una enfermera y una psicóloga. Los niños reciben clases de inglés a partir de los dos años y medio de edad. Para garantizar su seguridad el centro educativo cuenta con emergencias médicas y un sofisticado sistema de alarma. En sus talleres los pequeños disfrutan de programas de valores, ecología, educación sexual, teatro guiñol, música, danza, deportes y computación. Edades: entre tres meses y seis años.

CENTRO EDUCATIVO NEN LLIURE

Sagredo 106, San José Insurgentes; 5593 4618; nenlliure.edu.mx; lunes de 7:30 a 18:30 horas. En este lugar se utiliza el método constructivista y el sistema *high scope*. Tu hijo es atendido por dos puericultoras por sala, educadoras y pedagogas, así como por especialistas en psicología, nutrición y medicina. La atención es personalizada y los grupos no se organizan por edad, sino por las habilidades y el grado de desarrollo que el niño presenta. Cuentan con 40 diferentes menús en el comedor. Se imparten clases de inglés en preescolar, educación física, música, tae kwon do y artes plásticas. Edades: entre 10 semanas y seis años.

CENTRO ESCOLAR INFANTIL MI ESCUELITA

Chichihualtitla 11; Cantera Puente de Piedra; 1090 9229 y 5666 5140;

centromiescuelita.com; lunes a viernes de 6:30 a 19:30 horas. Además de ofrecer el servicio de guardería cuenta con maternal, kinder y preprimaria. Sus 10 años de experiencia se reflejan en la selección del personal: está compuesto sólo por pedagogos y licenciados en Preescolar. Las instalaciones se rigen por las reglas de seguridad e higiene establecidas por la SEP. Tu hijo puede ser atendido en grupo y de manera individual, según sus necesidades. También se le da una dieta específica. Este centro escolar tiene talleres, cursos de verano, clases de inglés y de computación. Para llegar toma el Periférico y cuando veas el centro comercial Gran Sur busca la calle Chichihualtitla (justo en la esquina de esta calle hay un Dormimundo). Edades: entre 45 días y seis años.

Colegio Mexicano Japonés

COLEGIO MEXICANO JAPONÉS

Goldsmith 318, Polanco Reforma; 5545 7336; comja.edu.mx; lunes a viernes de 7 a 19 horas. Existe desde 2004. Sus instalaciones son especialmente bellas y coloridas. Su sistema educativo es constructivista y bilingüe. Los cuneros son cómodos y la luz que los rodea es muy suave, lo cual garantizará el descanso de tu hijo. Si el bebé está en la etapa de lactancia entonces disfruta de ejercicios físicos y estimulación temprana que favorecen su neurodesarrollo. Aunque los programas son excelentes, el mayor beneficio de esta guardería es el servicio de monitoreo vía internet: el colegio te da un código de seguridad con acceso confidencial para que puedas observar desde cualquier computadora lo que hace tu pequeño. Edades: entre 45 días y seis años.

JARDÍN DE NIÑOS CAROL BAUR

Artemio del Valle Arizpe 24, Del Valle; 2625 2770; lunes a viernes de 7 a 19 horas. Su sistema educativo es constructivista. Todos sus programas son cien por ciento bilingües. Además de contar con estimulación temprana y clases de computación, este jardín ofrece talleres de danza (ballet clásico), música, tareas dirigidas, artes plásticas, cocina y tae kwon do. Tu pequeño tendrá diversión sin límites en la ludoteca y el jardín botánico. Para llegar toma la calle Romero de Terreros, después entra a Insurgentes y busca Arizpe. Es el único modo de entrar a esta calle. Edades: entre 45 días y seis años.

JARDÍN DE NIÑOS CHRISTA MCAULIFFE

Cerro San Andrés 241, Campestre Churubusco; 5549 7770; jardinchrista.edu.mx; lunes a viernes de 7 a 19 horas. Fue fundado en 1995 y lleva el nombre de la astronauta y profesora de primaria que murió en la catástrofe del Challenger en 1986. Este colegio imparte enseñanza personalizada. Ofrece clases de inglés, actividades de computación y un programa de Escuela para Padres. Es uno de los pocos lugares donde se dan talleres de ciencias y se programan actividades con el Museo del Papalote. También cuenta con natación y talleres de música. Ostenta múltiples reconocimientos por participar en la Olimpiada de Matemáticas. Busca a la directora Alejandra Islas Yépez, ella te atiende personalmente. Edades: entre 45 días y seis años.

KINDER SUMMERVILLE

Leibniz 193, Anzures; 5531 0955; escuelasummerville.com; lunes a viernes de 7:45 a 19 horas. Su personal se renueva y capacita constantemente. Las instalaciones están divididas por salas

acondicionadas para las clases que se impartirán en ellas: hay de pensamiento matemático, de lenguaje y comunicación, de motricidad fina y de computación. Cuenta con alberca, regaderas, enfermería, parcela, comedor, dormitorios, arenero, gimnasio y step 0 y 1. Todos los menús se preparan bajo la supervisión de nutriólogas. En este kínder tu pequeño recibe talleres de música, minifutbol, expresión plástica, expresión teatral y corporal, natación, danza regional mexicana y mini yoga. Para obtener más información busca a Karla Díaz. Edades: entre 45 días y seis años.

LITTLE ONES' BLUE HOUSE

Edificio Zentrika. Lateral Autopista México-Toluca 1235-2º piso; Santa Fe; 5292 3223; littleones.com.mx; lunes a viernes de 7 a 19 horas.

Sus instalaciones están llenas de color y son limpias, divertidas y seguras. El personal que cuida a tu hijo está altamente calificado en desarrollo infantil y estimulación temprana. Para darles una mejor atención los niños se encuentran reunidos en grupos reducidos según su edad; también se cuida que su alimentación diaria sea balanceada. En cuanto a la seguridad no te preocupes: sólo pueden recoger a tu bebé las personas que tú autorices, podrás verlo por internet por medio de las cámaras de video instaladas en todos los salones y el acceso está controlado con estrictos módulos de vigilancia. Edades: entre 45 días y tres años.

TONALLI, EL ESPACIO DE LOS NIÑOS

Privada Tenancalco 9, Tlalpan; 5665 0736; kindertonalli.wordpress.com; lunes a viernes de 7:30 a 19:30 horas. Este sitio garantiza un servicio integral. Los bebés experimentan un programa de estimulación temprana y música. Los niños que se encuentran en maternal, kínder y preescolar toman clases de inglés y computación. Los grupos son reducidos. La directora María del Carmen Larios ha colaborado en numerosas ocasiones con el Departamento de Investigaciones Educativas del Centro de Investigación y Estudios Avanzados del IPN. Durante el verano tus hijos pueden participar en cursos de artes, ciencias, cocina, literatura, cine, juguetes autómatas, yoga y deportes. Aprovecha sus talleres familiares de apoyo psicológico, donde te darán consejos sobre disciplina, comunicación familiar y educación sexual infantil. Edades: entre 45 días y seis años.

CLASES Y TALLERES

ACADEMIA SALA CHOPIN

Álvaro Obregón 302-A, Roma; 5211 3084 y 5211 3257; salachopin.com; lunes a domingos desde las 10 a las 20 horas. Escuela de música. Sus programas educativos están diseñados para que resulten atractivos para los niños, según su edad. Los más pequeños aprenden mediante el juego y los adolescentes interesados en continuar con sus estudios de manera profesional reciben todo el conocimiento necesario para hacerlo. Puedes estar tranquilo: sus profesores son figuras de gran renombre en el mundo musical. Los niños empiezan con clases de iniciación musical y, más tarde, podrán elegir su instrumento favorito. Algunos de los incluidos en sus planes de estudio son piano, órgano, teclado, violín, violoncello, canto, saxofón, batería, guitarra acústica y eléctrica, flauta y acordeón. Es muy conocida su sección de música impresa. Se trata de una de las escuelas de música particulares más concurridas y de mayor tradición. Don Jorge Altamirano la fundó en 1937 como Sala Wurlitzer (que es el nombre de una marca de instrumentos musicales). Su intención era vender pianos y contribuir a la enseñanza de este instrumento. Como también tenía una línea de instrumentos eléctricos le resultó fácil traer a México los primeros aparatos de televisión en 1951. En la Sala Chopin se realizan conciertos, obras de teatro. Ahí se estrenaron obras de Rafael Solana y de Luis G. Basurto. Andrea Palma solía hacer temporada teatral en la Sala Chopin a finales de los años cincuenta. También Pina Pellicer tuvo temporada con Margarita Gautier en 1960 (se dice que la obra era tan mala que aparecieron anuncios en la televisión para prevenir que la gente fuera). La Sala Chopin cuenta además con una sala cinematográfica.

ACADEMIA VEERKAMP

Durango 269, Roma; 5207 9096; veerkamp.com; lunes a sábado de 13 a 20 horas. Además de vender todo tipo de instrumentos musicales Veerkamp cuenta con una academia de educación musical de gran prestigio. Los niños de tres a seis años deben tomar el curso de iniciación musical, en el que aprenden elementos básicos de solfeo y practican en el piano. Más tarde los pequeños pueden escoger el instrumento que les gustaría estudiar y reciben clases individualizadas. Entre los instrumentos a elegir se encuentran guitarra y bajo (tanto acústicos como eléctricos), canto, batería, piano, violín y teclado. Admiten a niños de tres años en adelante. Sucursal: Avenida Contreras 300, San Jerónimo Lídice; 5668 7125.

Academia Veerkamp

ACUÁTICA NELSON VARGAS

Av. Guillermo Massieu 265, Fraccionamiento La Escalera; 5754 2582; natacion.com.mx; clases para bebés: lunes a viernes de 8:30 a 18:30 horas, sábados de 8:30 a 12:30; clases para niños: lunes a viernes de 13:30 a 18:30 y sábados de 8:30 a 12:30. Ésta es una de las instituciones con mayor experiencia en la enseñanza de esta disciplina deportiva. Sus instalaciones son asombrosas y se distinguen por su limpieza y diseño. Los bebés de entre ocho meses y tres años 11 meses practican bajo la vigilancia de un instructor individual. Los niños de cuatro a los 14 años recibirán instrucción en grupos de seis a ocho participantes. Mientras tu pequeño permanece en la alberca toma alguna de las actividades para la familia: pilates, yoga, *spinning*, pesas o aerobics. Para llegar toma Plan de San Luis o la calle Othon de Mendizabal Oriente. Sucursales: Cafetales 279, Granjas Coapa; 5671 7792. Av. Santiago 218, San Jerónimo Lídice; 5595 0488. Cruz Verde 81, Coyoacán; 5689 3917. Prol. Uxmal 286, Del Valle; 5688 1059. Pasaje Interlomas 8C, Huixquilucan; 5291 8943.

BABY BALLET COAPA

Av. Tenorios 274, Ex Hacienda de Coapa; 2652 1442; babyballet.com.mx; lunes a viernes de 15 a 19 horas. Para que los pequeños le tomen gusto a la danza, nada mejor que esta academia especializada en la enseñanza a niños de kínder y primaria. La mayoría de sus profesores estudiaron en el Instituto Nacional de Bellas Artes. Los tipos de danza que se imparten son ballet, jazz, flamenco, hawaiano y folclórica. Cada una de las disciplinas tiene diversos niveles: baby, kids y primary 1 y 2. Tiene horarios y precios accesibles.

CENTRO CULTURAL SYLVIA PASQUEL

Juan Escutia 96, Condesa; 5211 4941; centroculturalsylviapasquel.com; sábados de 10 a 19 horas. Este centro cuenta con un taller infantil de actuación que consta de dos periodos principales: un propedéutico de cuatro meses y un taller avanzado con un año de duración. El curso incluye clases de actuación, de expresión verbal y corporal y de jazz. Para los que no pueden tomar clases vespertinas se recomiendan los cursos de verano para niños de entre siete y 12 años, y entre 13 y 17 años. Las materias que se imparten son teatro y canto, televisión, modelaje y danza. También se incluye una semana de ensayos para preparar una presentación final.

CENTRO DE ARTE DRAMÁTICO

Centenario 26, Coyoacán; 5554 9091; cadac.com.mx; lunes a viernes de 17 a 19 horas. Es una escuela de formación teatral inaugurada en 1974. El CADAC es el proyecto pedagógico del dramaturgo Héctor Azar. Aunque es una escuela orientada prinicipalmente a los adultos ofrece cursos de teatro para niños en los que se imparten juegos escénicos, integración individual y grupal, expresión corporal y verbal, y fabricación de escenografía y vestuario. Los grupos se dividen por edades: entre cinco y seis años, entre siete y 11, entre 12 y 14, y entre 15 y 17. Una vez terminado el curso puedes ver a tus hijos en una práctica escénica final abierta al público en la que muestran todo lo que aprendieron. Este centro también cuenta con cursos de verano de teatro durante julio y agosto. El CADAC se encuentra justo en la esquina con Belisario Domínguez.

CLEYA VERNI DANCE STUDIO

Pestalozzi 952, Del Valle; 5559 7086; lunes a jueves de 16 a 21 horas. En esta academia se imparten clases de danza diseñadas especialmente para el público infantil. Sus cursos incluyen clases de ballet clásico y técnica de danza moderna

Centro de Arte Dramático

y jazz. Cada tipo de danza está dividida en niveles según el rango de edad. Al final de cada curso de seis meses hay una presentación en un reconocido teatro de la ciudad. Si tu hijo posee aptitudes para desarrollarse a nivel profesional los maestros lo entrenarán de manera individual o con pequeños grupos en cursos de grados vocacionales y *majors*. Hasta 14 años. Para llegar toma Gabriel Mancera, dobla a la derecha en Eje 6 y a tu izquierda encontrarás Pestalozzi; el estudio se encuentra entre Eje 5 y San Borja.

CLUB HÍPICO TEPEPAN

Prolongación de Abasolo 50, Fuentes de Tepepan; 5675 5344; hipicotepepan.com; lunes a viernes de 9 a 19 horas, sábados de 9 a 14 horas. Para tomar clase de equitación aquí no es necesario poseer un caballo. Tan sólo tienes que inscribir a tu hijo. Durante sus cursos vespertinos y de verano los niños aprenden a montar, limpiar y ensillar el caballo. También aprenden a cuidar adecuadamente al bello animal con el que terminan encariñándose. Para ello reciben lecciones sobre los tipos de alimentación para el caballo. Las clases en este club son una oportunidad única para que tu pequeño se vincule con el deporte y la naturaleza a edad temprana. Hasta 12 años. Para llegar toma el Periférico y a la altura del Tecnológico de Monterrey desvíate a la calle La Joya. Transita por la primera desviación a la derecha y llegarás a Prolongación Abasolo.

ESCUELA DE FUTBOL PUMAS

Primera cerrada Prolongación Abasolo 64, Valle Escondido Tepepan; 5641 7707; pumas7.com; lunes a jueves de 15 a 19 horas. Si quieres que tus hijos pasen su tiempo libre en un lugar sano y divertido inscríbelos en la célebre escuela del equipo Pumas. Este lugar lleva el mismo calendario que la SEP, por lo que su horario se acopla a las necesidades de los niños. Las clases están divididas en niveles según la edad: cachorritos (cuatro a cinco años), cachorros (seis a siete), pumitas (ocho a nueve) y pumas (10 a 15). Sus instalaciones cuentan con cancha infantil de pasto natural, estacionamientos, baños, cafetería y vestidores.

LA MATATENA, ASOCIACIÓN DE CINE PARA NIÑAS Y NIÑOS

San Fernando 426, Tlalpan; 5033 4681; lamatatena.org. Si crees que tu hijo, de seis años en adelante, puede tener aptitudes para el séptimo arte tienes que llevarlo a este lugar en el que puede participar en talleres que le ayudan a desarrollar su creatividad y talento. Uno de los cursos más interesantes es el Taller de Realización Cinematográfica en Plastilina: por medio de él los pequeños diseñan una historia, modelan sus personajes en plastilina y presentan un

La Paleta de Colores

cortometraje en pantalla grande durante la última sesión. Otra de sus encantadoras actividades es el Festival Internacional de Cine para Niños, un evento en el que tus hijos observan obras cinematográficas realizadas exclusivamente para ellos.

LA PALETA DE COLORES

Av. Polanco 79, Polanco; 5280 9446; lapaletadecolores.com; lunes a jueves de 16 a 19 horas. Especializada en la enseñanza de artes plásticas para el público infantil esta escuela imparte clases de pintura, escultura, cerámica, *collage*, historia del arte y plastilina. Los profesores ayudan a los niños a experimentar con distintos materiales y técnicas para que cada uno encuentre su propio estilo. Admira el trabajo de tu pequeño en las dos exposiciones anuales organizadas por la escuela. Si él desea continuar con sus clases durante el verano podrá hacerlo, pues ofrecen cursos durante julio y agosto. Admiten niños entre tres y 16 años.

“Le pregunté a una señora el otro día si iba su hija a la escuela. '¡Dios me libre!', contestó muy ofendida. ¿No ve usted que tiene 11 años cumplidos?'.”

Madame Calderón de la Barca en *La vida en México* (1840)

LIGA OLMECA

Av. 5 de Mayo 100, Merced Gómez; 5593 9328; eteamz.com/olmeca; lunes a viernes de 16 a 20 horas, sábados de 9 a 14. El béisbol es un deporte que no sólo ayuda al desarrollo físico de los niños, sino que también estimula su capacidad de crear estrategias y de trabajar en equipo. La Liga Olmeca cuenta con la división Pre Escuelita (cuatro a siete años), Escuelita (siete a ocho), Pre Infantil (nueve a 10), Infantil (11 a 12) y Junior (13 a 14). Los niños de 15 años en adelante se unen a las divisiones junior y juvenil. Además de recibir entrenamiento, los pequeños tienen la oportunidad de participar en competencias con otros equipos nacionales e internacionales. Si no puedes inscribirlo en clases vespertinas busca los cursos de verano. Para llegar toma Barranca del Muerto o Desierto de los Leones. Ambas te llevan directo a la calle donde se sitúa esta liga.

Centro Sensorama

PARQUES TEMÁTICOS Y CENTROS DE DIVERSIÓN

CENTRO SENSORAMA

San Luis Potosí 196, 5o piso, Roma; 1998 2586; sensorama.com.mx; viernes 16 a 19:30 horas, sábados y domingos a partir de las 13:30. Para mayores de siete años. En este lugar los niños son privados de la vista para que ejerciten otros sentidos y de paso su imaginación. En este espacio decenas de especialistas (actores, psicólogos, diseñadores, pedagogos, músicos y comunicólogos) te guían por un recorrido lleno de dinámicas y objetos.

GRANJA LAS AMÉRICAS

Boulevard Pípila s/n, acceso tres, Lomas de Sotelo; 5387 0600; granjalasamericas.com.mx; martes a jueves de 9 a 17 horas, viernes de 9 a 18 horas, sábados y domingos de 10 a 18. Durante su estancia en la granja tus hijos están en contacto con alrededor de 150 animales de más de 15 especies y aprenden a sembrar y cosechar frutas y verduras mientras juegan a ser granjeros. Sus principales atracciones son el taller para crear cátsup, las pláticas sobre temas ecológicos y los paseos en pony. Para los niños menores de 80 cm de estatura la entrada es gratuita.

KIDZANIA (LA CIUDAD DE LOS NIÑOS)

Centro Santa Fe. Vasco de Quiroga 3800, local uno, Santa Fe; 9177 4700; kidzania.com; lunes a jueves de 9 a 19 horas, viernes de 9 a 20, sábados, domingo y vacaciones de 10 a 21. Esta impactante miniciudad es un centro de entretenimiento para niños de dos a 12 años. Los niños escogen de entre más de 60 distintas profesiones y oficios y se les brindan los elementos necesarios para comprender en qué consiste el trabajo que hayan seleccionado. Tiene calles, edificios, comercios, hospitales, teatros y supermercados a escala. Los menores de dos años, así como las personas con discapacidad no pagan.

LA FERIA DE CHAPULTEPEC

Circuito Bosque de Chapultepec, Segunda Sección; 5230 2121; chapultepec.com.mx; martes a viernes de 10 a 18 horas, sábados de 10 a 19, domingos de 10 a 20. Es uno de los parques temáticos más antiguos de la ciudad. Cada año dos millones de personas lo visitan. Sus accesibles tarifas lo han vuelto muy popular. Entre sus atracciones más solicitadas se encuentran la legendaria Montaña Rusa y la escalofriante Casona del Terror. Recientemente se inauguró una montaña con tres vueltas verticales de 360 grados, la cual se recorre a 90 kilómetros por hora. Asegúrate de llevar ropa y calzado cómodo, así como un gorro o sombrero para cubrirse del sol. Ten paciencia, las filas son largas.

EL LUGAR MÁS LEGENDARIO. La Montaña Rusa de la ciudad de México abrió en 1953, y cada temporada la estructura que sobrelleva los cuatro kilómetros de vía cambia de colores. La Montaña "comprime en vuelos y descensos la sacudida jubilosa de la velocidad, el desafío del peligro. Concede el vértigo del viaje, de la compañía en el riesgo, de la hazaña heroica", según Salvador Novo. En *El dengue del amor* (1965), *Resortes* baila mambo en la Montaña porque Chachita aceptó ser su novia.

LA GRANJA DEL TÍO PEPE

Camino Viejo a Mixcoac 3515, San Bartolo Ameyalco; 5810 4785 y 5810 5298; granjatiopepe.com; lunes a domingos de 9 a 18 horas. Ha recibido reconocimientos de la Unicef, la SEP y el Gobierno del Distrito Federal por su sistema de entretenimiento. El concepto de granja didáctica surgió hace 14 años y fue concebido por veterinarios, zootecnistas, pedagogos, biólogos, agrónomos, músicos y administradores. Puedes llevar a tus hijos cualquier día del año. En esta granja los pequeños se divierten conviviendo con distintas especies animales. También se imparten cursos de verano para que los niños realicen actividades como sembrar y cosechar hortalizas o diseñar papalotes.

Sabemos por la doctora Dorothy Tanck de Estrada que en 1797 el virrey Miguel de la Grúa Talamanca y Brancifort prohibió la diversión de volar papalotes en las azoteas, para la conservación de los leales vasallos del rey, pues la consideraba una diversión "tan frívola como arriesgada y un entretenimiento pernicioso". En 1802 se prohibió volarlos también en las plazas y calles de esta capital por el peligro al que se exponían los niños y jóvenes de ser atropellados por los coches y caballos que transitaban por ellas.

LA PISTA

Av. Contreras 300, San Jerónimo Lídice; 5683 1929; lapista.com.mx; martes, miércoles y jueves de 11 a 15:45 horas y de 17:45 a 20, viernes de 11 a 21, sábados de 11:30 a 21, domingos de 11:30 a 20. Si tu hijo es fanático de patinar sobre ruedas llévalo a vivir una nueva experiencia: deslizarse sobre el hielo. Además de patinar libremente puede recibir un curso particular para aprender bajo el cuidado de un instructor capacitado. También hay clases grupales sin costo alguno. Si muestra mucho interés, inscríbelo en la Escuela de Patinaje Artístico o en la de Hockey sobre Hielo. La Pista también cuenta con paquetes para realizar fiestas infantiles. Sucursal: Gran Sur. Periférico Sur 5550, Pedregal de Carrasco; 5424 2898.

« La primera vez que patiné sobre hielo en México fue donde está ahora Liverpool [en Polanco]. Por eso siento siempre frío cuando voy a hacer compras. »

Guadalupe Loaeza en *Las reinas de Polanco* (1988)

Se comenzó a patinar recreativamente en 1883, en la zona de la actual estación Buenavista. En aquel año "se establecieron [...] varios salones para patinar, el mejor de los cuales cobraba un peso por abono de 10 tardes o mañanas [...] De 10 de la mañana a una de la tarde sólo podían patinar las damas; a las cuatro de la tarde irrumpían los varones", según Moisés González Navarro. Este

¡VÁMONOS DE CAMPAMENTO!

BOJÓRQUEZ VALLE

Eugenia 813, segundo piso, Del Valle; 30954415 al 18. Campamentos al extranjero hasta los 18 años. Los paquetes incluyen clases del idioma del país al que se viaja (Italia, Canadá, Inglaterra) y talleres deportivos.

EXPLORA CAMPAMENTO

Carracci 138, Insurgentes Mixcoac; 3004 5303; exploracamp.com. La mayoría de sus paquetes de verano incluyen viajes de una semana. Los campamentos son en una zona de Morelos con estanque de pesca, albercas, campo de golfito y canchas de futbol. Para niños y niñas entre seis y 17 años.

LAGO Y TIERRA

Nayarit 13, Roma; 5584 8534; lytcamp.org.mx. Campamentos a tres horas y media del DF, cerca de Valle de Bravo. Además de participar en *rallies* los niños aprenden actividades de una granja, además de dibujo, pintura, vitrales, ciclismo, *rappel* y tirolesa. Sus instalaciones cuentan con un estricto sistema de vigilancia, cabañas con sanitarios, agua caliente, un comedor dirigido por cocineros profesionales, consultorio médico y zonas separadas de alojamiento para adultos y visitantes.

PIPIOL

Corregidores 823, 5º piso, Lomas de Virreyes; 5540 0360; pipiol.com.mx. Además de organizar campamentos en el verano ofrecen paquetes durante la semana de Pascua. Los pequeños de hastas 15 años se hospedan en una gigantesca hacienda en Valle de Bravo. Los talleres incluyen panadería tradicional, manualidades, actividades de granja, teatro y clavados.

SÉPTIMO GRADO

Fernando Montes de Oca 61, Condesa; 5553 2727; elseptimogrado.com Todo para alpinismo, excursiones y campamentos, además de artículos para bici de montaña, *trekking* y más.

¡Recórcholis!

deporte alcanzó tal boga que en 1907 la Jefatura de Policía se vio obligada a prohibir que se patinara en las calles, sobre todo durante las noches.

PICCOLO MONDO

Pabellón Polanco. Ejército Nacional 980, Chapultepec Morales; 5395 2335; piccolomondo.com.mx; domingos a viernes de 11 a 20 horas, sábados de 11 a 21. Desde 1995 forma parte de la International Association of Amusement Parks and Attractions. Sus juegos se enfocan en el desarrollo psicomotor de los niños, así como en fortalecer la convivencia con los padres. Dentro de sus instalaciones los pequeños juegan en areneros, inflables, columpios, resbaladillas, alberca de pelotas, toboganes y trapecios. Este centro también cuenta con una zona especial para bebés, y una cafetería. Sucursales: Centro Santa Fe. Paseos Arcos Bosques. Plaza Loreto. Plaza Comercial Espacio Interlomas.

¡RECÓRCHOLIS!

Parque Lindavista. Colector 13, núm 280, Magdalena de las Salinas; 5377 0020; recorcholis.com.mx; lunes a domingos de 11 a 22 horas. Centro de entretenimiento familiar con 30 unidades en la República Mexicana, de las cuales 12 se encuentran en el DF y Área Metropolitana. ¡Recórcholis! ofrece diversas opciones de diversión para toda la familia con simuladores, juegos de video, deportivos y sobre todo aquellos juegos que te dan tickets, mismos que puedes canjear por alguno de los atractivos premios que se exhiben. Cuenta con áreas infantiles para los pequeños y también algunas unidades cuentan con boliche, además tiene un área de Snack's. Cuenta también con paquetes de fiestas infantiles y con boliche. Sucursales: consultar página web.

SIX FLAGS

Carretera al Ajusco kilómetro 1.5, Torres de Padierna; 5339 3600; sixflags.com.mx; de 10 a 18 horas, sábados y domingos de 10 a 21 (varía según temporada). Este parque temático es uno de los más visitados de la ciudad. Cuenta con más de 40 juegos mecánicos. Sus atracciones son tanto para niños como para adultos, así que la diversión es integral. Además tus hijos pueden entretenerse con los espectáculos de las figuras animadas y con los desfiles de botargas. Hay que llevar calzado cómodo y gorros para protegerte del sol. Si tu hijo mide menos de 90 centímetros no paga boleto. Si adquieres el paquete Experiencia VIP obtienes privilegios, como no hacer filas.

@ismorh

Todos fuimos o hemos escuchado acerca de Reino Aventura, el parque de diversiones más grande de América Latina, inaugurado en 1982. Dieciocho años después fue vendido a Six Flags, que todavía funciona en las mismas instalaciones. Su mascota, el dragón Cornelio, estuvo aquí desde el principio; la orca *Keiko* llegó en 1992 cuando el parque cambió de nombre a El nuevo Reino Aventura; cuatro años más tarde comenzaría su declive al tiempo que el público original padecía el acné y la nueva generación no conectaba con botargas. **dF**

ADOPCIONES
VETERINARIAS
PASEADORES
ENTRENAMIENTO
HOTELES

ADOPCIONES

ADOPCIONES MÉXICO

Newton 256, Polanco; 5025 9220; pnamexico.com; lunes a domingo de 8 a 20 horas. Como lo indica su nombre, la función primordial del lugar se centra en un programa de adopciones. Ofrece un refugio para toda mascota abandonada o maltratada con la posibilidad de becarlas: desde tu casa pagas su manutención, sin necesidad de vivir con ella.

ALBERGUE SAN CRISTÓBAL

Venustiano Carranza 18; 5323 3887; adopcionessancristobal.org; 24 horas. Un espacio con más de 200 perros para adoptar. Si no puedes llevarte uno a tu casa, también puedes donar de manera única o periódica.

ASILO DE GATOS MIZTLAN

04455 3193 3907; miztlan.org. Aquí encontrarás felinos en perfectas condiciones de salud y alimentación. Sobresale la seriedad del procedimiento, pues cada adopción cuenta con un registro y se realiza un seguimiento para ver cómo se encuentra el gato en su nuevo hogar.

BITIS ECOSYSTEM

5667 1531; bitisecosystem.com.mx. Si eres de los que gustan de animales de sangre fría, éste es el lugar indicado. Se encuentran terrarios sobre diseño para tarántulas, escorpiones y toda una variedad de insectos a tu disposición. También puedes adquirir boas, pitones, saurios, tortugas, iguanas, serpientes y camaleones. Todo legal y en orden.

EL CRIADERO DE HURONES

Búfalo 147, Del Valle; 5534 1624; hurones.com.mx; lunes a viernes de 9 a 20 horas, sábados de 9 a 17. Desde 1990, este lugar se especializa en criar hurones. De hecho, se jactan de ser los únicos en México en desarrollar este tipo de crianza, desde cachorros de dos meses de edad. Además cuentan con servicios veterinarios, venta de accesorios y pensión.

MILAGROS CANINOS

3540 5251; milagroscaninos.org. Un refugio distinto para perros en situación extrema —con cáncer, ciegos, sordos, quemados, torturados, paralíticos—, a los que se cuida con esmero y cariño. Un lugar apropiado si deseas adoptar a un buen amigo canino. Por las condiciones en las que se encuentran algunos canes sólo se transfieren aquellos que puedan adaptarse a un nuevo hogar. Reciben donaciones.

REFUGIO FRANCISCANO

5292 1565; refugiofranciscano.com.mx. Este lugar abrió sus puertas hace más de 30 años, desde entonces han atendido a incontables perros y gatos desamparados. Tratan a los animales con mucho amor. En la actualidad tienen bajo su protección a casi 2,000 perros y más de 100 gatos, entre los cuales puede estar la mascota que siempre quisiste tener. Mucho mejor que comprar una.

VETERINARIAS

BANFIELD

Antonio Delfín Madrigal s/n, Ciudad Universitaria; 5658 6080; banfield.com.mx. Desde 1995, este hospital atiende con profesionalismo y dedicación a perros y gatos. Tienen laboratorio, radiología, hospitalización y farmacia, además de la posibilidad de hospedar a tu mascota. Funcionan las 24 horas. Reciben apoyo de practicantes de la UNAM. Pregunta por el seguro médico.

CENTRO VETERINARIO PARQUE SAN ANDRÉS

América 103, Parque San Andrés, Coyoacán; 5689 2601; centroveterinariopsa.com. Piensa en ellos si tu mascota tiene una emergencia. Están abiertos todos los días del año, las 24 horas del día. También tienen consulta a domicilio. Por si esto fuera poco, ofrecen servicio de peluquería, tienda de accesorios y expiden certificados de buena salud.

CLÍNICA DE ESPECIALIDADES VETERINARIAS

Miguel Ángel de Quevedo 546, Villa de Coyoacán; 5554 6933; clinicacasaubon.com; lunes a sábado de 9:30 a 20 horas, domingos de 11 a 15. Ubicada en el corazón de Coyoacán, esta clínica veterinaria comenzó en 1971 ofreciendo servicios de consulta y cirugías. Hoy cuentan con rayos X, servicio de odontología, laboratorio, pensión, farmacia y hasta peluquería canina. Una gran experiencia los avala.

CLÍNICA VETERINARIA DEL DOCTOR LOERA

Pennsylvania 309-B, Nápoles; 5523 3097; drloera.com.mx. Nada le falta a esta clínica: cuentan con estética, pensión campestre, entrenamiento, farmacia y tienda de accesorios. Pero aquí lo que realmente vale la pena son los servicios médicos: anestesia inhalada, rayos X, ortopedia, electrocardiogramas y profilaxis dental.

CLÍNICA VETERINARIA IXTA

Chilpancingo 9, Condesa; 5584 7246; lunes a viernes de 10 a 19 horas, sábados de 10 a 17. José Luis Ixta es probablemente el más socorrido de la Condesa y barrios vecinos. Amable, profesional y cariñoso con las mascotas, y sus honorarios resultan razonables.

HOSPITAL DE EMERGENCIAS VETERINARIAS

Pachuca 7, Condesa; 5286 2843; hemergenciasveterinaria.com.mx; lunes a sábado de 10 a 20 horas, domingos de 10 a 17. Este hospital, fundado en 1990, cuenta con instalaciones impecables y un equipo médico excepcional. Atienden a tu mascota todos los días del año y a cualquier hora. Son varias sus especialidades: cardiología, gastroenterología, oftalmología... Cuentan con servicio a domicilio y ambulancias.

HOSPITAL VETERINARIO ANIMAL HOME

Calzada de las Brujas 98, Nueva Oriental Coapa; 5678 4618; animalhome.com.mx; todos los días de 8 a 19:30 horas. Ideal para emergencias: está disponible las 24 horas al día los 365 días del año. Aquí encuentras atención médica especializada y comodidad para tu mascota. Tienen rayos X, ultrasonido y quirófano. Si tu perro necesita hospitalización, te ofrecen la tranquilidad de saber que los doctores están constantemente pendientes de sus necesidades. Destaca la farmacia, donde en

Un perro de raza San Bernardo posa en esta peculiar imagen tomada hace casi 100 años. La fotografía representaba —y en algún modo sigue representando— una herramienta para dejar testimonio de lo que se tiene y de lo que se es. Enviar este tipo de fotos a la familia que vive en otras ciudades o heredarlas a los descendientes permite constatar el nivel de vida de un tiempo en particular. Y tener un San Bernardo antes de los años veinte no era cualquier cosa, por lo que había que presumirlo —y a los mirones también.

CUATRO PASEADORES DE PERROS

ANIMALEX

5574 8331; animalex.com.mx. Dan servicio en el Centro Histórico y alrededores de lunes a viernes de 6 a 19 horas, sábados de 6 a 17. Los paseos tiene una hora y media de duración. Un requisito indispensable es tener completa la cartilla de vacunación de tu can.

BE WOOF!

04455 3988 5051; bewoof.com. Pasean a tu perro dos veces al día por 30 minutos cada una o una vez por 60 minutos. Trabajan todos los días del año a cualquier hora, en la Condesa. Tiene la comodidad de que puedes pagar por día o ahorrar un poco haciéndolo por semana. Entregan un reporte con todos los detalles de lo que tu mascota hizo en el día.

KINDER CANINO

Miraflores 816, Miravalle; 5672 7564; kindercanino.com.mx. Pasean a tu mascota durante una hora. Los grupos son pequeños, de sólo cuatro perros por caminata. Se realiza un examen de comportamiento, ya que no se aceptan perros agresivos. El paseo concluye con un cepillado de pelo.

WALKING DOG

1018 0445; walking-dog.com. Aquí encontrarás un equipo de paseadores responsables y cuidadosos. Trabajan de lunes a viernes de 8 a 20 horas en la Roma y la Condesa. Los grupos son reducidos, nunca más de cinco canes juntos. Mientras dura el paseo, tu perro contará con seguro médico veterinario sin costo adicional.

caso de no tener algún medicamento lo obtienen en poco tiempo.

PET CENTER

Ometusco 97, Condesa; 5515 0551 y 2614 0709; condesapetcenter.com; 24 horas. Cualquier problema dermatológico, cardiológico u ortopédico que padezca tu mascota tiene solución en Pet Center. Se especializan en rehabilitación, hidroterapia, cuidado dental, hospitalización, terapia intensiva, electroacupuntura y laboratorio clínico. Se recomienda la tienda especializada, bien surtida: alimentos para loros, guacamayas, conejos, cuyos e iguanas y accesorios para aves, hurones y roedores.

PET'S LAND

Aguascalientes 155-C, Condesa; 5584 8440; petslandmexico.com; lunes a viernes de 10 a 14:30 y de 16 a 19:30 horas, sábados de 10 a 17. Ideal para personas sin coche ni transportador de animales, ya que pueden recoger a la mascota a domicilio. Otros servicios: hospitalización, pensión y estética.

UNIDAD MÉDICA VETERINARIA

Patriotismo 452, San Pedro de los Pinos; 5515 0561; unidadmedicaveterinaria.com.mx; lunes a domingo de 9 a 19 horas. Aquí se especializan en el tratamiento de enfermedades quirúrgicas en perros, gatos, aves y animales exóticos. Cabe mencionar su trabajo en medicina preventiva (vacunas, desparasitaciones y exámenes físicos anuales) y especialidades médicas (oncología, gastroenterología, odontología). Éste es el lugar indicado en caso de requerir algún estudio muy especializado para tu mascota.

ENTRENAMIENTO

BRAVO PERRO

Parque de los Scouts, Pedregal de San Ángel; 1941 5051; bravoperro.com; sábados de 9:30 a 12 horas. También Parque México, Condesa; martes y jueves de 7 a 19. Se especializan en el sistema de entrenamiento Clicker, que deja de lado las crueles cadenas de castigo. La técnica consiste en condicionar el comportamiento del perro por medio del oído. Darwin Angulo, dueño del establecimiento, es un importante entrenador canino. El adiestramiento, a pesar de resultar muy efectivo, es más largo comparado con los métodos convencionales. También es una alternativa a la cual recurrir en caso de que la mascota esté enferma; se distinguen por sus tratamientos homeopáticos.

ETAC

Anáhuac 81, Ex Hacienda Coapa; 5594 7856; etac.com.mx; lunes a viernes de 9 a 14 y de 16 a 18 horas, sábados de 9 a 14. Se trata de un centro de entrenamiento de alta especialización, con más de 20 años de experiencia. Tiene cursos que van desde adiestramiento básico hasta instrucción para perros de guardia y detección de narcóticos. ETAC ofrece servicio de pensión, asesorías, criadero y venta de mascotas. Los precios son atractivos. Sucursal: Jesús Lecuona 545, Ampliación Miguel Hidalgo; 5630 5522.

GRUPO COKA

Dakota 249, Nápoles; 3097 1549; coka.com.mx; lunes a viernes de 10 a 22 horas. Mediante técnicas de adiestramiento convencionales, sus entrenadores ofrecen variados cursos y niveles de instrucción, ya sea en sus instalaciones o a domicilio. También brindan capacitación para la formación de entrenadores profesionales.

INTEGRACIÓN CANINA

Avenida de las Torres 316, Ampliación Tepepan; 5676 2249; integracioncanina.com; lunes a viernes de 9 a 14 y de 16 a 18 horas, sábados de 9 a 14, domingos de 10 a 13. Con 15 años de experiencia, este centro de adiestramiento afirma no utilizar castigos ni métodos agresivos con tu mascota. Las instalaciones son muy buenas.

LA LOMITA

Antiguo Camino a Tecamachalco 525, El Olivo; 5253 1029; lalomita.com.mx; lunes a viernes de 9 a 18 horas, sábados de 10 a 14. No hay perros imposibles ni casos perdidos; tal podría ser el *leit motiv* del lugar, pues sus entrenadores encuentran una manera para educar incluso a los más rebeldes y sin importar la edad. Aunado al adiestramiento, en sus instalaciones ofrecen consejos prácticos para corregir los malos hábitos en casa. Su especialidad son las razas pastor alemán y labrador. Las instalaciones cuentan con hospedaje, atención médica y peluquería.

PERRO TRAINING

Amazuac 3, Hermosillo Coyoacán; 5646 04 07; perrotraining.com; lunes a viernes de 8 a 15 y de 16 a 18 horas, sábados de 9 a 14. Quizás el más conocido de los campos de entrenamiento en Coyoacán. Ofrecen un variado abanico de posibilidades para el adiestramiento de mascotas. Tienen hospedaje, estética y venta de cachorros. Se especializan en perros adultos.

> “¿Qué debo hacer; cómo debo conducirme con el perro? ¿Castigarlo por presunciones? ¿Inútilmente amonestarlo? ¿Mandarlo educar con un especialista que lo automatice y frustre? Cuando menos habrá que mantenerlo atado hasta por la noche. Es muy desagradable para mis visitas que les salte a la cara, como hace siempre, o les rompa las medias. Claro que sólo quiere jugar, pero no puede medir sus fuerzas [...] Hoy no veré al perro. Le haré sentir mi reprobación y le daré oportunidad de sincerarse.”
>
> Salvador Novo en *La vida en México en el periodo presidencial de Manuel Ávila Camacho* (1996)

TOMAGES

Morelos 18, Pueblo de Santo Tomás Ajusco, Tlalpan; 5846 2246; tomages.com.mx; lunes a sábado de 10 a 17 horas. Un concepto diseñado para que tu mascota brille en sociedad. Cuentan con servicio de hotel y es reconocido por la calidad de la alimentación con la que consienten a sus huéspedes. Tomages es, a su vez, un importante criadero, por lo que tienen un laboratorio de reproducción. El costo es alto, pero realmente lo vale.

HOTELES

CANINO REAL

Paseo de Violeta 61, Primavera Tlalpan; 5630 6433; spacaninoreal.com.mx;

lunes a sábado de 10 a 18 horas. En esta pensión, tu mascota disfruta de divertidos campos de recreo, música relajante, pistas con obstáculos y mucho entretenimiento. Además, durante los días en que se encuentre hospedada contará con una revisión médica diaria y será alimentada de acuerdo con tus instrucciones.

DOG CLUB

5848 0355 y 58480491. Este hotel spa forma parte de la escuela canina UCAPSA, cuyo eslogan es: "La universidad para su perro". Cuenta con paquetes de hospedaje, que incluyen limpieza, juegos y comodísimas instalaciones, además de buen trato. Tiene servicios de primera clase, y ellos se encargan de recoger a tu perro en casa. De lo mejor que hay en la ciudad.

LOGIK9

Prolongación Narciso Mendoza 22, San Miguel Ajusco; 04455 4015 7252; logik9.com. Uno de los hoteles más exclusivos de la zona sur de la ciudad. Admite 10 huéspedes como máximo, los mismos que son tratados como si fueran los perros de la casa. No se utilizan jaulas ni perreras. Cuenta con un jardín de más de 2,000 metros cuadrados. Dado que el cupo es limitado, es necesario que reserves con tres semanas de anticipación. Su dueño es el reconocido entrenador canino David Buen Abad.

PATAVIP

Luis Rosado Vega 43, Granjas Mérida, Cuernavaca, Morelos; (777) 385 8059; patavip.com; lunes a domingos de 8 a 20 horas. Aunque este hotel se encuentra en Cuernavaca, su servicio incluye la transportación de ida y vuelta de tu perro al DF. Cuenta con una alberca especial para perros y un novedoso servicio de spa canino. Hay que reservar con anticipación. Ya hay pensión en la ciudad de México.

URBAN DOG

Popocatépetl, Condesa; 2475 2220; urbandogmx.20m.com. Para quienes desean dejar a su mascota en buenas manos, este lugar ofrece recogerla en tu domicilio y devolverla a la hora que tú lo solicites. Su servicio incluye hospedaje por hora para aquellos que trabajan y no quieren dejar solo a su perro o gato.

Familia Linares Cervantes 1973.

EL LUGAR MÁS LEGENDARIO

ZOOLÓGICO DE CHAPULTEPEC. Primera sección del Bosque, chapultepec.df.gob.mx, martes a domingos de 9 a 16:30 horas. Además de ver leones, cebras y jirafas, hay mariposario, serpentario, ludoteca, visitas guiadas y cursos de verano. Tiene 87 años. Se afirma que su fundación responde al deseo de continuar con la tradición de Moctezuma. En su palacio "había leones, tigres, lobos, zorras y gatos [...], 10 estanques de agua, algunos de agua salada, otros dulce, con aves, y comedores y miradores" desde donde Moctezuma veía su colección viviente; se dice que había reptiles, que incluso había un bisonte. La colección de animales de Chapultepec es la más importante de México, y algunas especies sólo existen en este zoológico, como el conejo de los volcanes, o zacatuche, y el águila real. Pocos zoológicos fuera de China tienen un oso panda gigante y aquí se encuentra el único en América Latina. Sus jaguares son igualmente escasos, aunque el escudo del zoológico es una imagen prehispánica del jaguar. Lleva proyectos de protección y conservación de especies en vías de extinción, como el lobo mexicano, el ajolote y el jaguar, y busca educar a los visitantes sobre el ambiente. Lo visitan seis millones de personas al año.

Archivo General de la Nación, Fondo Hermanos Mayo.

LOS GATOS DE MONSIVÁIS

Por Pável Granados

La ailurofilia es el amor desmedido hacia los gatos. Carlos Monsiváis, víctima de este amor, dedicó su vida a estos felinos. Adoptaba todos los que podía; recibía algunos sin casa aunque en ocasiones seguía un maullido por la calle esperando rescatar un gato en apuros y ofrecerle hospedaje. Lo primero que hacía con un gato nuevo era operarlo para que tuviera hábitos más sedentarios. De entre los libreros, por los sillones, sobre los grabados de Posadas, entre los papeles del escritorio caminaban los gatos de Monsiváis con total libertad. Antiguamente, Carlos tuvo uno que se llamaba *Pionono*; éste cuando murió lo sustituyó con otro al que le puso *Piononoalco*. Se han repetido mucho los nombres de sus gatos: *Voto de Castidad* (de cariño: *Votito*), *Carmelita Romero Rubio de Díaz, Recóndita Armonía, Ansia de Militancia, Pos Moderna, Eva Sion, Nananina Ricci, Monja Beligerante, Miss Oginia, Catzinger, Fetiche de Peluche, Monja Desmecatada, Zulema Moraima* (el nombre de la vidente que le predijo la muerte a López Velarde), *Peligro para México, Caso Omiso, Miss Antropía, Fray Gatolomé de las Bardas, Cat Ástrofe, Copelas o Maúllas, Chocorrol* (aunque su nombre completo era *El Retorno del Siniestro Chocorrol*, quizás por un personaje del Fisgón), *Rosa Luz Emburgo, Miau Tse Tung* y *Ale Vosía*. *Mito Genial*, uno de sus consentidos, fue bautizado con este nombre en homenaje a Pedro Aspe, el secretario de Hacienda que dijo que la pobreza en México era "un mito genial". *Mito Genial* murió a los 17 años el 16 de junio de 2010, apenas tres días antes que su dueño.

A los 10 años le regalaron su primer gatito, ante la mirada de desaprobación de su mamá, doña Esther, quien prohibió que el gato entrara a la casa. Luego de unas vacaciones, Carlos regresó a su casa y se enteró de que su mamá había regalado a su mascota. No obstante, comenzó a tener más gatos, pero todos se quedaban en el patio. "Mamá, déjame verlos media hora". "Bueno, media hora solamente". La tía Mary, hermana de doña Esther, dice que Blanca Guerra le regaló uno y que Octavio Paz le mandó otro, poco después de su polémica en *Proceso* (1977 y 1978), como símbolo de que había terminado la guerra entre ambos. En 1993, durante una entrevista, le pregunté: "¿Por qué tiene tantos gatos?". Atestiguaban *Fetiche de Peluche, Ale Vosía* y el *Chocorrol*. Me respondió enseguida: "Para no ver fantasmas". **dF**

CÓRDOBA EL ORO TLAXCALA PUEBLA Y CHOLULA

Hotel Villa Florida, Córdoba

CAFÉ LA PARROQUIA / EL TABACHÍN

Los Portales de Zevallos, Centro; (271) 2712 3752. Todavía funciona como el lugar para ver y ser visto. Aquí sirven el plato cordobés, que lleva carne de cerdo enchilada acompañada con arroz, papas y ensalada. Pero lo más pedido es el clásico lechero, además de los típicos capuchino, americano y *espresso*; todo con el delicioso café de altura de Córdoba. Para el postre recomendamos pasarse al interesante Nevelandia, a un lado. No hay que perderse el patio interior, con referencias al encuentro de Agustín de Iturbide y Juan O'Donojú en este lugar, donde se firmaron los Tratados de Córdoba, con los que México accedió a su Independencia. "Podemos desatar el nudo sin romperlo", es una de las frases más recordadas de aquel desayuno.

CÓRDOBA

La Ciudad de los 30 Caballeros, en Veracruz, fue fundada en 1618 en los límites de la cordillera montañosa de la Sierra Madre Oriental por orden de Felipe III, como una villa eminentemente española. Hoy su parque central es, por las tardes, hervidero de pájaros, niños, marimbas, globos. Bajo los portales —donde fueron firmados los Tratados de Córdoba— se siente la herencia española, y es el lugar ideal para refrescarse de su notorio calor húmedo con un helado o beber un café bien cargado, como se toma aquí —sin duda a consecuencia de la producción cafetalera de la entidad—. La proximidad al Pico de Orizaba y a su parque nacional, así como al del Cañón de Río Blanco, colocan a la heroica Córdoba como punto de partida para los que disfrutan actividades al aire libre y los amantes de los viveros, pues la vecina Fortín de las Flores tiene uno famoso.

Cómo llegar: por la autopista 150 que pasa por Puebla y continúa hasta Orizaba en un tiempo aproximado de tres horas.
Costo aproximado de las casetas: $290.
Más información: veratur.gob.mx.

DÓNDE DORMIR

HOTEL MANSUR

Av. 1 esq. Calle 3, Centro; (271) 712 6000; hotelmansur.com.mx. Tuvo tiempos mejores, pero sigue como el mejor del Centro, tanto por su vista hacia el parque y la Catedral como por los precios razonables. Las habitaciones interiores son las más silenciosas.

VILLA FLORIDA

Av. 1 núm. 3002, entre Calle 30 y Calle 32, Dos Caminos; (271) 716 3333; villaflorida.com.mx. Setenta y siete habitaciones y cuatro suites a una distancia caminable de 10 minutos del Centro. Tiene alberca. Más moderno que el Hotel Mansur y cerca de Fortín de Las Flores.

DÓNDE COMER

RESTAURANTE BAR CASA DÍAZ

Calle 15 núm. 516, entre Av. 9 y Av. 7, Centro; (271) 714 3790. Restaurante sencillo, pero de gran tradición. Sirven mariscos y pescados. A veces hay que hacer fila; vale la pena. Casi enfrente hay una bonita tienda con productos de café cordobés que resulta estupenda para surtirse o comprar regalos.

QUÉ VISITAR

CATEDRAL DE LA INMACULADA CONCEPCIÓN

Av. 3 esq. Calle 1, Centro. Desde el parque central resalta su estilo neoclásico en el exterior, pero su interior barroco hace que la visita a este templo de 1621 sea de mucho interés: el altar es todo de plata en un trabajo muy fino, la reja del sagrario fue forjada a mano y en el fondo de éste se ve una obra de orfebrería impresionante, procedente de Bélgica.

MUSEO DE LA CIUDAD

Av. 3 esq. Calle 3, Centro. Exhibe una exposición permanente de piezas totonacas y olmecas al interior de un edificio bien conservado del siglo XVII.

PARQUE CENTRAL

Av. 1 esq. Calle 1, Centro. Encantadora plaza frente al Palacio Municipal, construido en 1905 con un estilo toscano florentino muy impresionante. Dentro tienen un importante archivo histórico. Otro atractivo es el obelisco erigido en memoria de los defensores cordobeses en 1821. Pero lo mejor es sentarse en una banca a disfrutar el calor, la marimba y la vista de las familias cordobesas entrando o saliendo elegantes de misa.

EL ORO

La hermosa población de El Oro –antiguo Real de Minas–, en el Estado de México está enclavada en la serranía del mismo nombre, a una altura de 2,748 metros sobre el nivel del mar, por lo que su clima es frío y tonificante. La ciudad todavía muestra las características arquitectónicas del acaudalado pueblo minero de antaño, la traza y el estilo originales, así como los materiales de la época. Al recorrer El Oro, el visitante encuentra los ecos de esa época de riqueza, además de otros atractivos, como las capillas de Santa María de Guadalupe, La Magdalena, Tapaxco y Santiago Oxtempan, del siglo XVII, y las ruinas de los tiros, molinos y talleres de las compañías mineras inglesas y españolas que aquí se establecieron hace muchos años. Es un destino delicioso para quien gusta de ambientes nostálgicos y muy originales.

Cómo llegar: tomar avenida Constituyentes; en el entronque con Reforma, seguir por la carretera 15 hasta llegar a Toluca. Una vez ahí tomar la autopista 55, en Atlacomulco dar vuelta a la izquierda por la carretera estatal 5 hasta llegar a El Oro.
Costo aproximado de las casetas: $174.
Más información: eloromexico.gob.mx

DÓNDE DORMIR

CASA BLANCA
Hidalgo 30, Centro; (711) 125 0382. El mejor hotel de la población, aunque sencillo. Aquí se hospedó el presidente Calderón durante una visita oficial hace un par de años.

BUNGALOWS "LA PUNTADA"
Presa Brockman s/n; (711) 125 0160. A orillas de la hermosa presa. Tienen cocina integral y restaurante.

DÓNDE COMER

CASA BLANCA
Hidalgo 30, Centro; (711) 125 0186. Sirven comida mexicana; prueba sus puntas de res, que son famosas.

Palacio Municipal, El Oro

EL VAGÓN
Av. Del Ferrocarril s/n; (711) 125 0283. Único restaurante en el país que está al interior de un antiguo vagón de ferrocarril. Muy recomendable.

LA CAÑADA
Presa Brockman s/n; (711) 158 1076. A orillas de la presa tienen especialidades mexicanas. Las enchiladas de mole y el pollo encacahuatado son nuestras recomendaciones.

QUÉ VISITAR

MUSEO DE LA MINERÍA DEL ESTADO DE MÉXICO
Mina Providencia, domicilio conocido; martes a sábado de 10 a 18 horas, domingos y días festivos de 10 a 15. Su acervo muestra un instructivo panorama de la actividad minera mediante fotografías, maquinaria y ejemplares de los minerales que se obtienen de las entrañas de la tierra. Es muy bonito y explicativo. Lo recomendamos mucho.

PALACIO MUNICIPAL
Constitución 24, Centro; (711) 125 0036. Construido a principios del siglo XX con marcada influencia europea de estilos neoclásico y art nouveau; en su pórtico se puede admirar el mural titulado *El génesis minero*, realizado en 1979.

Teatro Juárez, El Oro

PRESA BROCKMAN
Domicilio conocido. Constituye un hermoso espejo de agua cristalina rodeado de bosques de pino y cedro; bello escenario natural en el que se han construido magníficas fincas de campo. Es el lugar ideal para practicar la pesca deportiva de trucha arcoíris. En este sitio se han instalado también criaderos de carpa para su reproducción y consumo.

TEATRO JUÁREZ
Avenida Juárez, Centro; martes a domingo de 9 a 18 horas. Data de los años de 1906 y 1907. Su fachada es una bella muestra del estilo neoclásico francés y el art nouveau, con ornamentación morisca en su interior. Porfirio Díaz gustaba de venir a este teatro, donde se presentaron María Conesa y Enrico Caruso.

PUEBLA Y CHOLULA

La espléndida arquitectura de Puebla, sus notables museos, la intensa vida comercial y nocturna o la sublime gastronomía, lo que se prefiera, ahí se ha logrado una amalgama admirable del proyecto citadino moderno con el amor por los monumentos coloniales y el crecimiento inteligente. En el centro de Puebla se camina bien, y tras cada paso se agazapan sorpresas, desde su catedral hasta otras iglesias y construcciones. Alrededor del zócalo, los portales enmarcan el corazón comercial y espiritual de la ciudad y muestran un pasaje arquitectónico de la historia de Puebla a través de las épocas. A unos 20 minutos del centro de Puebla, visitar Cholula desde Puebla es lo más recomendable. Y si bien Hernán Cortés nunca vio realizado su sueño de erigir en la ciudad tantas iglesias como días en un año, 128 se antojan suficientes; además de que vale la pena visitarlas todas, y saber que se han erigido sobre lo que fuera una ciudad ceremonial sagrada y prehispánica de la que todavía quedan algunos vestigios.

Cómo llegar: por la autopista México-Puebla se arriba en dos horas. Son 130 kilómetros desde el DF.
Costo aproximado de las casetas: $120.
Más información: turismopuebla.gob.mx

DÓNDE DORMIR

EL SUEÑO

9 Oriente núm.12, Centro; (222) 232 6489; elsueno-hotel.com. Un hotel pequeño y placentero, cuyas habitaciones se inspiran en mujeres soñadoras como Frida Kahlo o Tina Modotti. Ocupa una residencia virreinal y su decoración es minimalista. Incluye spa y jacuzzi.

LA PURIFICADORA

Callejón de la 10 Norte núm. 802, Barrio El Alto; (222) 309 1920; lapurificadora.com. El grupo hotelero Habita tomó una antigua planta purificadora de agua y la convirtió en un hotel boutique de 26 habitaciones y espacios intervenidos por artistas como Laureana Toledo.

Puebla

DÓNDE COMER

RESTAURANT BAR DEL PARIÁN

Avenida 2 Oriente núm. 415, Centro. Frente al célebre mercado de El Parián, ofrece comida típica poblana, como moles y pipianes, y en temporada (agosto-octubre) los infaltables chiles en nogada. Durante las vacaciones, el bar es amenizado con música en vivo.

VITTORIO'S

Portal Morelos 2 Sur núm. 106, Centro; (222) 232 7900. Un lugar ideal para reunirse con amigos. Ofrecen una audaz fusión entre las cocinas italiana y poblana, que da como resultado la creación de platillos deliciosos, como la imprescindible pizza de huitlacoche.

QUÉ VISITAR

BIBLIOTECA PALAFOXIANA

5 Oriente núm. 5, Centro, Puebla; (222) 242 80732 ext 2211. El obispo Francisco Fabián y Fuero construyó en 1773 la gran pieza abovedada que ocupaba la capilla de la Virgen de la Trapana, traída de Sicilia, Italia. Ahora es la Biblioteca Palafoxiana, que custodia unos 40,000 libros, entre ellos ejemplares únicos de la Biblia Regia y la Gramática egipcia de Champollion. Actualmente alberga la Casa de la Cultura de la ciudad.

CATEDRAL

16 de Septiembre esq. 3 Oriente, Centro, Puebla; (222) 232 3803. Cualquier recorrido parte necesariamente de la catedral del siglo XVII, donde es imprescindible admirar la majestuosidad del Altar del Perdón, la exquisitez del coro mudéjar o la perfección inusitada del Altar Mayor, por los que muchos la consideran la más bella del continente. Sus interiores tienen el estilo neoclásico de principios del XIX.

IGLESIA DE SANTO DOMINGO

4 Poniente esq. 5 de Mayo, Centro, Puebla; (222) 232 2715. Terminada en 1659 conserva en su fachada principal un magnífico arco de reja con columnas de orden toscano, San Miguel Arcángel y a su lado dos perros, atributo de los dominicos. En esta iglesia se accede a uno de los ejemplos más extraordinarios del arte barroco en América: la hermosa Capilla del Rosario.

Cholula

Hotel Misión, Tlaxcala

PARROQUIA DE SAN PEDRO Y CASAS REALES

Cinco de Mayo 401, Centro, Puebla; (222) 247 0030. Erigida en 1640 es la iglesia de la que toma el nombre San Pedro Cholula. Forma parte del zócalo de la ciudad y está precedida por un gran portal de 46 arcos sostenidos por columnas dóricas.

PIRÁMIDE DE CHOLULA

8 Norte núm. 2, Cholula; (222) 247 9081, martes a domingo de 10 a 17. Consta de siete capas elaboradas con adobe. Encima de la pirámide se encuentra una iglesia del siglo XVIII llamada Nuestra Señora de Los Remedios, patrona de la ciudad y de la región.

IGLESIA SANTA MARÍA TONANTZINTLA

Reforma Norte s/n, Santa María Tonanzintla. Sobresale con ornamentación de argamasa y aplicaciones de estuco, enriquecidas con policromías azules y rosas; la iconografía está compuesta de ángeles morenos, niños con penachos de plumas, frutos tropicales y mazorcas de maíz. Sin duda una de las iglesias más sincréticas del país.

TLAXCALA

En este pequeño estado se alzan varias de las más interesantes obras arquitectónicas del país, de estilos tan encontrados como asombrosos. Muy cerca de la ciudad de México, Tlaxcala es ideal para uno o varios fines de semana, y en su breve territorio se encuentran muchas sorpresas. La arquitectura es motivo central de esta visita, aunque no el único. La feria patronal de Huamantla, muy cerca de la capital, se caracteriza por la popular "Noche que nadie duerme", celebrada del 14 al 15 de agosto; y en este fiesta año con año se elaboran tapetes en honor de la Virgen de la Caridad; además cuenta con otros atractivos.

Cómo llegar: de la ciudad de México tome la autopista a Puebla y a la altura de San Martín Texmelucan aparece la desviación para la autopista a Tlaxcala. En total son 120 kilómetros. De Puebla a Tlaxcala son apenas 30. Para ir a Ixtenco desde Tlaxcala se debe seguir la carretera a Huamantla.
Costo aproximado de las casetas: $140.
Más información: tlaxcala.gob.mx/turismo.

DÓNDE DORMIR

HOTEL MISIÓN TLAXCALA

Carretera Tlaxcala-Apizaco km 10, Santa María Atlihuetzia; (246) 461 0000; hotelesmision.com.mx. El mejor hotel de Tlaxcala, construido en una ex hacienda del siglo XVI cuenta con spa, alberca techada, gimnasio, canchas de tenis e internet inalámbrico sin costo en todas las habitaciones. Una ventaja es su ubicación frente a la cascada de Atlihuetzia, repleta de vegetación.

HOTEL MISIÓN BOUTIQUE SAN FRANCISCO

Plaza de la Constitución 17, Centro, Tlaxcala; (246) 462 6022; posadasanfrancisco.com. Ubicado en lo que fuera la antigua Casa de Piedra del siglo XVII, cuenta con espacios originales, muy tranquilos y agradables, y otra parte remodelada acorde con el estilo original. Se le llamó así porque se construyó con las piedras que su dueño cobró a los pobres como pago por sus servicios de abogado. Tiene alberca, centro de convenciones, servicio de lavandería y tintorería, canchas de tenis, sala de billar, internet y vigilancia las 24 horas.

Tlaxcala

DÓNDE COMER

FONDA DEL CONVENTO

Calzada San Francisco 1, Centro; (246) 462 4891. Ofrece platillos tlaxcaltecas como el delicioso conejo fondo, con adobo; conejo o pollo con chile ancho y cebolla sobre una cama de pulque, así como mole de pipián o de epazote. De postre hay que pedir los buñuelos, la capirotada o el requesón con miel. Atención: durante los fines de semana ofrecen un abundante servicio de buffet.

LAS CAZUELAS

Carretera San Martín Tlaxcala km 20, San Juan Totolac; (246) 462 3530. Aquí se especializan en exquisitos platillos regionales, como son el pollo en salsa de amaranto o quintonil, las tortas de huauzontle y el cordero en salsa de chile pasilla. De postre recomendamos mucho el buñuelo con helado de vainilla y una rica salsa de piloncillo.

LOS PORTALES

Plaza de la Constitución 8, Centro; (246) 462 5419. Aquí se especializan en la tradicional sopa tlaxcalteca, pero también sirven filete de pescado Atlangatepec (relleno de hongos, flor de calabaza y camarón), pollo Tocatlán (con tomate picado, salsa verde y quelite) y chiles en nogada, aunque sólo entre agosto y noviembre, durante la temporada.

QUÉ VISITAR

BASÍLICA DE NUESTRA SEÑORA DE OCOTLÁN

Calzada de los Misterios s/n; (246) 462 1073. Considerada monumento nacional, también se le conoce como el Santuario de Ocotlán. Es una obra maestra del arte churrigueresco, emplazada sobre una colina en las inmediaciones de la ciudad de Tlaxcala, construida entre 1760 y 1790, de ladrillo recortado y argamasa. Su fachada semeja un grandioso retablo del que sobresale una original ventana en forma de estrella. La nave central es una gran concha adornada con yeserías doradas y su retablo mayor es una de las grutas barrocas más espléndidas del mundo. Y, aunque no siempre es posible, hay que insistir para visitar el estupendo Camarín de la Virgen, obra de las manos del arquitecto y albañil indígena Francisco Miguel Tlayoltehuanitzin, originario de la capital tlaxcalteca.

CONVENTO DE SAN FRANCISCO

Calzada de San Francisco s/n; (246) 462 0282. Su construcción alude a las épocas medievales de Europa: mudéjar, romano y gótico. El convento está consagrado a Nuestra Señora de la Asunción. Conserva numerosas pinturas y retablos que mercen una visita con detenimiento, así como el primer púlpito que se construyó en la Nueva España. Por si esto fuera poco, alberga al Museo Regional del Estado.

MUSEO REGIONAL DE TLAXCALA

Calzada de San Francisco s/n; (246) 462 0282. En 1985, el Museo Regional abrió sus puertas en el que fuera el convento de San Francisco, construido al principio de la Conquista. Exhibe vestigios de los primeros grupos de cazadores-recolectores de la zona, e incluye piezas de la cultura olmeca y chichimeca, además de una amplia colección de pinturas de artistas mexicanos del siglo XVII y otras exposiciones que valen la pena.

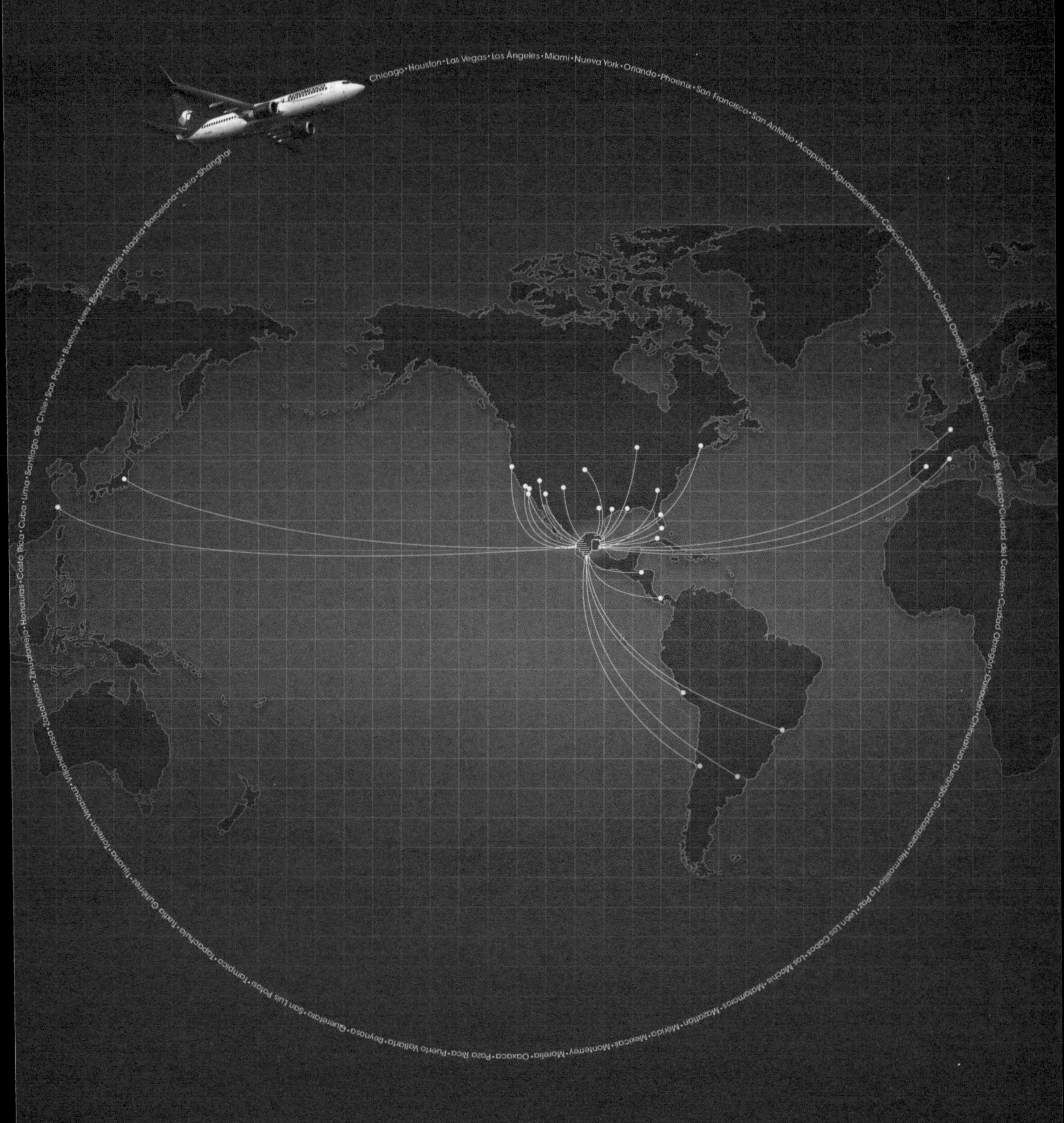
Chicago • Houston • Las Vegas • Los Ángeles • Miami • Nueva York • Orlando • Phoenix • San Francisco • San Antonio • Acapulco • Aguascalientes • Cancún • Campeche • Ciudad Obregón • Ciudad Juárez • Ciudad de México • Ciudad del Carmen • Ciudad Obregón • Culiacán • Chihuahua • Durango • Guadalajara • Hermosillo • La Paz • León Los Cabos • Los Mochis • Matamoros • Mazatlán • Mérida • Mexicali • Monterrey • Morelia • Oaxaca • Poza Rica • Puerto Vallarta • Reynosa • Querétaro • San Luis Potosí • Tampico • Tapachula • Tuxtla Gutiérrez • Tijuana • Torreón • Veracruz • Villahermosa • Zacatecas • Zihuatanejo • Honduras • Costa Rica • Cuba • Lima • Santiago de Chile • Sao Paulo • Buenos Aires • Bogotá • París • Madrid • Barcelona • Tokio • Shanghai

AEROMEXICO
SKYTEAM

col. Allan Morrison

PASEOS EN TREN, TRANVÍA Y DILIGENCIA

Por Diego Flores Magón

San Ángel y Coyoacán han sido los destinos de paseo favoritos de los habitantes de la ciudad —y Tacubaya y Mixcoac, de camino—. Estos pueblos eran ya un transporte a lo remoto. Cuenta Madame Calderón de la Barca en 1840: "Fuimos a Coyoacán, que es casi una continuación del pueblo de San Ángel; pero con más árboles y jardines en todas las casas o, cuando menos, con un oculto patio lleno de naranjas [...] Los lindos pueblos de Coyoacán y Mixcoac, y por dondequiera hay una vieja iglesia, un arco en ruinas; una cruz del tiempo antiguo con sus guirnaldas de flores marchitas, recordatorio de una muerte o testimonio de fervor religioso [...] Todo esto es tan propio de México que el paisaje no podría confundirse con el de ninguna parte del mundo conocido". Había que ir en carro de tiro (Altamirano cuenta cómo en temporada de lluvias su carro dio por voltearse camino a San Ángel) o en tren.

En sus *Recuerdos de México* (1873), José Vérgez rememora que "la primera estación que se encuentra al salir de México es la de Tacubaya, risueño pueblo de bellas y magníficas quintas. Sigue en breve Coyoacán [...] Al parar el tren en San Ángel varios indios e indias subieron al coche a vendernos preciosos ramos de violetas y pensamientos, con la rara particularidad de tener en su centro algunas fresas. Estamos en enero, a una altura de más de ocho mil pies sobre el nivel del mar: nos rodean montañas colosales cubiertas de nieve, y sin embargo dondequiera hallamos fragantísimas flores y sabrosas frutas". Todavía hay quien recuerda en los años cuarenta las salidas en tranvía, que primero hacía el servicio tirado por mulas, antes de electrificarse. Se podía ir en tranvía a a Tacubaya, San Ángel, Coyoacán, Tlalpan, Villa de Guadalupe y, a partir de 1910, Xochimilco. En 1900, un viajero comentaba: "México es la ciudad de los tranvías". Los domingos se vendían cerca de 250 mil boletos.

Después de Mixcoac, estaba ya el campo; empezaba el paseo. Pedro Miret, que llegó exiliado a la ciudad en 1939, cuenta que se compraba entonces un boleto "de paseo", que era como un abono que permitía subir y bajar de los tranvías libremente durante el día. "En cierto momento —cuenta— el paseo deja de ser urbano y se convierte en semiurbano y entonces sólo puede permanecer en él quien tenga boleto de paseo... todos vamos sentados al lado de la ventana y llevamos el vidrio bajado [...] A nuestro lado pasa... la última finca y se abre ante nosotros el campo... algo que parece trigo [...] llega a la altura de la ventana y da la sensación de que nos hundimos, el conductor dice algo de la cosecha, pero no lo oigo por el ruido que produce el tranvía al apartar los tallos que se inclinan hacia él [...] el campo de trigo termina y empieza otra llanura". Esa finca final podría ser Tacubaya.

Para ir más lejos, había que tomar un carro tirado por mulas, presignarse y madrugar. "Las diligencias —comenta Valle Arizpe— a diario partían a las cuatro de la madrugada", en viajes que podían durar hasta veinte penosos días. "El pesado armatoste salía rapidísimo; con su violento arrancón se bamboleaban los pasajeros casi hasta la caída, dándose unos con otros grandes encontronazos. Los topetones, los saltos, los bamboleos, no habían de faltar [...] proporcionados ampliamente por baches y pedregales". Además, los asaltos eran muy frecuentes. "Los pasajeros todos iban con el pecho embutido de temores, en trémula espera de que en una revuelta del camino, en una cañada, o de entre cualquier bosquecillo, salieran los ladrones, los tulises como se les llamaba, a cometer mil fechorías con sus personas". Por los años cuarenta del XIX, Frances Calderón salía a Cuernavaca con escolta "compuesta de cuatro hombres y un cabo", "Se daba por hecho —escribe— que bastaban cinco hombres para tener a raya tres veces al número de ladrones, cuya osadía, como quiera que sea, ha alcanzado tales tamaños que no llega ninguna diligencia de Puebla que no haya sido asaltada en el camino. Han ocurrido por aquellos rumbos seis asaltos en los últimos 15 días, y el camino de Cuernavaca se considera mucho más peligroso".

Otro paseo muy frecuentado era el de La Viga, "con la agradable sombra de sus árboles y el canal, por donde desfilan las canoas, en un constante y perezoso ir y venir", dice Calderón de la Barca. En tiempos de Carnaval había "un hervidero gente que alegremente pide que le compren flores, fruta o dulces; innumerables jinetes con trajes pintorescos, montando briosos caballos [...] indios que cantan y bailan con indolencia, mientras sus embarcaciones se deslizan en el agua". dF

SOLUCIONADORES DE PROBLEMAS

ALBAÑILERÍA Y ACABADOS

ABC OBRAS

Zaragoza 30, piso 7, Tlalpan; 3869 0165; abcobras@gmail.com. Ya sea que necesites construir desde cero o remodelar, en este sitio cuentan con expertos para cualquier trabajo que necesites.

ALBAÑILERIA ES AI

Roberto Gomes 242, Héroes de Churubusco, Iztapalapa; 5682 1616. Cuentan con 25 años de experiencia. Han andado en todos lados: bancos, hoteles, restaurantes…, por lo que pueden manejar cualquier tipo de remozada.

DECORACIONES ZEMPOALA

Torres Adalid 1963, Narvarte; 5682 1668 y 5687 3506. No te dejes engañar por el nombre; más bien debería llamarse "Acabados Zempoala", pues lo suyo es convertir una obra negra en blanca.

GRUPO FLAMINGOS

Eje Central Lázaro Cárdenas 13, interior 1302, Centro; 5578 2244, 5510 0626 y 5521 4706; grupoflamingos@prodigy.net.mx; lunes a viernes de 9 a 18 horas, sábados de 9 a 13. Construcción, pintura, herrería, plomería, electricidad, impermeabilización y mantenimiento. Para dejar tu casa como nueva, y si es nueva, echarla a andar.

JUAN MEJÍA

04455 3318 3732. Es como un hombre orquesta de las reparaciones: la hace de albañil, pintor, plomero, electricista y talachero. Es bueno y no carero, pero lo más importante es que es una persona honrada.

MARTÍN CRUZ

Choapan 22-501, Condesa; 5277 4153 y 04455 3401 8923. Albañilería, yeso, pintura, impermeabilizante, tirol, azulejo. Es decir, todo lo que necesitas para construir, terminar o reparar tu casa. Los precios son justos.

SOCIACABADOS

Paso Florentino 108, Santa Fe; 5570 6834. Ángel López pinta, pone tirol, impermeabiliza y coloca azulejos y tablarroca. Un gran remodelador de la zona poniente y más allá.

CARPINTERÍA

CARPINTERÍA, DISEÑO Y CONSTRUCCIÓN

Calle Oriente 172 núm. 320, Moctezuma; 5784 6340; cadico_04@yahoo.com.mx. Todo lo que sea de madera, ellos pueden construirlo o arreglarlo. El arquitecto Juan Bernardo Díaz y el señor Santiago López están a las órdenes de tus puertas, clósets y muebles.

CARPINTERÍA DMS TODO EN MADERA

Av. Tetiz 333, Pedregal de San Nicolás, Tlalpan; 5644 4657; lunes a viernes de 9 a 18 horas. Puertas sobre diseño, mueblería fina, mesas de centro, libreros y muebles en general.

CARPINTERÍA Y EBANISTERÍA

Monte Altai 55, Lomas de Chapultepec (con Ulises Hernández); lunes a viernes de 10 a 18 horas, sábados de 10 a 15. No te dejes engañar por la colonia: son especialmente barateros. Construyen, diseñan y reparan muebles de todo tipo.

DIMADERA

Andador Ayautla 16, Isidro Fabela, Tlalpan; 5528 4169 y 5171 1472; dimadera.com. Llevan más de 10 años en esto de la madera. Sus diseños no son nada feos, sí muy sencillos y a prueba de la moda, además de que utilizan materiales muy buenos.

FRAXINUS

Calle 4 núm. 36-A, San Pedro de los Pinos; 5276 2474; fraxinus.com.mx. Cuando te decidas a redecorar en serio, toma en cuenta a Fraxinus, que son carpinteros de altura, casi interioristas. Sus diseños son de lo más sofisticados e incluso producen mueble de arte bajo las normas del Architectural Woodwork Institute. Aunque si sólo quieres una puerta o un clóset, también hacen esos trabajos.

MARIO RAMÍREZ Y FAMILIA

República de Cuba 78-206, Centro; 5521 9788 y 5512 8191; iconodise@yahoo.com.mx. De tal palo tal astilla: el refrán nunca había aplicado mejor como para esta familia, que trae la madera en la sangre. Trabajos muy bien hechos, precios razonables y trato amable y honesto.

CLÓSETS

CALIFORNIA CLÓSETS

Plaza Cantera, Horacio 326, Polanco; 5616 3849 y 5616 5428; californiaclosets.com; lunes a viernes de 11 a 20 horas, sábados de 11 a 15. Cuando tienes desparramadas tu ropa y pertenencias por toda la recámara, tu vida se vuelve miserable. Ellos solucionan esas situaciones con clósets "inteligentes" que ayudarán a armonizar tu día.

CLÓSET Y CASA

Tamaulipas 67, Condesa; 5553 3999; closetycasa.com.mx; lunes a sábado de 11 a 20 horas, domingos hasta las 19. De nada sirve un clóset o una recámara si no tienes los elementos para organizarlo como se debe. En eso se especializa esta tienda, en mobiliario menor, sobre todo. Sucursales: consultar sitio web.

CORPORACIÓN NACIONAL DE CLÓSETS Y PUERTAS

Tlalpan 1433, Portales; 5609 0010; closetsypuertas.com.mx. El rimbombante nombre que ostentan lo justifican con sus buenos trabajos y rapidez.

VANGUARDIA, CLÓSETS Y VESTIDORES

Medellín 314, Roma; 5219 5832/33; closetsleal.com; lunes a sábado de 9 a 19 horas. Buenazos de la zona, llegan de volada y te presupuestan igual de rápido. Hacen excelentes clósets.

COMPOSTURAS DE ROPA

ABRAHAM PÉREZ

Cozumel 94, Roma; 5211 0748; lunes a viernes de 10:30 a 20 horas, sábados de 10:30 a 14. Heredero de una tradición familiar de expertos en confeccionar, diseñar y reparar ropa, este hombre hace poesía con su máquina de coser.

Archivo General de la Nación, Fondo Hermanos Mayo.

ARRÉGLAME

Alfonso Reyes 147, Condesa; 04455 4459 4734; lunes a viernes de 11 a 19 horas, sábados de 11 a 17. Composturas urgentes en una hora, o por lo menos el mismo día. También hacen trabajos más elaborados y venden sombreros y cháchares. La señora que atiende es encantadora.

CAMISERÍA STEFANO

Monterrey 407, Del Valle; 5639 0099; stefano.com.mx; lunes a viernes de 10 a 14 horas y de 15 a 19, sábados hasta las 15. Raúl Caballero es un sastre como los que ya no se dan: hace trajes a tu medida, a la antigüita, artesanalmente y con mucha elegancia. Tiene clientes célebres: tú también puedes brincar a la fama si andas tan bien vestido.

DISEÑOS DIVAL

Colima 129, int. 3, Roma; 5511 4221 y 04455 2668 4408. Es increíble cómo la señora Leticia Luna Valdovinos trabaja. Desde el más sencillo arreglo se nota su talento, ya no digamos la confección de un vestido para una ocasión especial, o algún diseño que traigas en mente. Bota a tu modista y acude con ella.

JORGE BLANCO ALAVA

Mercado de Medellín, Medellín y Campeche, Roma; 5264 8566; lunes a viernes de 12 a 20 horas. Jorge, además de simpático y tener ojos bonitos, es un sastre como los de antes, a pesar de su refrescante juventud. Su mamá es una señora encantadora, dinámica y alegre, que también deja tu ropa como nueva o te fabrica prendas desde cero. Son barateros, cumplidos y delicados, y sobre todo puntuales. Los recomendamos ampliamente.

LA AGUJITA

Mazatlán 72, Condesa; 5256 3492; lunes a viernes de 9 a 19 horas, sábados de 9 a 15. Si eres de los que no sabe coser ni un botón, corre con esta amable señora, que te arreglará la ropa... y la vida.

SASTRERÍA GARAY

Av. Lomas de Chamizal 105, Primera Sección; 5245 1708; lunes a viernes de 10 a 19:45 horas, sábados de 10 a 14. Pareja de sastres que lleva más de 30 años componiendo y confeccionando ropa al poniente de la ciudad y rumbos aledaños. Apasionados de su trabajo, quedarás satisfecho con los resultados. Sucursal: Bosques de Minas 33, Bosques de la Herradura; 5295 0709.

SASTRERÍA MEDINA

Río Balsas 102, Cuauhtémoc; 5207 7051; lunes a sábados de 10 a 21 horas. Los zurcidos invisibles son su especialidad (aunque si no pueden lograrlo, con toda honestidad te lo dicen), pantalones a la medida y composturas en general. Los sastres son ya iconos de la zona.

SASTRERÍA VERO

Mercado de Prado Norte, Prado Norte 465, Lomas de Chapultepec; 5540 7553; lunes a sábado de 9 a 18 horas. Honestidad y trabajos finos es lo que puedes esperar de este negocio familiar. Hacen desde composturas urgentes hasta ropa a la medida.

CORTINAS Y CORTINEROS

A+F

Revolución 1311, San Ángel; 9116 5841; amasf.com; lunes a sábado de 8:30 a 19 horas. Cortinas y persianas de todo tipo, desde rústicas hasta vanguardistas y motorizadas. Fabrican sobre diseño y ellos te las colocan.

CENTRO DECORATIVO SONORA

Sonora 123, esq. Parque España, Condesa; 5286 1287; lunes a viernes de 10 a 20 horas, sábados de 10 a 15. Además de ofrecerte algunas telas para cortina, persianas y acabados, son amables, puntuales y muy eficientes a la hora de colocar e instalar (les hayas comprado a ellos o no).

CORTINEROS FINOS DE MADERA

Eugenia 837, Del Valle; 5536 9128; lunes a viernes de 10 a 18 horas, sábados hasta las 14. Su nombre lo dice todo. Se adaptan a tus gustos y necesidades.

PARISINA

Venustiano Carranza 77, Centro; 5512 2352; laparisina.com.mx; lunes a viernes de 10 a 20 horas, sábados hasta las 20:30, domingos de 11 a 19. Toma las medidas de tu ventanas, compra la tela que más te guste, y ellos se encargan de fabricar tus cortinas gratis. Sucursales: consultar sitio web.

TAPICERÍA VILCHIS

Ometusco 16, Condesa; 5553 4284; lunes a viernes de 8 a 18 horas, sábados de 8 a 14. No sólo retapizan; también fabrican, reparan y lavan cortinas de todo. Ni careros ni barateros.

DISTRIBUIDORES DE GAS

ADMINISTRACIÓN DE GAS LP

Bolívar 820 A-102, Álamos; 9180 3719; adgaslp.com.mx. Gas estacionario para que no te bañes con agua fría. También instalan tanques por si estás harto de los de 20 y 30 litros.

FLAMA GAS

Flamagas.com.mx; 5699 0941 al 51 (gas estacionario), 5699 0900 (tanques portátiles de gas). Si tu casero se niega a instalar gas estacionario y tú ya no soportas perseguir a los del *gaaaaas* puedes pedir tus tanquecitos por teléfono.

UNIGAS

5747 5000/5252; unigas.com.mx. Gas estacionario que llega puntual a casi cualquier punto del DF.

ELECTRICISTAS

EL FOQUITO

Eje 4 Sur núm. 124, esq. Bajío, Roma; 5574 0683 y 5564 5100. Buenísimos, cumplidos y barateros. Hacen todo tipo de trabajos eléctricos en la zona. Muy profesionales, uno es ingeniero y el otro aficionado a la poesía.

ELECTRICISTAS ESPECIALIZADOS

Felipe Martell 49, 8 de Agosto; 2614 2991; electricistasespecializados.com. Su lema es "La experiencia hace la diferencia", y ellos llevan 20 años haciendo instalaciones y reparaciones tanto industriales como residenciales.

ELECTRO LUCERO

Mercado de Prado Norte, Prado Norte 465, Lomas de Chapultepec; 5540 2051 y 04455 1082 1763; lunes a sábado de 10 a 18:30 horas. No sólo se especializan en instalaciones eléctricas, sino que también componen aparatos.

JOSÉ LUIS VALLE

04455 1234 1467. El típico electroplomero al que hay que apartar con cita, pues ya se ganó su fama, y todo mundo le pide trabajos.

ING. JUAN VIVEROS ORTIZ

5578 0792. Además de ser un electricista confiable y honrado, te aseguramos que hace trabajos de plomería maravillosos.

SERVICIOS CÉSAR

Río Churubusco 902, Aculco; 5633 3654; servicioscesar.com. Van a casi cualquier punto dentro de la ciudad, y hacen reparaciones sencillas o de plano una instalación o un recableado para que tu casa funcione mejor. Echan a andar toda clase de aparatitos, como timbres o interfones, y además tienen un excelente servicio de plomería que recomendamos ampliamente.

FLORERÍAS

ENVIFLORA

Dickens 52, Polanco; 5282 1726; enviflora.com.mx; lunes a viernes de 9:30 a 19 horas, sábados de 9:30 a 15. Avalados por el American Institute of Floral Designers tienes la garantía de que esta gente sabe lo que hace.

FLORERÍA DEL VALLE

Amores 1501, Del Valle; 5524 0465; floreriadelvalle.com.mx; lunes a viernes de 9 a 19 horas, sábados de 9 a 16. Un clásico de la colonia, que desde 1965 distribuye flores y plantas. También diseñan jardines artificiales (sí, de plástico), venden bonsáis y tienen servicios de jardinería. Sucursal: Centro Insurgentes: Insurgentes Sur 1605, San José Insurgentes; 5663 2067.

FLORES POSIMA

Amsterdam 12, Condesa; 5523 3749, 04455 2909 4847; floresposima.com. Lejos del enorme arreglo barroco, estos floristas se dedican a elaborar composiciones discretas y de buen gusto, pequeños detalles para tu casa o la de alguien más.

FUMIGADORES

ASOCIACIÓN NACIONAL DE CONTROLADORES DE PLAGAS URBANAS, AC

Donato Guerra 1-307, Juárez; 5592 0092 y 5566 4479; ancpu.org. Si no confías en cualquier fumigador anónimo, puedes llamar aquí y preguntar quiénes son los buenos.

BIOFUM

San Marco 85, Tlalpan; 5485 8708. Son especialistas en roedores y cucarachas. Están al sur de la ciudad, pero van a todos lados, también al Estado de México.

DELTA CONTROL DE PLAGAS

Coahuila 190, Roma; 2454 4447, 5564 1835, 4202 0544 y 04455 2720 7623; lunes a viernes de 9 a 18 horas, sábados hasta las 14. Se encargan de los bichos clásicos y de los misteriosos, ya sea que vivan en la madera, en tu jardín o por todos lados.

FUMI CUCA

San Miguel 16, Coyoacán; 5601 2771; fumicuca.com.mx; lunes a viernes de 9 a 18 horas, sábados hasta las 15. Recuerda que la sabiduría popular dice que por cada cucaracha que ves hay mínimo 20 escondidas. Así que cuando sorprendas a uno de estos bichos paseando por tu cocina, llámales de inmediato. Sucursales: consultar sitio web.

ORKIN

01800 800 6754; orkin.com.mx. Deshazte de los habitantes indeseables: termitas, roedores, cucarachas, hormigas, pulgas, moscas, arañas, grillos, polillas, mosquitos, avispas, abejas, alacranes, ciempiés, escarabajos, chinches y todos esos animales con los que no te gusta cohabitar. Sucursal: Av. López Mateos 12, La Alteña; 5374 3228 al 30.

CONACULTA. INAH. SINAFO. FN. MÉXICO.

LIMPIEZA Y REPARACIÓN DE ALFOMBRAS

CASTELÁN LAVADO

Cerrada Delfín Madrigal 74, Copilco Universidad; 5659 7947, 04455 4032 2506; lunes a viernes de 9 a 18 horas. Lavan y tiñen alfombras, también desencochambran muebles y pulen pisos maravillosamente. Tu casa quedará rechinando de limpia.

JAWAD GALERÍAS

Plaza del Ángel, Londres 161; 5511 2934 y 04455 2337 0383; lunes a viernes de 12 a 19 horas, sábados hasta las 17, domingos de 12 a 16. Además de vender los mejores tapetes de la ciudad, tanto nuevos como antiguos y vintage, restauran, reparan y lavan con delicadeza tus alfombras.

LAVA MAN

Molière 480-A, Granada; 5531 0605 y 5203 5436; lunes a viernes de 9 a 18 horas. Lo más fresa en lavado de alfombras, con tecnología de punta para las más finas. Aceptan todas las tarjetas.

RIBETEADOS MODERNOS

Atlixco 173, Condesa; 5286 9305/0556; lunes a viernes de 10:30 a 19 horas; sábados de 10:30 a 15. Cualquier cosa relacionada con alfombras es un caso para ellos. Reparan, remodelan, colocan, tiñen y lavan.

TAPETES ORIENTALES

Prado Norte 403, Lomas de Chapultepec; 5202 2212; diario de 11 a 20 horas. No sólo tienen un buen surtido de tapetes orientales a la venta, sino que componen y limpian los que ya tienes en casa.

MARCOS

BASTIMEX

Justo Sierra 24, Centro; 5704 5865; bastimex.com. La opción más económica para enmarcar en el DF, y puede que la más famosa: todo mundo te manda "con los que están ahí por San Ildefonso". Siempre está a reventar, pero los trabajos lo valen.

LA GALERÍA

Anatole France 26, Polanco; 5280 3696; lunes a viernes de 10 a 14 horas y de 16 a 19, sábados de 10 a 14. Favorito entre los que se toman en serio la decoración de su casa. Llevan cuatro generaciones enmarcando piezas finas, previa asesoría de qué marco es el indicado. Por si fuera poco, son restauradores.

MARCOS Y VIDRIOS CONDESA

Tamaulipas 235, Condesa; 5234 4806; lunes a viernes de 11 a 19 horas, sábados de 10:30 a 16. Además de enmarcar son famosos por sus diseños en espejos. Careros, pero confiables.

MARCOS, MOLDURAS Y ARTE ROMA

Coahuila 113, Roma; 5563 5176; lunes a viernes de 10:30 a 19 horas, sábados de 10 a 17. Desde 1972 se encargan de enmarcar toda clase de lienzos y su éxito ha sido tan grande que han ido creciendo. Sucursales: Xola 1367, Narvarte; 5530 4783. Miguel Ángel 170, Mixcoac; 5563 5176.

ROSANO

Insurgentes Sur 1761, Guadalupe Inn; 5667 1163; marcosrosano.com; lunes a viernes de 10 a 17:30 horas, sábados de 10 a 14. Con más de 50 años de experiencia, enmarcan desde diplomas hasta obras de arte con absoluto profesionalismo. Favoritos de artistas y coleccionistas.

MÉDICOS QUE PODRÍAS NECESITAR

Acupunturista

DR. WUJING

Ámsterdam 271, despacho 103, Condesa; 5574 0561. En su consultorio tiene recuerditos de cuando fue a China a estudiar, y si quieres te platica sus historias. Cura dolores musculares misteriosos, te hace bajar de peso y ayuda a controlar el estrés.

Dentista

JOAQUÍN Y ALFONSO GONZÁLEZ

Sierra Amatepec 261, Lomas de Chapultepec; 5540 3387. Dúo dinámico que puede con cualquier dentadura. Cada uno tiene su especialidad y se "reparten" a los pacientes según lo que necesiten: desde una limpieza hasta una cirugía mayor. El equipo es moderno y sus asistentes muy amables, aunque no más que ellos, quienes te hacen la plática aun cuando estás anestesiado.

Dermatólogo

ENRIQUE GARCÍA PÉREZ

Prol. Paseo de la Reforma 625 (Torre Lexus), despacho 101, Paseo de las Lomas; 5292 5639 y 5292 5688. Ante cualquier irregularidad en la piel, corre con este mago, especialista en dermatología cosmética, acné y manchas, pero que también sabrá diagnosticar y tratar otros males que no tengan que ver con la vanidad.

Gastroenterólogo

DR. JACOBO FEINTUCH UNGER

Ejército Nacional 650, consultorio 803, Polanco; 5531 3195. En caso de dolor de panza, no dudes en ir con esta eminencia Es experto en hemorragias del tubo gástrico y cáncer estomacal.

Ginecólogo

JOSÉ MARÍA TORRES

Av. Copilco 348, esq. Cerro de los Hornos, Copilco; 5658 2978. José María se gana inmediatamente la confianza hasta de las mujeres más reacias. Todas están de acuerdo en que es un caballero, atinadísimo y extremadamente profesional.

Nutriólogo

ANTONIO GARCÍA MINGO

Médica Sur; 5424 1032. Sus pacientes fácilmente podrían armarle un club de fans. Te hace bajar de peso de forma amigable, con una dieta que sorprende por su abundancia, variedad y sobre todo efectividad.

Traumatólogo

DR. ALFREDO IÑÁRRITU CERVANTES

Hospital Ángeles Mocel. Gelati 29, consultorio 210, San Miguel Chapultepec; 5516 9577. En caso de accidentes, dolores de origen no identificado y huesos chuecos, este hombre sabrá darte un diagnóstico atinado. Fue profesor de otros médicos célebres, y aunque hagas cuentas no lograrás imaginar su edad, pues es certero, simpático, lleno de vida y muy coqueto con sus pacientes femeninas.

MINIBODEGAS

MEX STORAGE

Insurgentes Norte 514, esq. Manuel González; 5541 2143 y 5541 2370; mexstorage.com.mx. Pioneros en el concepto del *self storage* en México. Sólo tú tienes la llave del espacio que rentas, por eso son muy seguros. En el mismo lugar consigues lo que necesitas para embalar y transportar tus trastes. Sucursal: Tláhuac 171, Santa Isabel Industrial; 1164 6326.

MINIBODEGAS MÉXICO

Mar Mediterráneo 21, Tacuba; 5386 0800; minibodegasmexico.com. Las hay de diferentes tamaños y diseños, para cualquier tipo de cachivaches. El lugar está constantemente vigilado, así que puedes dormir tranquilo.

MINIBODEGAS PINO

Pino 343, Santa María la Ribera; 5541 1526; grupopino.com.mx. Minibodegas para que guardes todo lo que te estorba en casa, que puedes rentar un mes o el tiempo que quieras. Hay personas que te ayudan en las maniobras, seguridad y puedes tener acceso a tus cosas las 24 horas.

SAFE STORAGE

Vasco de Quiroga 1832, Santa Fe; 5570 8484/8585; safestorage.com.mx. La mejor opción de almacenamiento al poniente de la ciudad, con bodegas desde uno hasta más de 20 metros cuadrados. Están aliados con Mudanzas MyM, que te facilitarán la vida a la hora de mover tus pertenencias.

U-STORAGE

Miguel de Cervantes Saavedra 5, esq. Río San Joaquín, Granada; 5250 4558; u-storage.com.mx. A sólo un pasito de Polanco, esta empresa ofrece minibodegas tipo *locker*, con aire acondicionado, de acuerdo con la cantidad y especie de triques que vayas a guardar. Una buena solución a tus problemas de espacio.

MOTELES

HOTEL COLONIA ROMA

Jalapa 110, esq. Álvaro Obregón, Roma; 5584 1396. Ubicado en lo que fue un edificio hermoso, ahora venido a menos y con habitaciones no muy elegantes, es un hotelito cumplidor. No sólo es de paso, también algunos extranjeros lo usan por su afortunada ubicación y bajos costos.

HOTEL COSTA DEL SOL

Carretera Federal a Cuernavaca 5101, La Joya; 5573 0700. Habitaciones *kitsch* lujosas, algunas con alberca. Hay servicio a la habitación, con coctelería para escoger. Te sentirás en la playa, nomás que en lugar de olas escucharás el tráfico de la carretera.

HOTEL GRAN SOL

Primero de Mayo 10, Tacubaya; 5273 0496. El favorito de la comunidad gay, aunque también los "bugas" son bienvenidos. Las habitaciones tienen *gadgets* integrados para darle sabor a la noche, tú pregunta en recepción.

HOTEL LUA

Patriotismo 686, San Juan Mixcoac; 5611 0987/1380. Las habitaciones son cómodas y muy grandes, pero no hay nada como la junior suite, que tiene alberca.

HOTEL MUY

Antonio Caso 144, esq. Gabino Barreda, San Rafael; 5546 3537 y 5703 2060. El estereotipo del hotel de paso: plantas de plástico en las áreas comunes, aroma a detergente, ceniceros para que te los lleves de recuerdito, espejo en el techo.

MUDANZAS

GO MINIS

Santa Rita 10, Lomas Del Padre, Cuajimalpa; 5812 4000; gominis.com.mx. Un concepto de lo más práctico: se trata de bodegas móviles que puedes rellenar tú mismo con tus pertenencias, como si fuera una caja gigante. Puedes tomarte el tiempo que necesites para empacar, y luego un camión de la empresa podrá llevárselo a tu nuevo hogar.

MOVERS

Tacuba 14, Merced Gómez; 8500 1166; moversmexico.com. Servicio completo para los que odian las mudanzas y están dispuestos a pagar para evadir la pesadilla. Movers se encarga de empacar, clasificar y transportar tus bienes. Todo está completamente asegurado e incluye los materiales necesarios. Tú sólo siéntate, respira profundo y estrena casa.

MUDANZAS

04455 3144 8709. No tienen nombre ni son una flotilla enorme, pero son una familia dedicada a acarrear muebles ajenos de aquí para allá. Están en la Portales, pero van a donde sea. Son cumplidos, confiables y muy barateros.

MUDANZAS GALVÁN

5539 3933. El señor Galván es encantador, y los asistentes parecen sacados de un *show* cómico, divertidísimos. Confiables, barateros y eficientes, puedes dejar en sus manos todo tu patrimonio para que lo transporten.

PACKING CARE

Tiziano 77, Alfonso XIII; 5651 0448/3920. Servicio de mudanzas para personas ocupadas o muy flojas. Ellos se encargan de guardar, embalar, transportar y desempacar.

PEDRO GARCÍA DEL VALLE

04455 3270 6521; planages@yahoo.com. Si eres un acumulador compulsivo y tu colección se te ha salido de las manos, te conviene llamar a este hombre, que con paciencia de santo se encargará de hacer un inventario minucioso de todo tu material. Así podrás asegurarte de no perder ni un alfiler en tu mudanza.

TRANSPORTES JURADO

Tehuantepec esq. Tlacotalpan, Roma; 04455 2726 5702. Servicio local y foráneo a buen precio, con choferes buena onda y honestos.

PLOMEROS

SERVICIO INTERLOMAS

Sauce 4, Pirules; 04455 4058 2346 (Marco Antonio Sánchez), 04455

General de la Nación, Fondo Enrique Díaz.

1140 6674 (Leonardo Sánchez). Hermanos dedicados a la plomería y a la electricidad. Cualquier desperfecto en la zona poniente ellos van a solucionártelo.

TALLER DE REPARACIONES OLVERA

Mercado de Prado Norte, Prado Norte 465, Lomas de Chapultepec; 5540 4207 y 04455 2190 7642. Buenazo del poniente de la ciudad, el señor Olvera también es electricista, así que podrás matar varios pájaros de un tiro con él.

RECICLAJE

COLUMNAS-CONTENEDOR DE PILAS USADAS

5630 5363; direcciones en sma.df.gob.mx. Hay aparatos que, por desgracia, sólo funcionan con anticuadas pilas alcalinas, a pesar de lo contaminantes que son. Por favor no las tires en tu basura "normal": acumúlalas y ve a tirarlas en los contenedores especiales que la Secretaría del Medio Ambiente del DF ha colocado en la ciudad.

RECICLAJE DE EQUIPO DE CÓMPUTO

Calle 9 Manzana 65, lote 9, José López Portillo, Iztapalapa; 5859 1646; equipodcomputo.blogspot.com; reciclajedequipo@yahoo.com.mx. Las computadoras viejas son espantosamente contaminantes, aunque no lo creas. Alejandro Rivera es un buen samaritano que se encarga de desarmar tus "antigüedades" y reciclar lo reciclable.

RECUPERADORA GRUPO UNIÓN

Zona Norte: 5763 8897; Zona Centro: 5526 5545; Zona Sur: 5573 0941; Zona Oriente: 5701 5579. Papel, cartón, periódico, chatarra y metales de todo tipo son bienvenidos en estos centros, que cuentan con servicio a domicilio.

REPARACIÓN DE APARATOS ELECTRÓNICOS

JOSÉ LUIS HERNÁNDEZ

Mercado Prado Norte, Prado Norte 465, Lomas de Chapultepec; 5520 5218, 5282 43 89 y 04455 2079 5001. Teles, reproductores de DVD y hasta la vetusta videocasetera tienen una segunda oportunidad con este buenazo.

TELE REPARACIONES SONY

Bolívar 79-A, Centro; 5709 0662. Dicen que las teles Sony duran mucho más que las otras, así que si tienes una de las antigüitas, aquí te las reparan.

REPARACIÓN DE CÁMARAS DE FOTO Y VIDEO

AUDIO RESIDENCIAL

Donceles 88, local 18, Centro; 3186 3826. Ignora el nombre: lo suyo son las cámaras. Por su privilegiada ubicación están en contacto con todo el negocio, así que consiguen piezas e incluso modelos que no encuentras en ningún otro lado. Tienen servicio de paquetería, por si andas muy lejos.

FOTOMECÁNICA

Calzada de las Águilas 901, Las Águilas; 5635 3896/97; fotomecanica.com.mx; lunes a viernes de 10 a 19 horas, sábados hasta las 15. Con más de cuatro décadas de experiencia, este grupo de técnicos puede reparar cualquier cámara, ya sea analógica o digital, no importa de qué marca sea. Muy profesionales y confiables. Sucursal: Pabellón del Valle, Av. Universidad 740, Santa Cruz Atoyac; 5604 5275.

REPARA TU CÁMARA

Buenavista 76, Lindavista; 5586 9126; reparatucamara.com; lunes a viernes de 10 a 19 horas, sábados hasta las 14. Todas las marcas, todos los modelos, todos los tipos de cámara. Tienen 30 años de experiencia.

TECNI-FOTO

Pilares 918, Vértiz Narvarte; 5604 6429; lunes a jueves de 10 a 18 horas, viernes hasta las 17:30. Buenazos de la zona, reparan cámaras de todo tipo.

REPARACIÓN DE COMPUTADORAS

EMERGENCIAS MAC

Av. Colonia del Valle 735, Del Valle; 5536 3035/2893; emergenciasmac.com; lunes a viernes de 9 a 18 horas. Técnicos certificados por Apple Computer, que ofrecen servicio a domicilio y dan presupuestos gratis. Nada sale barato, sobre todo por las refacciones, pero decías que tener Mac no tiene precio, ¿no?

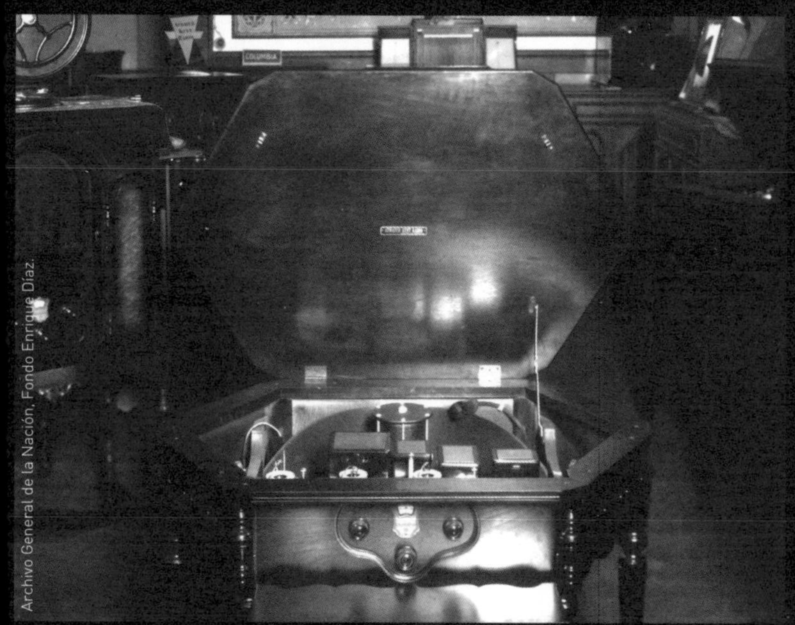

Archivo General de la Nación, Fondo Enrique Díaz.

FAST PC

San Luis Potosí 223-A, Roma; 5574 3011; fastpc.com.mx. Especialistas en PC, que son justamente las máquinas más problemáticas, este grupo de jóvenes está puestísimo para dejar la tuya como nueva... hasta que vuelva a *"crashear"*.

LUIS SOSA

stitchrobot.com; stitchrobot@gmail.com. Famoso por encontrarle solución a los problemas más extraños de las Mac, este chico también da cursos y puede convertirte en un usuario prémium de máquinas Apple. Muy recomendable.

MORÁN SYSTEMS

Montes Urales 505, Bosques de las Lomas; 04455 2109 3676; moransystems.com; gabrielmoran@mac.com. Los hermanos Morán son unos maestros a la hora de armar redes, reparar máquinas —tanto Mac como PC— y *"upgradear"* sistemas operativos. También reparan iPhone, iPod y todos los aparatitos de alta tecnología que te den problemas.

PYBO

Centro Comercial Interlomas; pybo.com.mx. Servicio ideal para los que no tienen la menor idea de cómo funciona su máquina, pues también dan asesoría a prueba de "tecnófobos", tanto en Mac como en PC.

REPARACIÓN DE ELECTRODOMÉSTICOS

ASPIRADORAS ("LAS DE PARQUE ESPAÑA")

Nuevo León 44, Condesa; 5286 6130/55. Ya son parte del paisaje condesero, un símbolo *retro* que muchos ubican. Cuando se te descomponga la aspiradora y tu casa empiece a estar llena de polvo, ya sabes a dónde acudir.

ASPIRADORAS COYOACÁN

Pedro Henríquez Ureña 443, Pedregal de Santo Domingo; 5619 0356/2875; lunes a viernes de 9 a 19 horas, sábados de 9 a 15. Con servicio a domicilio a todo el DF, le darán una segunda vida a tu aspiradora vieja.

BÁSCULAS MEGA

Ferrocarriles Nacionales 318, Santa Apolonia; 5353 4976 y 5561 1443; basculasmega.com.mx. Ya sea la que usas para controlar tu peso o la que tienes en la cocina, ellos se encargan de dar mantenimiento a tu báscula y repararla. También son distribuidores de las mejores marcas en el rubro.

MIGUEL ÁNGEL MARTÍNEZ

Mercado de Prado Norte, Prado Norte 465, local 101; 5540 0023 y 5520 6835. Electrodomésticos y línea blanca son su especialidad. No es baratero, pero sí eficiente y honesto.

SERVI-HOGAR

Coahuila 200, Roma; 5564 9956. Lavadoras, licuadoras, planchas, refrigeradores, microondas, extractores, batidoras, ollas exprés y todos esos electrodomésticos que no son desechables, sino que se pueden reparar mucho más fácilmente de lo que crees.

SERVICIO BALDERRAMA

5425 4368 y 04455 1775 0176. Lo suyo son las lavadoras y los refrigeradores, este señor también hace instalaciones de gas y trabajos de plomería.

REPARACIÓN DE EQUIPOS DE AUDIO

DAVID BAKSHT

5211 3407; vidaba@hotmail.com. Repara todo tipo de reproductores de audio.

ZUA RECORDS

Atlixco 147, Condesa; 5553 3032; zuarecords.com.mx. Ya sea por nostalgia o porque te crees DJ, puede que tengas una tornamesa, y si se te descompone sufrirás horrores. Pero aquí tienen la solución, porque aunque es una tienda de discos, también venden y reparan estos clásicos aparatos.

REPARACIÓN DE JOYAS, RELOJES Y ACCESORIOS

EL GALLO

Periférico Sur, cruzando el puente peatonal de Televisa San Ángel. Parte del paisaje de San Ángel, este personaje con pelo de nube se dedica al refinado arte de la relojería, en su puestecito enfrente de Televisa. Aguas con sus albures.

JOYERÍA PRINCESS

San Lorenzo 177, San Francisco, Tlacoquemécatl; 5575 0391 y 5559 2213. Especializados en reparaciones de relojes de marca, pues consiguen piezas originales. El servicio vale la espera.

JOYERÍA Y RELOJERÍA CONDESA

Vicente Suárez 8, Condesa; 5286 7241; lunes a viernes de 14 a 20 horas, sábados de 12 a 16. Un localito encantador, atendido por Bruno Huerta, un señor apasionado de su oficio que lleva miles de años reparando relojes de bolsillo y pared.

JOYERÍA RODRÍGUEZ

Campeche 180-A, Roma. Joyas y relojes viejos volverán a brillar y funcionar como antaño, después de pasar por las manos de estos expertos.

JOYERÍA Y RELOJERÍA MÉXICO

Av. México 184-C, Condesa; 5211 1185. Negocio familiar que lleva décadas devolviendo a la vida relojes y reparando delicadas joyas. Su ubicación es perfecta para aprovechar el viaje y comer un helado.

SOMBRERERÍA ESCANDÓN

Martí 140, Escandón; 5276 0947. Volvió la moda de los sombreros, y para quedarse. En este local no sólo venden, sino que reparan y dejan como nuevos los que te compraste en el mercado de pulgas o te heredó tu abuelito.

REPARACIÓN DE ZAPATOS

AL MINUTO

Prado Norte 421, Lomas de Chapultepec; 5520 3305; lunes a viernes de 9 a 19 horas, sábados de 9 a 14. Reparaciones todo en uno: sastrería, calzado, limpieza y reparaciones de piel. Sucursales: Monte Everest 780-B, esq. Monte Líbano, Lomas de Chapultepec; 5520 2579. Pilares 231-5, Del Valle; 5559 4379.

LA BOHEMIA

Monte Everest 730, Lomas de Chapultepec; 5202 4429. En vez de seguir comprando como si el mundo se fuera a acabar, rescata tus viejos pares de zapatos y llévalos a este sitio para que los limpien, les renueven los tacones, les quiten las imperfecciones, los pinten y te los dejen como nuevos.

REPARADORA DE CALZADO ROJAS

Bolívar 69, Centro. Rosa Rojas es una

Archivo General de la Nación, Fondo Hermanos Mayo.

señora que lleva décadas en el negocio de los zapatos, a los que mágicamente les aumenta la perspectiva de vida. También repara todo tipo de artículos de piel y pseudopiel.

TALLERES AUTOMOTRICES

AUTOMOTRIZ BR

Carretera Ajusco-Picacho, manzana 21, lote 66, paraje 38; 1018 7704 y 5630 1583. Benjamín Rodríguez es el favorito de los sureños, especialista en *fuel injection* y transmisiones, pero capaz de arreglar cualquier desperfecto. Baratero y muy honesto.

AUTOPARTES DE CALIDAD

Enrique Fernández Granados 41, Algarín; 5530 9996. Heiko Schroeder, de nacionalidad alemana, amigo de Naujoks, ex trabajador la VW que ahora se especializa en esa marca junto con Audi, Seat y Nissan. Su equipo y él se capacitan constantemente, y su cartera de clientes es una especie de club de fans. Además es muy simpático y tiene sentido del humor.

GERHARD WERNER NAUJOKS KRUGER

Egipto 167, Clavería; 5584 0272. Sólo arregla VW, pues este alemán trabajó durante muchos años en la planta de esta marca. Sus clientes reconocen que es el mejor mecánico en México.

VÍCTOR SANTOS

5612 8253 (después de las 17 horas, previa cita). Ingeniero mecánico que arregla coches casi como pasatiempo. Más honesto, imposible.

TAXIS

RADIO TAXIS EXCELENCIA

5568 7864. Servicio local y foráneo, mensajería y servicio normalito las 24 horas. Facturan bajo pedido.

TAXI RET

8590 6720. Baratos, rápidos, seguros, puntuales y verdaderos conocedores de la ciudad. Ideales para esas horas a las que no hay taxis: ya sea que la fiesta se haya alargado o que te desmañanes para ir a algún lado.

UNIÓN DE TAXISTAS DEL PONIENTE ("LOS TAXIS DE LA VIDA")

5292 8181/8282. Mejor conocidos como "los taxis de la muerte", son carros colectivos que te llevan de Tacubaya a Santa Fe por 20 o 25 pesos. Salvajemente veloces, para amantes de la adrenalina.

HORAS

ELECTRICISTAS Y PLOMEROS

ELECTRICISTAS EXPRESS

Centenario 25 bis, Villa Coyoacán; 5554 7719/4799; electricistasexpress.com.mx. Los desastres domésticos no perdonan horas ni días de la semana: por eso existen servicios como éste, disponibles a toda hora, cualquier día del año. Especialistas en cortocircuitos, instalaciones fallidas y plomería. Sucursales: Del Valle; 5658 6341. Satélite; 5388 2811.

SR. PLOMERO

5243 9085; miguelangel@srplomero.com.mx; srplomero.com.mx. Clásicos y famosones en la Portales, Miguel Ángel Rojas y Marco Antonio López son los buenos para todo tipo de reparaciones e instalaciones de plomería. También lavan tinacos, venden e instalan calentadores solares y hacen trabajos de electricidad.

WORK ELECTRICISTAS

Viaducto Miguel Alemán 176, Del Valle; 5684 7811, 5530 8952 y 01800 696 2048; workelectricistas.com.mx. Si te quedaste sin luz mientras hacías un trabajo urgente o tu casa se empezó a inundar a medianoche, llámales: ellos llegarán cual superhéroes a salvar tu vida. Sucursales: consultar página web.

CENTROS DE IMPRESIÓN

HIPERLUMEN

Insurgentes 2374, Chimalistac; 5550 1920; lumen.com.mx.

OFFICE DIGITAL

Reforma 350, Juárez; 5208 7349. Av. Santa Fe 505, Cruz Manca; 5292 7837.

OFFICE MAX

Insurgentes 2411, Tizapán; 5616 2662; officemax.com.mx.

CERRAJERÍAS

ALFA Y OMEGA

Mercado de Prado Norte, Prado Norte 465, Lomas de Chapultepec; 5520 1027 y 5512 0037; cerrajeriasycerrajeros.com.mx. Negocio familiar dedicado al arte de abrir toda clase de puertas rejegas, no importa la hora ni el punto de la ciudad donde tu cerradura problemática se encuentre. Duplican controles remoto de autos y, ya que están ahí, les puedes encargar alguna chamba de plomería o electricidad. La familia Ocampo es un estuche de monerías.

CERRAJERÍA CASTILLO

Revolución 730, Mixcoac; 5598 3914 y 04455 5196 6885. Pueden abrir cajas fuertes sin destruirlas. Imagínate entonces con qué delicadeza abrirán esa puerta o el coche que se quedó con las llaves dentro.

CERRAJERÍA SONORA

Dolores 29, Centro; 5709 8708. Cerrajeros tradicionales, no cuentan con tecnología de punta, ¿pero quién la necesita cuando esto es cosa de pura maña? Con más de 20 años de experiencia y una bonita ubicación, se dedican a la chapa tradicional y a la más o menos moderna. Llama, y ellos van.

FARMACIAS

FARMACIAS DEL AHORRO

01800 711 2222; fahorro.com.mx. Nuevo León 351, esq. Benjamín Franklin, Escandón. Jalisco 145, Tacubaya. Av. Universidad 216 y 218, Narvarte.

MASCOTAS

HOSPITAL BANFIELD

Delfín Madrigal s/n, frente al metro Universidad, Ciudad Universitaria; 5658 6080; banfield.com.mx. La mejor opción para atender a tu mascota a toda hora.

HOSPITAL MEDIPET

Insurgentes Sur 1731, Guadalupe Inn; 5661 8475; medipet.com.mx; 24 horas. No importa qué hora sea: si tu perro o gato tiene alguna urgencia médica, llévalo corriendo a este hospital, donde un veterinario se encargará.

MECÁNICOS

AXEL MOTORS

Calle 11 de Enero 1861, Leyes de Reforma, Iztapalapa; 5694 2531. De día son un taller bastante bueno, de noche... también. Van al lugar de los hechos a revivir tu auto.

SUPERMERCADOS

SUPERAMA

superama.com.mx. Tiendas: Av. Revolución 1151, Mixcoac; 5593 9706. Heriberto Frías 1107, Del Valle; 5575 1844. Av. Copilco 75, Copilco El Bajo; 5659 3809. Aguiar y Seixas 123, Molino del Rey; 5540 0614. Horacio 1740, Los Morales; 5280 3491. Tlalpan 4467, esq. Periférico; 5528 5341. dF

Archivo General de la Nación, Fondo Hermanos Mayo.

6 HISTORIAS DE NUESTRA HISTORIA

Por Diego Flores Magón, Pável Granados y Jorge Pedro Uribe Llamas

REVISIÓN HISTÓRICA DE LAS LIBRERÍAS DEFEÑAS

Por Diego Flores Magón

Para conseguir un libro en el siglo XVI había que hacer una travesía trasatlántica o ver qué traía algún mercader recién llegado de Europa. No había en la ciudad un establecimiento fijo donde buscarlos, aunque existían algunos individuos que se dedicaban a esta actividad, como Juan Cronember, que en 1525 consiguió de la Corona un permiso exclusivo para vender libros en la Nueva España, los cuales pasaban de mano en mano. Cada vez que llegaba un cajón de libros al puerto de Veracruz, la Inquisición con una lista de títulos prohibidos —sobre todo literatura asociada con la Reforma protestante— revisaba las coincidencias. Los prohibidos llegaban a la ciudad por contrabando, metidos en barriles o entre la ropa o con los títulos modificados en la carátula.

Los primeros establecimientos fijos de venta de libros aparecieron como extensión del taller de los impresores. Se tiene documentado que, en 1541, Andrés Martín tenía un local dedicado a la venta en la calle Academia. El colofón impreso suele indicar la ubicación de la imprenta y del local de venta como éste: "Año 1628. Con licencia en México en la imprenta de la viuda de Diego Garrido [...] Véndese en la Librería de Francisco Clarín, en la calle de San Francisco [hoy Madero]". Del XVII se conoce de los talleres y tiendas de Diego Garrido, en Tacuba; Francisco Salvago, en Santo Domingo; Bernardo Calderón, en San Agustín (hoy República de Uruguay), etcétera.

Durante el siglo XVIII aparecen las primeras librerías, bajo ese nombre, como la de don Manuel Cueto, en la calle de San Francisco (hoy Madero), la Librería del Arquillo (hoy 5 de Mayo) o la de Domingo Sáenz Pablo, en calle de Escalerillas (hoy Guatemala). De ese siglo se conserva un documento notable: el catálogo de los libros que podían hallarse en la librería de Agustín Dherbe de la calle de don Juan Manuel (hoy República de El Salvador), que enumera 1,336 obras. Por una *Memoria de los sujetos que tienen librería pública en esta ciudad*, de la Inquisición, se sabe que en 1768 había en la capital novohispana 15 librerías. Pero en esa ciudad de México los libros podían encontrarse también en vinaterías, el Parián, azucarerías, cajones de ropa vieja, relojerías, tocinerías; entraban al virreinato como artículos comerciales y se distribuían al azar por las tiendas de la ciudad. En la *Gazeta de México*, por ejemplo, se podía ver esta clase de anuncios: "En la tienda de ropa de la calle de Balvanera [hoy Uruguay] esquina del Callejón de Tabaqueros, letra A, están de venta cuatro juegos de Biblia Vulgata. El librito intitulado *Botica General de Remedios Experimentados* se hallará en la relojería de la calle de Porta Coeli [hoy Venustiano Carranza]". También se compraban libros de manera casual en portales de iglesias o a la entrada de conventos, y los favoritos eran devocionarios, vidas de santos, rezos y oraciones.

> **"En 1768 había en la capital novohispana 15 librerías. Pero [...] los libros podían encontrarse también en vinaterías."**

Estos hábitos perduran durante el XIX: libros a la venta en alacenas de listones, en almacenes de azúcar, en cajones de fierro.

Opera medicinalia (1570), del médico Francisco Bravo (Sevilla, 1525-México, 1595), fue el primer libro de medicina impreso en México y América. Incluía cuatro relatos sobre enfermedades comunes y su evolución como una característica esencial de la naturaleza.

Las librerías, mientras tanto, como locales dedicados principalmente a la venta de libros, se consolidan: las de don Juan Bautista Arizpe, en Monterilla (hoy 5 de Febrero); Francisco Rico, en Santo Domingo; y Alejandro Valdés, en el Empedradillo (hoy Monte de Piedad). Tiene todavía funciones desconcertantes: en un establecimiento como éstos se puede comprar libros, pero también dejar muebles en consignación, además de que sirven extrañamente como depósitos de objetos perdidos ("en la librería de la calle de Santo Domingo y esquina de Tacuba se entregará una llave que se encontró la tarde del día 13 en la calle de los Plateros y esquina de la Alcaicería al que acreditare su pertenencia"). Si uno recibía, por ejemplo, una carta dirigida a alguien más era normal acudir a una de estas librerías para que ahí la recogiera su destinatario legal. A una librería de esta época uno iba a conocer el precio de ciertos productos, como la canela.

Hay otras modalidades de distribución, como el "mercero", un vendedor que andaba por ahí con su canasta con la que ofrecía "agujas, alfileres, dedales, de-

Porrúa llega en 1910 a la esquina de Relox [hoy Justo Sierra] y Donceles, al nororiente del Centro Histórico, y edita cuatro años más tarde el famoso libro *Las cien mejores poesías líricas mexicanas.*

vanadores, tijeras, carretes y bolitas de hilo, horquillas, prendedores", pero también libros: "Lavalles y catecismos de Ripalda, de ediciones económicas, versos y ejemplares por Inclán y Sixto Casillas", además de "juegos de la oca y del Sitio de Sebastopol, juguetes para los niños y otras zarandajas". Esto lo recuerda Antonio García Cubas en sus memorias. Asimismo, había servicios para poner libros usados en consignación, como ofrecía Cristóbal Llanos en su local del Parián, según el anuncio que puso en *El Diario de México* en 1807: "Entre los géneros comerciales, ninguno dura menos en el afecto de un comprador que un libro. Se solicita con ansia, se consigue con trabajo y después de leído o no contenía lo que pensaba o dejó poco satisfecha la curiosidad".

En la segunda parte del siglo XIX aparece la librería moderna. Es la era de los Portales, del *flâneur* mexicano. En el Portal de Mercaderes estaba la del señor Mariano Galván Rivera, que se hizo célebre por sus tertulias. Y dando la vuelta por el Portal de Agustinos (hoy 16 de Septiembre, donde ahora está el Gran Hotel Ciudad de México) estaba "la colmada alacena de libros" de Antonio Torres. En ella, recuerda Guillermo Prieto, "en calculado desorden había catecismos y pizarrines, gramáticas de Herranza y Quirós, tablas de multiplicar, estampas de santos, cuentos y romances, Lavalles y ordinarios de la misa, en la mejor compañía de periódicos acabados de imprimir y folletos de ruidosa actualidad". Estas librerías invitan a la tertulia, y ofrecen también libros viejos. En el Portal de los Agustinos se encontraba la Librería de Andrade, que frecuentaban Alamán, Icazbalceta, Lafruaga. Se instalaron también ahí las librerías De La Rosa y la de Auguste Masse —en tiempos ya del Imperio—. En el Portal del Águila de Oro, donde hoy está la Casa Boker, estaban la Antigua Librería Murguía, que sigue ahí desde 1845; las de Nabor Chávez y Juan Buxó —el sitio para encontrar las novelas de Pérez Galdós, recién llegadas de España—; la Librería de Galván, favorita de Couto y Pesado, y que publica desde 1826 su calendario. En el Portal de Flores, que desapareció para abrir 20 de Noviembre en los treinta, estaba la de Eugenio Maillefert, suegro, pasado el tiempo, de Gutiérrez Nájera.

En la primera mitad del siglo XX la librería sigue en el centro de la ciudad, y continúa la tradición del librero que también se dedica a la impresión. El caso ejemplar es Porrúa, que llega en 1910 a Justo Sierra y Argentina (entonces Relox y Donceles), y que edita en 1914 *Las cien mejores poesías líricas mexicanas.* La Robredo, que se desprende de Porrúa en 1908 y perdura hasta 1934, se encarga de "conseguir obras agotadas y raras a los mejores precios" justo encima de donde apareció en 1978 la Coyolxauhqui. Aquí son famosas las tertulias, a las que asisten Genaro Estrada, Luis González Obregón, Artemio de Valle Arizpe, etcétera. La Librería General, en 16 de Septiembre, de Enrique del Moral, es otro sitio que sirve de tertulia, en este caso a Saturnino Herrán y Manuel Toussaint; Biblos, en Bolívar 22, a Ramón López Velarde y Enrique González Martínez. En

Gandhi

"Lo que empezó como una pequeña librería para los dandis radicales al sur de la ciudad de México —dice Adolfo Castañón— se ha transformado en un grupo con sucursales dentro y fuera de la capital."

sus muros, José Clemente Orozco exhibe por primera vez. Cvltvra, de Julio Torri, es otro ejemplo de librería, imprenta y centro de congregación literaria. Publica *Cuadernos Literarios*, que marca una época en la literatura mexicana. Botas sigue esta tradición con obra de Mauricio Magdaleno y José Vasconcelos, y una librería. La Bouret, Orortiz, Del Prado y Misrachi completan el cuadro. En La Taberna Libraria, de Jesús Guisa y Azevedo, se funda la revista *Lectura*, en el Pasaje Iturbide, entre Bolívar y Gante.

En el Mercado del Volador, que estuvo hasta los años treinta donde ahora se encuentra la Suprema Corte de Justicia, había puestos legendarios de libros viejos como la Librería de César Cicerón, del señor Ángel Villarreal, quien "espera que el estudiante que ha ido seis domingos a regatear *María* o *La hija del campesino* suba 10 centavos la oferta". Esto lo cuenta Genaro Estrada. También está la de Juan López, Don Juanito, y El Murciélago, de Felipe Teixidor. El puesto de Jesús Estanislao Medina Sanvicente, que estaba en El Volador, se muda a la calle de Academia en 1928, y ahí sigue.

En la segunda mitad del XX ocurre un cambio que transforma completamente el modo de la librería: desaparece el mostrador. Adolfo Castañón: "Antes —y de testigo pongo a los Porrúa— el librero mantenía al cliente a raya mediante un mostrador. Aún participaba la librería de la tienda de abarrotes y el lector que no había pasado por las aduanas de la amistad difícilmente podía circular entre los pasillos, acuclillarse para repasar las estanterías inferiores o, sin ir más lejos, disimular su ingénita perplejidad ante una mesa radiante de novedades. Con Zaplana pasó a la historia el patriarcado del mostrador; poco a poco las demás librerías, encabezadas por la Hamburgo, se solidarizaron con aquel precedente emancipador y se declaró la nueva época del autoservicio que culmina con Gandhi". Luego ocurren otros cambios que erradican la hegemonía del Centro: la Universidad sale de ahí en los años cincuenta y se muda al sur; la ciudad se transforma de manera brutal y crece en todas las direcciones, y el terremoto desaloja otras librerías como El Sótano, abierto originalmente en un sótano de avenida Juárez. Con el ocaso del librero-impresor acaba el dominio de un patrón con casi cuatro siglos de vigencia. La Librería de Cristal, que se instala originalmente al lado de Bellas Artes, funda un modelo de librería sin librero ni imprenta, orientada al consumo masivo de una ciudad moderna: abre sucursales de nueve de la mañana a la medianoche, 364 días del año, e instala sus tiendas preferentemente al lado de un cine. En los años setenta, siguiendo al despilfarro demagógico de Echeverría, se abren tiendas del Fondo de Cultura en Lindavista, Ciudad Satélite, Ciudad Nezahualcóyotl, e incluso en el edificio del PRI —que desaparecen, sin viabilidad comercial alguna, tan pronto como se acaba el subsidio presidencial—. También después de 1985 comienzan a aparecer librerías de viejo en la colonia Roma, como Teorema.

Gandhi marca estas tendencias. "Lo que empezó como una pequeña librería para los dandis radicales —dice otra vez Castañón— se ha transformado en un grupo con sucursales dentro y fuera de la capital". El libro de arte, que se había demorado en salir del aparador, se puede tocar en Gandhi, que en los años ochenta vende más libros de este género que Japón, y eso le merece una medalla. Castañón: "Grillos, pájaros ajedrecistas, orugas que se abrigan en el capullo de su disertación, variedades de la hiena hispánica, componen la población predominante a la que se añaden cazadores de libros, roedores de intimidades, editores fénix de efímeras revistas que sólo nacen para morir y que sólo mueren para cambiar de nombre, suburbanas gallináceas que suspiran por la provincia, camaleones provincianos que vuelven unos días a la metrópoli para respirar intrigas palaciegas a pleno pulmón, testigos fervorosos de la falsa crónica de Juana la Loca, meseros que recogen junto con la propina la tradición oral, cinéfilos plantígrados, caras de niño, tétricos pelotudos y toda clase de fósiles envueltos en el ámbar de la nostalgia."

LOS CAFÉS DEL XIX

Por DFM

Archivo General de la Nación, Fondo Hermanos Mayo.

Las fuentes de sodas constituyeron una evolución natural de los cafés del siglo XIX, en los que se reunía primero la clase alta, luego la media y finalmente todo el pueblo para hacer vida social, comentar los sucesos más importantes y saborear esta bebida que se puso de moda en París.

En México, el cultivo del café comenzó en 1790. El Café Manrique fue el primero en abrir y comenzar la batalla en Tacuba y Monte de Piedad, contra el monopolio del chocolate. Este sitio perduró hasta comienzos del siglo XX, y entonces el café conquistó el monopolio del cacao. Alfonso de Icaza todavía lo vio a principios del pasado: "Ostentaba —cuenta en sus memorias— un letrero que decía: 'Antiguo Café de Manrique' y otro que rezaba 'Casa fundada en 1789'". Duró todo el siglo XIX. Icaza también recuerda que en el Manrique "se servía muy rica nieve de leche", y es que "los cafés —como nos informa Clementina Díaz— eran al mismo tiempo neverías". El Veroly, por ejemplo, que abrió un italiano por los años treinta, "mejoró el ramo de los helados —recuerda Manuel Payno en *El fistol del diablo*—, pues antes de él sólo se conocía la nieve de rosa y de limón de la antigua nevería de San Bernardo; nieve áspera y cargada de azúcar".

El Siglo Diez y Nueve del 29 de abril de 1842 anunciaba de esta forma la apertura de un café-nevería: "Se han dispuesto para el uso del Café-Nevería mesas de mármol blanco, cafeteras, cucharas y bandejas de plata. Las personas encargadas de su dirección no perdonarán medio alguno para el servicio del café y sorbetes, así como el de toda clase de helados corrientes. No dejan nada que desear". Y el Café de la Sociedad, en Coliseo Viejo (hoy 16 de Septiembre), ofrecía "una variedad de helados y refrescos de todas clases, mayor aun que en los años anteriores; dejará complacidos a todos los gustos", según anunciaba *El Universal* del 28 de marzo de 1850. Todavía mejor es el anuncio del Asombroso helado Pío-Pío-Pío, que apareció el 14 de septiembre de 1851 en *El Siglo Diez y Nueve*: "Tal es el nombre de este magnífico helado, recientemente inventado, y cuya receta han recibido los dueños del Café del Bazar. Este helado de nueva especie ha causado un gran efecto tanto en Italia como en París; y bien pronto lo causará en México; ha tomado su nombre del Papa Pío IX, que se deleita gustándolo. Se servirá por primera vez el próximo 16 de Septiembre, aniversario de la Independencia [...] El Café del Bazar posee al primer nevero mexicano de toda la República, el señor Barrera, cuyos productos nacionales causaron la envidia y los celos de los concurrentes del antiguo mundo. Los que deseen gozar de este helado delicioso no deben perder la oportunidad". Se jugaba "dominó, tresillo, ajedrez; más tarde se instalaron bolos y billares".

Por 1833, un café como El Águila de Oro cerraba a la medianoche, y en la década de 1860 se puso de moda instalar gabinetes. Los cafés también sirvieron siempre repostería, como recuerda Payno: "En otros cafés y lecherías como el de Minería [...] y los denominados Gran Café de las

El Café del Bazar tuvo al primer nevero mexicano de la República, en 1851.

Escalerillas, Café Nacional, Puente de San Francisco, Rejas de Balvanera, Mariscala y otros tomábase atole de leche, blanco o ligeramente rosado, con bizcochos o tamales cernidos, y además por la tarde arroz con leche, natillas, bien-me-sabe, leche crema y otros dulces por el estilo. En algunos establecimientos como el de Balvanera, servíase al mediodía la refrigerante cuajada". Sobre El Infiernillo, cuenta García Cubas que "la bebida especial y predilecta [...] era el fosforito: café puro que servía el mozo a discreción [...], dos o tres terroncillos de

azúcar y una copa de buen catalán que [...] se mezclaba para apurarla tranquilamente a sorbos pausados y alternados con fumadas de cigarrillo". Los establecimientos reforzaban la costumbre de fumar ofreciendo en cada mesa un brasero: "Cada mesita —cuenta Guillermo Prieto— estaba dotada de una gruesa botella de vidrio y un enorme brasero de metal amarillo con ceniza y brasas para alimento del fuego sacro de cigarros y puros", de modo que todo café estaba saturado de humo, como el Café del Sur. "Entre el humo espeso de cigarros y puros que oscurecía la pieza se distinguían mesillas pequeñas de palo ordinario pintadas de pardo con una cubierta de hule con tachuelas de latón, y sus sillas de tule alrededor [...] En el fondo de la pieza se percibía [...] su mostrador competentemente provisto de vasos y copas, charolas de hojalata, un gran tompeate con azúcar, azucareras [...], y en hileras simétricas roscas y bizcochos de todas clases, sin confundirse con tostadas y molletes".

Los cafés míticos fueron El Progreso, que en 1875 causó revuelo cuando introdujo meseras; el Veroly, en Coliseo Viejo; el Café de la Sociedad (donde ahora está la Casa Boker); el Café del Sur; El Bazar, en Espíritu Santo (hoy Isabel la Católica); Café del Cazador, en Mercaderes y Plateros, frente al Palacio Nacional; el Fulcheri, que introdujo a México los helados napolitanos y servía dos productos prácticamente exóticos: crema chatilly y queso crema; el efímero Café Cantante del Hotel de Iturbide, que por una peseta permitía gozar del espectáculo y de un chocolate, un café o un helado; y más tarde, hacia el porfiriato, el Café Concordia; el Colón, en Reforma ("de vívida historia —dice Novo—, adonde iba uno de chico con su papá por los pasteles del domingo; adonde el inevitable Duque Job saboreaba su rubia cerveza y abría los ojos asombrados ante el formidable crecimiento de una ciudad que ya llegaba hasta por allá"), y el de Chapultepec, escenario de algunas recepciones de las fiestas del centenario, y que se ubicaba donde en 1964 se inauguró nuestro Museo de Arte Moderno, y que *El Mundo Ilustrado* del 1 de enero de 1904 representaba así: "En el sitio más hermoso de México, al pie del legendario bosque de Chapultepec, un poco a la izquierda de la gran avenida que rodea el parque, se alza el famoso Café-Restaurant Chapultepec, sin disputa el mejor de los comedores, el preferido de la *high life* de México, ya para comidas íntimas, ya para los grandes banquetes que constituyen un acontecimiento [...] En esta terraza los elegantes parroquianos del café pueden contemplar a su sabor la admirable perspectiva del castillo, que se yergue a lo lejos, sobre la verde frondosidad de los ahuehuetes [...] Una selectísima concurrencia de damas y caballeros de nuestra mejor sociedad acude al Café de Chapultepec y ocupa sus pequeñas mesas, en las que las rosas alternan con las piezas de la elegante vajilla y la cristalería despide chispazos de luz".

La Blanca es uno de los viejos cafés del Centro que se resisten a morir. A punto de cumplir sus primeros 100 años es un local lleno de vida, platillos humeantes, pan dulce y un café tan fuerte como el carácter de varias meseras. Los domingos por la mañana muchos lo usan para leer el periódico.

El Concordia, que abriera en 1868, se demolió en 1906 para dejar espacio al edificio de La Nacional, frente a Bellas Artes (todavía en construcción), fue el favorito de Gutiérrez Nájera. Por su parte, Luis G. Urbina lo describe así: "Las podridas tapicerías, los marcos de oro muerto, los espejos opacos como grandes ojos agonizantes, los mármoles amarillentos, los terciopelos chafados, los verdes de hoja invernal y los rojos desteñidos y manchados eran como viejas reliquias para nosotros". Pero ya el Café París, en Filomeno Mata, "pugnaba —y en buena medida lo logró— por gestar una bohemia literaria un poco tardía".

Con información de *Los cafés en México en el siglo XIX* (UNAM, 2000) de Clementina Díaz y de Ovando.

LUGARES PARA IMAGINAR EL DF PREHISPÁNICO

Por Jorge Pedro Uribe Llamas

La capilla de Manzanares fue erigida por orden de Hernán Cortés meses después del sitio de Tenochtitlan. Es, por lo tanto, una de las construcciones españolas más antiguas de la ciudad. Su edificación ocurrió en una zona pantanosa, en las afueras del islote, a orillas de la Acequia Real.

Acequia Real. El trayecto de esta "avenida" de origen azteca comenzaría en algún punto cercano a la esquina de las actuales 20 de Noviembre y Regina. Luego continuaría hasta Corregidora y posteriormente por Alhóndiga, Roldán, Manzanares y aledañas hasta conectar con Xochimilco. En el piso de Corregidora, a un costado del Palacio Nacional, existen pequeñas placas que le anuncian al curioso el itinerario de esta acequia —zanja o canal por donde originalmente se conducía el agua dulce y navegable al interior del islote—. En el edificio de la cantina La Peninsular (ver página 112) aún se aprecia el cauce de este canal destruido en los años treinta del siglo XX, y a pocos pasos, en la Plaza Alhóndiga, sobrevive el Puente de Roldán frente a la alhóndiga que sustituyó a otro de construcción prehispánica. Seguir la Acequia Real es conocer uno de los caminos comerciales más importantes de Tenochtitlan y aun de las ciudades colonial e independiente.

Plaza Juan José Baz. Mejor conocido como "Plaza de la Aguilita", este espacio público recientemente recuperado por el Gobierno del Distrito Federal ha sido el centro de La Merced durante siglos. En el siglo XV se ubicaba entre los *calpullis* (barrios) Alzacoalco y Zoquipan. En el XVI los españoles lo nombrarían La Merced a causa del convento plateresco de 1594 (hoy sólo sobrevive un magnífico patio), edificado por mercedarios. Según antiguos cronistas y vecinos, la plaza indica el lugar exacto donde Tenoch divisó el águila devorando a la serpiente, imagen que Huitzilopochtli había ordenado encontrar para fundar la ciudad. Por cierto que en sus inmediaciones, en el centro cultural Casa Talavera (ver página 203), se exhiben piezas prehispánicas descubiertas a lo largo del siglo XX.

Monte de Piedad esq. 5 de Mayo. Aquí hospedó Moctezuma Xocoyotzin a Hernán Cortés y su gente más cercana en 1519. El palacio de Axayácatl, por supuesto, lucía muy distinto. Hoy en este lugar se yergue el Monte de Piedad como uno de los edificios más vistosos del Zócalo. Según la creencia popular, afuera de esta casa Cuitláhuac comandó una lapidación espontánea contra su hermano Moctezuma Xocoyotzin, que desde un balcón le aconsejaba al pueblo obedecer a Hernán Cortés. En este mismo solar, el conquistador construiría el palacio del marquesado de Oaxaca, es decir su casa. Axayácatl fue el padre de Moctezuma Xocoyotzin, quien también vivió aquí, en las "casas viejas", las del famoso zoológico; luego construiría las "casas nuevas", donde hoy se halla el Palacio Nacional.

República de Guatemala. El tramo entre el Templo Mayor y República de Brasil incluye el antiquísimo edificio de las Ajaracas (hoy Museo Archivo de la Fotografía), el Centro Cultural de España (bajo el cual se encontró el año pasado un *calmecac* que pronto se mostrará en un museo de sitio) y otros lugares de interés. Pero lo relevante se encuentra bajo tierra, en una zona que no es posible excavar so pena de derribar edificios viejos y valiosos de la época colonial. Así, el área occidental del Templo Mayor contiene un sinfín de reliquias que quizá nunca conozcamos. Hay quien dice que aquí podrían estar las tumbas de los emperadores mexicas. En la primavera de 2010 se descubrió en esta zona el templo más importante dedicado a Ehécatl.

Pino Suárez esq. República del Salvador. En este punto se encontraron por primera vez el emperador de Tenochtitlan y Hernán Cortés. La Malinche y Gerónimo de Aguilar sirvieron de traductores. Moctezuma Xocoyotzin se mostró hospitalario y obsequió al conquistador con oro. Actualmente existe una placa en mal estado que conmemora el suceso; a un lado, el Hospital de Jesús, el más antiguo de América y sede de la osamenta de Hernando Cortés y Pizarro, y el palacio de los condes de Calimaya, uno de los primeros de la capital novohispana (en un solar de un primo de Cortés) y actual Museo de la Ciudad de México, en cuya esquina inferior se aprecia la cabeza de una serpiente proveniente del Templo Mayor.

Templo de San Hipólito y Casiano. El sitio de Tenochtitlan terminó un 13 de agosto, día dedicado a San Hipólito. Por eso los españoles decidieron que tal santo fuera el patrono de la nueva ciudad, y esto

Centro Cultural de España

prevalece hasta la fecha. La iglesia fue mandada construir por Hernán Cortés sobre la calzada de Tacuba, en Cuepopan, ahí donde él y sus soldados habían padecido una épica batalla en 1520. El propósito fue levantar una ermita dedicada a los mártires de la Noche Triste. No hay que perderse la piedra labrada que se encuentra en la esquina de Hidalgo y Zarco. Representa una leyenda del Tenochtitlan de Moctezuma Xocoyotzin: un campesino es transportado por un águila parlante hasta una cueva en la que el emperador azteca le anuncia las tragedias de la conquista y se hiere en el muslo. El hombre regresa a su casa, gracias a la misma águila, no sin antes ser advertido de que debe contar su historia a Moctezuma Xocoyotzin. El emperador no le cree, así que el campesino le hace mirar su muslo, que luce extrañamente herido. La historia termina mal: el hombre es condenado a morir de hambre. Esta piedra es un recordatorio de las leyendas prehispánicas.

Metro Pino Suárez. Todo el mundo ha visto el templo de Ehécatl en esta estación. Era un recinto dedicado al dios del viento, que era tan venerado como Tláloc o Quetzalcóatl. Fue descubierto durante las excavaciones para la construcción del metro. En el siglo XVI marcaba el límite sur de la ciudad mexica. Según el INAH, es la zona arqueológica más pequeña (88 metros cuadrados) y también la más visitada (54 millones de personas al año) de México.

LA HISTORIA DE LA CASA REQUENA

Por Pável Granados

El lunes 16 de octubre de 2005, a las seis de la mañana con cuarenta minutos, se desplomó la casa que se ubicaba en la calle de la Santa Veracruz 43, en la colonia Guerrero, a unos pasos de la Alameda Central. Luego de muchos años de clausura pudieron verse entre los escombros los antiguos mosaicos venecianos que adornaban las escaleras y los corredores del primer piso. Curiosos, periodistas, funcionarios y bomberos que acordonaron la casa durante el derrumbe se refirieron a ella como "la mansión mazahua" porque por algún tiempo un grupo de 42 familias mazahuas había vivido en la construcción.

Durante años, varias personas trabajaron para encontrarle un mejor destino a la casa. En algún momento, las autoridades del Departamento del Distrito Federal pensaron en crear un museo o hacer del inmueble una extensión del Museo Franz Mayer, que se encuentra casi cruzando la calle. Incluso, en 1983, cuando la residencia estaba casi en ruinas, dos arquitectas, una colombiana, Luz Stella Collazo Sepúlveda, y otra paraguaya, Blanca Victoria Amaral Lovera, se dedicaron a visitar la casa, estudiarla y levantar planos. Con el resultado de su trabajo presentaron una tesis en la Escuela Nacional de Conservación, Restauración y Museografía Manuel Castillo Negrete con el proyecto de restauración de la construcción. En ella establecieron los lineamientos para que la casa pudiera ser convertida en un museo. También por esas fechas, un grupo de arquitectos y diseñadores, encabezados por Pedro Ramírez Vázquez, quiso hacer de la residencia la sede de la Casa del Diseñador. Durante tres años, el grupo investigó acerca del inmueble y de sus posibilidades de restauración. Luego de tres años se retiraron, probablemente desilusionados, como todo aquel que trató con el INAH para que ayudara a la conservación de la Casa Requena. Lo que quizá nadie había sospechado es que desde el siglo XVIII ya había advertencias de su inminente derrumbe. Así pues, la casa había sobrevivido durante siglos, aun cuando desde la primera hasta la última de las personas que habían ido a valuarla habían sugerido que era más fácil volver a hacerla que restaurarla.

La primera noticia que existe sobre la construcción es una escritura de compraventa fechada en 1730. En ella se asienta que se localiza en la calle que va "del puente que dicen de los Gallos a la plazuela de San Juan de Dios". El Puente de los Gallos es hoy Valerio Trujano, donde también hay un puente, pero por el cual ya no pasan gallos, sino magistrados de la Suprema Corte de Justicia. El Maestro de Arquitectura y Alarife Mayor de la ciudad, Antonio Álvarez, dejó por escrito que "se midió el solar con una vara castellana y tuvo de frente 24 varas de oriente a poniente, y de fondo, de norte a sur, 38. La fábrica se compone de dos accesorias, zaguán y patio, y en él dos corredores sobre pilares de cantería, planchas de cedro, y en el patio cuatro aposentos y un pasadizo a la caballeriza, segundo patio y corral; también escalera principal de mampostería que desemboca en dos corredores en la misma conformidad que los bajos y por ellos vienen a las viviendas altas que son sala de recibir, sala de dos recámaras, dos cuartos de mozos, cocina y azotehuela común haciendo de sus piezas. Su fábrica es toda de mampostería, los techos altos y bajos de vigas de asierre y hechuras, las azoteas y pisos enladrillados, el patio y zaguán empedrado". Noventa y

Casa Requena

"En algún momento las autoridades del Departamento del Distrito Federal pensaron en crear un museo o hacer del inmueble una extensión del Franz Mayer, que se encuentra casi cruzando la calle."

cuatro años después, en 1824, en un nuevo avalúo hecho por don Manuel Heredia, precedido de un kilómetro de títulos —Teniente de Dragones, Arquitecto Mayor de esta Nobilísima Ciudad y de la Curia Eclesiástica, Académico de Mérito de la Nacional Academia de San Carlos de esta Capital— se sentenció: "Hay que volver a construir desde los cimientos". Luego de décadas en las cuales la casa fue comprada y vendida fue a dar a manos de las monjas concepcionistas (¿cómo le habrán hecho para tener una propiedad luego de la Reforma?). Finalmente, las monjas le vendieron la casa a José Luis Requena, un abogado que venía de Tlalpujahua, Michoacán, acompañado de su esposa Ángela Requena, luego de hacer fortuna gracias a la explotación de la mina La Esperanza.

Hacia 1895 el licenciado Requena estableció contacto con el pintor Ramón P. Cantó, y le pidió copiar los diseños de los muebles que aparecían en las revistas de decoración francesas que leía. Poco después contrató a un ebanista, el maestro Pomposo, para encargarse de construir los diseños de Cantó. Quizá fue un artesano contratado en algún taller del centro de la ciudad; lo importante es que —tal vez sin saberlo— construyó los muebles más bellos de inicios del siglo XX. José Luis Requena fue hijo de Pedro Requena Estrada, gobernador interino de Campeche que hiciera una fortuna comerciando con maderas preciosas. Cuando aseguró su fortuna, don José Luis se dedicó a decorar la casa de la Santa Veracruz según la fantasía desbordada de Cantó, quien pintó los biombos, los ángeles del techo, las flores de las paredes y el decorado de la sala. Por su lado, Requena diseñó el estilo gótico que abunda en la decoración de la casa. Cada ornamento era un símbolo colocado en un lugar preciso: los cardos, representación de la madurez, se encontraban en la recámara del matrimonio Requena. La sala estuvo decorada con acantos, flores que fueron dibujadas en los muebles, las paredes y las pantallas de vidrio de la lámpara principal. El comedor, a su vez, se encontraba decorado por una enredadera de caoba que parecía salir de las paredes hasta alcanzar el techo. Pero las partes del mobiliario que más han destacado son las recámaras construidas para dos de las hijas: Guadalupe y Luz. Para Guadalupe fue diseñada la recámara del pavorreal en 1908. Una de estas aves con las alas abiertas e incrustadas con piedras coronaba la cabecera de la cama. Para Luz, la menor, fue construida la recámara de la Caperucita, en la que se representaban escenas del cuento de Perrault. Había objetos que no podían hacerse en México: la tapicería que se encargó en París, así como el gran abanico de la sala y las cortinas. La alfombra fue mandada hacer a Austria. En su aspecto general, la casa parece una obra de Gaudí: desbordante, fantasiosa, llena de exuberancia.

José Luis Requena tuvo que abandonar el país con su familia en 1914, perseguido por Victoriano Huerta. Los Requena se fueron a Nueva York, donde estuvieron seis años, mientras su casa permanecía abandonada en la ciudad de México. Allá en Estados Unidos murió Pedro, el tío "Peter", el poeta de la casa. Cuando los Requena volvieron a su casa, colgaron en la sala el retrato de Pedro Requena, hecho por el pintor Alfredo Ramos Martínez en Nueva York. Pedro murió a los 25 años, víctima de la epidemia de influenza que mató a más de 50 millones de personas en 1918. Entre los papeles que guardaba, sus padres encontraron este inicio de poema: "En medio del camino de la vida me encontré cara a cara con la muerte; venía por mis pesares atraída, venía tal vez por mejorar mi suerte; la amante de los siglos [...], ¡la eternamente fuerte!".

Los Requena continuaron viviendo en la Santa Veracruz hasta 1967, año en que murió la última de sus habitantes, Guadalupe, la ocupante de la recámara del pavorreal. Ya para entonces, uno de los muros de la casa se había derrumbado luego de un temblor. Los muebles comenzaron un lento desgaste hasta que, en 1971, la actriz Patricia Morán, casada con el gobernador de Chihuahua y prima hermana de los Requena, logró con la colaboración de Pedro Fossas Requena —heredero del inmueble— que fueran trasladados a la Quinta Gameros, en Chihuahua.

LA CIUDAD DE CELULOIDE

Por DFM

¡*Que viva México!*, de Sergei Eisenstein

En 1896, enviados de Lumière presentan algunas escenas cinematográficas en el Palacio Nacional para Porfirio Díaz y su familia. Es la primera función de cine en México. En el mismo año, la ciudad está ya en las primeras escenas filmadas en México, en el bosque de Chapultepec: don Porfirio a caballo. Por esos años, Salvador Toscano, un ingeniero tapatío, comenzó a filmar algunas escenas de vida cotidiana por el país. La aparición descollante de la ciudad en el cine se debe a su mirada. El magnífico documento *Memorias de un mexicano* (editado posteriormente) registra algunos de los actos del Centenario de la Independencia; hitos de la ciudad; la inauguración del Hemiciclo a Juárez y de la Columna de la Independencia; el Zócalo iluminado con foquitos para engalanar el último "grito" de don Porfirio, etcétera.

La Revolución postergó por varios años el crecimiento natural del cine nacional. En *La banda del automóvil gris* (1919), el tema es una nota roja legendaria de la prensa de la época, aunque la ciudad es tan sólo una situación abstracta y una premisa narrativa para las acciones. *Santa* (1931), la primera película sonora del cine mexicano, nos permite evocar el carácter bucólico de San Ángel que aparece en las efusiones líricas de Manuel Payno. Abre con una toma de la Plaza Gamboa de Chimalistac. Para los que están familiarizados con su parroquia, éste es un documento entrañable. Los hermanos de Santa salen de trabajar por el zaguán de la Fábrica de Papel de Loreto, en otra escena. Frente a las caídas de agua de San Ángel, que atestiguan la pérdida de la inocencia de Santa, se ve el Ángel de la Independencia.

¡*Que viva México!* (1932), de Eisenstein, es uno de los ejercicios más grandilocuentes y geniales de idealización del campo, no de la ciudad. Bajo su influencia, las obras clásicas de los años treinta favorecen locaciones rurales: *Allá en el rancho grande* (Fernando de Fuentes, 1936), *La mujer del puerto* (Arcady Boytler, 1933), *Janitzio* (Carlos Navarro, 1934) y *Redes* (Fred Zinnemann, 1934). No obstante, en *El signo de la muerte* (Chano Urueta, 1939) —el debut del personaje de Cantinflas— vemos al dudoso héroe de la cinta como guía de la Galería de Monolitos del Museo Nacional, donde luego veremos a Marga López ofrecer su vida en sacrificio a una imagen, como protagonista de *Salón México*. Los directores no se animan a mostrar la ciudad con las perspectivas amplias con que se muestra el campo. Figura fragmentada; no es un elemento estructurador. Tampoco aparece para ser identificada, como en las entradas panorámicas que se volvieron lugar común en los años cincuenta. Se cuela, se la entrevé. Es posible reconocerla, pero no está invitada a desempeñar un papel como escenografía o como circunstancia existencial del drama. Sólo hasta los años cuarenta, con *Distinto amanecer* (Julio Bracho, 1943), por ejemplo, la ciudad es un marco necesario para la trama. Ahí se tejen conspiraciones políticas, resistencias sordas, opresiones físicas por callejuelas tortuosas.

¡*Que viva México!* (1932), de Eisenstein, es uno de los ejercicios más grandilocuentes y geniales de idealización del campo, no de la ciudad, en nuestro país. Bajo su influencia las obras clásicas de los años treinta favorecen locaciones rurales entre varios cineastas locales.

Cuatro películas marcan el ingreso irreversible de la ciudad a las pantallas, en las que por fin irrumpe triunfalmente en los primeros planos de la ficción para servir de referencia orientadora al espectador, como circunstancia que orilla a los personajes por ciertas vías de acción y como marco escénico específicamente urbano: el arrabal, el antro, el transporte. En *Esquina bajan* (Alejandro Galindo, 1948), el tema es la ciudad de los burócratas, los autobuses atiborrados, los raterillos y las taquimecanógrafas bilingües; en *Nosotros los pobres* (Ismael Rodríguez, 1947) y su secuela *Ustedes los ricos* (1948) un proletariado entrañable sobrelleva la cruz de la marginación urbana; en *Salón México* (Emilio Fernández, 1949), el destino de la heroína es indisociable de la vida nocturna de la ciudad, con sus pachucos, ficheras, locales llenos de humo y tambores afroantillanos. En todas estas películas, además, se plantea la imposibilidad de un puente entre clases sociales que habitan ciudades diferentes, que se tocan sin reconocerse. En *Salón México,* Marga López prefiere perder la vida a revelar la verdad de su condición social, que es una condición urbana. La pobreza como una edad de oro es la ilusión de *El rey del barrio* (Gilberto Martínez Solares,

Los olvidados, de Luis Buñuel

Nosotros los pobres, de Ismael Rodríguez

1950), en que *Tin Tan* es un ladrón con buenos sentimientos en una ciudad donde las situaciones cómicas resultan del choque de los códigos de vecindades y mansiones.

Los olvidados (Luis Buñuel, 1950) rompió de manera irremediable la ilusión de una pobreza sufrida y bondadosa, de una ciudad en la que el proletariado carga con la cruz del progreso con abnegación y rectitud; terminó con la imagen de una ciudad armoniosa, donde los contrastes se resuelven por argucias del ingenio (*Tin Tan*), solidaridades de arrabal (Pedro Infante) o mediante el sacrificio sublime de un alma pura mancillada por la molicie urbana (Marga López). *Los olvidados* fue un escándalo porque rompía con el mito fundamental del alemanismo: el de una modernización ecuménica y redentora. La pobreza de Buñuel es abyecta y brutal. Esqueletos de edificios de hierro que no son la promesa (el Centro Médico en construcción, en la escena inolvidable de la pedrada al ciego), sino el testimonio del fracaso monumental de la modernidad.

Víctimas del pecado (Emilio Fernández, 1951) sigue la tradición que inaugura *Salón México*. Por su parte, *Él* (Luis Buñuel, 1953) es un drama psicológico predecible y monocorde, en el que la ciudad de México, con sus edificios art déco, sus Cadillac y palmeras de la Narvarte parece una Habana o un Miami nacional; en *La ilusión viaja en tranvía* (Luis Buñuel, 1954), la ciudad moderna, que todavía tiene una escala humana, se cuela en cada perspectiva:

"En los cincuenta los signos alarmantes del deterioro se mitigan con el autoengaño de la modernidad incluyente."

un tranvía pasa frente al Caballito, la vieja mansión de Ignacio de la Torre convertida en el edificio de la Lotería Nacional, la Diana: "Al azar enfocamos la atención en un rincón cualquiera de nuestra gran ciudad", dice una voz en *off*. En la ciudad del cine de los años cincuenta los signos alarmantes del deterioro —los materiales con los que Buñuel fabrica *Los olvidados*— todavía pueden mitigarse con el autoengaño de una modernidad incluyente y asequible. Hay que buscar los signos sordos de la alienación en *El hombre de papel* (Ismael Rodríguez, 1963), en el que los viaductos y autopistas lunares ejercen una crueldad indiferente sobre un lisiado —Ignacio López Tarso en una interpretación inmortal.

Y también en el cine de los chavos rebeldes, haraganes, violentos, ingobernables, autodestructivos de la "juventud perdida", que los barrios de los sesenta escupen a la ruina diabólica del *twist*, y que se vengan —con cualquier figura de autoridad que se les ponga enfrente— de la opresión original de un padre antipático y castrante. En *La edad de la violencia* (Julián Soler, 1964), César Costa y Fernando Soler, presas de un machismo rupestre, arrancan a bordo de una moto —encarnación de la agresividad— y rodean el Zócalo de noche mientras suena música de jazz. En *Jóvenes y rebeldes* (Julián Soler, 1961), otros chavos roban un coche "para vacilar por ahí". *Juventud sin ley* (1966) inicia con un a gogó delirante que anticipa, por su lujuria, la perdición de sus acólitos (Fanny Cano, Fernando Luján). Como un contrapunto al cine de los hijos rabiosos de la ciudad podría colocarse en esta ciudad de los sesenta *Días de otoño* (Roberto Gavaldón, 1962), en que una pueblerina (Pina Pellicer) llega a trabajar a una panadería (El Globo) y sólo consigue, por medio de la fantasía, la negación y la psicosis, habitar una ciudad inhóspita e inasequible —mientras vemos Buenavista, la torre de Banobras en construcción, estacionamientos modernos afuera de plazas comerciales modernas, avenidas anchas, puentes peatonales.

Los caifanes (Juan Ibáñez, 1967) —*La dolce vita* defeña— muestra el último momento de esa ciudad relativamente armónica, que los hechos de 1968 para siempre sepultaron en el pasado y alojaron en la nostalgia. *El grito* (1968), el documental sobre los acontecimientos que condujeron a la represión del movimiento estudiantil, marca como hito cinematográfico esa frontera cultural inviolable. La comedia —buena o mala— abre, a pesar de todo (inconsciente de todo), ventanas distintas que miran a una ciudad extinta, como en las películas de Mauricio Garcés. Es un gozo contem-

Temporada de patos, de Fernando Eimbcke

plar la ciudad del año de las Olimpiadas en el tecnicolor chillón de *El aviso inoportuno* (Rafael Baledón, 1968) de Los Polivoces.

Mecánica nacional (Luis Alcoriza, 1972) retrata la ciudad del tercer mundo que identificamos como nuestra. Tráfico, insultos, esmog, caos, fealdad, gandallas y machines. Su humor chabacano y coscolino anticipa el cine de ficheras. Debe más a *La Familia Burrón* que a sus antecedentes cinematográficos. *Lagunilla mi barrio* (Raúl Araiza, 1981) podría ordenarse en este mismo estante. *El apando* (Felipe Cazals, 1976), la adaptación fílmica de la novela de José Revueltas, describe uno de los espacios límite de la ciudad. Hay un rasgo opresivo en la ciudad de los años setenta: el autoritarismo, tal vez la ciudad que está saliendo de cualquier control, político, narrativo, geográfico. En *Matinée* (Jaime Humberto Hermosillo, 1977), Aarón es un niño de provincia que fantasea escuchando las historias que su amigo Jorge le cuenta acerca de la ciudad de México: el metro, los robos, los terremotos y los dedos humanos en los tacos. *La mansión de la locura* (Jorge López Moctezuma, 1973), filmada parcialmente en el viejo Museo del Chopo, es un documento relevante, fuera de esta clasificación. *Santa sangre* (Alejandro Jodorowsky, 1989), filmada parcialmente en el oriente del Centro Histórico, es otra pieza única.

En 1985 se marca el inicio de nuestra era urbana. *Mariana Mariana* (Alberto Isaac, 1987) termina con el terremoto como símbolo de la impotencia de recobrar al pasado, barrera de una violencia tan brutal y cruel que incluso debilita la posibilidad de que los recuerdos del pasado sean ciertos: "Y luego, para acabarla de joder, como puntilla, vino el temblor [...] Ahí se destruyó todo, terminó nuestro mundo, como si nunca hubiera existido [...] Aquel mundo, como dices, ya no existe". *¿Cómo ves?* de Paul Leduc (1986) es uno de los documentos más brillantes de la década; alterna una trama de amor desleída de José Joaquín Blanco con escenas de toquines en "hoyos fonqui", donde El Tri, Cecilia Toussaint y Rockdrigo González cantan a los chavos banda de Neza y Santo Domingo, Coyoacán. *La banda de los Panchitos* (Arturo Velazco, 1987) capta una ciudad parecida. *Nadie es inocente* (Sarah Minter, 1987) sigue por las calles de Neza a un grupo de chavos banda en una ciudad que podría ser Calcuta, por basureros, escombros, coches destartalados y muros con pintas del PRI.

Los años noventa establecieron la posibilidad de presentar a la ciudad como un hecho aceptado, e incluso como una posibilidad estética. La escena inolvidable en que las pantaletas de una protagonista van cayendo por el desfiladero de un costado de la Torre Latinoamericana, en *Sólo con tu pareja* (Alfonso Cuarón, 1991), podría ser el emblema de esta liberación discursiva. La megalópolis inhumana encuentra una vía de redención estética, y el público, un vehículo de aceptación: se identifica con ella, la habita. En *Principio y fin* (Arturo Ripstein, 1993), la muerte del padre orilla dramáticamente a su familia de clase media baja a la marginalidad. *Lolo* (Francisco Athié, 1992), *Elisa antes del fin del mundo* (Juan Antonio de la Riva, 1997) y *Crónica de un desayuno* (Benjamín Cann, 1999) son otras películas que contribuyen a inventar una nueva ciudad de celuloide. El cortometraje *El héroe* (Carlos Carrera, 1994) es otro precursor importante de este desarrollo, que tiene su culminación en *Amores perros* (Alejandro González Iñárritu, 2000), con la que se funda un modo de representación enteramente nuevo. *Y tu mamá también* (Alfonso Cuarón, 2001) capta e internacionaliza estereotipos juveniles locales. *Perfume de violetas* (Marisa Sistach, 2001), *Temporada de patos* (Fernando Eimbcke, 2004), *El bulto* (Gabriel Retes, 1992), en que un antiguo militante del 68 despierta de un coma y confronta su imagen anacrónica de México con la era de Carlos Salinas, e incluso a su manera inofensiva, *Sexo, pudor y lágrimas* (Antonio Serrano, 1998), exploran representaciones menos barrocas de la ciudad. En películas más recientes, como *El cielo dividido* (Julián Hernández, 2006), la ciudad vuelve —como un hecho de la vida— a una posición más quieta, menos intrusiva. Está, de alguna manera —cuando menos cinematográficamente— bajo control. Tal vez el cine ha sido nuestra única herramienta de control sobre la ciudad.

También a partir de los noventa, los pasados de la ciudad de México han sido evocados a través del cine. *El callejón de los milagros* (Jorge Fons, 1995), *Un pedazo de noche* (Roberto Rochín, 1995), *Arráncame la vida* (Roberto Sneider, 2008) y *El atentado* (Jorge Fons, 2010) son casos ejemplares. *Rojo amanecer* (Jorge Fons, 1989), por su parte, evoca la represión del 68 vista desde un edificio de Tlatelolco, que vuelve un departamento multifamiliar en una trampa.

Por último, *Somos lo que hay* (Jorge Michel Grau, 2010) es una película fascinante de caníbales de Iztapalapa que enriquece el género del horror que tiene a la ciudad de México como escenario.

HISTORIA DE UNA PIEDRA

Por DFM

Coatlicue

La vista de la Coatlicue es intolerable. Apareció el 13 de agosto de 1790 en una esquina de la plaza mayor de la ciudad de México (en el cruce de Corregidora y Pino Suárez), y se le transportó al patio de la Universidad —opción lógica: desde 1775 ésta albergaba la colección de documentos de Boturini sobre antigüedades mexicanas—, que quedaba cerca. Pero se le volvió a sepultar por instrucciones del virrey. El "calendario azteca", por otra parte, apareció unos meses más tarde y se adosó a uno de los costados de la Catedral para que se le pudiera apreciar públicamente: no había en su aspecto nada terrible.

Se dice que algunos gestos del culto a la Coatlicue inquietaron al virrey (alguna ofrenda, alguna flor, algún cirio), y por eso decidió esconder la figura: hay algo numinoso en ella, que no tiene el calendario azteca. El mismo tributo al aura de la diosa hay en la ofrenda furtiva del velo que el virrey decide correr sobre ella. Pronto Antonio León y Gama publicó *Descripción histórica y cronológica de las dos piedras que con ocasión del nuevo empedrado que se está formando en la plaza principal de México se hallaron en ella el año de 1790*. Inspirado por esta obra cuando Humboldt visitó la Universidad, insistió, presionó y finalmente persuadió a las autoridades de que le mostraran esa piedra sagrada el 5 de septiembre de 1803. "No han deseado que el ídolo quedara expuesto a los ojos de la juventud mexicana y lo han enterrado de nuevo en uno de los corredores del colegio, a una profundidad de medio metro", escribió.

"Se dice que algunos gestos de culto hacia la Coatlicue inquietaron al virrey y por eso decidió esconder la figura."

El explorador William Bullock la exhuma en 1823, hace una réplica en *papier maché* y exhibe esa representación en su sala dedicada al exotismo oriental, su Egyptian Hall en Piccadilly. En los muros de la sala se pinta una vista del valle de México y un mexicano vestido de mexicano que no habla jota de inglés sirve, más que de guía, de monigote. Todo esto consta en el hermoso grabado de Agostino Aglio.

La Coatlicue fue descubierta el 13 de agosto —aniversario de la fundación de la ciudad española— de 1790 en una de las esquinas de la Plaza Mayor [hoy Plaza de la Constitución o Zócalo]. Inmediatamente fue trasladada al edificio de la Universidad, a pocos pasos de ahí.

Arrumbada en un rincón de la Universidad hace un improbable y melancólico cortejo al caballo de Tolsá, que tristea encorralado. Sólo cuando Maximiliano cierra la Universidad y dedica la Antigua Casa de Moneda a las colecciones del desastrado Museo Nacional llama a la Coatlicue a ocupar el lugar de honor. En 1887, don Porfirio inaugura el Salón de Monolitos en el Museo Nacional que inauguró Maximiliano, y ahí la vieron generaciones de mexicanos hasta que se la llevaron al magnífico espacio del Museo de Antropología de 1964, y ahí sigue, como una criatura salida de la imaginación de Lovecraft: opresiva, lenta y plural. **dF**

Archivo Henri Donnadieu

Una noche en El Nueve *circa* 1986.

editorialmapas.com

DIRECTOR GENERAL
Javier Arredondo

DIRECTOR EDITORIAL
Guillermo Osorno

DIRECTORA DE RELACIONES PÚBLICAS Y MERCADOTECNIA
Luz Arredondo

DIRECTOR COMERCIAL CORPORATIVO
Antonio García

DIRECTOR DE FINANZAS
Juan Martín Osorio

DIRECTOR DE ARTE
Rigoberto de la Rocha

JEFA DE REDACCIÓN
Claudia Priani Saisó

VENTAS DE PUBLICIDAD
María del Carmen Gómez Palacios
Marco Gutiérrez
Alexandra Rubalcava
Abraham Herrera

guiasdf.com

EDITOR
Jorge Pedro Uribe Llamas

COORDINACIÓN HISTÓRICA E INVESTIGACIÓN ICONOGRÁFICA
Diego Flores Magón

DISEÑO
Daniel Castrejón

EDICIÓN Y COORDINACIÓN DE FOTOGRAFÍA
María Dolores Rivera

CORRECCIÓN DE ESTILO
Grisel Maldonado
Diana Laura Solano Romero

COTEJO DE INFORMACIÓN
Aarón Felipe Colín Abúndez

RETOQUE FOTOGRÁFICO
Armando Ortega

PRODUCCIÓN
Oswaldo Rodríguez

COLABORACIÓN ESPECIAL
Pável Granados

REDACTORES
Aldo Rojas, Alonso Ruvalcaba, Diana Goldberg, Diego Courchay, Guillermo Sánchez, Juan Manuel Torreblanca, Mariana Carrascoza, Pablo Mata y Tamara de Anda.

FOTÓGRAFOS
Aldo Ayllón, Andrés Benítez, Arturo Limón, Cuartorrojo Estudio, David Rosales, Diego Berruecos, Elizabeth Rosales, Felipe Luna, Giselle Elías, Héctor Jiménez, José Luis Sandoval, Rigoberto de la Rocha y Archivo Mapas.

AGRADECIMIENTOS
Alejandra Moreno Toscano, Alejandra Valero, Alfonso Govela, Ángeles González Gamio, Eduardo Navarrete, Evaristo Corona, Fernando Mercado, Gabriel Cuadros, Gabriela Núñez, Graciela Báez, Guadalupe Gómez Collado, Hugo Enríquez, Ismael Morelos, Jorge Legorreta, Judith Segura, Marcelo Silva, Maru Aguzzi, Michael Parker, Ricardo Govela, Steve Finley, Uriel Waizel y todos los amables meseros que promueven y defienden su lugar.

EDICIÓN A CARGO DE
EDITORIAL MAPAS
Publicaciones a la Medida, S.A. de C.V.
Amatlán 33, col. Condesa, C.P. 06140, México D.F.
Este libro se terminó de imprimir en los talleres de
Pre Prensa Digital, Caravaggio núm. 30, Mixcoac,
C.P. 03910, México, D.F., noviembre de 2010.